Die charmante man

Marian Keyes

Die charmante man

the house of books

Oorspronkelijke titel
This charming man
Uitgave
Michael Joseph, an imprint of Penguin Books, Londen
Copyright © 2008 by Marian Keyes
Copyright voor het Nederlandse taalgebied © 2009 by The House of Books,
Vianen/Antwerpen

Vertaling
Cherie van Gelder
Omslagontwerp
marliesvisser.nl
Omslagdia
Getty Images
Opmaak binnenwerk
ZetSpiegel, Best

ISBN 978 90 443 2379 5
D/2009/8899/82
NUR 302

Voor Caitríona Keyes, de geestigste persoon
die ik ooit heb ontmoet

Woord van dank

Ik heb schandalig lang over dit boek gedaan, mede omdat mijn kortetermijngeheugen het een beetje laat afweten – iets wat je kennelijk overkomt als je vlak voor de overgang zit (nou ja, vlak voor, dat zal nog wel ettelijke tientallen jaren duren en als het zover is, dan ben ik vast weer helemaal in vorm en kan ik de moeilijkste quizzen winnen) –dus de kans is groot dat iemand me in de vroegste stadia van dit boek onmisbare inlichtingen heeft gegeven, terwijl ik daar nu geen weet meer van heb. Als u die persoon bent, dan bied ik mijn oprechte excuses aan.

Verder ben ik dank verschuldigd aan mijn buitengewone en met een vooruitziende blik gezegende redactrice, Louise Moore, en aan iedereen van de ploeg bij Michael Joseph voor hun vriendschap, hun enthousiasme en de ongelooflijk gedreven manier waarop ze aan al mijn boeken werken. Ik voel me de gelukkigste schrijfster ter wereld.

Verder moet ik ook de legendarische Jonathan Lloyd en alle mensen bij Curtis Brown bedanken voor hun niet-aflatende steun. Jonathan, Louise en ik werken nu inmiddels al elf jaar samen en ik heb er echt altijd van genoten.

En ik bedank Bob Holt, die samen met zijn zoons, Bobby, Billy en Jamie Holt, een aanzienlijke som geld heeft geschonken aan het Bobby Moore Fund for Cancer Research UK, om ervoor te zorgen dat zijn vrouw, Marilyn Holt, een rol zou krijgen als personage in dit boek.

Hetzelfde geldt voor Angus Sprott, die een al even aanzienlijk bedrag schonk aan de Breast Cancer Campaign voor het voorrecht om als personage op te duiken.

En zoals bij al mijn andere boeken heeft ook nu weer een aantal mensen dienst gedaan als proefkonijn, door mee te lezen terwijl ik schreef en allerlei veranderingen en verbeteringen voor te stellen. Vooral verbeteringen. Ik mag dan op dat soort momenten in tranen zijn uitgebarsten, ik wil toch heel nadrukkelijk stellen dat ik hen daarvoor bijzonder dankbaar ben. Dus bedankt Chris Baines, Suzanne Benson, Jenny Boland, Ailish Connolly, Debbie Deegan, Susan Dillon, Caron Freeborn, Gai Griffin, Gwen Hollingsworth, Cathy Kelly, Mammy Keyes, Ljiljana Keyes, Rita-Anne Keyes, Eileen Prendergast, Kate Thompson en Louise Voss.

Mijn dank gaat met name ook uit naar AnneMarie Scanlon, die me heeft geholpen met de research en antwoord eiste op vragen die ik zelf niet eens durfde te stellen. Verder ben ik ook mijn zusje Caitríona Keyes ontzettend veel dank verschuldigd, omdat zij me in de loop der jaren zoveel grappige verhalen en uitdrukkingen heeft verteld die ik vervolgens schaamteloos ingepikt heb. In een wat verlate poging om haar te eren voor al die bijdragen is dit boek aan haar opgedragen.

En zoals gewoonlijk moet ik mijn geliefde Tony bedanken, zonder wie dit alles onmogelijk zou zijn geweest.

Terwijl ik met dit boek bezig was, moest ik stapels dingen onderzoeken en dat is iets waar ik een grondige hekel aan heb, maar een aantal mensen heeft mij met woord en daad bijgestaan. Als er vergissingen zijn gemaakt, dan komen die voor mijn rekening. Bedankt dus Martina Devlin, Mary O'Sullivan, Madeleine Keane, Barry Andrews TD, iedereen bij LHW Property Finance (met name Niall Coughlan), Ben Power, 'Amanda', 'Chloe', Natalie en de rest van de meiden.

Ik bedank ook Andrew Fitzsimons die me het woord 'fabulize' heeft aangereikt.

Daarnaast wordt iedereen van Women's Aid bedankt, zowel bij het Ierse als bij het Engelse kantoor. En tot slot dank aan al die slachtoffers van huishoudelijk geweld die mij – anoniem – vertelden wat hen is overkomen. Tijdens het schrijven van dit boek heb ik in alle nederigheid geprobeerd hun verhalen te eerbiedigen.

Dan moet ik nog snel iets uitleggen: dit boek speelt zich gedeeltelijk af in de onaantrekkelijke, archaïsche wereld van de Ierse politiek en ik ben zo vrij geweest om de namen van de twee grootste politieke partijen van Ierland te veranderen van Fianna Fáil en Fine Gael in de Nationalistische Partij van Ierland en de Christelijke Progressieven. Dat was geen poging om een aanklacht wegens smaad te omzeilen – ik denk echt dat Ierse politici even bespottelijk zijn als ze hier beschreven worden, misschien zelfs nog wel erger – maar alleen een poging om de uitspraak e.d. iets toegankelijker te maken voor niet-Ierse lezers. Daarnaast wordt de afkorting TD (oftewel Teachta Dála) gebruikt voor een lid van het Ierse parlement, dat de Dáil wordt genoemd en dat zitting houdt in Leinster House. Tot slot zijn de meeste Ierse regeringen het resultaat van coalities. Meer hoeft u waarschijnlijk niet te weten.

Wat! Jij ook? Ik dacht dat ik de enige was.

C.S. Lewis

'Iedereen weet nog precies waar hij of zij was op de dag dat bekend werd dat Paddy de Courcy ging trouwen. Aangezien ik bij een krant werk, hoorde ik het als een van de eersten, toen David Thornberry (politiek correspondent en de langste man in Dublin) met de mededeling kwam dat De Courcy een datum had vastgesteld. Ik was extra verbaasd en dat was nog voordat ik te horen kreeg wie de gelukkige vrouw was. Ik mocht echter niet laten merken dat ik schrok, ook al was dat vast niemand opgevallen. Maar goed, Jacinta Kinsella (mijn baas) had snel een stuk nodig over de verloving, dus moest ik mijn persoonlijke gevoelens opzij zetten en gewoon mijn werk doen.'
Grace Gildee

'Het zou leuk zijn geweest als je me eerst had gevraagd.'
Alicia Thornton

'Ik was iets aan het opzoeken op het net en zag ineens dat bericht. *Huwelijk De Courcy aanstaande.* Dacht dat het pure ongein was. De media zuigen vaak dingen uit hun duim of maken ze mooier dan ze zijn. Maar toen ik ontdekte dat het echt waar was, raakte ik in paniek. Dacht zelfs dat ik een hartaanval had en kon me het alarmnummer niet eens herinneren. In plaats van 999 dacht ik steeds aan 666. Het duivelsgetal.'
Fionnola 'Lola' Daly

'Weet je wat mij door mijn hoofd schoot toen ik het hoorde? "Heb het lef niet om gelukkig te worden, klootzak."'
Marnie Hunter

Huwelijk De Courcy aanstaande

Overal in het land zullen vrouwen in diepe rouw worden gedompeld door het nieuws dat Ierlands meest gewilde vrijgezel, politicus Paddy 'Quicksilver' de Courcy, het hoofd in de schoot legt. De afgelopen tien jaar is de naam van De Courcy, een graag geziene gast in de vipruimtes van Dublins populairste nachtclubs, voortdurend in verband gebracht met betoverende vrouwen, onder wie actrice-en-voormalig-fotomodel Zara Kaletsky en Selma Teeley, de alpiniste die de Mount Everest heeft bedwongen. Maar tot op heden leek hij niet bereid zich te binden.

Er is niet veel bekend over de vrouw die zijn inmiddels beruchte, onhandelbare hart heeft gewonnen. Maar Alicia Thornton is zeker geen model en ook geen bergbeklimster, al schijnt ze wel graag een stapje hogerop te willen doen.

Mevrouw Thornton (35 en volgens eigen zeggen weduwe) werkte tot nu toe voor een bekende projectontwikkelaar, maar is van plan zich na haar huwelijk 'geheel te wijden' aan de bloeiende politieke carrière van haar man. Als echtgenote van de bijzonder ambitieuze 'Quicksilver' zal ze genoeg om handen hebben.

De Courcy (37) is de tweede man van NewIreland, de partij die drie jaar geleden werd opgericht door Dee Rossini en andere TD's, die zich niet langer wensten neer te leggen bij de cultuur van corruptie en vriendjespolitiek binnen de grote Ierse politieke partijen. In tegenstelling tot wat algemeen wordt aangenomen, is De Courcy niet een van de oorspronkelijke leden van NewIreland, maar werd pas acht maanden na oprichting lid van de partij, toen duidelijk werd dat het idee aansloeg.

Lola

De fatale dag. Maandag 15 augustus, 14.25
De naarste dag van mijn leven. Weer een beetje bij mijn positieven viel me onwillekeurig op dat Paddy niet had gebeld. Slecht voorteken. Ik was zijn vriendin, de media buitelden over elkaar om te melden dat hij met iemand anders ging trouwen en hij had mij niet gebeld.

Zijn privémobiel gebeld. Niet gewone privémobiel, maar superprivénummer dat alleen zijn fitnesstrainer en ik hebben. Ging vier keer over voordat voicemail werd ingeschakeld. Toen wist ik dat het waar was.

Een wereld in duigen.

Zijn kantoor, zijn huis en zijn mobiel gebeld, eenenvijftig berichten ingesproken. Heb het bijgehouden.

18.01
De telefoon. Hij was het!

Hij zei: 'Heb je de avondkranten gezien?'

'Online,' zei ik. 'Ik lees geen kranten.' (Dat sloeg nergens op, maar mensen zeggen nu eenmaal rare dingen als ze in shock zijn.)

'Sorry, dat je er op zo'n nare manier achter moest komen. Ik had het je zelf willen vertellen, maar een of andere journalist...'

'Wat? Is het dan waar?' riep ik.

'Het spijt me, Lola. Ik wist niet dat je het zo zwaar op zou nemen. Het was toch alleen maar voor de lol.'

'Voor de lól?'

'Ja, iets tijdelijks.'

'Iets tijdelijks? Bijna anderhalf jaar? Dat is heel lang, Paddy. Ga je echt met dat mens trouwen?'

'Ja.'

'Waarom? Hou je van haar?'

'Ja, natuurlijk. Anders trouwde ik niet met haar.'

'Maar je hield toch van mij?'

'Ik heb je nooit iets beloofd, Lola,' zei hij. Zijn stem klonk triest. 'Maar je bent echt een fantastische meid. Eentje uit duizenden. Pas goed op jezelf.'

'Wacht even, niet ophangen! Ik wil je zien, Paddy, al is het maar voor vijf minuten.' (Niet bepaald waardig, maar was ook behoorlijk overstuur.)

'Je moet niet te slecht over me denken,' zei hij. 'Ik zal altijd met plezier terugdenken aan de tijd die wij samen zijn geweest. En denk erom...'

'Ja?' Snakkend naar adem, wanhopig verlangend naar iets dat dit vreselijke, ondraaglijke verdriet zou verlichten...

'Niet met de pers praten.'

18.05 tot middernacht

Heb echt iedereen opgebeld. Hem incluis. Hoe vaak weet ik niet meer, maar kan best meer dan honderd keer zijn geweest.

Telefoon stond ook roodgloeiend van inkomende gesprekken. Bridie, Treese en Jem – echte vrienden – leefden intens mee, ook al hadden ze Paddy nooit gemogen. (Hebben ze nooit toegegeven, maar ik wist het toch.) Ook veel zogenaamde vrienden – rampentoerisme! – belden om zich te verkneukelen. Algemene strekking: 'Is het echt waar dat Paddy de Courcy gaat trouwen en niet met jou? Arm kind. Wat erg!'

Behield mijn waardigheid en zei: 'Dank u. Heel vriendelijk. Maar moet nu ophangen.'

Bridie kwam me zelfs opzoeken. 'Je was toch niet geschikt om de vrouw van een politicus te worden,' zei ze. 'Je kleren zijn veel te gaaf en je hebt paarse highlights.'

'Toe nou, dat heet molichino!' riep ik uit. 'Paars is voor tieners!'

'Hij nam je veel te veel in beslag,' zei ze. 'We kregen je nooit meer te zien. Zeker de laatste paar maanden niet.'

'We waren verliefd! Je weet toch hoe dat gaat!'

Bridie is vorig jaar getrouwd, maar absoluut niet sentimenteel. 'Verliefd, mij best, maar je hoeft niet op elkaars lip te zitten. Je belde ons telkens af.'

'Paddy's tijd was kostbaar! Hij heeft het ontzettend druk! Ik moest iedere gelegenheid aangrijpen!'

'En bovendien,' zei Bridie, 'lees je nooit kranten, je weet niets van de toestand in de wereld.'

'Had ik best kunnen leren,' zeg ik. 'Had best kunnen veranderen!'

Dinsdag 26 augustus
Had het gevoel dat het hele land me met de vinger nawees en uitlachte. Altijd tegen mijn vrienden en veel klanten opgeschept over Paddy en nu wisten ze allemaal dat hij met iemand anders ging trouwen.

Was volkomen van slag. Bij fotosessie voor kerstcatalogus streek ik oesterkleurige zijden Chloé-avondjapon (je weet wel) veel te heet. Resultaat: jurk van 2035 euro (winkelprijs) naar de knoppen en de hele sessie draaide daar om! Nog een geluk dat ik de rekening niet gepresenteerd kreeg.

Nkechi stond erop om de leiding van me over te nemen – ze is een prima assistente, zo goed dat iedereen denkt dat ze mijn baas is – omdat ik voortdurend naar de plee bleef hollen om over te geven.

En dat niet alleen. Maag volkomen van streek, maar zal jullie de details besparen.

20.30-00.34
Bridie en Treese kwamen me thuis opzoeken en hebben me er lijfelijk van weerhouden om naar Paddy's flat te rijden en te eisen dat ik binnengelaten zou worden.

03.00
Werd wakker en dacht: Nu dan! Toen zag ik Treese naast me liggen. Nog erger: was wakker en bereid met me op de vuist te gaan.

Woensdag 27 augustus, 11.05
Kon maar één ding denken: hij trouwt met een ander, hij trouwt met een ander, hij trouwt met een ander. En dan, om de paar uur, ineens: Wát? Hoe bedoel je: *hij trouwt met een ander?* Alsof ik er toen pas achter kwam en het GEWOON NIET KON GELOVEN. Dan moest ik natuurlijk meteen bellen en proberen hem op andere gedachten te brengen, maar hij nam nooit op.

En datzelfde proces herhaalde zich keer op keer. Keer op keer. Keer op keer.

Heb foto van die zekere Alicia Thornton gezien. (Kocht net iets lekkers toen mijn oog op de voorpagina van *The Independent* viel.) Niet goed te zien, maar leek alsof ze Louise Kennedy droeg. Zegt genoeg. Veilig. Elegant, maar saai.

Besefte ook dat ik Alicia Thornton kende. De afgelopen paar maanden stond ze vier keer samen met Paddy op de foto. Onderschrift luidde steeds: 'Paddy de Courcy en metgezel'. Pas bij foto nummer drie kon ik de moed opbrengen om te vragen wie ze was. Zei beschuldigend dat ik hem niet vertrouwde en dat ze een vriendin van de familie was. Welke familie? Hij heeft geen familie!

12.11
Telefoontje van Bridie. 'We gaan vanavond uit.'
'Nee!' riep ik. 'Kan niemand onder ogen komen!'
'Jawel! Kop op!'
Bridie ontzettend bazig. Staat bij vrienden en familie bekend als de sergeant-majoor.
'Bridie, ik ben kapot. Sta te trillen op mijn benen. Alsjeblieft, wil echt nergens heen.'
'Voor je eigen bestwil,' zei ze. 'Wij zorgen wel voor je.'
'Kunnen jullie niet gewoon naar mijn flat komen?'
'Nee.'
Lange stilte. Tegenstribbelen had geen zin. Bridie is de meest eigenzinnige figuur die ik ooit heb ontmoet.
Ik zuchtte. 'Met wie gaan we dan?'
'Met ons vieren. Jij, ik, Treese en Jem.'
'Jem ook? Vindt Claudia dat wel goed?'
Claudia is Jems verloofde. Houdt hem erg kort, terwijl ze er zelf fantastisch uitziet en broodmager is.
'Ja, hij heeft toestemming van Claudia,' zei Bridie. 'Daar heb ik voor gezorgd.'
Jem, Bridie, Treese en ik waren al eeuwen goed bevriend, terwijl hij niet eens homoseksueel was. Sterker nog, hij was niet eens metroseksueel en had zelfs een keer een spijkerbroek bij Marks & Spencer gekocht. Zag niet in waarom dat niet kon, tot ik hem vriendelijk op de vingers tikte. Hij en ik woonden als tieners bij elkaar in de straat en omdat we altijd samen op de bus stonden te wachten groeide er een band. Hij studeerde voor ingenieur en ik zat op de modevakschool. Mijn jas was dan ook lichtgevend blauw.

20.35
Café Albatross
Knikkende knieën. Kukelde haast van de trap af het restaurant in. Miste een van de onderste drie treden en was bijna als Chuck Berry op mijn knieën over de vloer gegleden. Had me trouwens niets kunnen schelen. Iedereen lachte me toch al uit. Bridie en Treese zaten te wachten.
Bridie zag er zoals gewoonlijk weer heel eigenaardig uit. Steil roodblond haar laag in de nek in een soort opoeknotje en een ver-

bijsterend groen truitje, gekrompen, scheefgetrokken en met kleine geborduurde ruitertjes. Had die rare smaak al op de allereerste schooldag toen ze vier was en per se een maillot aan wilde in de kleur van geronnen bloed.

Treese, die geld inzamelt voor een grote liefdadigheidsinstelling, veel chiquer. Vlasblond haar in het golvende kapsel van een filmdiva uit de jaren veertig en daaronder een imponerend ensemble van jurk-met-jasje. Je zou denken dat iemand die voor een liefdadigheidsinstelling werkt net zo goed in een beige ribbroek en sweater met capuchon kan verschijnen, maar Treese werkt voor een grote instelling die zich richt op ontwikkelingslanden (derdewereldlanden kan niet meer, niet pc). Soms moet ze zelfs rechtstreeks aan ministers om geld vragen en ze is ook al in Den Haag geweest om de EU een flink bedrag af te troggelen.

'Waar is Jem?' vroeg ik.

Was er bijna zeker van dat hij had afgezegd omdat wij vieren elkaar maar hoogst zelden treffen, zelfs als het weken van tevoren is afgesproken. (Moet wel bekennen dat ik de afgelopen maanden de grootste spelbreker was.)

'Komt er net aan!' zei Bridie.

Jem, haastig, koffertje, regenjas, vriendelijk rond gezicht.

Bestelde wijn vloeide rijkelijk. Tongen raakten los. Heb al gezegd dat vrienden Paddy niet mochten. En nadat hij me openlijk voor schut had gezet hoefden ze zich niet meer in te houden.

'Heb hem nooit vertrouwd,' zei Jem. 'Veel te charmant.'

'Te charmánt?' zei ik. 'Hoe kan iemand nou te charmant zijn? Charme is geweldig, krijg je nooit genoeg van. Net als ijs!'

'Wel waar,' zei Jem. 'Als je eerst een bak Chunky Monkey leeg eet en daarna een bak Cherry Garcia word je misselijk.'

'Ik niet,' zei ik. 'En trouwens, kan me die avond nog goed herinneren en je werd ziek van die joint, niet van het ijs.'

'Hij zag er veel te goed uit,' zei Bridie.

Opnieuw ongelovig. 'Te goed? Hoe kan dat nou? Druist tegen alle natuurwetten in. Of willen jullie beweren dat hij te knap voor mij was?'

'Nee! Helemaal niet!' In koor.

'Je bent een snoepje om te zien,' zei Jem. 'En zeker zo knap als hij.'

'Veel knapper!' zei Treese.

'Ja, veel knapper,' beaamde Bridie. 'Alleen anders. Hij is te vanzelfsprekend. Je kijkt naar hem en denkt: kijk, een lange, donkere, knappe man. Te mooi voor woorden! Maar bij jou denk je: dat is nou echt een aantrekkelijke, meisjesachtige vrouw van gemiddelde lengte, met schitterend geknipt donkerbruin haar vol paarse plukjes...'

'Molichino-plukjes!'

'...en een keurig figuurtje voor iemand die niet eens rookt. Met sterretjes in de ogen en een klein, recht neusje.' (Bridie was ervan overtuigd dat haar neus naar links wees. Was dan ook jaloers op iedereen met een neus die kaarsrecht midden in hun gezicht stond.) Hoe langer je naar jou kijkt, Lola, des te aantrekkelijker je wordt. Hoe langer je naar Paddy de Courcy kijkt, des te onaantrekkelijker hij wordt. Ben ik nog iets vergeten?' vroeg ze aan Treese en Jem.

'Als ze lacht, straalt haar hele gezicht,' zei Jem.

'Ja,' zei Bridie. 'Jij hebt een stralende lach. Hij niet.'

'Paddy de Courcy heeft een geniepige grijns. Net als de Joker in *Batman*,' zei Jem.

'Lijkt helemaal niet op Joker in *Batman!*' protesteerde ik.

'Jawel, sprekend,' zei Bridie onvermurwbaar.

22.43

Toetjes. Bestelde een bananentaartje, maar dat was even slijmerig als natte bladeren in november. Smeet mijn lepel neer en spuugde een mondvol bananen op mijn servet. Bridie nam ook een hapje en zei dat het helemaal niet slijmerig was. Treese was het roerend met haar eens, net als Jem, die het opat. Bij wijze van compensatie bood hij mij zijn koude plak chocoladekoek aan, maar dat smaakte naar chocoladespek. Bridie nam een hapje en zei dat het helemaal niet naar spek smaakte. Wel naar chocola, niet naar spek. Treese beaamde dat. Net als Jem.

Bridie bood mij haar appeltaart aan, maar die smaakte naar nat karton met dooie beestjes. De anderen waren het niet met me eens.

Treese bood me haar dessert niet aan, omdat zij niets had genomen. Ze was vroeger tonnetje rond en probeerde geen suiker meer te gebruiken. Ze mocht wel de toetjes van anderen opeten, maar niet zelf iets bestellen.

Haar eetproblemen waren nu wel overwonnen, maar af en toe had ze er nog slechte dagen tussendoor. Voorbeeldje: als het met haar werk niet meezat omdat de EU geen subsidie over had voor latrines in Addis Abeba, kon ze zomaar twintig Marsrepen achter elkaar soldaat maken. (Waarschijnlijk had ze er nog wel meer aangekund, maar de vrouw in de winkel naast haar kantoor weigerde mee te werken en zei tegen Treese: 'Je hebt hard moeten werken om dat gewicht kwijt te raken, Treese, je wilt toch niet weer zo'n vetkwab worden? Denk aan die lieve man van je. Hij heeft je nooit gekend toen je nog dik was, hè?')

Besloot om de desserts maar te vergeten en bestelde in plaats daarvan een glas port.

'Waar smaakt dat dan naar?' vroeg Bridie. 'Rottende enkellaarsjes? Madenogen?'

'Alcohol,' zei ik. 'Smaakt naar alcohol.'

Na de port nog een amaretto genomen. En na de amaretto een cointreau.

23.30

Ik zette mezelf schrap bij het idee dat ik ook nog naar een nachtclub zou moeten om daar 'de flinke meid' uit te hangen. Maar nee! Niks nachtclub, alleen veel gepraat over taxi's en vroeg naar het werk. Stuk voor stuk terug naar geliefde – Bridie vorig jaar getrouwd, Treese dit jaar en Jem woonde samen met de veeleisende Claudia. Waarom buiten de deur eten als de tafel thuis ook gedekt is?

Jem bracht me thuis in een taxi en hield vol dat ik altijd welkom was als ik bij hem en Claudia op bezoek wilde komen. Echt een schat, die Jem. Een lieverd.

Maar ook een leugenaar. Claudia mag me niet. Ze heeft niet zo'n hekel aan mij als aan Bridie, maar toch.

Claudia heeft lange benen. Ze heeft haar borsten laten vergroten en ik verdenk haar er ook van dat ze extensions heeft, want de ene week had ze schouderlang haar en een week later was het ineens dertig centimeter langer. Maar misschien heeft ze gewoon veel selenium geslikt. Ze ziet eruit als een fotomodel en dat was ze vroeger ook. Min of meer. Ze zat in bikini op de motorkap van dure auto's. Ze heeft ook geprobeerd zangeres te worden (via zo'n reality-tv talentengedoe) en danseres (via een ander reality-programma). Daarna wilde ze actrice worden en gaf een fortuin uit aan portretfoto's voordat ze te horen kreeg dat ze niets voorstelde. Het gerucht gaat dat ze ook in de rij heeft gestaan voor de Big-Brotheraudities, hoewel ze dat ontkent.

Maar neem haar dat niet kwalijk. Goeie genade, heb zelf ook alleen maar met vallen en opstaan een carrière van de grond gekregen. Moet Claudia nageven dat ze niet bij de pakken is gaan neerzitten.

Enige reden waarom ik Claudia niet mag, is omdat ze niet aardig is. Ze neemt nauwelijks de moeite om iets tegen mij, Treese en met name Bridie te zeggen. Uit haar lichaamshouding blijkt duidelijk dat ze veel liever in een nachtclub zou zitten om een lijntje coke op te snuiven van het dijbeen van een nieuwslezer. En ze gedraagt zich alsof wij, als we de kans kregen, Jem zo onder haar neus weg zouden pikken. Alsof we niet stuk voor stuk met hem de koffer in zijn gedoken toen we nog tieners waren. Toen was zijn gezicht nog lang niet zo rond en betrouwbaar. Eerder een tikje losbandig.

Krijg eerlijk gezegd af en toe het gevoel dat Claudia Jem niet eens aardig vindt, want ze behandelt hem als een of ander stout en onbetrouwbaar schoothondje dat, als je hem niet scherp in de gaten houdt, zomaar je schoenen kapot kan knagen of korte metten kan maken met een donzen kussen. Terwijl Jem juist zo'n schat is, die een schat van een vriendin verdient. En, voor de goede orde, hij verdient bakken vol geld. Bedoel ik niets mee, losse opmerking.

23.48

Liep mijn flatje binnen, keek om me heen naar een leven dat niets inhield en dacht: ben alleen en dat zal altijd zo blijven.

Geen zelfmedelijden. Zeg gewoon waar het op staat.

Donderdag 28 augustus, 09.00

Telefoon. Vriendelijke vrouwenstem die 'Ha, die Lola!' zei.

'Hoi,' zei ik voorzichtig. Kon per slot van rekening best een klant zijn, want die denken altijd dat ik hun stem herken.

'Hoi,' vervolgde de stem die echt erg vriendelijk klonk. 'Je spreekt met Grace. Grace Gildee. Ik vroeg me af of we niet eens gezellig met elkaar kunnen babbelen.'

'Natuurlijk,' zei ik. (Dacht namelijk dat het een vrouw was die behoefte had aan een styliste.)

'Over een goeie vriend van me,' zei ze. 'Volgens mij ken jij hem ook. Paddy de Courcy?'

'Ja,' antwoordde ik, terwijl ik me afvroeg waar ze naartoe wilde. Ineens ging me een licht op! O nee! 'Ben jij... journaliste?'

'Ja,' zei ze, alsof er niets aan de hand was. 'Ik zou dolgraag eens met je willen babbelen over je relatie met Paddy.'

Maar Paddy had gezegd: niet met de pers praten.

'Uiteraard staat daar een behoorlijke vergoeding tegenover,' zei de vrouw. 'En volgens mij ben je net een paar belangrijke klanten kwijtgeraakt, dus je zult het geld wel goed kunnen gebruiken.'

Wat? Was ik een paar klanten kwijt? Ik wist van niets.

'Dit is je kans om jouw kant van het verhaal te vertellen,' zei ze. 'Je hebt vast het gevoel dat hij je zwaar belazerd heeft.'

'Nee, ik...'

Ik was bang. Echt bang. Wilde helemaal geen verhaal over mij en Paddy in de krant. Had nooit moeten toegeven dat ik hem kende.

'Ik wil er niet over praten!'

'Maar je hebt wel een relatie met Paddy gehad, hè?' zei ze.

'Nee, eh... Ik... Geen commentaar.'

Ik had nooit gedacht dat ik die woorden ooit zou moeten gebruiken. Geen commentaar.

'Dus wel,' zei de vrouw die Grace heette. Ze lachte.

'Dus niet!' zei ik. 'Ik heb niets bevestigd. En ik moet nu ophangen.'

'Als je van gedachten verandert,' zei ze, 'geef dan maar een gil. Grace Gildee. Redactrice van de *Spokesman*. We zouden er vast een prachtig verhaal van maken.'

09.23

Telefoontje van Marcia Fitzgibbons, invloedrijk zakenvrouw en belangrijke klant. 'Lola,' zei ze, 'ik heb gehoord dat er drugs aan te pas zijn gekomen tijdens de fotosessie voor Harvey Nichols.'

'Drugs?' herhaalde ik met overslaande stem.

'En dat jij afkickverschijnselen vertoonde,' zei ze.

'Waar hebt u het over?'

'Ik heb gehoord dat je liep te trillen als een rietje,' zei ze. 'Dat je zweette en overgaf en niet eens een jurk kon strijken zonder die te vernielen.'

'Nee, nee,' protesteerde ik. 'Marcia... ik bedoel mevrouw Fitzgibbons, ik zat helemaal niet aan de drugs. Ik lijd alleen aan een gebroken hart. Paddy de Courcy was mijn vriend en hij gaat met iemand anders trouwen.'

'Ja, ik heb gehoord dat je die praatjes rondstrooit. Dus Paddy de Courcy zou jouw vriend zijn? Belachelijk! Je hebt paars haar!'

'Molichino,' riep ik. 'Molichino!'

'Ik kan niet langer van je diensten gebruikmaken,' zei ze. 'Ik wil absoluut niets met drugsgebruikers te maken hebben. Je bent een uitmuntende styliste, maar regels zijn regels.'

Ik kreeg geen kans meer om mezelf te verdedigen, ze verbrak gewoon de verbinding. Tijd is geld, nietwaar?

09.26

Miste mijn mammie ontzettend. In de tijd dat ze op sterven lag (hoewel niemand iets had gezegd, dacht gewoon dat ze veel bedrust nodig had) kroop ik na schooltijd altijd bij haar in bed en dan lagen we samen hand in hand naar de herhaling van *Eastenders* te kijken. Zou ik nu ook graag willen, hand in hand naast haar liggen en dan voorgoed in slaap vallen. Maar had helemaal niemand meer, geen grote familie, die me zou verwennen en troosten en zeggen dat ze ondanks alles toch van me hielden.

Lola, het zielige weesmeisje. Hoewel ik dat eigenlijk niet mocht zeggen, omdat pap nog wel leefde. Ik kon zo naar Birmingham om hem op te zoeken, maar ik wist dat ik dat niet zou uithouden. Net als na mams dood, toen we samen achterbleven in dat stille huis en geen van beiden ook maar de flauwste notie hadden hoe de wasmachine werkte of hoe je een kip moest grillen. En allebei aan de antidepressiva.

Hoewel ik wist dat het geen enkele zin had, belde ik hem toch.

'Hoi, pap, mijn vriend gaat met een andere vrouw trouwen.'

'De schooier!'

Daarna slaakte hij een diepe zucht en zei: 'Ik wil alleen maar dat jij gelukkig bent, Lola. Als jij gelukkig bent, ben ik dat ook.'

Maar dat was gelogen. Hij zou helemaal niet gelukkig zijn als ik gelukkig was. Alleen als mam weer terugkwam, dan zou hij gelukkig zijn.

'Hoe gaat het in Birmingham?' vroeg ik.

Ik heb tenminste mijn leven weer opgepakt nadat mam stierf. Ik ben niet naar Birmingham verhuisd, niet naar het echte Birmingham waar best leuke winkels zijn, maar naar een voorstad waar nooit iets gebeurde. En hij kon niet wachten om de benen te nemen. Op het moment dat ik eenentwintig werd, vertrok hij als een pijl uit de boog, onder het mom dat zijn oudere broer hem nodig had. Maar ik had het vermoeden dat hij er gewoon vandoor ging omdat we het bijna niet met elkaar uithielden. Om eerlijk te zijn was ik zelf destijds van plan om naar New York te vertrekken, maar die moeite bleef me bespaard.

'Het is fantastisch in Birmingham,' zei hij.

'Ja, vast.'

Lange stilte.

'Nou, dan hang ik maar weer op,' zei ik. 'Ik hou van je, pap.'

'Brave meid,' zei hij. 'Dat is mooi.'

'En jij houdt ook van mij, pap.'

18.01

Tegen beter weten in keek ik naar het nieuws in de hoop een glimp van Paddy op te vangen. Maar moest allerlei ellende aanhoren over zeventien Nigeriaanse mannen die gedeporteerd werden ondanks het feit dat ze Ierse kinderen hadden en over Europese landen die bergen afval in derdewereldlanden dumpen (ja, inderdaad, ze zeiden 'derde wereld' in plaats van 'in ontwikkeling').

Toen drong ineens tot me door dat het zomervakantie was en dat het parlement pas twee weken voor Kerstmis weer bijeen zou komen. En dan zouden ze weer op kerstreces gaan. Luie donders.

18.55

Bleef Paddy bellen, kon er gewoon niet mee ophouden. Was iets dwangmatigs, net zoiets als constant je handen wassen. Als ik er eenmaal mee begon, hield ik niet meer op.

Hij nam nooit op en belde ook niet terug. Wist best dat ik mezelf vernederde, maar verlangde naar hem. Hunkerde naar hem.

Kon ik nou alleen maar met hem praten! Ik zou hem misschien niet op andere gedachten brengen, maar wel antwoord kunnen krijgen op een paar vragen. Zoals: waarom gaf hij me zo'n speciaal gevoel? Waarom eiste hij me zo volledig op? Als er al die tijd al een ander was geweest?

Ondertussen knagend en akelig gevoel dat alles mijn eigen schuld was geweest. Hoe had ik ooit kunnen geloven dat zo'n knappe en charismatische man als Paddy dol op mij was?

Voelde me echt ontzettend stom. En het probleem was, dat ik helemaal niet stom was. Oppervlakkig, ja, maar niet stom. Dat was iets heel anders. Alleen maar omdat ik toevallig van kleren en mode hield, was ik nog geen sukkel. Wist weliswaar niet wie de president van Bolivia was, maar aan mijn emotionele intelligentie mankeerde niets. Daar was ik tenminste altijd van uitgegaan. Ik had anderen altijd wijze raad gegeven. (Alleen op verzoek, hoor, niet ongevraagd. Dat zou onbeschoft zijn geweest.) Had ik kennelijk niet moeten doen. Schoenmaker, hou je bij je leest en zo.

Vrijdag 29 augustus

Ondertussen bleef de meest verschrikkelijke week van mijn leven gewoon doorgaan.

Bij een fotosessie voor schrijfster Petra McGilllis kwam ik de studio binnenstrompelen met drie gigantische koffers vol kleren die ik op aanwijzing van Petra had besteld, maar toen ik ze openmaakte, riep ze diep verontwaardigd: 'Ik heb nog zo gezegd, geen kleuren! Alleen neutrale tinten, camel, caramel, dat soort dingen! Probeer je een pistachegroene schrijfster van me te maken? Dat ben ik helemaal niet! Ik draag nooit kleuren! Ik ben een serieus auteur!'

Ineens keek iedereen me aan: fotograaf, visagiste, art-director, man van het cateringbedrijf en postbode die pakje kwam afleveren. Het is haar schuld, zeiden hun beschuldigende blikken. Die styliste denkt dat Petra McGillis een pistachegroene persoon is.

En ze hadden gelijk. Dit kon ik met geen mogelijkheid op Nkechi afschuiven. Ik had zelf het gesprek aangenomen en toen Petra zei: 'Geen kleuren!' had mijn verwarde brein kennelijk gehoord: 'Ik ben dol op kleuren!'

Dit was me nog nooit overkomen. Kon meestal precies raden wat mijn cliënten eigenlijk wilden en wist dat ze meestal probeerden iets mee te pikken van de fotosessie, waardoor ik weer in moeilijkheden kwam met het persagentschap.

'Ik hou verdomme mijn eigen kleren wel aan,' zei Petra geïrriteerd.

Had toen meteen weg moeten gaan, omdat ik toch niets kon doen. Maar bleef tijdens de hele fotosessie (drie uur) en glimlachte dapper om mijn trillende onderlip te verbergen. Af en toe een stapje naar voren om Petra's kraag recht te leggen en net te doen alsof ik reden had om daar te zijn, maar het was een ramp, een regelrechte ramp.

Het had me een hele tijd gekost om mijn carrière op te bouwen en zou dat nu allemaal in een paar dagen tenietgedaan worden vanwege Paddy de Courcy?

Maar eerlijk gezegd kon ik me daar niet druk over maken. Het enige wat me bezighield, was hoe ik hem terug kon krijgen. Of, als dat niet lukte, hoe ik dan de rest van mijn leven door zou moeten komen. Ja, weet wel dat het overdreven klinkt, maar als je hem zelf had gekend zou je weten dat hij veel meer was dan alleen maar een knappe en charismatische tv-persoonlijkheid. Hij gaf je het gevoel dat jij de enige persoon ter wereld was en hij rook zo lekker dat ik, nadat ik hem had leren kennen, een fles van zijn aftershave kocht (Baldessini). En hoewel hij daar zelf nog een heel speciaal De Courcy-ingrediëntje aan toevoegde, was een vleugje genoeg om mij het gevoel te geven dat ik op het punt stond flauw te vallen.

15.15

Weer een telefoontje van die journaliste, Grace Gildee. Opdringerig mens. Hoe is ze trouwens aan mijn nummer gekomen? En hoe wist ze dat Marcia Fitzgibbons van plan was me de laan uit te sturen? Overwoog zelfs even om te vragen wie nog meer van plan was op te stappen, maar zag er toch maar vanaf.

Na veel geaarzel (van mijn kant) bood ze me vijfduizend euro voor mijn verhaal. Veel geld. Styling is een vak vol onzekerheid. De ene week kon je twaalf afspraken hebben en dan de rest van de maand niet één. Maar ik trapte er niet in.

Was echter niet helemaal geschift, ook al voelde ik me wel zo, dus ik belde Paddy en liet een boodschap achter: 'Een journaliste, een zekere Grace Gildee, heeft me een hoop geld aangeboden als ik met haar over onze relatie zou willen praten. Wat moet ik doen?'

Hij belde al terug toen ik nog maar nauwelijks had opgehangen.

'Daar moet je geen seconde over piekeren,' zei hij. 'Ik ben een bekende persoon. Denk om mijn carrière.'

Alles draaide altijd alleen maar om hem en zijn carrière.

'Ik heb ook een carrière, hoor,' wees ik hem terecht. 'En die gaat naar de knoppen omdat ik aan een gebroken hart lijd.'

'Dat moet je niet doen,' zei hij vriendelijk. 'Dat ben ik niet waard.'

'Ze heeft me vijfduizend euro geboden.'

'Lola.' Hij klonk alsof hij me om wilde praten. 'Je moet je ziel niet voor geld verkopen, zo'n soort meisje ben je niet. Jij en ik hebben samen een fijne tijd gehad. Laten we die herinnering koesteren. En als je ooit om een paar centen verlegen zit, kun je altijd bij me aankloppen.'

Wist niet wat ik daarop moest zeggen. Bood hij me nou geld aan om mijn mond te houden?

'Ik heb Grace Gildee anders meer dan genoeg te vertellen,' zei ik dapper.

Toen klonk zijn stem ineens heel anders. Kil en zacht. 'Zoals wat, verdomme?'

De moed zakte me in de schoenen. 'Nou... eh... zoals al die cadeautjes die je voor me hebt gekocht... en de spelletjes die we speelden...'

'Ik zal heel duidelijk zijn, Lola.' Op ijzige toon. 'Jij gaat met niemand praten, zeker niet met haar.' En toen zei hij: 'Ik moet ervandoor. Ik heb het heel druk. Pas goed op jezelf.'

En weg was hij.

20.30

Een avondje bij Treese in haar grote huis in Howth, samen met Bridie. Treeses kersverse echtgenoot Vincent was er niet. Daar was ik stiekem blij om. Ik voel me nooit welkom als hij erbij is. Hij doet ook nooit mee. Hij komt de kamer in lopen om hallo te zeggen, maar alleen als hij Treese iets wil vragen. Heeft kennelijk belangrijker dingen aan zijn hoofd dan de vrienden van zijn vrouw.

Is al behoorlijk oud. Dertien jaar ouder dan Treese. En dit is zijn tweede huwelijk. Zijn eerste vrouw en zijn drie jonge kinderen zijn ergens opgeborgen. En hij is een bobo van de Ierse rugbybond. Heeft vroeger zelf ook gespeeld en doet net alsof hij alles weet. Discussie is onmogelijk met Vincent in de buurt. Als hij zijn mond opendoet, is het gesprek afgelopen.

Ziet er ook uit als een echte rugbyspeler, gespierd, breed en met dijen als boomstammen, waardoor hij eigenlijk heel raar loopt, alsof hij net van een paard is afgestapt. Veel vrouwen vinden dat kennelijk aantrekkelijk, maar ik niet. Hij is veel te... breed. Niet dik, gewoon massief. Zijn nek heeft de omvang van een regenton. En hij heeft ook een enorm groot hoofd. Met een dikke bos haar. Jakkes.

21.15

Het eten was zalig. Treese heeft speciaal een cursus Franse cuisine gevolgd, om Vincents rugbyvrienden het soort gerechten voor te kunnen zetten dat ze verwachten. Nam twee hapjes en maag kromp samen tot het formaat van een flinke walnoot. Neiging tot kokhalzen.

Bridie had die rare groene trui weer aan. Hoewel ik eigenlijk alleen aan mezelf en mijn verdriet kon denken, kon ik mijn ogen er niet van afhouden. Het ding was nog steeds scheef, gekrompen en vol geborduurde ruitertjes. Waar sloeg dat op?

Vroeg me af of ik er iets over moest zeggen, maar ze vond het ding kennelijk prachtig, anders zou ze het niet aantrekken. Dus waarom zou ik haar een illusie armer maken?

23.59

Heel wat flessen wijn later, maar niet die van het onderste schap, want dat zijn Vincents speciale wijnen en hij zou knap pissig zijn als we die opdronken.

'Blijf vannacht maar hier,' zei Treese tegen me.

Treese had vier logeerkamers.

'Je hebt echt een droomleven,' zei Bridie. 'Een rijke man, een schitterend huis, prachtige kleren...'

'En zijn eerste vrouw die constant om geld zeurt! En klierige stiefkinderen die me met de nek aankijken. En al die zorgen...'

'Waarover?'

'Dat mijn eetafwijking de kop weer opsteekt en dat ik me ga volvreten tot ik honderdtwintig kilo weeg en de muren weggebroken moeten worden om me af te voeren op een vrachtwagen met een platte laadvloer en Vincent niet meer van me zal houden.'

'Natuurlijk blijft hij wel van je houden! Wat er ook gebeurt!'

Maar ergens diep in mijn hart was ik daar niet zo zeker van. Vincent had zijn eerste vrouw en zijn kinderen niet aan de kant gezet om gezellig samen te gaan wonen met Jabba de Hutt.

00.27

Lekker onder de wol in Logeerkamer Nummer Eén. En behoorlijk bezopen als ik me wel herinner.

'Slaap lekker,' zei Treese. 'Ga niet liggen muggenziften en word niet om zes minuten over half vijf wakker met het vaste voornemen om naar Paddy's flat te rijden en stenen door de ramen te gooien terwijl je Alicia Thornton van alles naar het hoofd slingert.'

04.36

Schrik wakker. Besluit stiekem weg te sluipen en naar Paddy's flat te rijden om stenen door de ramen te gooien en Alicia Thornton van alles naar het hoofd te slingeren ('Alicia Thorntons moeder pijpt de pastoor!' 'Alicia Thornton wast haar edele delen nooit!' 'De vader van Alicia Thornton mishandelt hun labrador!'). Maar toen ik Treeses voordeur opentrok, begon een sirene te loeien, floepten zoeklichten aan en klonk in de verte hondengeblaf. Stond eigenlijk te wachten tot er ook nog een helikopter op kwam dagen, toen Treese de trap af kwam zweven in een bleekroze zijden negligé (nachtpon) met bijpassende peignoir (ochtendjas), terwijl de zoeklichten een zilveren glans over haar glanzende, bleke coiffure (haar) wierpen.

Ze berispte me kalm. 'Je had nog zo beloofd dat je dat niet zou doen. Nu ben je op heterdaad betrapt. Terug naar bed!'

Rooie kop.

Treese schakelde het alarm opnieuw in en zweefde weer naar boven.

Zaterdag 30 augustus, 12.10
Thuis

Bridie belde om te vragen hoe het met me ging en vertelde vervolgens dat het rare groene geval dat ze al twee dagen aan had gehad van Moschino was.

Moschino! En ik dacht nota bene dat ze het op de handwerkbeurs van haar plaatselijke gekkengesticht had gekocht.

'Nee, op eBay,' zei ze.

Jemig! Misschien een imitatie!

'Ik heb er een vermogen voor betaald, Lola. Maar dat was het wel waard, hè?'

'O ja... zeker weten. Ruiters zijn... eh... komen helemaal in.'

Zondag 31 augustus

In alle kranten artikelen over Paddy. Kocht er een paar en stond ervan te kijken dat ze vergeleken bij tijdschriften eigenlijk ontzettend goedkoop zijn. Waar voor je geld. Raar dat zulke dingen je opvallen als je leven in puin ligt. Maar er stond niks nieuws in die stukken. Alleen maar dat hij een lekker stuk was en het uithangbord van de Ierse politiek.

Over mij was nergens iets te vinden. Had eigenlijk opgelucht moeten zijn – Paddy zou niets hebben om kwaad over te zijn – maar in plaats daarvan voelde ik me een verschoppeling. Het leek alsof ik niet bestond.

Maandag 1 september, 10.07

Telefonische afzegging van *Irish Tatler* van een opdracht voor volgende week. De boodschap liet niets te raden over: niemand zit te wachten op een styliste die een collectie verpest. Het nieuws was als een lopend vuurtje rondgegaan.

10.22

Mobiele telefoon ging over. Nummer kwam me vaag bekend voor en besefte toen met een schok dat het weer die Grace Gildee was. Dat mens achtervolgde me! Ik nam niet op, maar luisterde de boodschap af. Ze wilde een afspraak met me maken en schroefde het bedrag op naar zevenduizend euro. Lachend. Ik speelde hoog spel, zei ze. Maar voor mij was het helemaal geen spel. Wilde gewoon met rust gelaten worden.

Dinsdag, 2 september

Grootste klap tot nu toe. Alicia Thornton op de omslag van *VIP*, met als kop 'Hoe ik het hart van Quicksilver veroverde'.

De aardige man in de boekwinkel gaf me een glaasje water en liet me op zijn krukje zitten tot de aanval van duizeligheid voorbij was.

Twaalf bladzijden met foto's. Paddy was duidelijk opgemaakt. Een op siliconen gebaseerde foundation, met daaronder een op siliconen gebaseerde primer, zodat hij op een plastic pop leek.

Weet niet wie de styling had gedaan, maar ze hadden een duidelijke opdracht gehad. Alicia (lang, mager, blond kortgeknipt haar) leek op een paard, maar niet leuk, zoals Sarah Jessica Parker, meer in de trant van Celine Dion (hinnik!). Crème tweed Chanel-jurk met jasje. Paddy als echte staatsman in een donker pak (Zegna? Ford? Niet te zien) achter een bureau, met een zilveren pen in zijn hand alsof hij op het punt stond een belangrijk verdrag te ondertekenen. Alicia achter hem, met haar hand op zijn schouder, in die typische vrouw-en-steun-en-toeverlaat-houding. Vervolgens Paddy en Alicia in avondkleding. Paddy in smoking, Alicia in een lange, rode MaxMara. Rood stond haar niet. En ik zag een paar stoppeltjes onder haar rechterarm.

Ergst van alles waren Paddy en Alicia in unisex spijkerbroeken met linnenstructuur, poloshirts met de kraag rechtop, wollen kabeltruien nonchalant om de schouders geslagen en TENNISRACKETS ONDER HUN ARM! Alsof ze zo uit een goedkope postordercatalogus waren gestapt. En ook al was Paddy de knapste man die er rondliep, door die foto's had hij toch veel weg van een mannelijk model op z'n retour.

In het interview stond dat ze elkaar al sinds hun tienertijd kenden, maar dat hun romance, waaraan ze geen ruchtbaarheid wilden geven, pas van de laatste zeven maanden dateerde. De laatste zeven maanden! Ík had de afgelopen zestien maanden een relatie met hem gehad waaraan hij 'geen ruchtbaarheid' wilde geven. Geen wonder dat hij daarop had gestaan. Hij beweerde dat mijn leven een hel zou worden als ik hem vergezelde naar officiële feesten en toestanden. De pers zou me geen moment met rust laten en ik zou verplicht zijn om zelfs met een volledig opgemaakt gezicht te gaan slapen, om te voorkomen dat er foto's zouden verschijnen met als onderschrift 'Paddy's vriendinnetje is een pukkelige trien'. In de zomer was mijn naam twee keer genoemd in de roddelrubrieken, maar Paddy's prkantoor had gezegd dat ik hem hielp met zijn garderobe en daar was iedereen kennelijk ingetrapt. Dacht echt dat hij dat voor mijn bestwil had gedaan, maar in plaats daarvan had hij me alleen maar verborgen gehouden voor Alicia. Heb ik echt zo'n bord voor mijn kop?

Dinsdag, later
Die fotosessie in *VIP* was de genadeslag. Wat had die Alicia Thornton wat ik niet had? Bleef die foto's maar bestuderen, op zoek naar aanwijzingen. Maar had nog steeds de grootste moeite om te geloven dat het echt waar was. Uiteindelijk zat ik er zo lang naar te staren dat het net was alsof hij het niet was. Precies zoals je gezicht iets angstaanjagends krijgt als je er te lang in de spiegel naar zit te turen.

Dinsdag, nog later

Boos. Een hoofd vol duistere, bittere gedachten. En een akelig brandend gevoel vanbinnen. Snakkend naar adem. Plotseling smeet ik het blad op de grond en dacht: ik heb recht op uitleg!

Dus op naar Paddy's appartement en aanbellen. Aan één stuk door, achter elkaar, aanbellen. Gebeurde niets, maar besloot dat alles kon barsten en gewoon te blijven zitten tot hij thuiskwam. Desnoods dagenlang. Of weken. Moest toch een keer thuiskomen.

Akelige brandende gevoel maakte me sterk en had de indruk dat ik het tot in de eeuwigheid uit zou kunnen houden. Indien nodig.

Als voorbereiding Bridie gebeld om haar te vragen me een slaapzak en wat boterhammen te brengen. En een thermosfles met soep. 'Maar geen minestrone,' zei ik. 'Er mogen geen klonten in zitten.'

'Wat?' zei ze ongelovig. 'Zit je echt bij De Courcy op de stoep?'

'Hoef je toch niet zo dramatisch over te doen?' zei ik. 'Ik wacht alleen maar tot hij thuiskomt. Maar dat zou wel eens een paar dagen kunnen duren. Vandaar die slaapzak, die boterhammen en die soep. Zonder klonten.'

Ze begon te zeuren dat ze zich zorgen om me maakte en dat ik wel eens wegens stalken opgepakt zou kunnen worden, dus verbrak ik de verbinding. Geduld was op.

Tijd verstreek. Was me niet bewust van ongemak, kou of drang om naar de wc te gaan. Boeddhistische monnik was er niets bij. En bleef met tussenpozen aanbellen, eigenlijk alleen maar om iets te doen te hebben. Daarna besefte ik dat ik dit knap vervelend begon te vinden, dus dat akelige brandende gevoel nam kennelijk af. Daarom drukte ik nog maar een paar keer op Paddy's deurbel, tot mijn mobiel overging. Bridie! Ze stond bij de poort, maar ze kon niet naar binnen omdat ze de code niet kende.

'Heb je een slaapzak bij je?' vroeg ik. 'En een thermosfles met soep?'

'Nee.'

'Is Barry bij je?' (Barry was haar man.)

'Ja, Barry staat naast me. Je vindt Barry toch aardig, Lola?'

Ja, maar in gedachten zag ik al hoe zij en Barry me in hun auto duwden en wegreden. Daar trapte ik niet in.

Ik zette mijn mobiel uit.

Vervolgens bleef ik gewoon aanbellen zonder ergens op te rekenen, tot ik ineens een mannenfiguur zag opduiken achter het bewerkte glas van de deur.

Hij was het! Hij was het echt! Hij was al die tijd gewoon thuis geweest! Was opgelucht en opgewonden, tot er ineens een sombere gedachte door mijn hoofd flitste: waarom is hij dan niet eerder naar beneden gekomen? Waarom moet hij me nog meer vernederen?

Maar hij was het helemaal niet. Het was John, zijn chauffeur. Die kende ik goed, want hij had me wel eens opgehaald en bij Paddy afgeleverd. Hoewel hij me altijd heel beleefd had behandeld, was ik toch als de dood voor hem. Hij was een grote, forse kerel die eruitzag alsof hij zonder problemen je nek zou kunnen breken.

'John,' smeekte ik, 'ik moet Paddy spreken. Laat me alsjeblieft binnen!'

Hij schudde zijn hoofd en zei met zijn schorre stem: 'Ga naar huis, Lola.'

'Is zij bij hem?' vroeg ik.

John was een toonbeeld van discretie. Het enige wat hij zei, was: 'Kom, Lola, dan breng ik je naar huis.' Voorzichtig en haast vriendelijk duwde hij me in de richting van Paddy's Saab.

'Laat maar,' zei ik gepikeerd. 'Ben met mijn eigen auto.'

'Het ga je goed, Lola,' zei hij. Klonk als een ultimatum.

Dinsdagavond, nog later

Dat was het dus. Ik was als een smoezelige bedelaar bij Paddy's huis weggestuurd.

Ineens kwam ik weer bij mijn positieven alsof ik een emmer ijskoud water in mijn gezicht had gekregen en ik schaamde me dood voor mijn gedrag. Ik had me als een idioot gedragen. Krankzinnig. Bridie had gelijk, ik was Paddy gewoon aan het stalken. En had me trouwens tegenover Bridie ook schandalig gedragen door om soep te vragen. Waar moest ze die op dit uur vandaan halen? En bovendien had ik geweigerd haar de code van het hek te geven en zomaar de verbinding verbroken. Bridie, mijn vriendin die zich zorgen over me maakte!

Ik begreep nu wel hoe waanzinnig ik me had gedragen, maar het ergste van alles was dat ik er desondanks van overtuigd bleef dat ik me volkomen normaal gedroeg. Dat was de genadeklap.

Zo kon het niet doorgaan. Ik at niet, ik sliep niet, ik maakte een puinhoop van mijn werk, ik behandelde mijn vrienden als een stel bedienden...

Ik reed rechtstreeks naar Bridies huis. Ze had haar pyjama aan en was zo blij dat ze me zag, dat ze mijn excuses voor mijn gedrag meteen accepteerde. 'Wat ga je nu doen?' vroeg ze.

'Heb besloten om met mijn hele hebben en houen naar de andere kant van de wereld te verhuizen,' zei ik. 'Naar een plek waar ik niet meer aan Paddy herinnerd word. Jij hebt toch een globe?'

'Eh... ja.' Nog uit haar schooltijd. Bridie gooide nooit iets weg.

Op Bridies globe was Nieuw-Zeeland de andere kant van de wereld (ten opzichte van Ierland). Prima. Dat was goed genoeg. Ik had het idee dat het landschap daar schitterend was. En ik zou een Lord of the Rings-tocht kunnen maken.

Maar Bridie gebruikte haar gezond verstand. 'Het kost een boel geld om naar Nieuw-Zeeland te gaan,' zei ze. 'En het is wel erg ver weg.'

'Maar daar gaat het juist om,' zei ik. 'Moet wel ver weg trekken om niet iedere keer een foto van Alicia te zien als ik een reep chocola ga kopen. En ik wil ook niet iedere keer bij het nieuws met Paddy geconfronteerd worden, ook al kijk ik eigenlijk nooit naar het nieuws. Jezus, wat is dat deprimerend...'

'Wat zou je zeggen van de hut van oom Tom?' stelde Barry voor. Barry had ook een pyjama aan.

De hut van oom Tom was een vakantiehuisje van Bridies oom Tom in County Clare. Daar hadden we Treeses vrijgezellenavond gevierd.

'Die ligt afgelegen,' zei Barry.

'En er is niet eens tv!' beaamde Bridie. 'En als je toch helemaal kierewiet wordt van het alleen zitten, kun je binnen drie uur weer thuis zijn.'

'Dat is heel lief van je,' zei ik. 'Maar dat aanbod kan ik niet aannemen. Ik kan niet eeuwig in de hut van oom Tom blijven zitten. Een van je familieleden wil er misschien gebruik van maken.'

'Nee, want de zomer is toch voorbij. Luister, nou,' zei ze. 'Je lijdt aan een gebroken hart en je hebt het gevoel dat je daar nooit meer overheen zult komen. Maar dat gebeurt wel en dan krijg je spijt als haren op je hoofd dat je naar Nieuw-Zeeland bent gegaan en je zaak hier hebt opgegeven. Waarom ga je niet gewoon naar Clare om op verhaal te komen? Nkechi kan de zaak ook wel een paar weken in haar eentje runnen. Heb je het op dit moment echt druk?'

'Nee.' Niet alleen vanwege al die afspraken die werden afgezegd, maar de tijd van het jaar speelde ook mee. Ik was al klaar met de herfst- en wintergarderobes van mijn privéklanten – drukke, rijke vrouwen die geen tijd hadden om te gaan winkelen maar die er toch modieus, zakelijk en evenwichtig uit moesten zien. Het volgende drukke seizoen was de kersttijd, die op 1 november, meteen na Halloween, begon. Dus ik kon nog wel een paar weekjes wachten voordat ik daaraan begon. Natuurlijk was er altijd wel iets te doen. Ik kon de inkopers van Brown Thomas, Costume en andere dure winkels mee uit lunchen nemen, zodat zij hun mooiste japonnen voor mij reserveerden en niet voor andere stylisten. Styling is een keihard wereldje. Er is maar een beperkte hoeveelheid goede kleren en de concurrentie is moordend. Dat beseffen mensen nauwelijks. Zij denken dat het een leuk meisjesachtig spelletje is, waarin je mag stoeien met dure kleren om te zorgen dat iedereen er geweldig uitziet. Nou, vergeet het maar.

'En als je terugkomt en je voelt je nog net zo beroerd als nu, kun je nog altijd naar Nieuw-Zeeland vertrekken,' zei Bridie.

'Je hoeft niet zo neerbuigend te doen, Bridie. Het lachen zal je wel vergaan als ik leuk huisje in Rotorua op de kop heb getikt. Maar denk dat ik dat aanbod van je toch maar aanneem.'

Woensdag 3 september, 10.00

Ben naar mijn 'kantoor' gegaan (Martine's Patisserie). Zou wel vanuit huis willen werken, maar dat was te klein. De prijs die je betaalde als je in het centrum wilde wonen. (Andere prijs was dronken kerels die elkaar om vier uur 's ochtends voor je slaapkamerraam kreunend staan af te tuigen.)

Bestelde warme chocolademelk en een koffiebroodje met abrikozen. Ben ik normaal zo gek op, dat ik er wel tien achter elkaar lust, maar die ochtend al misselijk als ik ernaar keek. Nam een slokje chocola en kreeg meteen neiging om over te geven.

Gerinkel van de deurbel kondigde komst van Nkechi aan. Iedereen keek op. Was ook meer dan genoeg te zien. Nigeriaans, perfecte houding, vlechtjes tot ver op haar rug, ontzettend lange benen en daarboven een behoorlijk dikke kont. Maar Nkechi deed nooit moeite om haar kont te verbergen. Ze was er trots op. Dat vond ik echt verbazingwekkend. Ierse meisjes deden constant hun best om kleren te vinden die hun kont verborgen of in ieder geval slanker deed lijken. Kunnen nog heel wat leren van andere culturen.

Nkechi is een genie, ondanks haar leeftijd (drieëntwintig). Neem nou die keer dat Roselind Croft (vrouw van een stinkend rijke kerel, Maxwell Croft) naar een liefdadigheidsdiner moest in Mansion House. De hals van haar japon was zo modern dat geen van haar sieraden erbij paste. We waren ten einde raad en mevrouw Croft stond al op het punt om af te bellen toen Nkechi zei: 'Ik weet het!' Ze trok haar sjaal af, haar eigen sjaal die ze voor drie euro op de kop had getikt, sloeg die om de hals van mevrouw Croft en voorkwam een ramp.

'Nkechi,' zei ik. 'Ik neem een paar weken vrij om naar de hut van oom Tom te gaan.'

Nkechi wist waar ik het over had, omdat ze ook op de vrijgezellenavond van Treese was geweest. Nu ik er goed over nadenk, was zij zelfs degene die het broodrooster vernielde door er een hele bagel in te stoppen. Het werd een behoorlijk spektakel, want het apparaat begon dikke zwarte rook uit te braken, gevolgd door een grote vlam. Maar dit soort dingen gebeurt nou eenmaal op vrijgezellenavonden. Dit keer kwam er tenminste niemand in het ziekenhuis terecht, zoals tijdens Bridies vrijgezellenavond.

'Ik weet dat het dramatisch klinkt om mijn leven voorlopig op een laag pitje te zetten, Nkechi, maar ik ben in alle staten. Ik kan niet werken, niet slapen en mijn spijsvertering ligt in puin.'

'Ik vind het een prima idee,' zei ze. 'Je kunt beter een tijdje onderduiken, voordat je onze reputatie nog verder beschadigt.'

Het bleef even stil.

Ik heb maar één aanmerking op Nkechi. Ze is een prima styliste, echt uitmuntend, maar ze zou iets meer tact kunnen gebruiken. Een styliste hoort er onder meer voor te zorgen dat de cliënt er niet als een idioot bij loopt. Het is aan ons om te voorkomen dat ze in de roddelrubrieken genadeloos worden afgemaakt. Dus als de cliënt een rimpelig decolleté heeft, raden we jurken met een diepe hals af. Als ze blubberknieën hebben, stellen we voor om in het lang te gaan. Maar wel subtiel. Altijd vriendelijk. En Nkechi was helaas niet altijd zo diplomatiek als ik graag had gewild.

'Nkechi,' zei ik, 'ik zou het op prijs stellen als jij gedurende mijn afwezigheid de teugels in handen zou willen nemen.'

'Tuurlijk,' zei ze. 'Ik neem de zaak wel over.'

Ik probeerde mijn ongerustheid weg te slikken. Alles was geregeld. Nkechi zou het prima doen.

Misschien wel te goed.

De manier waarop ze had gezegd dat ze de zaak wel overnam, beviel me helemaal niet.

'Nkechi,' zei ik, 'je bent een genie. Je zult een briljant styliste worden, waarschijnlijk de beste van allemaal. Maar voorlopig hoef je alleen de lopende zaken af te handelen. Sla alsjeblieft niet aan het muiten als ik weg ben. Begin niet voor jezelf. En blijf van mijn rijkste klanten af. Gedraag je als een echte vriendin. Vergeet niet dat je naam "trouw" betekent in het Yoruba.'

10.47

Sjokte mistroostig naar huis, waar iemand voor mijn deur stond. Een vrouw. Lang, spijkerbroek, laarzen, sweatshirt met capuchon, korte blonde piekjes. Ze leunde rokend tegen het hek. Er kwamen twee kerels langs die iets tegen haar zeiden. Ik kon haar reactie letterlijk verstaan. *Val toch hartstikke dood.*

Wie was dat? Welke ramp stond me nu weer te wachten? Ineens wist ik het! Het was die journaliste, Grace Gildee. Ze stond voor mijn deur geparkeerd alsof ik een... drugsbaron was of een... een... pedofiel!

Bleef als aan de grond genageld staan. Waar moest ik naartoe? Wegwezen! Maar waarheen? Ik had toch het recht om naar mijn eigen flat te gaan. Per slot van rekening woonde ik daar.

Te laat, ze had me gezien!

'Lola?' Brede glimlach, terwijl de sigaret haastig met een soepele enkelbeweging werd uitgetrapt.

'Hoi!'

Uitgestoken hand. 'Grace Gildee. Leuk om kennis met je te maken.'

Ik had haar warme gladde hand al aangepakt voordat ik me kon inhouden.

'Nee,' zei ik terwijl ik mijn hand met een ruk terugtrok. 'Laat me met rust. Ik wil niet met je praten.'

'Waarom niet?' vroeg ze.

Ik deed net alsof ik haar niet hoorde en rommelde in mijn tas op zoek naar mijn sleutels. Hoewel ik mijn best deed om geen oogcontact te maken, keek ik haar toch ineens recht in het gezicht.

Zag van dichtbij dat ze geen make-up droeg. Heel ongewoon. Maar dat had ze ook niet nodig. Heel aantrekkelijk op een robbedoesachtige manier. Lichtbruine ogen en sproetjes op haar neus. Het soort vrouw dat als ze geen shampoo meer had rustig haar haar met afwasmiddel kon wassen. Vermoedde dat ze elke ramp het hoofd zou kunnen bieden.

'Lola,' zei ze, 'je kunt me vertrouwen.'

'Vertrouwen!' riep ik uit. 'Wat een cliché!'

Maar toch klonk ze op de een of andere manier heel overtuigend.

'Je kunt me echt vertrouwen,' zei ze zacht. 'Ik ben niet zoals andere journalisten. Ik weet hoe hij is.'

Ik hield op met het vissen naar mijn sleutels en luisterde geboeid toe. Alsof ik door een slang gehypnotiseerd werd.

'Ik heb hem mijn halve leven lang gekend,' zei ze.

Ineens kreeg ik de neiging om mijn hoofd op haar schouder te leggen en in snikken uit te barsten terwijl zij mijn haar streelde. Maar dat was precies wat ze wilde. Zo gedragen die journalisten zich allemaal. Ze doen net alsof ze je vriend zijn. En achteraf boren ze je genadeloos de grond in.

Mijn hand vond mijn sleutels. Goddank. Ik moest naar binnen, weg bij deze Grace Gildee.

17.07

Aangekomen in Knockavoy! Hut van oom Tom ligt in een veld, even buiten de stad. Reed over het hobbelige landweggetje en zette de auto op het grint voor de voordeur.

Witgekalkt huisje. Dikke, knobbelige muren. Kleine raampjes. Rood geschilderde deur met een klink. Brede vensterbanken. Schattig.

Stapte uit en werd bijna weggeblazen. In mijn verbeelding zag ik al dat ik opgepakt en hoog door de lucht over de baai meegesleurd zou worden tot boven de Atlantische Oceaan waar ik een zeemansgraf zou vinden. Dan zou Paddy wel spijt krijgen en de dag berouwen waarop hij Alicia Thornton had leren kennen.

Vooruit maar wind, smeekte ik. Neem me mee!

Ik bleef met mijn ogen dicht en gespreide armen staan wachten, maar er gebeurde niets. Irritant.

Tegen de wind in strompelde ik naar de voordeur. De lucht was vergeven van zeezout. Ramp voor mijn haar. Erg trots op mijn molichino-highlights maar moet wel erkennen dat mijn haar sneller breekt en dof wordt. Hopelijk hebben ze een haarmasker bij de plaatselijke drogist. Jemig! Hopelijk is er een plaatselijke drogist! Van vorige bezoeken kon ik me alleen maar kroegen herinneren, een hele hoop kroegen en één nachtclub die om te gillen zo slecht was.

Maakte de schattige rode voordeur open die door de wind met een klap tegen de muur werd geslagen. Sleepte de koffers over de flagstones naar binnen. Verbeeldde ik me dat nou of rook het huis nog steeds naar het verbrande broodrooster, ook al was dat inmiddels maanden geleden?

Er was één grote woonkamer met banken en vloerkleden en een grote open haard geflankeerd door schommelstoelen in de alkoof. De ramen aan de achterkant keken uit over akkers tot aan de Atlantische Oceaan, hooguit een meter of honderd verder. Nou ja, dat verzin ik ter plekke. Ik had geen flauw idee hoe ver weg de oceaan was, ik wist alleen heel zeker dat ik die afstand niet op hoge hakken wenste af te leggen.

In de keuken nog steeds schroeiplekken op de wand achter het (nieuwe) broodrooster. Verder een tafel met een plastic tafelkleed vol kersen, zes houten eettafelstoelen, gele losstaande kasten die eruit-zagen alsof ze afkomstig waren uit een jaren-vijftigkeuken en oud, niet bij elkaar passend aardewerk, voornamelijk met bloemetjes. De keukenramen boden ook uitzicht op zee. Ik kneep mijn linkeroog dicht en tuurde ernaar. Nog steeds geen flauw idee hoe ver het was.

17.30
Boven drie slaapkamers. Nam de middelste. Was nog niet toe aan de grootste, maar mijn eigendunk was ook nog niet zo ver gedaald dat ik de kleinste nam. (Goed teken.) Tweepersoonsbed, maar heel smal. Hoe hielden mensen dat in het verleden uit? Was niet bepaald dik (hoewel ik dolgraag een veel minder dikke kont had willen hebben), maar paste er echt alleen in mijn eentje in. Het ledikant was van ijzer en op het eerste gezicht leek er een patchworksprei op te liggen. Maar toen ik wat beter keek, zag ik dat het helemaal geen patch-work was, maar een imitatie die hooguit een tientje kon hebben ge-kost. Van een afstandje best leuk.

Dezelfde knobbelige witte muren als beneden en twee kleine raam-pjes met rood geschilderd houtwerk. Vrolijk. Gebloemde gordijntjes. Gezellig.

Maakte mijn koffer open en schrok me een hoedje. De kleren die ik had ingepakt bewezen duidelijk dat ik helemaal van slag was. Niets praktisch. Geen spijkerbroek. Geen laarzen. Stommerik! Zat op het platteland! Had kleren nodig die tegen een stootje konden! In plaats daarvan had ik jurken meegebracht, glitterspullen en zelfs een boa van struisvogelveren! Waar dacht ik dat ik naartoe ging? Het enige wat misschien van pas zou komen, was een stel rubberlaarzen. Zou het erg zijn dat die roze waren? Dat maakte ze toch niet minder praktisch?

Hing mijn onpraktische spullen in de mahonie klerenkast. Met houtsnijwerk. Gebogen panelen. Massief. In de spiegel op de deur zat het weer. Zag er antiek uit. Daar zou je in Dublin een vermogen voor neer moeten tellen.

18.23
Weer beneden viel mijn oog op een tv-toestel in de hoek! Ik vervloek-te Bridie en belde haar.

'Er staat hier een tv! En je zei dat er geen tv was!'

'Dat is geen tv,' zei ze.

'Het ziet er anders wel zo uit!'

Maar toch voelde ik me een beetje bezorgd en bukte me om nog eens goed te kijken. Was ik zo overstuur dat ik, pakweg, een magnetron voor een tv had aangezien?

'Ja,' zei ze. 'Het is wel een tv-toestel. Maar het is niet aangesloten.'

'Waarom staat het hier dan?'

'Om dvd's te kunnen kijken.'

'Waar moet ik dvd's vandaan halen?'

'Bij de supermarkt in de hoofdstraat hebben ze een behoorlijke collectie. En nog recent ook.'

'Oké. Eh... is er nog nieuws?'

Over Paddy bedoelde ik.

'Je bent nog maar een paar uur weg,' zei ze.

Maar ik had het aarzelende toontje in haar stem gehoord. 'Ja, dus,' riep ik uit. 'Vertel op!'

'Nee,' zei ze. 'Je bent weggegaan om het nieuws te ontlopen.'

'Vertel het me alsjeblieft! Nu ik weet dat er nieuws is, wil ik het absoluut horen. Anders sterf ik van nieuwsgierigheid. Vertel op!'

Ze zuchtte. 'Nou goed dan. Het stond in de avondkrant. Ze zijn van plan om in maart te gaan trouwen. En de receptie wordt in de K Club gehouden.'

Twee dingen schoten door mijn hoofd. Ten eerste: maart, dat duurt nog een hele tijd. Misschien verandert hij van gedachten. Ten tweede: de K Club? Alleen paardenmensen hielden hun trouwreceptie in de K Club. Hij heeft niets met paarden. Zij wel?

'Nou ja,' zei Bridie, 'ze lijkt erop. Op een paard, bedoel ik.'

Een echte vriendin, die Bridie.

'Maar ik geloof niet dat ze iets met paarden heeft,' zei ze.

'Iedereen weet toch dat het geen pas geeft om je trouwreceptie in de K Club te houden als je niet bij die paardenlui uit Kildare hoort,' zei ik.

'Smakeloos,' zei Bridie.

'Ja, smakeloos.'

18.37

Leuk plaatsje. Meer dan genoeg mensen op straat. En er gebeurt van alles. Meer dan ik me herinnerde. Hotel: één (klein). Kroegen: meer dan genoeg. Supermarkt: één. Boetiekjes: één. Walgelijk. Wollen truien van de Aran-eilanden, tweed capes, gehaakte mutsen. Bedoeld voor toeristen. Snackbar: één. Surfwinkels: twee! Internetcafé: één. (Ja, ik weet het. Had ik ook niet verwacht.) Een winkel van sinkel met allerlei spulletjes die je aan de kust nodig kunt hebben, van boeken van Jackie Collins tot oubollige souvenirs.

Besloot om in een van de kroegen te gaan eten. Ik had niemand om mee te praten, maar wel een tijdschrift waarachter ik me kon verstoppen. Alle kroegen serveerden maaltijden, dus ik besloot er maar een op goed geluk uit te kiezen, in de hoop dat het niet de tent was waar we op Treeses vrijgezellenavond uit waren gezet.

Eerst naar een tent die The Dungeon heette en waar een stel vijandige mannengezichten me aankeken alsof ik ongedierte was. In de vluchtigheid zag ik rode ogen en puntige kinnen. Een zwavelgeur. Leek de clip van 'Bohemian Rhapsody' wel! Wegwezen.

Volgende kroeg, The Oak: helder verlicht, stoelen en banken met dikke kussens, gezinnetjes aan de kipnuggets. Stuk veiliger. Geen boze blikken.

Ging zitten en de man achter de tap kwam meteen naar me toe en vroeg: 'Wilt u al bestellen?'

Besefte dat hij waarschijnlijk niet Iers was – geen Iers accent, toffeekleurige huid, zwart haar en grote donkere ogen, die op pruimen leken. Geen gedroogde pruimen, want daarbij denk je meteen aan een bejaardentehuis. Dus eigenlijk moest ik een ander soort fruit bedenken, maar ik kon die pruimen niet uit mijn hoofd krijgen en bleef maar aan hem denken als 'Pruimenoog'.

'Wat is de soep van de dag?' vroeg ik.

'Champignons.'

'Met klonten?'

'Nee.'

'Oké. En een glas rode wijn.'

'Merlot?'

'Fantastisch.'

20.25

Alles opgegeten. Na de soep van de dag nog een toetje, een aardbeienpunt. Stond voor The Oak en vroeg me af wat ik zou doen.

Kon een eindje gaan wandelen. Het was een prachtige, heldere avond en daar beneden lag een schitterend strand. Daar zou ik kunnen uitwaaien, zoals het gezegde luidt. Maar kon ook een dvd gaan halen. Ja, dat leek me beter.

20.29

De supermarkt

Ruime keus aan dvd's. De jongen en het meisje achter de kassa (met naamplaatjes waarop Kelly en Brandon stond) probeerden me te helpen.

'*Wedding Crashers* is goed,' zei Kelly. Een stevige tante, zag eruit alsof ze van patat hield (maar ja, wie niet?). Steil blond haar met lichte strepen. Roze trainingsbroek wel erg laag op de heupen. Vijf centimeter buik puilde over de tailleband. Gouden staafje door haar navel, acryl kunstnagels. Ordinair, maar pet af voor dat zelfvertrouwen.

'Nee, die wil ik niet,' zei ik.

'Mooie highlights heb je.'

'Dank...'

'Heb je dat zelf gedaan?'

'Nee. Eh... nee. De kapper...'

'Ik vind je jasje ook mooi. Waar heb je dat vandaan? Dure zaak?'

'...Nee... Via mijn werk.'

'Waar werk je dan?'

'...Werk voor mezelf.'

'Hoe duur was het?'

'...Eh... heb het met korting gekregen...'

'Hoe duur was het zonder de korting?'

'...Weet ik echt niet meer.'

Ik wist het donders goed, maar het was zo duur geweest, dat ik de prijs niet eens durfde te noemen.

'Hou je kop,' zei Brandon. Hij besteedde net als Kelly kennelijk veel aandacht aan zijn uiterlijk. Halskettingen, ringen, blond haar met een Kuifjekuifje. Geelachtig tintje, dus waarschijnlijk zelf gebleekt, maar complimenten voor alle moeite.

'Wat vind je van *Lord of the Rings*?' vroeg hij. 'We hebben de speciale versie met bonus-dvd.'

'Nee. Goeie film, hoor, maar...'

'Waarvoor ben je in de stemming?'

'Kan wel iets vrolijks gebruiken.'

'Waarom?' vroeg Kelly.

Jemig, wat een nieuwsgierig Aagje!

'Nououou...' zei ik met een plotselinge drang om over Paddy te praten. 'Mijn vriend gaat met een ander trouwen.'

'Oké,' zei Kelly, die heel eigenwijs niet hapte. 'Wat denk je dan van *Sleepless in Seattle*? Die is echt sentimenteel.'

Irritant! Over de prijs van jasjes wilde ik niets kwijt, maar ik trappelde van verlangen om haar alles over Paddy te vertellen.

'Of *One Fine Day.* Net zo sentimenteel. Kun je lekker bij janken.'
'Nee!' zei Brandon. 'Neem een film over wraak! *Kill Bill* of *Dirty Harry.*'
'*Dirty Harry!*' riep ik uit. 'Perfect!'

23.08
Dirty Harry fantastische film! Precies wat ik nodig had. Zit een geweldig stuk in waar hij wraak neemt.

Op een gegeven moment keek ik op en dacht heel even dat de hemel was veranderd in een oranje vitaminedrankje. Bruisend en vol vitamine B. De zonsondergang! Ineens toch blij dat ik hier zat. Zo kreeg ik tenminste waardering voor natuurschoon.

Best een fijne avond. Moest constant aan Paddy denken, maar heb hooguit vier keer geprobeerd hem te bellen.

23.31
Bedtijd. Uit angst dat ik niet zou kunnen slapen toch maar twee NatraCalms genomen voordat ik het licht uitdeed.

23.32
Licht weer aangedaan en een halve Zimovane genomen (een echt slaaptablet propvol chemicaliën in plaats van zo'n halfzacht kruidenmiddeltje). Het zou echt vreselijk zijn als ik niet kon slapen. Licht weer uitgedaan.

23.33
Licht weer aangedaan. Andere helft van de Zimovane ook genomen. Durfde het risico niet aan dat ik niet zou kunnen slapen. Trok de imitatie patchworksprei tot aan mijn kin en nestelde me in het kussen. Nu ik propvol dope zat, verheugde ik me op een heerlijk rustig nachtje.

23.34
Heel stil op het platteland. Lekker. Rustgevend.

23.35
Geruststellend. Niet eng.

23.36
Rustgevend. Helemaal niet eng.

23.37

Wel eng! Veel te stil hier. Dreigend. Alsof akkers samenspannen om me te overvallen terwijl ik slaap! Heb het licht weer aangedaan. Mijn hart bonsde. Moest iets te lezen hebben, maar was te bang om naar beneden te gaan en mijn *InStyle* te pakken. Boekenplank in de slaapkamer vol oude pocketboekjes. Thrillers van iemand die Margery Allingham heette. Koos *The Fashion for Shrouds* want dat ging over een modeontwerper in de jaren dertig. Boek was wel wat vochtig geworden, maar toch echt leuk. Iedereen in het verhaal droeg een hoed. Gebeurt helaas tegenwoordig niet meer. De tijd staat niet stil.

Donderdag 4 september, 09.07

Werd wakker van de stilte. Een hele schok. Nooit gedacht dat ik de kreunende en worstelende dronkenlappen voor mijn raam zou missen. Het leven zit vol verrassingen.

Heb het gevoel dat matras vol tennisballen zit. Hoe konden de mensen daar vroeger tegen? Andere waarden. Gemeenschapszin, hoeden en kinderen die nog alleen naar school konden lopen. Geen interesse voor dure matrassen, lakens en kussens.

Buk me en pak de *VIP* op die naast het bed op de grond ligt. Staar voor de zoveelste keer naar Paddy met zijn brede grijns en zijn tennisracket en constateer verbijsterd dat hij er zo gezond uitziet. Jemig, ze moesten eens weten...

Terug in de tijd

Vorig jaar, zondag in april, koud en winderig. Op bezoek bij mams graf. Zat op het randje om haar te vertellen hoe het met werk ging en hoe pap het maakte, gewoon een beetje bijkletsen eigenlijk. Gek genoeg zat ik haar net te vertellen dat ik nog steeds geen vriend had, niet meer nadat ik Malachy de bons had gegeven omdat hij maar bleef zeuren dat ik moest afvallen (fotograaf en gewend aan broodmagere modellen), toen ik zag dat iemand een paar rijen verder naar me stond te kijken. Een man. Niet mijn type. Veel te volwassen. Lang. Eenvoudige donkerblauwe overjas met enkele sluiting, kasjmier en scheerwol (op het eerste gezicht) en een armvol knalgele narcissen. Donker haar, tikje verwaaid (maar dat kon ook door de winderige dag komen).

Ik voelde me meteen gepikeerd. Was per slot van rekening op een begraafplaats! Als je daar niet met je dode moeder kon praten, waar dan wel?

'Mam,' zei ik, 'er staat daarginds een vent toe te kijken hoe ik met jou zit te praten. De onbeschofterik!'

In gedachten hoorde ik haar zeggen: 'Misschien kijkt hij helemaal niet naar jou. Misschien staart hij gewoon voor zich uit. Je moet niet zo snel met je oordeel klaar staan.'

Ik keek nog eens. Hij stond wel degelijk naar me te kijken en ineens zag ik zijn haar voor me, nat en glad van het zweet omdat hij me net geneukt had.

Schandalig! Op een begraafplaats. Toch niet onlogisch: seks en dood.

'En?' vroeg mam.

'Eh... niets aan de hand...'

Uiteindelijk afscheid genomen van mam en naar de uitgang gelopen. Moest langs de Man in de Overjas om op het hoofdpad te komen en hoewel ik normaal gesproken niet agressief ben, bleef ik toch staan toen ik bij hem was en zei: 'Ik praat alleen maar tegen een marmeren grafsteen omdat ik geen andere keus heb. Ik zou het veel fijner hebben gevonden als ze nog in leven was, hoor.'

'Je moeder?'

'Ja.'

'De mijne ook.'

Ineens niet meer gepikeerd, maar een beetje triest. Voor ons allebei.

'Het was niet mijn bedoeling om je een onbehaaglijk gevoel te geven,' zei hij.

'Maar dat heb je wel gedaan.'

Hij had zijn narcissen over het graf van zijn moeder uitgestrooid en waarom weet ik niet, maar dat ontroerde me. Een man zoals hij had ook (afgaande op de dure overjas) een chic boeket kunnen kopen, vol orchideeën en zo, in plaats van simpele narcissen.

'Ik vond het... geweldig... dat je zo vrijuit kon praten,' zei hij. Hij zweeg even, keek omlaag en vervolgens weer naar mijn gezicht. Volle laag uit blauwe ogen. 'Ik benijdde je,' zei hij.

11.08

Ik deed de voordeur open en snoof de frisse buitenlucht op. Rook naar koeienstront. Vijf roodbonte koeien in wei hiernaast keken me kwispelend aan. Hun schuld.

Liep om het huis naar de achterkant en daar lag de woeste Atlantische Oceaan. Golven rolden af en aan, witte koppen en glinsterend zonlicht. Geur van ozon en zout en meer van die dingen. Staarde naar al dat natuurschoon en dacht: ik mis de winkels.

Het sloeg nergens op. Had hier niet naartoe moeten komen. Niemand om tegen te praten, geen tv. Veel te veel tijd om aan Paddy te denken. Had de benen moeten nemen naar een drukke, opwindende plek. New York, bijvoorbeeld, met al die afleiding. Maar hotels in New York zijn duur, hut van oom Tom is gratis.

Sms'je naar Bridie:

1zaam. Km miss nhs.

Antwoord:

1st dg is mlk. Succes!

11.40

Hele ochtend klanten zitten bellen en uitgelegd dat ik een paar weken 'uit de roulatie' ben en hen achterlaat 'onder de hoede' van Nkechi. Sommigen vonden het prima, anderen niet. Bang voor Nkechi. Sarah-Jane Hutchinson wil niets met haar te maken hebben.

Heb mezelf opdracht gegeven naar het dorp te wandelen. Had ook met de auto kunnen gaan, maar is vijf minuten lopen. Moest bovendien denken aan wat die psychiater na mams dood tegen me had gezegd: beste manier om over een depressie heen te komen is eropuit gaan en een wandeling maken. Eigenlijk grappig, want als je echt een depressie hebt, is het laatste wat je wilt eropuit gaan. Pilletjes werken veel beter.

11.42

Heel raar. Of mooi, eigenlijk. Was in pastelkleurige laarzen op weg naar het dorp en kwam langs het huisje van de buren toen ik ineens achter een raampje in de zijkant van het huis, vlak onder het dak, een glimp opving van lovertjes en iets glanzends.

Bleef staan en rekte mijn nek uit. Het raam was zo geplaatst – met uitzicht bijna recht op zee – dat voorbijgangers nauwelijks naar binnen konden kijken. (Kan dat soort dingen niet goed beschrijven. Net als gedoe met afstanden echt iets voor mannen.) Ik liep puur bij toeval in een rare bocht van de weg en had geluk.

Meteen daarna zag ik een vrouw die in een bruidsjurk stond rond te draaien! Glad, glanzend wit satijn, strak lijfje, wijde rok, geen schuimpjesgedoe maar meer als een overdreven A-lijn, als je snapt wat ik bedoel. Weet bijna zeker dat het een Vera Wang was. Opvallende aanblik. Ondanks mijn eigen tragische omstandigheden toch onwillekeurig blij omdat ze zo mooi was en kennelijk zo gelukkig.

Lange witte handschoenen. Bewerkte diamanten choker, misschien Swarovski, niet te zien van deze afstand. Een beeldige kleine tiara op adembenemend donker haar, dik, lang en glad, dat meezwierde bij het ronddraaien.

Ze kwam prevelend naar het raam toe – waarschijnlijk oefende ze de belofte van trouw – en bleef lekker in zichzelf doorkeuvelen tot ze ineens dezelfde reactie vertoonde van iemand in een film die tot de ontdekking komt dat ze boven op een krokodil staat. Ze verstarde en richtte haar blik hééééél langzaam naar beneden tot haar ogen op mij gevestigd waren. Ze dwong zichzelf naar mij te kijken, zoals ik daar op de weg als een aanbidder omhoog stond te staren. Hoewel ze nog steeds te ver weg was om er zeker van te zijn dat die choker van Swarovski was, kon ik de schrik en de afschuw duidelijk van haar gezicht lezen. Ze week achteruit alsof ze op rolschaatsen stond. Waarom? Wat moest er verborgen blijven?

Ik bleef als aan de grond genageld staan, me afvragend of ze weer tevoorschijn zou komen, tot een boer aan kwam tuffen op een tractor die stinkende zwarte rook uitbraakte. 'Aan de kant, jongedame!' schreeuwde hij en probeerde me van de weg te rijden.

11.49
Internetcafé
Gezien mijn BlackBerry hoefde ik niet echt naar het internetcafé, maar zocht eerlijk gezegd gewoon een uitvlucht om met iemand te praten.

Binnen zat een meisje met elegant over elkaar geslagen benen op een kruk een sigaret te roken. Heel kort donker haar, net als Jean Seberg in *À Bout de Souffle*. Niet veel gezichten kunnen die rigoureuze haarstijl hebben. Mooie, puntige wenkbrauwen. Donkerrode lipstick. Mat. Interessant in deze van glossy vergeven tijden.

'Eh... hallo,' zei ik.

''Allo.'

Ze moest Frans zijn. Of Cockney.

Eenvoudige, maar prachtige kleren. Zwarte coltrui, zwart-witte rok, brede riem. Zwarte platte schoentjes. Simpel, maar chic. Franse vrouwen hebben die gave. Net zoals Ieren geweldig goed plezier kunnen maken en groene sproeten krijgen in plaats van bruin te worden.

'Mag ik gebruikmaken van het internet?' vroeg ik.

'*Certainement*,' zei ze. 'Ga je gang.'

'Kom je hier uit de omgeving?' (Wist best dat het niet zo was, maar smoes om gesprek te beginnen.)

'*Non. De France.*'

Ik stelde me voor en hoopte dat we gezellig over de winkels in Parijs zouden kunnen kletsen, maar ze kwam uit een plaats die Beaune heette. Nooit van gehoord maar zij was er kennelijk trots op. Echt iets voor Fransen. Ze zijn er trots op dat ze Frans zijn, roken allemaal Gauloises en zijn heel goed in staken. Soms doet het hele land mee.

'Bonjour, Lola,' zei ze. 'Je m'appelle Cecile.'

'Waarom ben je hier komen wonen, Cecile?' vroeg ik.

Waarom? Om een man.

'Ben stapelgek op hem,' zei ze. 'Hij is een surfer.'

'Hoe heet hij?'

'Zoran.'

'Iers?' Kan helemaal niet, dacht ik.

'Nee, Serviër. Woont nu ook hier.'

Maar één belangrijke e-mail. Van Nkechi. Ze heeft de vrouw die Roberto Cavalli in Ierland importeert zover gekregen dat ze uitsluitend aan 'ons' levert. Goed nieuws. Uitmuntend nieuws. Alle Ierse vrouwen die op Cavalli vallen, moeten voortaan door mij gestyled worden – of door 'ons' zoals Nkechi zo dreigend formuleerde. Jemig. Ben nog maar één dag weg en ze neemt nu het heft al in handen.

12.16
The Oak

Zelfde barkeeper als gisteravond. Pruimenoog. 'Wat is de soep van de dag?' vroeg ik.

'Champignons.'

'Oké. En een kop koffie.'

'Verkeerd? Cappuccino? Espresso?'

'Eh... koffie verkeerd.'

'Volle of magere melk?'

'Eh... magere.'

Meer keus dan ik had verwacht.

Hoorde mezelf ineens vragen: 'En waar kom jij vandaan?'

Jemig! Begin echt gelijkenis te vertonen met zo'n irritant mens dat met iedereen gesprek wil aanknopen. En zo ben ik helemaal niet. In Dublin probeer ik juist met zo min mogelijk mensen te praten.

'Uit Egypte,' zei Pruimenoog.

Uit Egypte! Multinational! Het lijkt wel of de cast van *Lost* in Knockavoy is neergestreken!

'Dan ben je een eind van huis.' Wat stom om zoiets te zeggen. Klink als de wolf in Roodkapje.

'Dan zul je het warme weer wel missen,' zeg ik. En bedenk dat dat al net zo stompzinnig is en dat iedereen dat wel tegen hem zal zeggen.

'Ja,' zei hij. 'Dat zegt iedereen. Maar er is meer in het leven dan mooi weer.'

Nieuwsgierig geworden. 'Zoals?'

Hij lachte. 'Zoals drie maaltijden per dag. Zoals vrijheid van politieke meningsuiting. Zoals de mogelijkheid om een gezin te onderhouden.'

'Oké,' zei ik. 'Ik snap wat je bedoelt.'

Fijn gevoel om weer eens contact te hebben met een medemens, maar een man verderop aan de tafel – slonzige, onderuitgezakte figuur – riep: 'Genoeg gekletst, Osama! Waar blijft mijn pils?'

'Heet je echt Osama?' vroeg ik.

Jemig, dat zou hem knap dwars zitten. Nog erger dan Pruimenoog. Geen wonder dat hij politiek geen vrijheid had!

'Nee. Ibrahim. Plaatselijke bevolking noemt me voor de grap Osama.'

Laat in de middag

Langs de kust naar huis gelopen. Kwam langs een grappig oud huis. De huizen ernaast waren opgeknapt – kunststof kozijnen, vers schilderwerk – maar dit pandje zag er verweerd en vrij vervallen uit. Van de verkleurde blauwe verf op de voordeur vielen de schilfers bij bosjes af. Deed me denken aan die keer dat ik een chemische peeling had gehad. Een vensterbank vol zeeanemonen, schelpen, zand en alikruiken. Geen gordijnen, dus je kon zo in de voorkamer kijken. Visnetten aan het plafond, versteende zeesterren, grote schelpen en stukken drijfhout die gebeeldhouwd leken. Het huis heette 'Het Rif'.

Betoverend plekje. Zou graag naar binnen willen.

18.03

Mobiele telefoon ging over. Herkende het nummer: Grace Gildee, de charismatische journaliste. Ze achtervolgde me! Stopte de telefoon terug in mijn tas alsof ik mijn vingers eraan brandde. Ga weg, ga weg, ga weg! Tien seconden later de dubbele piep van een bericht dat ingesproken was. Ga weg, ga weg, ga weg!

Boodschap verwijderd zonder ernaar te luisteren. Bang. Tuurlijk kan niemand me laten praten als ik dat niet wil. Maar toch bang. Grace Gildee is opdringerig, overtuigend, vastbesloten. En – waarschijnlijk – aardig.

20.08
Supermarkt-annex-boekwinkel-annex-dvd-zaak

Brandon en Kelly weer achter de toonbank. Op Brandons aanraden *The Godfather* genomen. Kelly probeerde me *Starsky & Hutch* aan te smeren. 'Met twee van die lekkere stukken denk je vast niet meer aan die vent met wie je zou gaan trouwen,' zei ze. 'Heeft-ie je dat trouwens recht in je gezicht gezegd?'

Ze trappelde van verlangen om alles te horen en ik kon niet wachten tot ik haar alles verteld had. 'Paddy de Courcy!' riep ze uit. 'Die naam ken ik! Die zit toch in de politiek? Ik heb hem in de *VIP* zien staan! Pak die eens!' Ze stuurde Brandon naar het rek met tijdschriften. 'Schiet op!'

Ze verzwolg de foto's en had overal commentaar op. Bijvoorbeeld dat Paddy 'best lekker' was voor 'een oudere kerel' en dat Alicia een kuttekop was. Brandon noemde haar een 'muts'. Die uitdrukking had ik nog nooit gehoord, maar het betekent hetzelfde als kuttekop. Ze waren allebei diep onder de indruk van het feit dat mijn ex-vriend in een tijdschrift over bekende mensen stond, ook al was het maar een Iers blad.

'Staat er ook iets over hem in *Heat?*' vroeg Kelly. 'Of in *Grazia?*'

'Nee.'

'Nou ja, maakt niet uit. En je weet niets van die andere vrouw? Helemaal NIETS?'

Ik schudde mijn hoofd.

'Ik had hem gekeeld,' zei ze verbijsterd. 'Met mijn blote handen.'

'Je hoefde alleen maar op hem te gaan zitten,' zei Brandon onverwacht venijnig. 'Dat zou ook genoeg zijn geweest. Er zijn niet veel mannen die het overleven als jij met je kont op hun kop gaat zitten.'

'Nou, jij hoeft alleen maar iemand in d'r gezicht te ademen!' reageerde ze fel.

Mijn oorspronkelijke idee dat Brandon en Kelly een stel waren onmiddellijk herzien. Broer en zus leek een stuk waarschijnlijker.

'Dus nu zit je hier in het huis van Tom Twoomey om over je liefdesverdriet heen te komen.'

'Dat zien we hier wel vaker,' zei Brandon. 'Vrouwen. Die hierheen komen. Met een gebroken hart. Waarom weet ik niet. Misschien denken ze dat ze weer opknappen van de golven. Ze lopen twintig keer per dag over het strand. En ze gaan vaak ronddwalen in de duinen, zonder te beseffen dat die het eigendom zijn van de golfclub.

Plotseling staan ze midden op de elfde hole terwijl de ballen hun om de oren vliegen. Dan worden ze weer afgevoerd in een golfkarretje. Meestal compleet overstuur.'

'Echt compleet overstuur,' zei Kelly.

Er viel een vreemde stilte. Toen kregen ze ineens allebei de slappe lach.

'Sorry,' zei Brandon, terwijl hij dubbel lag. 'Alleen... alleen...'

'...ze denken allemaal dat ze zo gevoelvol bezig zijn,' zei Kelly terwijl haar gezicht vertrok van het lachen. 'Eén met de natuur... en dan... en dan... worden ze bijna naar de andere wereld geholpen door een golfbal...'

'Was niet van plan om op het strand of door de duinen te gaan lopen,' zei ik koel.

Het is niet aardig om vrouwen met liefdesverdriet uit te lachen.

Ze hielden abrupt op en schraapten hun keel. 'Misschien kun je gaan schilderen,' zei Kelly. 'Om al dat verdriet te verwerken.'

'O ja?'

'Ja, hoor. Dat doen ze vaak. Schilderen.'

'Of gedichten schrijven,' deed Brandon een duit in het zakje.

'Of pottenbakken.'

'Maar toch vooral schilderen. Laten we wel wezen, dat is beter dan dat je de jongeheer van je man met een broodzaag afsnijdt.' Brandon wierp Kelly een veelbetekende blik toe.

'Wat?' Ze draaide zich om en schreeuwde: 'Dat was een ONGE-LUK!'

Ze keek mij weer aan: 'We hebben wel potloden en kleurboeken, maar echte verf en schilderspullen kun je in Ennistymon kopen.' (De enige fatsoenlijke stad hier in de buurt.)

Pieker er niet over om te gaan schilderen. Of gedichten te schrijven. Of potten te bakken.

Het is al erg genoeg zo.

23.59

De *Godfather* echt fantastisch. Boordevol wraak. En helemaal weg van Al Pacino. Goed teken. 's Avonds maar drie keer de telefoon gepakt om Paddy te bellen.

00.37

'Onder de wol gekropen' zoals ze in Margery Allingham zeggen. Rare uitdrukking.

02.01

Wakker geschrokken. Totale paniek. Vreselijke aandrang om in de auto te springen en dwars door het land naar Dublin te rijden om Paddy op te zoeken en hem te smeken bij me terug te komen. Begon meteen van alles in mijn koffer te gooien. Bonzend hart. Droge mond. Regelrechte nachtmerrie. Ging hij echt met iemand anders trouwen? Dat kon toch niet waar zijn!

Moest ik niet eerst onder de douche? Me aankleden? Nee. Nee, ja. Stel je voor dat ik hem vond? Terwijl ik er in mijn pyjama uitzag alsof ik uit een gesticht was ontsnapt! Wat moest ik aantrekken? Kon niet kiezen. Helemaal niet. Wazig van de slaappil, maar hoofd liep om. Gedachten flitsten veel te snel voorbij.

Bonkend met de koffer de trap af. Eerst naar de badkamer om spullen te pakken. Nee, laat maar. Maakt niet uit. Trok voordeur open, koele nachtlucht, smeet koffer in de achterbak en terug naar binnen voor andere koffer.

Maar toen ik daarmee naar beneden kwam, bonsde mijn hart niet meer. Kon weer logisch denken. Begreep dat ik me onwijs gedroeg. Het had geen zin om naar Dublin te rijden. Hij wilde me toch niet zien. Dat was vanaf het begin zijn bedoeling geweest en hij zou vast niet van gedachten veranderen.

Ik ging in mijn pyjama op de stoep zitten en staarde in de duisternis voor me uit. Naar de akkers, maar daar zag ik nu niets van.

Terug in de tijd

Gek genoeg had ik geen flauw idee dat ik voor hem zou vallen toen ik Paddy de Courcy voor het eerst op de begraafplaats ontmoette. Helemaal niet mijn soort man. Vorige vriend, fotograaf Malachy, heel anders. Klein, keurig versierdertje met tinteloogjes. Dol op vrouwen en vrouwen op hem. Kreeg modellen als Zara Kaletsky zover dat ze de raarste poses voor hem aannamen. (Zo had ik Malachy leren kennen. Was Zara's styliste tot ze halsoverkop uit Ierland vertrok. Zij bracht ons bij elkaar.)

Malachy geen harig type. Maar op die winderige dag op het kerkhof hoefde ik alleen maar naar de overjas van Paddy de Courcy te kijken om te weten dat hij een behaarde borst had. Onderbewuste reactie op donkere baardstoppeltjes. En behaarde handen. (Niet van die wollige King Kong-klauwen, maar gewoon leuk.) Gladde onbehaarde borst paste daar gewoon niet bij.

'Kom je hier vaak?' vroeg hij.

Ik keek naar de marmeren grafzerken om ons heen. Daaruit bleek maar weer dat je echt overal een kerel kunt leren kennen. 'Ongeveer een keer per maand.'

'Het is wel een beetje ongebruikelijk...' zei hij. 'Vanwege de begraafplaats en zo... Ik kan over een maand terugkomen in de hoop je weer te zien, of... zou je nu al een beker warme chocolademelk met me willen gaan drinken?'

Slim. Beker warme chocolademelk echt het enige aanbod dat ik aan zou nemen. Veilig. Was iets heel anders geweest als hij me had uitgenodigd om een borrel met hem te gaan drinken. Of een kopje thee. Alcohol: geile viezerik. Thee: sukkel met een moedercomplex.

Samen naar de kroeg aan de overkant voor warme chocolademelk met marshmallows en herinneringen aan dode moeders.

'Iedere keer als me iets fijns overkomt, wil ik haar dat vertellen,' zei hij. 'En iedere keer als het slecht met me gaat, heb ik haar hulp nodig.'

Wist precies wat hij bedoelde. We waren allebei vijftien toen onze moeder doodging. Heerlijk – een zalige opluchting zelfs – om iemand te ontmoeten die zijn moeder op dezelfde leeftijd had verloren als ik. Hart op de tong, gedeelde smart, vond hem erg aardig, maar viel niet op hem. Had juist het gevoel dat ik hem een gunst bewees door wat tijd aan hem te spenderen zodat hij over zijn moeder kon praten.

'Het getuigt natuurlijk niet van goede smaak, als je nagaat waar we elkaar ontmoet hebben, maar zou je misschien een keer een afspraak met me willen maken? Ik beloof je dat ik dan niet over mijn moeder zal praten.'

Ik deinsde achteruit tegen de rugleuning van de bank. Geschrokken van het beeld dat voor me opdoemde, waarin hij naakt met behaarde borst boven me uit torende, met zijn stijve pik in zijn hand. Mijn maag kromp samen. Niet van plezier. Opwinding? Waarschijnlijk niet. Zou wel misselijk worden van het idee. Hij was mijn type niet. Ik vond dat hij er veel te oud uitzag en bovendien (oppervlakkig, ik weet het) bevielen zijn kleren me niet. Veel te netjes, tot het bovenste knoopje dicht. Maar waarom zou ik het niet gewoon proberen?

Schreef mijn telefoonnummer op een oud bioscoopkaartje.

Hij keek ernaar. '*Mission Impossible?*' zei hij. 'Goeie film?'

'Heb je die dan niet gezien?'

'Ik heb nooit tijd om naar de bioscoop te gaan.'

'Waarom niet?'

'Ik ben politicus. De tweede man van NewIreland. Een veeleisende baan.'

Het leek me beter om hem te vragen hoe hij heette, want dat doe je automatisch als iemand zegt dat hij schrijver, acteur, of – ja – politicus is. Geeft je bijna het gevoel dat ze op die vraag zitten te wachten.

'Paddy de Courcy.'

Ik knikte en zei: 'Mmmm' om te verbergen dat ik nog nooit van hem had gehoord.

Hij keek me vol bewondering na toen ik in mijn rode Mini voorbijschoot. Ik keek nog even in mijn spiegel en zelfs van een afstandje zag ik nog hoe blauw zijn ogen waren. Gekleurde contactlenzen? Nee. Mensen met gekleurde contactlenzen hadden altijd van die starende, dode ogen. Alsof ze buitenaardse wezens zijn. Ik raad het mijn cliënten altijd af. Het geeft zo'n goedkoop... Mariah Carey-effect.

Ik vroeg me af of Paddy de Courcy me nog zou bellen. Ik had het vermoeden dat hij wel getrouwd zou zijn. En op het eerste gezicht vormden we ook niet echt een ideaal stel. Ik had een rode Mini, hij had een donkerblauwe Saab. Ik droeg een snel gesneden duifblauw jack met brede revers, hij een eenvoudige donkerblauwe overjas. Ik had een hoekige Louise Brooks-coupe met chiarascuro highlights (dat was voor de molichino-plukjes), hij had geföhnd haar.

Heb hem niet eens gegoogled. Zoveel interesse kon ik niet opbrengen.

De volgende ochtend vroeg ging mijn telefoon. Ik herkende het nummer niet, maar nam toch aan omdat het ook een nieuwe cliënt kon zijn. Het was een of andere vrouw, die zei: 'Ik bel namens het bureau van Paddy de Courcy. Meneer De Courcy vroeg zich af of u vanavond vrij was. Hij komt u om zeven uur ophalen. Dus ik wil graag even uw adres hebben.'

Ik was zo verbaasd dat ik even stil bleef. Toen barstte ik in lachen uit. 'Nee.'

'Hoe bedoelt u, nee?'

'U krijgt mijn adres niet. Wie denkt hij wel dat hij is?'

Haar beurt om verbaasd te zijn. 'Hij is Paddy de Courcy!'

'Als meneer De Courcy graag een afspraak met me wil maken, zal meneer De Courcy de telefoon moeten pakken en me zelf moeten bellen.'

'Ja, maar... Hoor eens, mevrouw Daly, meneer De Courcy is een druk bezet man...'

Ik weet alles van druk bezette mensen af. Voor mijn cliënten geldt hetzelfde en die laten ook vaak een assistente bellen voor een afspraak, maar dat was werk. Dit niet.

'Ik moet ophangen,' zei ik. 'Leuk om even met u gebabbeld te hebben. Tot ziens.' (Het kost niets om beleefd te blijven. En het was best mogelijk dat ze in de toekomst nog eens een styliste nodig had.)

Ik verwachtte niet dat hij zou bellen en dat kon me niets schelen. Als ik daar aan terugdacht, brak het klamme zweet me uit. Ik had het allemaal kunnen vergooien, voordat het zelfs begonnen was. Realiseerde me toen dat het toch voorbij was en dat het misschien beter was geweest als ik al die ellende niet had gehad. Maar ik kon me niet voorstellen dat ik hem niet had leren kennen. Zo'n ongelooflijk intense ervaring, met zo'n intense man. Zo ontzettend mooi en sexy.

Maar goed, een paar minuten later belde hij dus wel. Lachend. En verontschuldigend, omdat hij zo'n arrogante klootzak was geweest.

'Jullie politici hebben geen notie meer van de werkelijkheid,' zei ik. Luchthartig. Plagend.

'Nee, niet waar.'

'O nee? Vertel me dan maar wat een liter melk kost.' (Ik heb een keer per ongeluk een programma gezien waarin een of andere minister voor gek werd gezet omdat hij dat niet wist. Eerlijk gezegd had ik toen een beetje medelijden met hem. Ik wist het zelf ook niet precies. Maar ik kon je wel tot op de euro precies vertellen wat je voor een complete Chloé-garderobe kwijt was. Bij de groothandel, afgeprijsd of gewoon voor de volle mep. Iedereen heeft zo z'n eigen gave.)

'Geen idee,' zei Paddy de Courcy. 'Ik drink nooit melk.'

'Waarom niet? Te druk?'

Hij lachte. Hij kon goed tegen plagen.

'Gebruik je geen melk op je cornflakes?' vroeg ik.

'Ik eet nooit cornflakes.'

'Waar ontbijt je dan mee?'

Het bleef even stil. Toen zei hij: 'Zou je dat echt graag willen weten?'

Goedkoop. Moest ineens aan zijn geföhnde haar denken en had geen zin meer om te plagen.

'Sorry,' zei hij. Hij klonk nederig, maar vroeg meteen: 'Ben je vanavond vrij?'

'Nee.' (Eigenlijk wel, maar...)

'En morgen dan? Nee... wacht even, morgen kan ik ook niet. Of woensdag. Momentje,' zei hij en riep toen naar iemand: 'Stephanie, kun je dat gedoe met die Brazilianen voor donderdag afzeggen?' En tegen mij: 'Donderdag?'

'Dan moet ik even in mijn agenda kijken.' Ik keek en zei: 'Ja, donderdagavond gaat wel.'

'Donderdag dan,' zei hij. 'Ik kom je wel halen. Zeven uur?'

Wat had hij toch met zeven uur? Waarom zo vroeg?

'Ik reserveer wel bij een paar restaurants, dan kun jij kiezen.'

Ik begon een beetje te steigeren bij dat heerszuchtige gedoe, maar toen... nou ja... laten we maar zeggen dat ik ophield met steigeren.

'Nog één ding,' zei ik. 'Ben je getrouwd?'

'Hoezo? Wil je me een aanzoek doen?'

Weer zo'n goedkope opmerking. 'Ja of nee?' zei ik.

'Nee.'

'Prima.'

'Ik verheug me er echt op,' zei hij.

'...Ja. Ik ook.'

Maar eigenlijk was ik daar helemaal niet zeker van. En toen ik achter in zijn auto stapte en hij weer helemaal de Volwassen Man was, met zijn pak en zijn koffertje, dacht ik: O nee, dit is een grote vergissing. En mijn maag kromp opnieuw samen. En natuurlijk werd het allemaal nog veel erger. Maar toen... toen ik me voor hem uitkleedde... toen werd alles ineens heel anders. Ik begon echt op hem te vallen. En heb nooit ergens spijt van gehad.

Vrijdag 5 september, 12.19

Wakker. Was rond zes uur, toen de zon opkwam, weer naar bed gegaan.

Voelde niet langer die idiote wanhoop vanwege Paddy. Voelde me gewoon geen knip voor de neus waard. Niet goed genoeg voor hem. Nergens goed voor.

13.53

Liep naar het dorp. De lucht was nevelachtig en maakte een puinhoop van mijn haar.

Toen ik bij dat specifieke plekje op de weg kwam, bleef ik staan en keek omhoog naar het raam van het buurhuis in de hoop de vrouw in de bruidsjapon weer te zien. Ik stierf van nieuwsgierigheid. Geen spoor van haar te bekennen.

14.01

The Oak

Soep van de dag: champignons. Begon me af te vragen of ze wel andere soep hadden. Hetzelfde gold voor de taartpunt. Weer aardbeien.

15.05

Internetcafé

Had zin om een beetje te surfen, maar gesloten! Verfomfaaid kaartje met 'lunchpauze'. Nijdig. Die Fransen met hun rare etenstijden! Besloot om langs de kust terug te gaan en nog een keer naar dat sprookjeshuis te kijken. En je raadt het nooit, maar voor dat huis zag ik zowaar Cecile! Ze hing ondersteboven aan een van de relingen aan de zeekant te giechelen met drie knullen in surfpakken.

Haar rok hing om haar schouders, waardoor haar slipje duidelijk te zien was. Snoezig. Katoen. Wit met rode klaproosjes en rood afgezet. Leuk dat ze zo ongeremd kon zijn. Nee... eigenlijk helemaal niet leuk... kreeg een onbehaaglijk gevoel van die rare kuren. We zaten hier niet aan de Côte d'Azure.

De surfers in een halve kring om haar heen. Algemene indruk van nat zand, grote blote mannenvoeten, verwarde haren vol zout, surfboards, wetsuits waarvan de opengetrokken ritsen gladde blote borsten toonden, rode ogen van het zoute water, dunne kettinkjes om gebronsde kelen, gouden ringetjes door wenkbrauwen. Niet uit elkaar te houden, gewoon een hoop lekkere jonge stukken.

'Cecile?' vroeg ik.

'*Oui?*'

'Heb je nog steeds lunchpauze?'

'*Oui.*'

'Tot wanneer?'

Zelfs ondersteboven slaagde ze erin om op die typisch Franse manier haar schouders op te halen. 'Zou het niet weten.' Ze giechelde en wierp een van de surfers een ondeugende blik toe.

De voordeur van het sprookjeshuis stond op een kier. Een glimp van kale versleten vloerplanken, ouderwetse trapleuningen en bladderende witte verf op weg naar een sprookjesachtige slaapkamer.

Cecile zou naar het sprookjeshuis gaan om met een van die surfers tussen de lakens te kruipen. Een scheut van pijn. Jaloezie. Eenzaamheid. Vanwege alles wat ik kwijt was en alles wat ik nooit had gehad. Ik wou dat ik jong was. Ik wou dat ik mooi was. Ik wou dat ik Frans was.

19.57

Op weg naar een andere kroeg in plaats van The Oak. Nog één kop champignonsoep en ik zou misselijk worden.

Stak mijn hoofd om de deur van een golfbar, die Hole In One heette of zoiets. Kon niet eens naar binnen. Propvol kerels (plus een of twee vrouwen die beter hadden moeten weten). Lawaaierig, geschreeuw. Allemaal door elkaar, net als politici in de Dáil. En dan die afschuwelijke kleren! Gele truien. Slobkousen. Zonnekleppen! Nou vraag ik je. Totaal nutteloos, zeker in Ierland, wegens niet genoeg zon. Gewoon... gewoon... opzettelijk slechte smaak.

Daarna naar Butterly's. Heel klein tentje. Formaat voorkamer. Flagstones op de vloer, kale houten tapkast met daarvoor drie hoge krukken. Televisietoestelletje op hoge plank. Glimlachende oude vrouw achter de tap, bijna smachtende blik (zou Margery Allingham zeggen). Moest een aanloop nemen om op een van de krukken te springen.

Nog nooit zo'n rare kroeg als Butterly's gezien, met een eigenaardig aanbod van sterke drank, vrijwel uitsluitend zoete likeurtjes. Ook nog diverse andere dingen te koop, bijvoorbeeld doperwtjes in blik, lucifers en pakjes instant pudding. Net als vroeger, als je winkeltje speelde. (Nou ja, toch handig om te weten. Voor die avonden als je halverwege je glas wijn ineens een niet te bedwingen trek in pudding krijgt.) (Grapje.)

De oude vrouw was mevrouw Butterly zelf. Leuk om eens in een tent te komen die door de eigenaar zelf gerund werd. Echte kletskous. Zei dat de kroeg eigenlijk haar woonkamer was en dat ze alleen open was als ze behoefte had aan gezelschap.

Had er eigenlijk een hard hoofd in, maar vroeg toch: 'Hebt u ook iets te eten?'

Ze wees naar de vreemde verzameling achter de bar.

'Ik bedoel om nu te eten.'

Was even doodsbenauwd dat ze zou aanbieden een blik doperwtjes op te warmen. Als ik daar alleen maar naar kijk, krijg ik al zelfmoordneigingen.

'Ik kan wel een boterhammetje voor je maken. Ik kijk wel even in de koelkast.'

Ze liep naar een ander vertrek, waarschijnlijk de keuken. Kwam terug met plak schouderham tussen twee kleffe plakken witbrood. Op een rare retromanier toch heel bevredigend. Toen ik het op had, maakte ze voor ons allebei een kopje thee en haalde een pakje biscuitjes tevoorschijn.

Ik probeerde een glas rode wijn te bestellen, maar ze zei: 'Ik heb geen wijn. Wat denk je van een Tia Maria? Of dit... cointreau?'

Het meest normale drankje was Southern Comfort. Geen ijs, dus accepteerde ik maar een scheut van de lafste sprite die ik ooit had gehad. Uit een tweeliterfles die, o, minstens zestig jaar op de plank had gestaan. Geen bubbeltje meer te bekennen in de hele fles.

Ik haalde mevrouw Butterly over om gezellig samen met mij een borreltje te drinken en toen ik wegging, wilde mevrouw Butterly geen geld aannemen voor het eten. 'Goeie genade, voor die paar biscuitjes?' zei ze.

'Maar die boterham dan, mevrouw Butterly...'

'Goeie genade, alleen maar twee sneetjes brood...'

Lief. Echt heel lief.

Maar niet bepaald zakelijk.

21.59
Supermarkt

Wilde eigenlijk aan Kelly vragen hoe dat zat met dat broodmes, maar de winkel was afgeladen vol. Allemaal bezoekers. Toeristen die een weekendje bleven, met manden vol diepvriespizza's en sixpacks bier. Hun aanwezigheid ergerde me, alsof ik hier zelf woonde.

Brandon maakte een afwezige indruk, maar raadde me *Goodfellas* aan.

00.57

Vond *Goodfellas* best leuk, hoor. En ik wil niet al te kritisch lijken, maar heel veel geweld en niet echt over wraak.

01.01

Ineens drong tot me door waarom ik me zo op mijn gemak voelde bij mevrouw Butterly. Dat kwam door die laffe sprite. Dat kreeg ik altijd van mam als ik ziek was geweest. Dan maakte ze het eerst warm om alle bubbels eruit te krijgen, zodat het geen pijn deed aan mijn zere keel. Laffe sprite maakt dat ik me bemind voel. Aangezien er hier niemand is om me dat gevoel te geven, zorg ik er zelf wel voor.

Zaterdag 6 september, 08.01

Werd wakker van de deur van de buren die met een klap dichtviel. Ik sprong uit bed en liep naar de andere slaapkamer aan de voorkant om uit het raam te kijken, in de hoop dat ik het Meisje van de Bruidsjapon in haar dagelijkse kleren zou zien. Maar geen meisje, alleen haar vriend – of beter, verloofde. Ik bekeek hem van top tot teen, om te zien wat voor man de in Vera Wang gehulde schoonheid had gestrikt. Op het eerste gezicht niet bepaald een verzorgd type. Hij zou in ieder geval nog voor de bruiloft naar de kapper moeten. Kleren in vrijetijdsstijl: spijkerbroek en dikke, donkerblauwe fleecetrui die op de Noordpool niet zou misstaan. Maar de schoenen wekten mijn interesse: antracietkleurige sportschoenen. In kringen van modeliefhebbers wordt antraciet 'zwart voor durfallen' genoemd. Hij stapte in de auto – welk merk kon ik niet zien – trok het portier met een klap dicht en reed weg.

Ik ging weer naar bed.

13.10

Druk in het dorp. Dagjesmensen. Blauwe lucht, zonnetje, warm, heerlijk weer voor september, afgezien van de eeuwige wind, die een ramp is voor je haar.

Mijn aandacht werd getrokken door vrouw die in haar eentje over het strand wandelde. Had haar de afgelopen paar dagen al onbewust opgemerkt en wist gewoon zeker dat zij een van die schilderessen, pottenbaksters of dichteressen met een gebroken hart was. Zelfs van een afstandje was te zien hoe strak haar gezicht stond. Hoe zou het komen dat je aangezichtsspieren het meteen laten afweten als je door je geliefde aan de kant wordt gezet? Door een specifiek enzym? (De wetenschappelijke ontdekking van het jaar. Wie weet waarom afknappers nooit lachen? Iedereen denkt altijd dat ze gewoon niets hebben om te lachen, maar misschien komt het wel door een speciaal enzym, waardoor ze niet kúnnen lachen. Met dit soort ontdekkingen kun je prijzen winnen.)

20.10
Supermarkt

Brandon raadde *Kill Bill, vol. 1* aan. Fantastisch. Wraak: een tien met een griffel.

Zondag 7 september

Pruimenoog is moslim! Weet niet waarom ik daar zo van sta te kijken. Hij komt uit Egypte, waar volgens mij een groot deel van de bevolking islamitisch is. Waarschijnlijk omdat ik nooit had gedacht dat een gelovige moslim in een kroeg zou werken. Een van alcohol vergeven hol.

Hij had een achteloze opmerking gemaakt over bidden in de richting van Mekka en ik vroeg: 'Ben je moslim?'

'Ja,' zei hij.

Niet echt belangrijk, maar ik kreeg ineens een onbehaaglijk gevoel toen ik een glas wijn bij hem bestelde. Het idee dat hij me in gedachten een Vuile Hoer noemde. Een Ongelovige Hoer.

En ik schaamde me voor mijn geliefde molichino-highlights. Niet alleen liep ik rond met onbedekte haren, maar ik vestigde er ook nog eens letterlijk de aandacht op met beeldige highlights. Hij was erg vriendelijk – hij leek echt een schat van een man – maar ik was bang dat hij maar deed alsof en in werkelijkheid vreselijke dingen over me dacht. Of misschien zelfs binnensmonds mompelde. Zo van:

'Hoi, Ibrahim.'

'Ha, die Lola. *Vuile ongelovige hoer!* Hoe gaat het met je?'

'Goed. En met jou?

'*Prima. Zeker als je nagaat dat ik naar het paradijs ga en jij dat wel kunt vergeten.* Wat kan ik voor je inschenken?'

'Een glaasje merlot graag, Ibrahim.'

(Met een brede glimlach.) 'Eén glaasje merlot, Lola. *Vuile westerse hoer. Je zult voor eeuwig in de hel branden, alcohol drinkende en varkensvlees etende ongelovige met je onbedekte haren.* Komt eraan!'

Is dat racistisch van me? Of zeg ik nu gewoon wat iedereen denkt? Precies zoals vroeger altijd werd gedacht dat alle Ieren bommen gooiende IRA-leden waren. 'Ha, die Paddy, kom binnen en neem een kopje thee. En vertel eens, was jij vroeger op school ook zo goed in scheikunde?'

Ik wil geen racist zijn. Maar het is onmiskenbaar een botsing van twee waardeoordelen. Ik hou van merlot. Moslims keuren merlot af. Ik zou nooit weigeren om iemand in dienst te nemen die niet van merlot hield. En ook niet om die reden aan zijn of haar burgerrechten tornen. Maar ik wil gewoon van merlot kunnen genieten. Ik wil niet opgescheept worden met de angst dat ik voor eeuwig in de hel zal moeten branden omdat ik bij de lunch een glaasje wijn drink.

Is het verstandiger om te erkennen dat Ibrahim me een onbehaaglijk gevoel geeft? Of moet ik net doen alsof er niets aan de hand is en dat er geen verschillen bestaan tussen hem en mij? Hoe moet je je gedragen in een multiculturele samenleving? Nkechi's dikke kont, Ibrahims armageddon. Jemig, wat een hoogdravende problemen. Ik word er doodmoe van.

Terug in de tijd

Mijn eerste afspraakje met Paddy. Ik werd bij mijn flat afgehaald door een auto met chauffeur John achter het stuur. Paddy zat op de achterbank in een pak met een open koffertje op schoot.

'Waar heb je zin in?' vroeg hij. 'Heb je honger?'

'Nee, eigenlijk niet. Het is nog een beetje vroeg.' (Het was pas zeven uur in de avond. Ongebruikelijk vroeg voor een afspraakje.)

'Oké,' zei hij. 'Laten we dan maar gaan winkelen.'

'Wat gaan we dan kopen?'

'Kleren.'

'Voor mij of voor jou?'

Ik vroeg me af of hij probeerde gratis kledingadvies te krijgen.

'Voor jou.'

Ik wist niet wat ik daarop moest zeggen. Wat een raar afspraakje. Meestal moest ik hemel en aarde bewegen om een man zover te krijgen dat hij mee ging winkelen. Ik had ook het vreemde gevoel dat dit geen gewoon winkeluitstapje zou worden.

Al gauw daarna deed John het portier open. Met Paddy's hand op mijn rug een trap op, door een discrete deur van donker glas, luxueuze vloerbedekking, een vriendelijke vrouwenstem die ons welkom heette en zei dat we rustig konden rondkijken. Ik dacht dat ik elke winkel in Dublin kende, maar ik vergiste me. Donkere voorwerpen verlicht door schijnwerpers. Nog eens goed kijken. Een vibrator. Een zwart satijnen blinddoek. Iets om tikken mee uit te delen. Kleine onyx voorwerpjes die ik voor manchetknopen hield, bleken in werkelijkheid tepelklemmetjes te zijn.

Slipjes, beha's, jarretelgordels, satijn, zijde, kant, leer, spandex, zwart, rood, roze, wit, blauw, huidkleurig, met een patroontje...

Deed mijn best om me als een vrouw van de wereld te gedragen – per slot van rekening was ik wel eerder in dit soort zaken geweest, al waren die niet zo chic – maar ik moest bekennen dat ik me niet op mijn gemak voelde. Ongerust. Behoorlijk ongerust. Had dit nooit bij een eerste afspraakje verwacht.

Drentelde naar het ondergoed in de verwachting dat ik een schok zou krijgen van de statische elektriciteit in de gebruikte goedkope kunststoffen, maar de kwaliteit was goed. Echte zijde, satijn en kant. Er waren zelfs een paar beeldschone spulletjes bij (dat klinkt nogal luchtig, maar geloof me, zo voelde ik me helemaal niet). Een donkerblauw setje geborduurd met vlinders en opgewerkt met veren en diamantborduursel. Donkergroene zijden slipjes met zwarte stippen die aan de zijkant met bandjes waren dichtgeknoopt. Een zedig roze setje versierd met roze roosjes, niet geborduurd, maar echte roosjes op de cups van de beha en in het kruis. Dat zou er onder kleren niet uitzien, met al die bobbels.

Tot mijn verbazing zat er ook een leuk eenvoudig zwart broekje bij. Maar toen drong het tot me door dat er geen kruis in zat en ik sprong achteruit alsof ik me eraan gebrand had. Hetzelfde gold voor een laag uitgesneden voorgevormde beha. Maar wel héél laag uitgesneden, zo laag dat de tepels er nauwelijks door bedekt zouden worden. En besefte ineens – jemig! – dat dat ook precies de bedoeling was.

Naast me hoorde ik Paddy zeggen: 'Zou je niet wat willen aanpassen?'

Ik verstarde. Mijn maag draaide zich om. Hij was een vuile viezerik. Een verknipte vuile viezerik. Die mij als een seksobject wilde gebruiken. Wat deed ik hier nog?

Maar wat had ik dan verwacht van een man die ik op het kerkhof had opgepikt? Toch niet dat we samen gezellig een pizza zouden gaan eten en daarna naar een film van Ben Stiller?

'Lola, is alles oké? Vind je dit leuk?' Hij doorboorde me met een strakke blauwe blik. Vol sympathie. Nou ja, sympathiek maar tegelijk een tikje uitdagend.

Ik retourneerde zijn blik. Dit is het moment, dacht ik, waarop ik besluit hem te vertrouwen of de benen te nemen. Ik voelde me als een koorddanser en keek naar de deur. Ik kon gewoon weggaan. Geen probleem. Dan zou ik hem nooit weerzien. Ik bedoel maar... een seksshop! Het was ons eerste afspraakje! Ik vond het echt walgelijk...

...maar toch ook een beetje opwindend. Als ik nu wegging, wat zou ik dan missen?

Ik keek hem recht in zijn blauwe ogen en zei, misschien zelfs wel een beetje uitdagend: 'Nou, goed dan...'

De verkoopster schoot te hulp. Een vrij moederlijk type. Ze keek naar mijn borst. '75B?'

'...Ja...'

'Welke vind je leuk?'

'Deze,' zei ik en wees een mooi setje aan, het zedigste wat ik kon vinden. (Lichtblauw, niet bepaald klein en met een stevig uitziend kruis.)

'En die misschien,' stelde Paddy voor, wijzend naar wat ondeugender modelletjes.

'En misschien ook niet,' zei ik.

'Ach, waarom zou je ze niet proberen?' zei de moederlijke vrouw en liep met een armvol spullen naar de kleedkamer. 'Wat kan dat nou voor kwaad?'

Grote kleedkamer. Bijna net zo groot als mijn eigen slaapkamer. Zacht getint licht, een met brokaat beklede stoel met kromme poten, Chinees aandoend behang met een motief van kersenbloesem en in de muur een soort tralievenster, zoals bij een biechthokje... Waar diende dat voor?

'Wil je dat je vriend in de voorkamer wacht?' vroeg de moederlijke vrouw.

'De vóórkamer?'

'Ja, hier.'

Ze wees naar een kleinere kamer naast de kleedkamer. Er stond een stoel in en net zo'n tralievenster als in mijn kamer. Hetzelfde venster.

'Zodat hij naar je kan kijken,' zei de moederlijke vrouw.

Jemig! Waar Paddy de Courcy kon gaan zitten kijken hoe ik ondergoed paste. Waar hij kon zien hoe ik mijn kleren uittrok en naakt rondbanjerde, net als in een ordinaire peepshow! Ontzet. Ik bleef een eeuwigheid verstijfd staan zonder te weten wat te doen, maar uiteindelijk smolt het verzet. Ik had A gezegd, was nu aan B toe.

Want:

Ik was van onder tot boven onthaard. Het enige lichaamshaar onder de taille was een vierkant plukje op mijn schaambeen dat herinneringen opriep aan de snor van Adolf Hitler.

Zacht licht, dus erg flatteus.

Ik wilde niet de indruk wekken dat ik preuts was.

Ik was beslist opgewonden. Verward, maar opgewonden.

Terwijl ik mijn gewone kleren uittrok, bleef ik zo dicht mogelijk bij de muur, uit het zicht van het tralievenster. Ik wist niet precies wat ik moest doen. Veel te verlegen om te dansen en er was ook geen muziek. Overwoog om heen en weer te lopen, maar was bang dat ik eruit zou zien als een gekooid dier – een leeuw of zo – met kennelvrees. Straks ging ik nog met mijn hoofd schudden en kreunen.

Maar zodra ik een paar donzige witte muiltjes met gigahoge hakken en een bijzonder flatteus zwart zijden broekje met beha had aangetrokken voelde ik me een ander mens. Ik deed net alsof Paddy de Courcy niet in de kamer ernaast door een tralievenster naar me zat te kijken. Ik deed net alsof ik alleen was. (Maar dan had ik me nooit voorovergebogen om mijn borsten in de beha te schudden. Dan had ik nooit aan mijn vinger gelikt om die vervolgens over mijn tepels te wrijven tot ze als stijve rubber dopjes rechtovereind stonden om mezelf daarna in de spiegel te bewonderen. De beha maakte mijn borsten hoog en puntig en als je je vooroverboog kon je de tepels zien.

Het jarretelgordeltje liep vanaf mijn middel naar mijn bovenbenen, waardoor ik een nadrukkelijke wespentaille kreeg. De rozige glans van de stof maakte mijn dijen romig en glad en toen ik op de met brokaat beklede stoel ging zitten, voelde ik de ruwe stof tegen mijn blote billen. Langzaam trok ik de zijden kousen aan en maakte ze vast aan de jarretels.

Ik werd me er steeds nadrukkelijker van bewust dat hij achter het tralievenster naar me zat te kijken.

Sexy. O, wat sexy.

Af en toe stak de moederlijke vrouw haar hoofd om de deur om me weer een nieuw hangertje te laten zien. 'Dit schattige kruisloze corselet,' zei ze met een trieste stem, 'zou beeldschoon staan met laarzen tot over de knie.'

Ik wou maar dat ze weg bleef. Ze bedierf de stemming.

Ik was ongelooflijk geil. Maar viel ik dan op mezelf? Was ik gek geworden?

Probeerde een prima behaatje van over elkaar vallende lapjes doorzichtige stof die op bloemblaadjes leken. Als je een parelknoopje op de cup openmaakte, kon je blaadje na blaadje terugslaan tot de tepel tevoorschijn piepte. Ik wist niet wanneer ik bij het laatste laagje zou zijn. Dat was voor mij net zo'n verrassing als voor hem. Toen het knopje eindelijk verscheen, zei ik 'O!' en keek hem recht aan. Zag hoe zijn glinsterende ogen in het donker naar mij keken en dat was voldoende. Ik werd overstelpt door een onverdraaglijke begeerte en maakte er abrupt een eind aan. Terwijl ik mezelf met trillende vingers aankleedde, vroeg ik me af hoe snel ik me door hem kon laten pakken.

Toen ik de kleedkamer uit schoot, vroeg Paddy: 'Welke vond je leuk?'

Ik schudde haastig mijn hoofd. Ver boven mijn budget.

'Laat mij dan betalen.'

'Nee!' Ik voelde me tegelijkertijd maîtresse, minnares en prostituee.

'Ik sta erop!' zei hij.

'Pardon?'

'Alsjeblieft,' zei hij. 'Ik ben toch degene die ervan profiteert.'

'Dus daar ga je maar voetstoots van uit!'

Hij was diep beschaamd. Betrapt. Uitgebreide excuses, die oprecht klonken. Bood opnieuw aan om te betalen. 'Voor jou, dan,' zei hij. 'Niet voor mij. Wat denk je ervan?'

Nog steeds onbehaaglijk. Voelde niet goed. Beviel me niets. Maar tegelijkertijd raar genoeg toch wel gevleid.

Dus liet ik hem begaan.

Later (in bed, om precies te zijn) zei ik tegen hem: 'Je nam wel een groot risico. Als ik nou eens beledigd was geweest?'

'Dan was je niet het meisje geweest voor wie ik je hield.'

'Wat voor soort meisje is dat dan?'

'Een stoute kleine meid.'

Ik wist eigenlijk niet of ik dat wel was, ik had mezelf altijd een tikje preuts gevonden, maar het was lief van hem om dat te zeggen.

Maandag 8 september

Samenloop van omstandigheden! Toeval! Toen ik om 19.25 bij mevrouw Butterly langsging voor een lekker glaasje laffe sprite zei ze: 'Vind je het goed als ik de tv aanzet?'

Achter elkaar *Coronation Street, Eastenders* en *Holby City,* een stortvloed van soap, weggespoeld met Southern Comfort en laffe sprite. Genoot er echt van, je zou haast denken dat ik al maanden geen tv-programma meer had gezien!

Mevrouw Butterly zei dat ze me een lief kind vond en dat ik iedere avond mocht komen kijken als ik daar zin in had. Daarna moest ik weg, omdat ze naar bed wilde.

21.03

Dwaalde een beetje doelloos door de stad en ging toen op een muurtje zitten met uitzicht op zee. Was al bijna een week in Knockavoy geweest, zonder een voet op het strand te zetten. Daar was ik trots op. Ik was mezelf gebleven.

Een man die zijn hond uitliet, liep langs me heen en zei: 'Goedenavond. Dat noem ik nog eens een zonsondergang.'

'Goedenavond,' antwoordde ik. 'Ja, inderdaad.'

Het was me nog niet opgevallen, maar de zon gaf opnieuw een imitatie van een enorm, bruisend vitamine B-tablet. De hele lucht was oranje. Goed voor het immuunsysteem.

Jemig! Ik zag ineens de vrouw die ik alleen op het strand had zien wandelen naar me toe komen. Grauwe huid, diepliggende ogen, joggingpak dat om een uitgemergeld lijf flapperde. Aan haar haar te zien was ze al een tijdje in Knockavoy.

Wilde aanvankelijk de benen nemen, maar ze was al te dichtbij. Keek me aan en kwam naar me toe alsof ze een postduif was om een gesprek over de zonsondergang te beginnen. 'Mooi, hè?'

'... Ja...'

Wist niet precies wat ik moest zeggen. Ik praat nooit over dat soort dingen, zonsondergangen, natuur enzovoort. Als het nu over een wit Stella-broekpak zou gaan...

Ze slaakte een diepe zucht. 'De zon gaat nog steeds iedere avond onder en komt iedere ochtend weer op. Nauwelijks te geloven, hè?'

'...Ja... Eh, ik moet er vandoor.'

Had het donkerbruine vermoeden dat Kelly en Brandon haar hadden verteld wat mij was overkomen en dat ze erachter probeerde te komen of ik lid wilde worden van de Club van Vrouwen met een Gebroken Hart. Geen zin in. Laat zij maar lekker gaan schilderen, dichten en pottenbakken. Ik deed niet mee.

Hoewel ik nooit meer van iemand zal houden, wil ik niet bitter worden. Of artistiek.

Midden in de nacht

Wakker geschrokken van iets. Waarvan? Zag ineens een rode gloed achter het raam. Zonsopgang? Instinct zei dat het te vroeg was. Heel even vroeg ik me af of de zon nog een toegift gaf, aangezien iedereen zo onder de indruk was geweest van haar eerste optreden.

Keek uit het raam. Achter het huis maar ook achter dat van de buren was iets dat op een rode halve cirkel leek. Vlammen. Een vuur!

Had natuurlijk de brandweer moeten bellen, maar besloot op onderzoek uit te gaan. Nieuwsgierig Aagje. Bewijst hoe gevaarlijk leven zonder tv is! Zou in Dublin nooit 'op onderzoek uit gaan'.

Rubber laarzen, grote wollen trui over pyjama. Zaklantaarn. Naar buiten, de kille nachtlucht in.

Dook onder draad van afzetting door en sjouwde veld over. Het licht van de maan dat door een groot deel van de zee werd weerspiegeld verlichtte de hele omgeving. Gras rook 's nachts lekker. Koeien naar bed.

Geen ongècontroleerd oplaaiende vlammen. Gewoon een feestvuur. Maar niemand in de buurt. Raar. Kwam dichterbij en kreeg een schok. Vlammen gevoed door kleren! Zwarte tule, blauwe taf, alles smolt weg. Ontzetting! Wit satijn! De bruidsjapon! Niet de bruidsjapon! Probeerde de jurk uit de vlammen te trekken, maar regen van vonken kwam op me af en veel te heet.

Was er overstuur van. Het doet me gewoon pijn om te zien hoe kleren mishandeld worden. (Ja! En ik vind het ook erg als kinderen of dieren mishandeld worden! Natuurlijk wel! Zo oppervlakkig ben ik nou ook weer niet. Ik geef ONTZETTEND VEEL om kinderen en dieren, vandaar dat ik altijd naar een andere zender zap als er van die zielige commercials worden uitgezonden.)

Akelige gedachte. Als een of andere gek een prachtig schilderij met een mes te lijf gaat, is iedereen ontzet. Dan komt de ene na de andere expert op tv zijn zegje doen. Maar als een volmaakte jurk – wat net zo goed een kunstwerk is – wordt vernield, hoor je niemand protesteren. Dat is discriminatie. Dat komt omdat een volmaakte jurk een vrouwenaangelegenheid is en schilderijen tot de serieuze mannenzaken behoren, zelfs als ze door een vrouw zijn geschilderd.

Hoor voetstappen aankomen. Beetje bang. Wie zou dat zijn? Zie gestalte in het flakkerende licht. De onverzorgde verloofde met een armvol kleren. Glommen zijn ogen zo door het schijnsel van de vlammen of – wat een akelig idee – huilde hij?

Maakte hem attent op mijn aanwezigheid door 'ahem... hallo' te zeggen.

'Jezus christus!' Hij liet de bundel bijna vallen. 'Waar kom jij in godsnaam vandaan?'

'Sorry,' zei ik. 'Ik zag de vlammen en was bang dat er brand was.'

Hij staarde me aan. Tobberig. Eén vermoeide vraag stond duidelijk op zijn gezicht te lezen: als een man niet gewoon midden in de nacht een stapel beeldschone kleren kan verbranden, wanneer moet hij dat dan doen?

'Ik logeer al een tijdje in het huisje van Tom Twoomey. Lola Daly, aangenaam.'

Onvriendelijke stilte. 'Rossa Considine. Het was niet de bedoeling je bang te maken. Ik had je moeten waarschuwen, maar het was een opwelling.'

Slap excuus.

'Wat is er aan de hand?' vroeg ik. 'Ik heb een vrouw gezien... in een trouwjap...'

'Die is weg.' Abrupt.

'Komt ze... niet terug?' (Stomme vraag. Dat zat er echt niet in als haar bruidsjurk in de hens was gestoken.)

Hij schudde zijn hoofd. Somber. 'Nee. Ze komt niet meer terug.'

Onbehaaglijke stilte. Hij schudde even met de bundel die hij in zijn armen had. Trappelde kennelijk van verlangen om die ook op zijn brandstapel te gooien.

'Nou, dan ga ik maar weer naar bed.'

'Oké. Welterusten.'

Ik sjouwde terug over het veld. Andere mensen maakten dus ook drama's mee. Arme man.

Maar een tikje beleefdheid zou hem de kop niet kosten.

Dinsdag 9 september, 08.00
Werd wakker van een voordeur die dichtsloeg (niet de mijne). Sprong uit bed en holde naar de voorkamer. Tuurde uit het raam. Daar was de pyromaan op zijn antracietkleurige sportschoenen, op weg naar zijn werk. Er was geen schroeiplekje en geen roetvlekje op zijn smoelwerk te bekennen waaraan je had kunnen zien dat hij nog maar een paar uur geleden een enorme fik had veroorzaakt.

Kon nog steeds niet zien welk merk auto hij reed.

18.47
Kelly en Brandon wel degelijk verkering met elkaar! Had kunnen zweren dat ze elkaar niet konden uitstaan! Kon de moed opbrengen om te vragen hoe dat zat met die broodzaag.

Ze hadden ruzie gekregen nadat ze geneukt hadden, zei Kelly. Brandon lag na de wip achterover op de bank met zijn lul uit zijn broek.

'Welke bank?' vroeg ik.

'Bij mijn ouders,' antwoordde Kelly.

'Waar waren die dan?'

'Die zaten in hun stoel naast de bank naar een spelprogramma te kijken.'

'Echt waar?'

'Daar had ik je mooi te pakken! Nee, die lagen natuurlijk boven in bed te pitten, wat dacht jij dan? We hadden echt niets uitgespookt als zij nog in de kamer hadden gezeten. Als ik betrapt was, had mijn vader Brandon vermoord. Maar goed, bij wijze van grap haalde ik de broodzaag uit de keuken om net te doen alsof ik Brandons lul wilde afhakken.'

Ja, zo gaat dat.

'Maar ik struikelde toen ik de kamer weer binnenkwam en veroorzaakte een héél klein schrammetje op zijn jongeheer. Echt heel klein. Hij ging helemaal door het lint, zei dat hij dood lag te bloeden, dat hij gangreen zou krijgen en zijn lul zou kwijtraken en hij wilde per se een ambulance bellen. En ik kreeg prompt de slappe lach. Ik heb er een Barbiepleister op gedaan. God, het was echt om te gillen.'

'Ja, eigenlijk wel, bij nader inzien.' Brandon grinnikte even.

Jonge liefde. Ik benijd hen om hun zorgeloze geluk.

Woensdag 10 september, 13.28
The Oak
'Hoi, Ibrahim.'

'Ha, die Lola.'

Kan het niet van me afzetten! Maar Pruimenoog is zo'n schatje. Een knappe, lieve man met twinkelogen. Attent, vrolijk en spraakzaam zonder opdringerig te zijn. Maar weet zeker dat ik zijn afkeuring wek. Ik doe allerlei dingen waar moslims tegen zijn. Ik ben een (min of meer) onafhankelijke vrouw, die haar gezicht, haar haren en (af en toe) haar benen openlijk laat bewonderen. Ik drink alcohol. En ik houd van chips met de smaak van gerookte ham. Het is zijn plicht om met een boog om me heen te lopen.

21.08

Zonsondergang. Liep naar huis na een overdosis soaps bij mevrouw Butterly en zag de auto van de pyromaan voor zijn huis staan. Liep op mijn tenen over de hobbelige oprit om eens goed te kijken. Onbekend merk, Prius. Wat wist ik daarover? Ach ja! Zo'n milieuvriendelijk model dat ook op een elektromotor kan rijden.

Wat een eerbiedwaardig persoon.

Donderdag 11 september, 13.01
Internetcafé

Er was al iemand binnen die met Cecile zat te praten. Een man. Ik bleef onwillekeurig bij de deur staan. Internationaal aantrekkelijk uiterlijk – lang, door zout aangetast blond haar, diep gebronsd en zo'n speciale mond als ook Steve Tyler en Mick Jagger hadden (toen ze nog jong waren).

Hij lag dwars over twee stoelen. Ontspannen. Het soort man waar iedereen naar kijkt. Een halfgod.

Ik had het onbehaaglijke gevoel dat ik stoorde.

'Hoi, Cecile, hoe is het met je?'

'*Bien*, Lola. Ik 'ad 'et net over de duivel.' Wat dat ook mocht betekenen. 'Lola, dit is mijn vriend Jake.'

Hij keek me aan met glanzende ogen en ik bloosde! Het was gewoon te veel van het goede. Hij was zo sexy, hij leek wel een wild beest. Alsof hij opgevoed was door een stel knappe wolven.

Hij knikte en zei: 'Lola.'

'Jake,' zei ik.

Vraagje. Als mensen hun zoon een naam als Jake geven, weten ze dan dat hij later zo sexy wordt? Is het aangeboren of een kwestie van omgeving? Als iemand wordt opgezadeld met een saaie doorsnee naam als Brian of Nigel, worden ze dan ook saaie doorsnee mensen? En als ze zo'n sexy heldennaam krijgen als Lance of – zoals in dit geval – Jake, hebben ze dan het gevoel dat ze zich waar moeten maken?

Met een zware stem zei hij zacht: 'Ik ga er vandoor, Cecile.'

Daarna knikte hij nog een keer tegen mij. 'Leuk om kennis met je te hebben gemaakt, Lola.'

'Van hetzelfde... Jake.' En toen bloosde ik alwéér! Het bloed was nog maar nauwelijks uit mijn gezicht weggetrokken of het kwam zichzelf praktisch weer tegen.

Na zijn vertrek wachtte ik nog even om niet al te gretig te lijken.

'Zeg eens... eh... Cecile. Was dat je vriend? Op wie je zo stapelgek bent?'

'Jake? Nee hoor! Mijn tortelduifje heet Zoran. Jake is een vriend van Zoran.'

'Waar komt Jake vandaan? Ook uit Servië?'

'Jake? Nee, uit Cork.'

'Hoezo, is hij Iers?'

'Zo Iers als Guinness.'

Dat was een verrassing.

Vrijdag 12 september, 13.45
Nieuwe soep van de dag in The Oak! Groentesoep. Vol klonten, dus ik lustte het niet. Veroorzaakte toch enige opschudding.

16.33
Grace Gildee heeft weer gebeld! Ik dacht dat ze geen belangstelling meer voor me had. Natuurlijk niet aangenomen en moest al mijn moed bij elkaar rapen om alleen maar haar boodschap af te luisteren.

'Hoi, Lola, ik ben het weer, Grace Gildee. Ik vroeg me alleen maar af of je al van gedachten veranderd bent over het interview. Je kunt me vertrouwen, ik ken Paddy al een hele tijd.' (Lacht.) 'Ik weet waar al zijn vuile was verstopt ligt!'

Als dat het geval was, moest ze zichzelf maar gaan interviewen!

18.04
Kreeg een emotionele inzinking. Waarom was ik niet goed genoeg voor Paddy? Omdat ik geen belangstelling had voor zijn werk?

Hij kwam vaak binnenlopen en viel dan humeurig op de bank neer vol bittere klachten over de minister van het een of ander die iets had gedaan wat hij niet had moeten doen. Dan bleef hij maar doorrazen, tot hij uiteindelijk zei: 'Je hebt geen idee waar ik het over heb, hè?'

'Nee.'

Ik dacht dat hij dat juist zo fijn vond!

Ik dacht dat hij bij mij al die dingen van zich af kon zetten.

En laten we wel wezen, wat wist hij van de japonnen van Roland Mouret?

Maar bij nader inzien was het wel duidelijk dat ik zijn slapen had moeten masseren en een samenzwering met hem op touw had moeten zetten om de minister van volksgezondheid omver te werpen of de premier, de Taoiseach, in compromitterende omstandigheden te laten betrappen met een kudde geiten.

Het rare is dat ik mijn hele leven lang al last heb gehad van verlatingsangst en dat gebeurt dan ook telkens weer. Toen ik nog klein was, zei ik altijd tegen mam en pap: 'Zullen we allemaal tegelijk doodgaan?' Ja, zei mam dan, dat doen we. Maar ze jokte. Ze ging op mijn vijftiende zomaar in haar eentje dood. Maar eerlijk gezegd kon ze daar weinig aan doen. Ongeveer een week voordat ze overleed, flapte ze er ineens uit: 'Mijn hart breekt bij de gedachte dat ik je alleen moet laten, Lola. Ik vind het vreselijk dat je zonder mij zult moeten opgroeien. En dat ik niet voor je kan zorgen en nooit zal weten wat er met je gebeurt.'

Pas toen besefte ik dat ze misschien wel dood zou gaan. Dat had niemand me verteld.

19.12

Omdat ik behoefte had aan troost belde ik pap op.

'Ben je nog steeds zo overstuur van dat gedoe met die schooier?' vroeg hij.

'Ja.'

'Ik hoop dat je voortaan wijzer bent, Lola. Je moet nooit een politicus vertrouwen.'

'Bedankt, pap. Doei.'

Maandag 15 september, 12.12
Internetcafé

'Hoi, Cecile. Hoe is het ermee?'

'*Bien*, Lola. Zeg, je 'ebt een bewonderaar.'

'O ja? Echt waar?'

'Mijn vriend Jake. 'ij vindt je een schatje.'

Jake? De halfgod? Nee, dat kon niet waar zijn! Hij kon iedere vrouw krijgen!

Cecile haalde haar schouders op. 'Jij bent houdere vrouw. 'ij 'oudt van houdere vrouwen.'

'Hoeveel houder? Ik ben pas eenendertig.'

''ij is vijfentwintig. Bovendien is 'ij hal met helke vrouw in Knockavoy naar bed geweest. Jij bent "vers bloed".'

Jemig! Als je ooit iets wilt verkopen, moet je Cecile niet om hulp
vragen.

Verslagen ging ik mijn e-mails ophalen. Maar Cecile had nog iets
in petto.

'Wat moet ik tegen 'em zeggen, Lola?' zei ze.

Wat krijgen we nou? Zitten we weer op school? Mijn vriend ziet
jouw vriendin wel zitten?

Maar het gevoel van ergernis verdween even snel als het opkwam.

'Niets,' zei ik. 'Ik ga woensdag toch weer terug naar Dublin.'

Dinsdag 16 september
Klaar voor de terugreis naar Dublin. Het was net alsof ik op vakantie was geweest. De eerste dag nog de kriebels, daarna wat kalmer
en vervolgens mezelf geamuseerd. Vast patroon gecreëerd, tien dagen voorbijgevlogen tot de cirkel weer rond was en ik opnieuw de
kriebels kreeg.

Het verdriet over Paddy was wat gezakt. Ik had niet langer behoefte om hem te zien en het (vrij zeldzame) gevoel van verontwaardiging dat hij me zo achteloos had laten zitten was ook verdwenen.

Maar dat betekende nog niet dat het over was. In zekere zin was
het alleen maar erger geworden. Toen ik nog heen en weer geslin-
gerd werd tussen hoop en schrik en dat akelige brandende gevoel
had, kon ik de toestand nog niet overzien. Maar nu begon ik het
idee te krijgen dat ik nergens voor deugde. Al mijn zelfvertrouwen
was verdwenen.

En ik voelde me ook intens alleen. Paddy was mijn grote liefde geweest en ik zou nooit meer iemand anders tegenkomen. Ik weet wel
dat iedereen dat zegt die aan een gebroken hart lijdt en dat mensen
bij zo'n stortvloed aan zelfmedelijden altijd hun ogen ten hemel
slaan en 'doe niet zo mal!' zeggen, maar hij was echt een unieke
man. Ik had nooit eerder zo iemand ontmoet en dat zou ook nooit
meer gebeuren.

Het was een last die ik moest leren dragen. Mijn werk zou mijn
redding moeten zijn. Ik was van plan om de rest van mijn leven te
wijden aan zendingswerk en ervoor te zorgen dat alle vrouwen in
Ierland er voor een redelijke prijs fantastisch uitzagen.

Woensdag 17 september, 10.13-11.53
Afscheidnemen

Ben bij al mijn vrienden in Knockavoy langs geweest: Pruimen-oog, mevrouw Butterly, Kelly en Brandon en Cecile.

'Ja, *oui*, tot ziens, ik vertrek uit Knockavoy en ga weer terug naar de grote stad, heerlijk, ja, dank je, jij ook, met genoegen, als je ooit naar Dublin komt. Nee, geen plannen om terug te komen.'

11.55

Reed de heuvel op en zag Knockavoy in de achteruitkijkspiegel steeds kleiner worden. Vroeg me af of ik hier ooit terug zou komen.

18.30
Thuis

Kon mijn flat nauwelijks in. Vol koffers, kostuumtassen en kleren. Niet van mij. Nkechi was druk geweest en had allerlei spullen laten komen. Opgeslagen in mijn flat.

Telefoon. Bridie. 'Hoe lang heb je erover gedaan?'

'Drie uur en twintig minuten,' zei ik, hoewel ik geen flauw idee had.

'Ahaaaa,' zei ze. 'Drie uur en twintig minuten? Dat is precies het gemiddelde.'

Hoorde geklik van toetsen, alsof ze iets in haar laptop zette.

'Bridie, hou je dat echt allemaal bij?'

'Ja. Ik heb zalige software waarmee je dingen van alle kanten kunt bekijken.'

Donderdag 18 september, 09.00
Martine's Patisserie

Vroeg op. Nieuw begin. Afspraak met Nkechi op 'kantoor'. Nkechi zoals gewoonlijk te laat.

09.14

Nkechi schrijdt binnen, vlechten opgestoken. Lange, sierlijke hals. Heel elegant. Beweegt zich als een vorstin. Laat haar kont lui op de bank zakken. Vraagt: 'Gezellig gehad?'

'Ja, ja,' zeg ik vluchtig. Waarmee ik maar wil zeggen dat die ellen-dige toestand (Margery Allingham) nu achter me ligt. Ik ben weer even efficiënt als vroeger.

'Goed,' zeg ik in een poging om dynamisch te klinken. Ik klap zelfs in mijn handen om aan te geven hoe enthousiast ik ben. 'Wat moet er gebeuren?'

Nkechi leest vanaf haar BlackBerry dat er vanavond een gala-avond is bij Rosalind Croft thuis. 'Er is momenteel een conferentie in Ierland met betrekking tot de wereldschuld... Afrika...' ze wuift vaag met haar hand. 'Van die dingen. Allemaal beroemde mensen aanwezig. Kofi Annan, de president van Zuid-Afrika. Hele stel uitgenodigd bij Croft thuis. Ze gedraagt zich als een idioot. Belde me midden in de nacht omdat ze een jurk van Versace wilde die ze in de Amerikaanse *Vogue* had gezien. Kon niet aan dat kreng komen, was alleen voor de catwalk gemaakt. Ze zei dat ik maar naar Miami moest vliegen om hem op te halen. Dat heb ik haar uit haar hoofd gepraat en nu zijn er nog drie mogelijkheden over. Balenciaga, Chanel en Prorsum Burberry. Allemaal ingevlogen uit Londen. Bijpassende schoenen, sieraden enzovoort, alles staat ingepakt in jouw flat, kan zo meegenomen worden.'

'Oké.'

'Morgen wintersportsessie voor *Woman's World*. Gewone winterwonderland gezeik. Bontlaarzen, oorwarmers, truttige truien. Volgende dag avondjurken passen voor Tess Bickers.'

'Wie?'

'Nieuwe klant. Vrouw van zakenman. Massa's poen. Wil garderobe voor feestdagen. Heeft achttien jurken laten komen. Lijkt erop dat ze die allemaal neemt.'

'Je hebt heel wat werk verzet, Nkechi. Neem vanavond maar vrij.'

Hoog tijd om de teugels weer in handen te nemen. Laten zien wie hier de baas is.

Dat bevalt haar helemaal niet. Ze heeft een 'speciale band' met Rosalind Croft sinds ze haar van een fiasco heeft gered met die sjaal uit een tweedehandswinkel. Mevrouw Croft heeft veel macht. Vinger aan de pols. Handige persoon om te kennen.

'Nee echt, Nkechi, ik doe het zelf wel,' zeg ik nog eens.

'Nou, goed dan. Ze wil dat je om halfzeven bij haar thuis bent. Nou ja, eigenlijk wilde ze dat ik om halfzeven kwam opdraven, maar als je er op staat...'

Nkechi's verontwaardiging is voelbaar. Doorgaans geen trek in ruzie, maar het is belangrijk om haar onder de duim te houden.

17.08
Einde van informeel gesprek met inkoper van Brown Thomas

Opschieten. Ik moest de kleren voor mevrouw Croft nog ophalen en rennen om om halfzeven in Killiney te zijn. Liep de hele dag al achter. Nog steeds op Knockavoy-snelheid. Hoewel 'sloomheid' een beter woord zou zijn.

17.15

Draafde door South William Street, tussen de mensen door. Dubbel-geparkeerde auto hield het verkeer op. Wist het al voordat ik het wist, als je snapt wat ik bedoel. Misschien herkende mijn onderbe-wustzijn de auto, want dat akelige brandende gevoel kwam al op voordat ik wist waarom.

Het was Paddy. Hielp een vrouw – dat paard, wie anders? – ach-ter in de dubbelgeparkeerde auto stappen. Attent.

Ik bleef met grote ogen toekijken. Afschuwelijk tafereel. Ik was vroeger de vrouw op de achterbank van zijn auto. Maar ik was aan de kant gegooid, als een goedkope rode jurk met een brandgat op de tepel.

Het tastbare bewijs van mijn onbelangrijkheid.

Wist dat ik moest overgeven. Schietgebedje. Alsjeblieft niet op straat.

17.18
Hogan's Public House

Zwalkte als een zeeman aan wal naar het damestoilet, zwarte vlekken voor mijn ogen. Net op tijd. Gaf over in de wasbak. Viel op mijn knieën en fluisterde 'sorry' tegen twee walgende meisjes die voor de spiegel lipgloss opbrachten. Zodra ze beseften dat ik niet straal bezopen was, leefden ze intens mee. Gaven me een tissue, een reepje suikervrije kauwgom en zeiden: 'Alle kerels zijn klootzakken.'

Ze bleven bij me tot ik weer op mijn benen kon staan en liepen toen met me mee naar de straat om een taxi aan te roepen. Vriende-lijke vreemden. Vlak voordat ik wegreed, fluisterde ik hun toe dat er in het atelier van Lainey Keogh een geheime verkoop van proefmo-dellen werd gehouden.

17.47
Mijn flat

Holde naar binnen, poetste mijn tanden, greep alle tassen die ik kon dragen en strompelde naar mijn auto.

18.05

Verkeer is een ramp. Spitsuur en alles vast. Zit klem tussen een man in een Nissan Sunny (voor me), man in Toyota Corolla (achter me), man in Opel Corsa (naast me) en man in Skoda Skoda (volgens mij hebben die maar één model) tegenover me, andere kant op.

18.13
Sta al tien minuten stil. Ik kom te laat. Waarschijnlijk veel te laat. Ik ben nooit te laat.

18.28
Verkeer nog steeds vreselijk. Eigenlijk al te laat. Had minstens om halfzes de stad uit moeten zijn. Het zien van Paddy en dat paard heeft mijn schema in de war gestuurd. Als ik niet naar die kroeg had gemoeten om over te geven en mijn evenwicht te hervinden, was er niets aan de hand geweest. Ik kan er niet tegen om te laat te komen.

18.35
Officieel te laat en nog niet eens in de buurt van Killiney. Begin zenuwachtig op mijn hand te knagen.

18.48
Tandafdrukken in mijn hand.

19.03
Hand bloedt.

19.14
Ik was er! Door het elektronische hek, over de lange oprit verlicht met brandende toortsen. Voordeur gaat open, nerveuze huishoudster. 'Gauw, gauw. Mevrouw Croft wordt helemaal gek!'

Drukte van belang, hapjes, geüniformeerde bedienden, champagneglazen die flonkeren in het licht.

Holde de trap op met een van de koffers, de huishoudster en een mij onbekende mannelijke bediende op mijn hielen met de rest van de spullen. Mevrouw Croft in een zijden ochtendjas voor de spiegel in haar kleedkamer, op van de zenuwen. De kapper ijsbeerde door de kamer en sloeg met een krultang tegen zijn handpalm. Toen hij mij zag, riep hij uit: 'De hemel zij dank! Waar bleef je toch?'

'Het spijt me ontzettend, mevrouw Croft,' zei ik snakkend naar adem. 'Echt ontzettend. Het verkeer was één grote puinhoop.'

'Waar is Nkechi?'

'Die komt niet. Ze heeft vanavond vrij. Ik ben in haar plaats gekomen.'

'O...'

Ik maakte de sloten op de koffers open en trok de ritsen van de kostuumtassen los terwijl de huishoudster en de onbekende man begonnen met het uitpakken.

'Wat is dit?' Mevrouw Croft pakte een wit angora truitje op.

'Ik... eh...'

'En dit?' Rode trui met motief van sneeuwvlokken.

'En dit?' Een gestreepte wollen muts.

Ben verbijsterd. Sneeuwvlokken? Toen begon de afschuwelijke waarheid tot me door te dringen. Afschuwelijk, ondraaglijk, niet te verteren. De vlammen sloegen me uit en voor de tweede keer die avond kreeg ik de neiging om te gaan kotsen. Dit kon niet waar zijn. Dit kon gewoon niet waar zijn.

Ik had de verkeerde kleren meegenomen.

Het viel me op dat moment pas op, maar Nkechi had er etiketten opgeplakt. En daar stond duidelijk op 'wintersportsessie'.

'Waar zijn mijn jurken?' Mevrouw Croft graaide in de kostuumtassen en haalde een paar gewatteerde anoraks met snoezige bontrandjes langs de capuchons tevoorschijn.

'Het zijn allemaal winterjacks,' zei de kapper.

Er ging een huivering door de rest van het personeel. Winterjacks! Maar waar waren de haute-couturejaponnen van mevrouw Croft dan? De jurken die ze speciaal vanuit Londen had laten invliegen?

Mevrouw Croft pakte me bij de schouders. Ze zag eruit alsof ze door een hel ging. 'Waar zijn mijn japonnen?' vroeg ze smekend.

'Het komt wel in orde,' zei ik, met een ijle, bevende stem. 'Het komt heus in orde. Ik moet alleen even iemand bellen.'

'Bedoel je dat ze niet hier zijn?'

'Nog niet.'

'O, jezus. O, lieve jezus nog aan toe! Wat is er gebeurd? Heb je de verkeerde meegebracht?'

'Een ongelukje, mevrouw Croft. Het spijt me ontzettend. Maar het komt allemaal in orde.'

Ik deed mijn best om kalm te blijven omdat ze eerder dan ik hysterisch zou worden en met een klap in haar gezicht en een 'beheers je' tot de orde zou moeten worden geroepen.

'Waar zijn mijn japonnen?'

'In mijn appartement.'

'En waar is dat?'

'In de stad.'

'In de STAD? Maar dat is vijftien kilometer hier vandaan!'

'En het verkeer staat helemaal vast,' zei iemand. 'Het kost je drie uur om er te komen.'

Het angstzweet stond in mijn handen, de telefoon glibberde bijna uit mijn vingers.

'Nkechi?' Mijn stem trilde. 'Nkechi, er is iets verschrikkelijks gebeurd. Ik heb de verkeerde kleren meegenomen naar mevrouw Croft.'

Lange misprijzende stilte.

Ergens op de achtergrond hoorde ik de huishoudster zeggen: 'Misschien kunnen we de helikopter van Bono lenen.'

'Ik kom eraan,' zei Nkechi eindelijk.

Ik klapte de telefoon dicht en zei op een vrolijk toontje dat aan hysterie grensde: 'Nkechi komt eraan. Ze zal hier binnen de kortste keren zijn met de juiste kleren.'

'Maar dat geldt ook voor mijn gasten!' Mevrouw Croft stond op en snakte naar adem. 'En Bono komt! Net als Bill Clinton! Hier, bij mij thuis. In mijn eigen huis! En ik heb niets om aan te trekken!'

Ze hapte naar lucht en begon met haar vuisten op haar borst te slaan.

'Een papieren zak!' riep iemand. 'Mevrouw Croft begint te hyperventileren!'

De papieren zak werd gebracht en mevrouw Croft hield hem voor haar gezicht alsof het een haverzak was.

'Goed zo,' zei de huishoudster. 'Inademen en uitademen. Rustig. En nog een keer. Inademen en uitademen.'

Mevrouw Croft ging zitten, stond op, trok de zak van haar gezicht, ging weer zitten, stopte haar hoofd tussen haar knieën, keek weer op, stond op en schreeuwde ons toe: 'O god, o mijn god! Maxwell vermoordt me!'

19.32

Een mannenstem drong tot de kleedkamer door. 'Waar voor de donder is mijn vrouw?'

O nee! Niet Maxwell Croft!

Jawel. In smoking met vlinderdas. Klein van stuk. Brede borst. Altijd slechtgehumeurd.

Hij keek mevrouw Croft aan met een gezicht als onweer. 'Wat is er verdomme aan de hand? Waarom ben je niet aangekleed?'

Hij pakte haar bij haar pols en trok haar mee naar de slaapkamer.

De kapper, de huishoudster en de onbekende mannelijke bediende keken net als ik naar de vloer en deden alsof er niets akeligs gebeurde.

'Wat is er verdomme aan de hand?' vroeg Maxwell Croft opnieuw. Zijn stem klonk zacht en dreigend. 'Hoe bedoel je, je jurken zijn er nog niet? Waarom kun je geen betrouwbare styliste nemen? Jij verrekte nutteloze...'

'Sorry, Maxie,' probeerde mevrouw Croft zich te verontschuldigen. 'Het spijt me echt ontzettend...'

Maar meneer Croft luisterde niet en praatte gewoon door. 'Weet je wel wie beneden zit? Bill Clinton. Bill fucking Clinton. Het archetypische alfamannetje. En jij zet mij voor Jan Joker. Jij hoort dáár te zijn, benéden! Je bent verdomme de gastvrouw!'

'Ik zal wel een andere jurk aantrekken,' zei mevrouw Croft nerveus.

'Nee, om de donder niet. Een ouwe jurk aantrekken voor Bill Clinton? Wat moeten de mensen dan wel niet van mij denken? Dat ik me niet kan veroorloven om de nieuwste haute couture voor mijn vrouw te kopen? Hartelijk bedankt, Rosalind. Leuk gedaan.'

Daarna werd het stil en de kapper fluisterde: 'Is hij weg?' Hij gaf me een duw. 'Ga jij eens kijken.'

Ik stak mijn hoofd om de deur om een blik in de slaapkamer te werpen en zag tot mijn verbazing dat ze daar nog steeds allebei stonden, in een vreemdsoortige omhelzing. Maar toen zag ik het ineens. Afschuwelijk! Meneer Croft had de beide polsen van zijn vrouw stijf vast en verdraaide de huid tot ze een jankend geluidje maakte. Toen liet hij haar los, gaf haar een harde duw en denderde de kamer uit.

19.43

Wachtend op Nkechi. Mevrouw Croft probeerde onopvallend haar pijnlijke polsen te wrijven terwijl wij net deden alsof we niets zagen. Ze zagen eruit alsof ze verbrand waren. Twee ronde armbandjes van rode spikkels, gesprongen adertjes. Iedereen hield zijn mond. Hoewel de anderen niet hadden gezien wat er was gebeurd, leken ze het toch te weten. Zou het vaker gebeuren?

Mevrouw Croft begon zacht te huilen.

19.51

Hield het niet meer uit en belde Nkechi. 'Waar ben je?'

'Over twee minuten daar.'

'Over twee minuten? Hoe kan dat?'

Twee minuten later

Aankomst van Nkechi vertoonde gelijkenis met de tenhemelopneming. Iedereen bijna op de knieën. Kruisjes slaan. Ze beende het huis in en kwam regelrecht naar boven, in het gezelschap van een ander Nigeriaans meisje, haar nichtje Abibi.

'Maar hoe ben je hier zo snel gekomen?' vroeg ik.

'Openbaar vervoer,' zei ze. 'Eerst de tram en toen de trein. Abibi heeft me opgehaald bij het station van Killiney.'

Verbijstering alom. Openbaar vervoer! Wat slim van haar! Het leek alsof ze had gezegd dat een engel uit de hemel was neergedaald en haar op zijn rug over de file had gedragen.

Nkechi nam meteen de touwtjes in handen, een en al efficiëntie in woord en gebaar. Ze keek naar mevrouw Crofts haar en zei: 'De Balenciaga.' Ze knipte met haar vingers naar Abibi. 'De Balenciaga.'

'Maar de Chanel...' zei ik.

'Geen tijd meer!' snauwde Nkechi. 'Mevrouw Croft zou een ander kapsel moeten hebben voor de Chanel.'

Uiteraard had ze gelijk.

'Jij!' Nkechi klopte met haar knokkels op een koffer en knipte met haar vingers naar mij. Naar mij! 'Ondergoed,' zei ze. 'Bij elkaar zoeken. En jij!' tegen Abibi. 'Jij doet de sieraden. Ik neem de schoenen.'

Alsof we een kraak zetten.

'Schiet op!' zei Nkechi tegen mij. 'Zonder ondergoed kunnen we niets beginnen.'

Met trillende vingers dook ik in de grote voorraad lingerie. Ik weet dat het ouderwets klinkt, maar je hebt goed, stevig ondergoed nodig om er subliem uit te zien in haute couture. Onderbroeken die van onder de buste tot net boven de knieën reiken. Echt waar. Van robuust materiaal waar vrijwel geen rek in zit. Een hele klus als je naar de wc moet, maar de moeite waard.

En onderjurken. Iedereen moet altijd lachen om onderjurken. Flauwe grapjes, maar ze kunnen van alles verbergen.

Ik gooide Nkechi een stevige onderbroek toe die ze als een professionele achtervanger opving. Meteen daarna hees ze mevrouw Croft erin. De japon gleed over het hoofd van mevrouw Croft en viel als een waterval over haar lichaam. Schitterend kledingstuk. Ivoorkleurige zijden crêpe, geïnspireerd op de toga. Een schouder bleef vrij, op de andere schouder zat een broche waaruit de stof in soepele plooien omlaag viel. Uiterst smal ceintuurtje rond het middel en iets gerend bij de zoom. Koninklijk.

Bij de aanblik van al dat moois zuchtte iedereen: 'O!'

Als ijverige kaboutertjes scharrelden we allemaal rond mevrouw Croft. Nkechi trok haar de schoenen aan, Abibi deed haar een halsketting om, de kapper draaide een onwillig krulletje om zijn tang en ik bracht voorzichtig plakkertjes aan om de tepels onzichtbaar te maken. Toen was ze klaar.

'Gauw! Ga nou maar gauw!'

20.18

Terug naar de stad. Diep in de put. Mevrouw Croft zou niets meer met me te maken willen hebben.

Maar misschien wel met Nkechi.

Vrijdag 19 september, 08.30

Mobiele telefoon ging over. Nkechi. Of we elkaar voor de fotosessie van vandaag even konden spreken.

09.30

Martine's Patisserie

Nkechi was er al. Zakte onderuit in een stoel en zei: 'Het spijt me van gisteravond.'

'Gisteravond? Je had een internationaal incident kunnen veroorzaken.'

'Nou overdrijf je wel een beetje.'

'Waar het om gaat, Lola, is dat jij nog lang niet in staat bent om aan het werk te gaan.' Ze legde haar handen plat op tafel. 'Hoor eens... wil je een voorstel doen.'

De moed zakte me in de schoenen.

'Jij bent altijd heel goed voor me geweest, Lola. Een behoorlijk salaris. Verantwoordelijkheid. Ik heb ontzettend veel geleerd in de tijd dat ik je assistente was. Maar zolang jij nog aan een gebroken hart lijdt, ben je niet te vertrouwen.'

'Het kwam alleen maar omdat ik gisteren toevallig tegen Paddy aan liep!'

'Dublin is maar een kleine stad,' zei ze. 'Je kunt hem elk moment tegen het lijf lopen. En dan maak je weer een puinhoop van alles waar je mee bezig bent. Als je op deze manier doorgaat, Lola, houden we geen klanten meer over.'

'Nietwaar! Maar één fout!'

'Eén afschuwelijke fout. Maar er waren er meer. Veel te veel.'

Haar gezicht werd een beetje schijnheilig en ze zei: 'Hoor eens, Lola, ik ben altijd van plan geweest om voor mezelf te beginnen, dat weet je.'

Nee, maar ik vermoedde het wel. Wist hoe ambitieus ze was. Maar het was nooit duidelijk uitgesproken. Toch knikte ik vermoeid.

'Mijn voorstel is dat ik tot het eind van het jaar jouw klanten blijf begeleiden.'

Pardon?

'Op die manier hou jij je zaak op poten. Aan het eind van het jaar begin ik voor mezelf. Alle cliënten die met me mee willen gaan, zijn voor mij. Degene die bij jou willen blijven, zijn voor jou. De lijst van klanten wordt steeds langer. We hebben genoeg voor twee. Op die manier profiteren we er allebei van.'

Ik was verbijsterd. Sprakeloos. Toen ik mijn stem teruggevonden had, vroeg ik schor: 'En wat moet ik in de tussentijd doen?'

'Verdwijn van de aardbodem. Ga weg. Desnoods terug naar de hut van oom Tom. Maar...' Nkechi stak waarschuwend haar vinger op. 'Je moet aan niemand vertellen dat je naar het platteland gaat, anders denken ze dat je je kop in de schoot legt. Zeg maar dat je naar New York gaat om te werken. Op onderzoek, speuren naar nieuwe ontwerpers. Oké?'

Ik knikte.

'Nu over de poen.' Ze wreef haar vingers over elkaar in dat internationale gebaar dat 'geld' betekent. 'Ik zal uiteraard het werk van een ervaren styliste moeten doen, plus je zaak drijvende houden. Bovendien moet ik Abibi betalen. Ik moet meer geld in handen krijgen. Ik heb een paar dingen uitgerekend.'

Ik kreeg een spreadsheet toegeschoven. Alles duidelijk op een rijtje gezet. Nkechi is ontzettend slim.

Schoof het terug en zei: 'Oké.'

'Oké?' Ze klonk alsof ze meer tegenspraak had verwacht.

Maar ik kon niet meer. Ik was kapot.

'Ja, alles is oké. Laten we dan nu maar gaan.'

'Waarheen?'

'Die wintersportsessie.'

'Jij gaat niet mee, Lola. Weet je nog?'

O ja, waar ook.

09.50
Op weg naar huis

Mijn gesprek met Nkechi had maar twintig minuten geduurd. Dat is niet lang om een leven volkomen in puin te zien vallen.

Het deed me denken aan die andere vreselijke tijd in mijn leven, toen ik nog veel jonger was. Eenentwintig. Mam was dood, pap zat in Birmingham, het vriendje dat ik twee jaar lang had gehad was naar New York afgetaaid om zijn geluk op Wall Street te beproeven.

(Wat er op neerkwam dat hij een zware cocaïneverslaving opliep en een paar jaar later berooid en beschaamd naar Ierland terugkwam. Als ik dat had geweten was het balsem voor mijn zielenpijn geweest, maar destijds voelde ik me alleen maar verlaten.) Het enige wat toen voor mij nog telde, was mijn baan geweest. Ik werkte voor Freddie A, een topontwerper. Maar al na drie weken zei hij me recht in mijn gezicht: 'Je bent goed, Lola, maar niet goed genoeg.'

Eerlijk gezegd had ik dat vermoeden zelf ook al gehad. Ik was bang geweest om naar mijn werk te gaan, uit angst dat ik een fatale fout zou maken. Ik droomde voortdurend dat de modeshow ieder moment kon beginnen en dat er nog niets klaar was. Dan zat ik daar zenuwachtig te naaien in een gigantisch pakhuis vol balen stof en mannequins die in hun beha en slipje om hun kleren riepen.

'Ik zal nog harder werken, meneer A, dat beloof ik!'

'Daar gaat het niet om, Lola. Het gaat om talent. En dat heb je niet in voldoende mate.'

Hij deed zijn best om vriendelijk te klinken, maar het was een enorme dreun. Ik was altijd dol op kleren geweest. Maakte poppenkleertjes en vanaf mijn twaalfde ook mijn eigen kleren. Vriendinnen als Bridie, Treese en Sybil O'Sullivan (met wie ik niet langer bevriend ben vanwege knallende ruzie, al weet ik niet meer waarover) vroegen me altijd om hun rokken korter te maken en zo. Wilde al van kleins af aan ontwerper worden.

Moest nu toegeven dat ik geen talent genoeg had.

Laatste houvast in rook opgegaan. Voelde me een complete mislukkeling.

(Uiteindelijk kwam alles toch nog op z'n pootjes terecht. Begon weer antidepressiva te slikken en terug naar de psychiater. Terwijl ik me afvroeg wat ik met mijn leven aan moest, werd ik min of meer per ongeluk styliste. Omdat ik zoveel van kleren wist, kreeg ik af en toe een freelanceopdracht als assistente bij fotosessies. Werkte ontzettend hard. Pakte elke kans aan die ik kreeg. Urenlang gepiekerd over dingen als: hoe kan ik deze kleren origineler maken? Mooier? Langzaam omhooggewerkt. Slecht betaald. Onzekerheid. Geen vaste betrekking. Maar de mensen begonnen over me te praten. Af en toe hoorde je: 'Lola Daly is goed.' Net zoals nu over Nkechi gezegd wordt.)

19.01

'Het lijkt me het beste als je weer een tijdje teruggaat naar Knockavoy,' zei Treese.

'Ja, je kunt maar beter teruggaan naar Knockavoy,' zei Jem.

'Maar waar moet ze dan van leven?' (De altijd praktische Bridie.)

'Ik heb in kroegen gewerkt,' zei ik. 'Ik kan een pilsje tappen en glazen ophalen. En ik voel me ook niet te goed om als schoonmaakster in een hotel te gaan werken.'

'Hoe lang ben je van plan daar te blijven?' vroeg Treese.

'Voorgoed,' antwoordde ik. En toen: 'Ik weet het echt niet, ik zie wel.'

22.56

Laatste opmerking van Treese. 'Vergeet Paddy de Courcy,' zei ze. 'Hij is het niet waard dat je je leven voor hem vergooit. Zelfs Vincent mag hem niet.'

Ik sloot de deur en dacht toen: hoezo 'zelfs Vincent'? Alsof Vincent de vriendelijkheid in persoon is, een soort Nelson Mandela die alleen maar de goede kant van mensen ziet!

Paddy en Vincent hadden elkaar maar één keer ontmoet en het was een ronduit afschuwelijke avond geworden.

Treese had een etentje gegeven voor mij, Bridie, Jem en onze partners. Alsof we nu echt volwassen waren. Zodra we binnen waren, had Vincent alleen nog maar oog voor Paddy. Dacht dat hij vriendelijk was omdat Paddy een nieuwe eend in de bijt was, maar had beter moeten weten.

Het begon al toen Vincent Paddy een glas rode wijn gaf, zonder eerst te vragen wat hij wilde drinken, en uitdagend vroeg welke wijn dat was. Paddy wist het niet en dus was Vincent blij omdat hij Paddy voor schut had kunnen zetten. En de avond was nog maar nauwelijks begonnen.

Hij bleef maar op hem hakken. Al na de eerste gang zei hij strijdlustig: 'Dat zogenaamde NewIreland van jou zal nooit een verkiezing winnen zolang de partij onder leiding staat van een vrouw.'

'Daar hebben de conservatieven onder leiding van Margaret Thatcher anders nooit last van gehad,' zei Paddy beleefd.

'Dat was in Groot-Brittannië, beste vriend. Ierland is veel conservatiever, daar kom je nog wel achter.'

'Niet meer...'

'Ja, nog steeds. Bovendien zullen Ierse vrouwen nooit op een vrouw stemmen. Als ze al gaan stemmen – en dat doen ze niet – stemmen ze op een man.'

Ze zaten allebei voorovergebogen over de tafel, bijna met de neuzen tegen elkaar.

'We hebben al twee vrouwelijke presidenten gehad,' zei Paddy.

'Presidenten!' Vincent met spotlachje. 'Handjesschudden met handelsdelegaties uit China. Maar echte macht? Niet voor een vrouw.'

Het was afschuwelijk. De rest van ons zat te zweten van spanning. Paddy moest wel beleefd blijven omdat hij a. een politicus was en b. gast in Vincents huis. En Treese was er niet bij om Vincent in toom te houden. Ze was druk in de keuken waar al het door cateraars gebrachte eten uitgepakt moest worden (toen had ze die kookcursus nog niet gevolgd) en ze in het geheim de ene na de andere bonbon uit de door Jem meegebrachte doos in haar mond propte. Toen ze met een schuldig gezicht terugkwam, zei ze: 'Vincent, wil je even de cd verwisselen?'

'Natuurlijk, lieverd.' Vervolgens klonk 'In the air tonight' door de kamer.

Toen Vincent weer aan tafel kwam, zat Paddy vrolijk te lachen. Maar dat was schijn. 'Phil Collins?' zei hij tegen Vincent. 'Daarmee toon je aan hoe oud je bent, beste vriend. Waarom niet Cliff Richard, als je toch bezig bent?'

'Wat is er mis met Phil Collins?'

'Het is rotzooi.'

Maar dat liet Vincent niet op zich zitten. Op woedende toon: 'Phil Collins is volleerd artiest. Met meer platen op nummer een... bestverkochte artiest in tweeëndertig landen... Daar valt toch niets tegen in te brengen?'

'Het betekent alleen maar dat veel mensen bereid zijn om rotzooi te kopen.'

'En dat weet jij natuurlijk als geen ander.'

De sfeer was echt om te snijden. Maar toen Vincent uiteindelijk, na de toetjes en de koffie en de weet ik veel, vroeg of Treese de bonbons wilde halen die Jim had meegebracht (hij noemde Jem altijd 'Jim', gewoon om te pesten want hij wist best hoe hij heette), zeiden Bridie, Treese, Jem en ik meteen 'nee'. Zelfs Claudia koos voor de verandering onze kant, omdat we wisten dat Treese het merendeel al had opgegeten.

'Haal ze even,' zei Vincent tegen Treese.

'Dat doe ik wel,' zei ik. Daarna pakte ik gewoon mijn jack en Paddy's jas. Ik had er genoeg van.

Paddy bleef vriendelijk lachen tot de voordeur achter ons dichtviel. Toen veranderde hij ineens en liep met stramme schouders voor me uit naar de auto. Stapte in en sloeg het portier met een dreun dicht. Ik ging naast hem zitten. Bezorgd. We spoten weg in een regen van grind (John had een zeldzame vrije avond). Paddy keek strak voor zich uit en zei geen woord.

'Sorr...' begon ik.

Maar hij viel me in de rede. En snauwde me toe, met een zachte stem waar de boosheid vanaf droop: 'Flik me dat nooit weer.'

Zondag 21 september

Terug in Knockavoy. Begroette al mijn oude vrienden. 'Hallo, ja, *oui*, weer terug. Onverwacht. Ha ha ha, ja, leven vol verrassingen.

Schaamde me dood.

Maandag 22 september, 15.17

Plaatselijke horeca af geweest op zoek naar werk. Begon met hotel. Maar dat ging eind van de maand dicht. Nodigden me uit om het nog eens te proberen in april, als ze weer open gingen. Had ik niets aan, maar stelde hun positieve houding op prijs. Een zeven voor hoffelijkheid.

15.30

De Hole In One, golferskroeg. Akelige manager. 'Het is september,' merkte hij op. 'Einde seizoen. We ontslaan personeel in plaats van het aan te nemen.' Honend: niet meer dan een twee voor beleefdheid.

15.37

The Oak. Pruimenoog begripvol, maar wond er geen doekjes om. Net genoeg werk voor hem. Maar een negen voor vriendelijkheid.

15.43

Het eethuisje van mevrouw McGrory. Vol jonge surfers die zich te goed deden aan het ontbijt dat de hele dag door geserveerd werd. (Snelle blik leerde me dat de halfgod schitterde door afwezigheid.) Zweverige jongeman dacht dat er wel een baantje vrij was. Liet me vijftien minuten wachten terwijl hij op zoek ging naar iemand die Mika heette, maar Mika liet weten dat er tot mei volgend jaar helaas geen baantjes beschikbaar waren. Desondanks een zeven voor de moeite.

16.03

The Dungeon. Het leek ook echt een kerker, zo donker en ongezellig. Vol kerels die de hele dag doordronken. Ze lachten gemeen toen ik vroeg of ik hier werk kon krijgen en boden me toen iets te drinken aan. Ik wilde eerst weigeren, maar bedacht me. Waarom ook niet? Ik ging op een hoge kruk zitten, in het gezelschap van drie mannen die, zoals ik later ontdekte, gezamenlijk bekend stonden als de zuipschuiten.

Ze begonnen meteen allerlei persoonlijke vragen op me af te vuren. Hoe heette ik? Waarom was ik in Knockavoy?

Ik hield me een paar minuten in, maar toen ik het verhaal over Paddy eruit gooide, bekenden ze dat ze dat allang wisten. In zo'n plaatsje als dit bestonden geen geheimen. De voornaamste vragensteller, een opgewekte man die Boss werd genoemd, met een massa gesprongen adertjes en een wilde bos grijze krullen waardoor hij op een doorgefokte Art Garfunkel leek, bleek de vader van Kelly. En zij had hem alles verteld.

'Ik kon bijna niet wachten tot ik je zou leren kennen,' zei hij. 'Ik vind het naar voor je dat je zo in de problemen zit, maar je had beter moeten weten. Wat had je anders verwacht van een lid van de Christelijke Progressieven?'

'Paddy de Courcy is niet van de Christelijke Progressieven. Hij is lid van NewIreland.'

'Voor NewIreland was hij Chrisp. En dat zal hij altijd blijven. Dat is niet iets wat je zomaar kunt wegpoetsen.'

'O nee, zoiets poets je niet weg,' beaamde de man naast Boss. Dik, kaalgeschoren kop, 98FM-T-shirt. Hij heette Moss.

'De zeep die de stank van de Christelijke Progressieven kan wegpoetsen moet nog uitgevonden worden,' zei de derde man, een klein, intens en muf ruikend persoon in een zwart pak dat glom van ouderdom.

'Alles zou anders zijn gegaan als Paddy de Courcy bij de Nationalistische Partij van Ierland was geweest,' zei Boss.

Dat werd in koor beaamd. 'Hij had je nooit laten zitten als hij een nationalist was geweest. Enige juiste keuze, man van de nationalisten.'

Begon te vermoeden dat ze aanhangers waren van de NPI (kortweg de 'Nappies').

'Maar de Nationalistische Partij is toch ontzettend corrupt?' Dat had ik in ieder geval van Paddy gehoord.

'O ja! Corrupt. Prima toch? Zonder corruptie krijg je in dit land niks voor mekaar. Zo blijft het geld rollen.'

Ik had nog een nieuwtje voor ze. 'Ik heb gehoord dat Teddy Taft – de leider van de Nappies en de premier van dit land – niet iedere dag schoon ondergoed aantrekt. Paddy zei dat hij het binnenste buiten keert, zodat het nog een dag meegaat.'

'Je mag ze geen "Nappies" noemen,' berispte Boss me, terwijl hij van zijn kruk opstond. 'Oneerbiedig.'

Ze waren alle drie opgestaan.

'Leve De Valera!' schreeuwden ze en hieven hun glazen. 'Leve De Valera!' (De Valera was een voormalig president van Ierland en zeker al dertig jaar dood. Er mankeert niets aan het geheugen van de Ieren.) Later kwam ik erachter dat ze die kleine ode aan De Valera iedere dag rond halfvijf uitbrachten.

Er ontstond enige opwinding. Een man die aan het andere eind van de bar had gezeten kwam langzaam naar ons toe. Mijn drie nieuwe vrienden stootten elkaar aan en grinnikten. 'Kijk eens wie we daar hebben.'

De nieuwkomer stak een trillende vinger op en verkondigde met een vreemd bibberend stemmetje: 'De Valera was de onwettige zoon van een stinkende Spaanse bordeelhouder!'

O ja? Spaans? Dat wist ik niet. Hoewel dat natuurlijk wel uit die naam kon worden opgemaakt.

Beledigingen bleven heen en weer vliegen. De antipathie droop eraf. En waarom? Hun grootvaders hadden in de burgeroorlog tegen elkaar gevochten.

Toen de nieuwkomer weer op zijn plaats zat, zei Boss tegen de barkeeper: 'Geef hem er maar eentje van ons.'

Ondertussen stond er opnieuw een glas voor mijn neus. Ik was eigenlijk niet van plan geweest om te blijven, maar uiteindelijk kwam het erop neer dat ik mijn hele hebben en houwen op tafel gooide. Wat ik hen over Nkechi vertelde, viel niet in goede aarde.

'Wat van jou is, is van mij en wat van mij is, hou ik zelf,' zei het donkere, muf ruikende mannetje. (Hij werd de Meester genoemd. Niet omdat hij uitblonk in Oosterse mystiek of vechtsporten, maar omdat hij hoofd van een jongensschool was geweest.)

'Maar waarom zou je werk zoeken?' riep Boss. 'Je kunt toch een werkloosheidsuitkering aanvragen?'

Dat was niet in me opgekomen. Ik werkte al zolang voor mezelf dat ik was vergeten dat er zoiets als de welvaartsstaat bestond.

'Ach ja,' zei ik vol drank. 'Waarom ook niet?'

'Je hebt toch hard gewerkt? En belasting betaald?'

'Toe nou,' zei Moss, 'laat dat kind met rust.'

'Om eerlijk te zijn heb ik inderdaad belasting betaald.'

'Echt waar?' Aanvankelijke verbijstering sloeg snel om in verontwaardiging. Vervolgens wilden ze absoluut nog een drankje voor me bestellen vanwege deze geheel nieuwe invalshoek. En ze waren het er roerend over eens. 'Je verdient een uitkering.'

'We gaan ons morgenochtend zelf ook inschrijven. We halen je wel op.'

Prima! Mooi zo! Uitstekend! Geweldig idee!

Dinsdag 23 september, 08.30

Schrok wakker! Een geluid! Wat was dat? Bleef stokstijf in bed liggen luisteren. Er bewoog iets beneden. Een mens. Nee, meer dan een! Pratende stemmen.

Inbrekers!

Bang. Kon gewoon niet geloven dat het echt waar was. Weer geluid. Klonk... eigenlijk... alsof er een ketel water stond te koken. Inbrekers die thee aan het zetten waren? Heel vreemd. Weer die mompelende stemmen, gevolgd door het getinkel van suiker die in een mok werd doorgeroerd. Toen geslurp. Echt waar! Het ergste geluid ter wereld: iemand die thee slurpt. Dat brengt echt het slechtste in me boven.

Ik trok een trui aan over mijn pyjama. Boss en Moss bleken aan mijn keukentafel thee te zitten drinken... nee, slurpen. 'Aha, daar is ze,' zei Boss.

'Er zit nog wel thee in de pot,' zei Moss. 'Moet ik even inschenken?'

Ineens begon het te dagen. Nieuwe vrienden. Samen naar Ennistymon voor aanvraag ww-uitkering. In het genadeloze daglicht zagen ze er nog sjofeler uit. Dat Art-Garfunkelhaar had al sinds 2003 geen kam meer gezien en het 98FM-т-shirt van Moss was niet bepaald helder. Maar ze waren blij me te zien. Brede glimlach.

'Waar is die andere?' vroeg ik. 'De Meester?'

'Gaat niet mee. Arbeidsongeschiktheidsuitkering. Slechte rug.'

Dat was me gisteren niet opgevallen. De morele bagage van mijn nieuwe vrienden riep vraagtekens op.

'Ik ga me aankleden.'

09.51

Geen personenbusje. Gewone auto met twee stoelen voorin, maar laadvloer waar anders de achterbank zat. Mocht voorin naast Boss zitten. Moss zat achterin, met zijn armen om zijn knieën. De auto was ongelooflijk smerig. En hij stonk. Naar tabak. Naar dieren. Naar kaneel-luchtverfrisser. Deed raampje open voor het geval ik moest kotsen.

10.17

Ennistymon

Niet veel groter dan Knockavoy, maar echte stad, geen toeristenplaats. Verrassend veel drogisten. Zouden de inwoners van Ennistymon zo vaak ziek zijn? (Ben dol op drogisten, misschien kon ik even rondneuzen.)

We parkeerden op een invalidenparkeerplaats recht voor het gebouw van de sociale dienst. Boss zocht iets op de smerige vloer, viste een invalidenparkeerkaart op en gooide die op het dashboard.

Ik wilde helemaal niet naar de sociale dienst. Gisteravond, toen ik dronken was, had het heel logisch geleken. Maar ik was inmiddels weer nuchter.

Niet dat ik me te goed voelde voor een uitkering. Geen sprake van. Maar ik werd al moe als ik dacht aan wat me te wachten stond.

Het aanvragen van een uitkering stond gelijk aan de twaalf werken van Hercules. Zou eigenlijk heel eenvoudig moeten zijn – had altijd sociale lasten betaald, was mijn baan kwijtgeraakt, had zonder succes geprobeerd ander werk te vinden en was platzak. Maar het was een weg vol hindernissen. Als je een stel formulieren had ingevuld, moest je op de proppen komen met je bankafrekeningen van vorig jaar, van dit jaar, de energierekening, het bewijs dat je Iers staatsburger was, een brief van je laatste werkgever...

En als je dan met een enorme inspanning al die dingen had opgehoest, was dat nog niet genoeg. Nog meer eisen, die steeds lastiger werden. Foto van mijn eerste huisdier. Drie witte truffels. De handtekening van Tom Cruise. De eerste editie van 'Lily the Pink'. En als je ook daaraan had voldaan, zou je toch een brief krijgen met de mededeling: 'Wij zijn tot de conclusie gekomen dat u nooit en te nimmer recht zult hebben op enige vorm van werkeloosheidsuitkering, maar breng ons tien gram gemalen hoorn van de eenhoorn in een mooie verpakking en we zullen proberen of we een willekeurig bedrag naar u kunnen overmaken.'

Als mensen ooit een uitkering loskloppen bij de sociale dienst, dan is het niet omdat ze daar recht op hebben. Het is gewoon een beloning voor hun volharding, voor pure koppigheid, voor het feit dat ze weerstand hebben kunnen bieden aan een kafkaëske kleinzieligheid zonder hun geduld te verliezen en te krijsen: 'VAL TOCH DOOD MET DIE MIEZERIGE UITKERING VAN JE! IK KOM NOG LIEVER OM VAN DE HONGER!'

10.45

Zoals verwacht werd er korte metten met me gemaakt (wat betekent dat eigenlijk precies?).

'Bent u een nieuwe aanvrager?'

'Ja.'

'Dan moet er eerst een beoordeling komen.'

'Oké, kan ik dan beoordeeld worden?'

'U kunt hier niet zomaar binnenlopen en verwachten dat u meteen beoordeeld wordt. U moet eerst een afspraak maken.'

'Oké, kan ik dan een afspraak maken?'

(Ik zou het allang hebben opgegeven als Boss en Moss me niet hadden opgestookt met opmerkingen als: 'Doorzetten, Lola! Je hebt er recht op, Lola!')

'In feite heb ik vanmorgen nog een plekje over.'

'Hoe laat?'

'...Nu.'

10.46

Grauw achterafkamertje, met man die mij moest beoordelen. Wil niet onvriendelijk klinken, maar begreep best waarom hij niet achter de balie stond. Alles spits, als een vos. Scherp onderzoekend gezicht, scherpe neus, scherpe kin. Rossig haar in paardenstaartje, ook als van een vos. En die speciale bril die alle ondervragers schijnen te dragen, met zo'n smal zilverkleurig montuur, waarin het licht wordt weerkaatst op een manier waar je zenuwachtig van wordt. Het zilveren montuur van argwaan.

'Een styliste?' vroeg hij minachtend. 'Wat is dat voor baan?'

'Ik duikel kleren op voor mensen.'

'Duikel kleren op?' vroeg hij spottend. 'Wat betekent dat?'

'Dat ik kleren... vind voor mensen. Als iemand naar een duur galabanket moet, zorg ik ervoor dat ontwerpers een selectie van hun jurken sturen. Of als iemand erg druk is, laat ik allerlei dingen komen en die kunnen ze dan rustig passen zonder winkel in en winkel uit te moeten.'

'Daar is hier niet veel vraag naar,' zei de man van de ww.

'Weet ik. Daarom ben ik ook hier. Ik heb alle hotels en bars in Knockavoy afgelopen om een baan te vinden, maar het is einde seizoen, ze hebben niets meer.'

'Waarom ben je in Knockavoy gaan wonen?' vroeg hij.

'Persoonlijke redenen,' zei ik, terwijl ik mijn best deed om kalm te klinken. Maar mijn lip begon weer te trillen alsof hij een boodschap in morse uitzond.

'Daar schieten we niets mee op! Je kunt er hier geen geheimen op nahouden.'

'Oké,' zei ik en gooide alles eruit. 'Mijn vriend gaat trouwen met een ander. Dat heeft me een zware schok gegeven. Daarna heb ik elke opdracht verknald. Ik ben min of meer als banneling de stad uit gestuurd om eroverheen te komen voordat mijn hele zaak eraan gaat. Maar ik moet mijn assistente en haar nichtje wel betalen zolang ik weg ben. Daardoor heb ik geen cent meer.'

'Oké,' zei hij, terwijl hij alles opschreef. 'We nemen wel contact met u op.'

Ik vroeg me af om welke reden ze mijn aanvraag zouden afwijzen. Omdat ik voor mezelf werk? Of omdat ik een aanvraag in Dublin moet indienen? Of was dit een kwestie van arbeidsongeschiktheid in plaats van werkloosheid en zou ik daar dus een uitkering voor moeten aanvragen? O, ik kende alle trucjes die ze in petto hadden.

19.22

Op weg naar mevrouw Butterly voor mijn dagelijkse portie soaps, kwam ik langs The Dungeon. 'Hé, Lola!' Drie enthousiaste gezichten straalden me toe: Moss, Boss en de Meester. Ze hadden op de uitkijk gezeten.

'Ik ga naar mevrouw Butterly om *Coronation Street* te kijken,' riep ik vanaf de straat. 'Na afloop kom ik nog wel even langs!'

Ze waren kennelijk teleurgesteld.

19.57

Terwijl we zaten te wachten tot *Eastenders* begon, zei ik: 'Mevrouw Butterly, kent u dat huis naast het mijne?'

'Dat van Rossa Considine? Aardige knul. Wat is er met hem?'

'Wist u dat hij op het punt stond om te trouwen?'

'Met wie?'

'Nu niet meer, maar hij was het wel van plan...'

'Ach, welnee!' Mevrouw Butterly klonk heel zeker van zichzelf. 'Hij is alweer acht maanden bezig de bloemetjes buiten te zetten, nadat hij het hart van Gillian Kilbert had gebroken. Aardig kind, maar ze heeft ontzettend veel weg van een fret.'

'Ja... maar...'

Ik aarzelde. Zou ik vragen wie de vrouw in de trouwjapon was? Maar toen begon *Eastenders* en mevrouw Butterly was al een oude dame. Misschien wel seniel. Ik liet de mysterieuze vrouw van Rossa Considine rusten.

21.40
The Dungeon

Ik werd begroet als een vorstin. Er werd een kruk gehaald en schoongeveegd, ik kreeg een drankje voorgezet en ook een KitKat. Het bleek dat er niet één maar twee stel zuipschuiten in The Dungeon waren. Bittere vijanden. Het andere stel had een hond. Dat van Boss had mij.

'Vertel eens iets over het stel dat naast me woont,' zei ik.

'Geen stel,' zei Boss. 'Een man alleen. Rossa Considine. Vrijgezel.'

'Maar dat is niets ongebruikelijks, hoor,' deed de Meester ook een duit in het zakje. 'Niet zoals vroeger, toen een man die geen vrouw had meteen door iedereen voor flikker werd uitgemaakt. De maatschappij is veranderd.'

'Maar Rossa Considine had toch wel een vriendin?' vroeg ik. 'Tot een paar weken geleden? Ze stonden op het punt om te gaan trouwen.'

Iedereen barstte in lachen uit. Kennelijk had ik de plank volledig misgeslagen.

'Maar,' protesteerde ik, 'ik heb een vrouw bij hem thuis gezien!'

'Een man mag toch wel een verzetje hebben!'

'Wat voor vrouw?' vroeg de Meester. 'Klein, blond en met iets van een fret? Gillian Kilbert. Alle Kilberts lijken op fretten. Dat hebben ze van hun vaderskant.'

Ik dacht na. 'Nee,' zei ik. 'Ze had niets van een fret. En ze droeg een trouwjapon. Ze stond boven voor een raam naar me te kijken.'

De drie mannen wierpen elkaar een verschrikte blik toe en Boss werd doodsbleek, wat een hele prestatie was gezien de hoeveelheid gesprongen adertjes in zijn gezicht. Daarna keken ze mij met grote ogen aan.

'Waarom zitten jullie me zo aan te staren?'

Ze zeiden niets, maar bleven me aankijken.

'Jij hebt het Tweede Gezicht,' zei Boss.

'Wat? Bedoel je... denk je... dat de vrouw die ik heb gezien een... een geest was?'

Ik huiverde onwillekeurig en dacht terug aan de witte japon en haar donkere haar. Maar meteen daarna had ik mezelf weer in de hand. Dat was geen spookjapon die de pyromaan op zijn vreugde-vuur had gegooid. Maar om de een of andere reden had ik geen zin om dat aan de zuipschuiten te vertellen. Gewoon omdat het eigenlijk de privézaken van de pyromaan waren.

Boss fronste zijn voorhoofd. 'Leek die vrouw misschien op Onze Lieve Vrouwe?'

Pardon? 'Op wie?'

'De MOEDER VAN GOD. Jullie zijn echt een stelletje heidenen ginder in Dublin.'

'Nee, nee, ze leek totaal niet op de moeder van God,' zei ik.

'Denk nog eens goed na,' zei hij. 'Droeg ze een blauw gewaad? Een aureool? Een klein kind?'

'Nee, ik weet zeker van niet.' Ik begreep meteen waar Boss met zijn neiging om overal geld uit te slaan naartoe wilde. Hij probeerde me zover te krijgen dat ik zei dat ik een visioen van de moeder van God had gehad, zodat hij van Knockavoy een nieuw pelgrimsoord voor katholieken kon maken.

'Vergeet het maar,' raadde de Meester hem aan. 'Er waren geen getuigen. Daar trapt Rome nooit in.'

'Stelletje pietlutten,' mopperde Boss. 'Maar goed, Rossa Considine is best een aardige vent, afgezien van die neiging om constant bergen te beklimmen of zich aan touwen in gaten te laten zakken. Werkt voor het ministerie van Milieu. Bij een of andere denktank over recycling. Een vaste baan. Ik kan me nog herinneren dat mensen vaste banen hadden. Bij de bank. Of bij de overheid. Tegenwoordig zijn het allemaal web designers en... en... cognitieve gedragstherapeuten en wat jij doet. Stylisten. Nutteloze, stomme, zinloze banen.'

Ik zei niets, maar was diep beledigd. Eigenlijk zin om te zeggen: 'Ik heb tenminste een baan. Terwijl jullie alleen maar een stel dronken leeglopers zijn.' Maar toen herinnerde ik me ineens dat ik helemaal geen baan meer had.

Woensdag 24 september, 08.01

Werd wakker van een voordeur die dichtviel. (Niet de mijne.) Sprong uit bed en holde naar de voorkamer om te zien hoe de pyromaan Considine naar zijn werk ging.

Het was allemaal ontzettend raar. Dat de pyromaan een vrouw in huis had, dat kon. Maar een vrouw in een trouwjapon? Terwijl niemand in het dorp wist dat hij ging trouwen? En hij vervolgens de jurk op een groot vreugdevuur verbrandde?

Plotselinge gedachte: zou hij haar ontvoerd en vermoord hebben? Maar dat was belachelijk. Als ze ontvoerd was, zou ze geen rondedansje gemaakt hebben in een japon van Vera Wang. Dan had ze, toen ze mij op de weg zag staan, tegen het raam gebonsd en geluidloos uitgeroepen: 'Help me! Word tegen mijn zin vastgehouden door milieudeskundige!'

Het was een mysterie. Een absoluut mysterie.

Donderdag 25 september, 11.27

Mobiel ging over. Plaatselijk nummer. Het was de ww-vent met de vossenkop. Hij wilde een afspraak met me maken.

'Wat voor rare papiertjes moet ik daarvoor meebrengen?' vroeg ik.

'Nee, ik wil je buiten het werk om spreken,' zei hij.

Vossenkop viel op me! Jemig! Ik moest met hem naar bed als ik een uitkering wilde!

Toen ik daarover nadacht, kon het me eigenlijk niets schelen. Als ik maar niets hoefde te doen en gewoon kon blijven liggen.

'Luister eens, meneer ww...'

'Noel, je mag wel Noel zeggen.'

Vooruit dan maar.

'Noel,' zei ik, 'ik heb net een verbroken relatie achter de rug, ik ben niet echt in staat om...'

'Daar gaat het niet om.'

O nee?

'Ik leg het je wel uit als we elkaar zien. Ondertussen is het wachtwoord discretie. We kunnen elkaar niet in Ennistymon ontmoeten. De muren hebben oren.'

'Kom dan naar Knockavoy.'

'Nee...'

'Hebben de muren hier ook oren?'

Het was sarcastisch bedoeld, maar hij zei alleen maar: 'Juist.'

Goeie genade!

'Ken je Miltown Malbay?' vroeg hij.

Een stadje dat een eindje verder aan de kust lag.

'Laten we daar dan afspreken, morgenavond om tien uur. Bij Lenihan's in Miltown Malbay. Bel niet meer naar dit nummer.'

Hij verbrak de verbinding.

Vrijdag 26 september, 08.08

Werd wakker van een claxon. Rolde uit bed en liep naar de andere slaapkamer om uit raam te kijken. Een of andere smerige terreinwagen stond met een loeiende motor voor het buurhuis. Er zaten mannen in. De ramen waren zo modderig dat er niet veel te zien was, maar vermoedelijk een stel luidruchtige macho's.

Een voordeur werd dichtgeslagen en Rossa Considine dook op. Stevige laarzen, rugzak, zwart North Face-fleecejack. Opgerolde touwen waar metalen dingetjes aan bungelden, hingen om zijn schouder.

Hij beende naar de smerige wagen en riep een of andere mannelijke ochtendgroet. (Iets in de trant van 'Meisjes, ik had nooit verwacht dat jullie vanmorgen uit bed konden komen, na al die drank van gisteravond.' Ik kon niet verstaan wat hij precies zei, maar de toon waarop hij sprak, zei genoeg.)

Plotseling keek hij om in de richting van de hut van oom Tom, alsof hij voelde dat er iemand naar hem stond te gluren. Sprong haastig achteruit, maar was al te laat. Hij had me gezien. Rossa Considine produceerde een scheef glimlachje dat duidelijk 'betrapt, glurende mafkees' zei, stak sarcastisch zijn hand op, trok het portier van de auto open en scheurde weg in een stortvloed van modder.

22.12
Lenihan's, Miltown Malbay

Noel van de werkloosheidsuitkeringen zat in een alkoof, met de ene puntige knie over de andere geslagen en zijn puntige ellebogen op het tafeltje. Hij keek om waardoor ik ruimschoots de kans kreeg om zijn scherpe, vosachtige gelaatstrekken in me op te nemen. Als ik per ongeluk op hem zou vallen, zou ik een lelijke diepe steekwond op kunnen lopen.

Hij sprong op, dreef me de alkoof binnen en fluisterde: 'Heeft iemand je zien binnenkomen?'

'Ik zou het niet weten. Je hebt niet tegen me gezegd dat ik naar binnen moest sluipen.'

'Dat weet ik wel, maar dit is strikt geheim.'

Ik wachtte af.

'Het gaat om je werk,' zei hij. 'Je baan als styliste. Heb je wel eens mensen geholpen die lastige maten hadden?'

Was dat alles?

'Natuurlijk,' zei ik. 'Dat is zelfs mijn specialiteit. Ik heb gewerkt voor de vrouw van een bankier die een schandalige hoeveelheid galabanketten moest bijwonen, maar die, heel ongebruikelijk voor een bankiersvrouw, maat 44 had. Ze hebben zelden zo'n grote maat.'

'En hoe zit het met accessoires?'

'Ik doe alles. Schoenen, handtassen, sieraden, ondergoed.'

'Ik heb namelijk een vriendin,' zei hij. Hij klonk behoorlijk nerveus. Ineens voegde hij daar bijna gekweld aan toe: 'Ik ben getrouwd, maar ik heb ook een vriendin.'

Getrouwd en een vriendin? Zo zie je maar, het uiterlijk zegt niets. Misschien was hij een echte grapjas.

'En ik vind het leuk om mooie dingen voor haar te kopen. Maar ze kan bijna geen schoenen in haar maat krijgen. Kun jij daarbij helpen?'

'Vast wel. Welke maat schoenen draagt ze?'

Na een verrassend lange stilte zij hij: 'Vijfenveertig.'

Vijfenveertig! Vijfenveertig is ENORM. De meeste mannen halen die maat niet eens.

'...Tja, dat is wel erg groot, maar ik zal zien wat ik kan doen...'

'En kun je ook aan kleren voor haar komen?'

'Welke maat heeft ze?'

Hij staarde voor zich uit. En hij bleef maar staren.

'Wat is er?' vroeg ik. Ik begon een beetje bang voor hem te worden.

Hij slaakte een abnormaal diepe zucht, alsof zijn besluit eindelijk vaststond, en zei: 'Luister.' Hij trok een diepbezorgd gezicht. 'Kun je een geheim bewaren?'

'O, god,' *kreunde hij met zijn handen voor zijn ge-zicht. 'O, god.'*

Hij keek naar haar op en ze zag tot haar verbazing dat zijn gezicht nat was van de tranen. 'Het spijt me zo, het spijt me zo vreselijk. Je bent het beste wat ik in mijn leven heb, het enige dat echt goed is. Vergeef me, zeg in jezusnaam dat je me vergeeft. Het zal nooit meer ge-beuren. Ik weet niet wat me overkwam. Mijn werk brengt zoveel stress mee, er komt geen eind aan, maar om dat nu op jou af te reageren...'

Hij begon zo te huilen dat zijn schouders ervan schokten. 'Waarom ben ik zo'n beest?' kreunde hij.

'Het is al goed.' Ze raakte hem even aarzelend aan. Ze kon er niet tegen om hem zo'n knieval te zien maken.

'Dank je! Goddank.' Hij trok haar naar zich toe en kuste haar hard. En ze liet hem begaan, ook al deed het pijn aan haar gespleten lip.

Grace

Pa deed de voordeur open en vroeg: 'Wat is er met je gezicht gebeurd?' Daarna keek hij automatisch over mijn schouder om te controleren of ik zijn parkeerplaats niet had ingepikt. 'Waar heb je je auto gelaten? Die zie ik nergens.'

'Omdat die er ook niet is.' Ik liep achter hem aan de trap af naar de keuken. 'Op dit moment staat mijn auto op de ringweg bij Tallaght, volledig in de as gelegd.'

'Gestolen?'

'Nee, dat heb ik zelf gedaan. Er was gisteren toch niks op tv. Ja, natuurlijk gestolen!'

'Ach, lieve hemel. "De zorgen die ons bezoeken, komen niet als enkele spionnen, maar in bataljons".' Dat zegt pa altijd. Dat komt omdat pa een intellectueel is. '*Hamlet*. Acte vier, scène vijf,' vertelde hij me.

'Waar is ma?'

'Bij Bid.' Bid is mijn moeders zus die al van voor mijn geboorte bij mijn ouders woont. 'Ze haalt haar op van de chemo.'

Mijn gezicht vertrok. Bid had tien dagen geleden te horen gekregen dat ze longkanker had. Het kostte me moeite om aan het idee te wennen.

'God, wat is het hier stervens koud.' Zelfs hartje zomer is het nog ijskoud in dat huis. Het is groot en oud en heeft geen centrale verwarming.

Beneden in de keuken ging ik tegen het Aga-gasfornuis aan staan. Ik was er zelfs op gaan zitten, als ik niet bang was geweest dat ik mezelf zou branden. (Een Aga! Nou vraag ik je! En midden in de stad op de koop toe.)

'Wil je horen welke andere zorgen we hebben?' vroeg pa.

'Is er nog meer dan?'

'Ma zegt dat we moeten stoppen met roken. Wij allemaal.' Hij keek boos. 'Niet alleen Bid, maar wij allemaal. En ik hou van mijn rokertjes,' voegde hij er triest aan toe.

Ik wist precies hoe hij zich voelde. Ik zou niet weten hoe ik zonder nicotine moest leven.

Terwijl ik daarover nadacht, staarde ik uit het raam. In de achtertuin zat Bingo achter een late bij aan. Met al dat gespring en gehijg en het gestruikel over zijn eigen poten en die zwabberende rossige oren leek hij knettergek.

Pa zag dat ik naar hem keek. 'Ik weet best dat hij een handenbinder is, maar we houden van hem.'

'Ik hou ook van hem. En hij is al een tijdje niet meer weggelopen.' En als dat wel het geval was, dan hadden ze mij niet ingeschakeld bij de pogingen hem terug te vinden.

'Je bent behoorlijk toegetakeld,' zei pa. 'Ben je weer in de kroeg met iemand op de vuist gegaan?'

Ik klakte met mijn tong. De blauwe plek was bijna weg en het hele verhaal hing me mijlenver de keel uit. 'Ach, het was zo'n stom gedoe...'

'Wacht eens even!' Er scheen hem ineens iets op te vallen. 'Grace! Ben je alweer gegroeid!'

'Welnee!' Ik ben maar een meter drieënzeventig, maar zij geven me het gevoel dat ik idioot lang ben.

'Wel waar! Kijk maar, we zijn precies even groot en dat zijn we nooit geweest!' Hij gebaarde dat ik naast hem moest gaan staan. 'Zie je nou wel?'

Hij had gelijk.

'Ik ben nog precies zo groot als altijd,' zei ik hulpeloos. 'Jij zult wel krimpen.'

'Abah! De leeftijd... Wat vernederend. De zorgen enzovoort enzovoort.'

Pa was een tengere man met gevoelvolle ogen en een grote neus, die er samen met zijn sigaretten voor zorgde dat hij voor een Fransman door kon gaan. In het buitenland wordt hij daar ook vaak voor aangezien en dan kan hij zijn blijdschap nauwelijks onderdrukken. Volgens hem is Frankrijk het meest beschaafde land ter wereld.

We hoorden de voordeur open en dicht gaan. Ma en tante Bid waren weer thuis.

'We zijn in de keuken,' riep pa.

Ze kwamen de trap af, nog steeds in een kennelijk al eerder gestart gesprek over de veel te kleine tien-eurocentmuntjes verwikkeld. Ze leken sprekend op elkaar, allebei kleine en tengere wezentjes, behalve dat tante Bid nu half kaal was en de kleur had van urine.

'Bid...?' zei ik hulpeloos.

'Het gaat prima met me, prima.' In een zwakke poging mijn bezorgdheid weg te wuiven. 'Probeer me niet te knuffelen, want dan ga ik kotsen.'

'Grace!' Ma was blij om me te zien. 'Ik heb je auto niet eens zien staan.' Ze fronste. 'Wat is er met je gezicht gebeurd?'

'Haar auto is gestolen en uitgebrand teruggevonden op de rondweg bij Tallaght,' zei pa. 'En ik krimp.'

'O, Grace!' zei ma treurig. '"De zorgen die ons bezoeken, komen niet als enkele spionnen, maar in bataljons". *Hamlet,* acte vier, scène vijf.' (Ma is ook een intellectueel.) Ze raakte voorzichtig mijn jukbeen aan. 'Hoe kom je hieraan? Toch niet van Damien!'

Ik schoot in de lach. 'Als Damien mij ooit zou slaan, zou ik hem meteen een knal terug verkopen en dat weet hij best.'

'Lieverd, als hij ooit een vinger naar je uitsteekt, kun je altijd hier terecht.' Ma staat altijd voor iedereen klaar.

'Bedankt, ma, maar dan zou ik doodgaan van de kou.'

Ma en Bid hadden het huis geërfd toen hun oudoom Padraig – de enige van de familie die 'goed geboerd' had – het tijdelijke met het eeuwige verwisselde. Yeoman Road nummer negenendertig was een droom voor liefhebbers van achttiende-eeuwse panden: kamers met hoge plafonds waar de kille lucht des te beter in circuleerde, de originele ramen onderverdeeld in kleine glas-in-loodpaneeltjes die zo vriendelijk waren om alle tocht door te laten en rammelden als een afwasbak vol bestek als er vrachtwagens voorbijkwamen.

Aangezien de andere bewoners van Yeoman Road – gynaecologen en makelaars – goed in hun slappe was zaten, hadden ze ook genoeg poen om vloerverwarming en ergonomische Duitse keukens aan te laten leggen en hun voordeur zodanig in de lak te laten zetten dat die glom als de glimlach van een zelfbewuste en voldane politicus. Pa en ma werden ook nooit uitgenodigd voor bijeenkomsten van de Yeoman Road Bewonersvereniging, voornamelijk omdat zij daar meestal het onderwerp van gesprek waren en omdat het al veertien jaar geleden was dat ze de voorkant hadden laten schilderen.

'Kopje thee, Bid?' vroeg pa met de theepot in de aanslag.

Bid schudde haar kalende hoofd. 'Ik denk dat ik maar even naar boven ga om te kotsen.'

'Goed zo, meid.'

Zodra ze de deur uit was, keek ik ma aan. 'Pa zegt dat je wilt stoppen met roken.'

'Dat klopt. We moeten Bid in alle opzichten steunen. In feite zou ze het bijzonder op prijs stellen, als jíj ook stopte, Grace.'

'Eh...'

'En Damien.'

'God, ik weet niet of...'

'Het is een kwestie van solidariteit. En trouwens, hij is toch bang voor je.'

'Welnee, ma.'

'Iedereen is als de dood voor je.'

'Hè, ma...'

'Vertel me maar eens wat er met je auto is gebeurd.'

Ik haalde mijn schouders op. 'Er valt niet veel te vertellen. Hij stond gisteravond toen ik naar bed ging nog voor het huis en toen ik vanmorgen wakker werd, was hij weg. Ik heb de smerissen gebeld en die vonden het volkomen uitgebrande wrak terug op de rondweg bij Tallaght. Dat soort dingen gebeurt nu eenmaal. Het is alleen verdomd lastig.'

'Was je verzekerd?' vroeg ma. Het leverde een boze tirade op van pa, die me waarschuwde dat ik maar beter de kleine lettertjes van mijn polis kon lezen, want dat alle verzekeringsmaatschappijen oplichters waren die de gewone man alleen maar zijn zuurverdiende centjes afhandig wilden maken.

Omdat pa kennelijk nog heel wat noten op zijn zang had, zei ik tegen ma: 'Ja, ik was wel verzekerd, maar zoals pa zegt, zullen ze wel weer iets in petto hebben waardoor ik niet genoeg geld krijg om een nieuwe te kopen.' Ik voelde een steek in mijn hart. Ik was dol op die auto geweest, snel, vlot, sexy en helemaal van mij. De eerste nieuwe auto die ik ooit had gehad en ik had er maar vier maanden van mogen genieten. 'Ik zal wel een lening moeten nemen.'

Pa zei tegelijk met ma: 'Je moet niet lenen, niet van en niet aan mensen. Dat gaat altijd mis.'

Ik schudde mijn hoofd. 'Het was niet mijn bedoeling om bij jullie aan te kloppen.'

'Maar goed ook,' zei pa. 'We hebben geen nagel om onze kont te krabben.'

'Ik moet er weer vandoor.'

'Waarheen?'

'Naar de kapper. Om de kleur bij te laten werken.'

Ma keek afkeurend. Haar eigen haar was een soort bloempotkapsel dat ze zelf met een nagelschaartje bijhield. Zelfs pa gaf meer om zijn uiterlijk. Op zijn negenenzestigste had hij nog steeds een dikke bos zilverkleurig haar dat hij eens per maand in zijn favoriete model van Parijse intellectueel anno 1953 liet knippen.

'Weet je wel hoeveel Ierse vrouwen iedere maand aan haarverzorging uitgeven? Geld dat beter besteed zou kunnen worden...'

'Alsjeblieft, ma, het is maar een coupe soleil!' Ik gebaarde naar mijn zwarte broekpak en mijn platte laarzen. 'Je kunt me echt geen Barbie noemen.'

Bij de kapper zorgde mijn beurse jukbeen voor opschudding.

'Je moet hem behoorlijk dwars hebben gezeten,' zei Carol. 'Wat heb je gedaan? Zijn eten verbrand? Of vergeten zijn onderbroeken te wassen?'

Ik voelde ineens een treffende gelijkenis met ma opkomen en had graag met een uitgestreken gezicht iets gezegd in de trant van: 'Huiselijk geweld is niet iets om grapjes over te maken.' Maar ik hield mijn mond. Alleen een idioot gaat met haar kapster in de clinch.

'Ik ben journalist,' zei ik. 'Dat hoort bij het vak.'

'Jij? Jij schrijft over borstvoeding en dronken tieners. Je bent toch geen misdaadverslaggeefster!'

Carol kende me goed. Ik kwam al jaren bij haar. Ze had geen fantasie en hetzelfde gold voor mij. Het enige wat ik van haar vroeg, was dat ze mijn saaie haar blond maakte. Ik had geen behoefte aan de nieuwste snufjes en dat was maar goed ook, want daar wist ze niets van.

'Wat is er dan gebeurd? Vertel op.'

'Dat geloof je toch niet.'

'Probeer het toch maar.'

'Ik ben op straat gestruikeld over een losse tegel en plat op mijn gezicht gevallen. Iedereen die op lijn 16A stond te wachten zag het gebeuren. En de meeste mensen lachten me uit.'

Carol dacht dat ik iets voor haar verborg, dus liet ze het spul te lang zitten zodat mijn hoofdhuid verbrandde. Het regende bij de bushalte en het was spitsuur, dus moest ik de strijd aangaan met naar mijn gevoel honderden schooljongetjes in hun tienertijd voor een plaatsje in de bus die al wegreed voordat ik ingestapt was. Dat deed mijn humeur geen goed en ik was al zo verdrietig over tante Bid en over mijn auto. En daar kwam de angst dat ik zou moeten stoppen met roken ook nog eens bij. Bovendien had een van die knullen me in mijn kont geknepen en ik had niet gezien wie het deed, zodat ik hem niet 'tot de orde' kon roepen.

Ondanks het feit dat een heel stel wél in de bus was gestapt – in míjn bus, waar ze op míjn plaats waren gaan zitten – stonden er toch nog veel te veel bij de bushalte. Ik keek chagrijnig toe hoe ze elkaar met hun rugzakken rammen verkochten en één enkele sigaret de groep rond lieten gaan. Ik besloot dat ik tienerjongens haatte. Uit het diepst van mijn hart. Ik had niet alleen de pest aan hun pukkels en hun hitsigheid, maar het verschil in grootte beviel me ook niets. Kijk nou zelf eens naar ze! Er zitten ondermaatse tuinkabouters bij, maar ook logge reuzen van boven de eentachtig van wie de armen bijna over de grond slepen.

Mijn troosteloze blik viel op een groepje schoolmeisjes dat stiekem van onder glinsterende oogleden naar de jongens stond te gluren en ik kwam tot de conclusie dat ik net zo'n hekel aan hen had. Dat overdreven gegiechel, dat kunstmatige aardbeienluchtje en de centimeters dikke laag lipgloss die letterlijk van hun pruilende mondjes afdroop. Bovendien toonden ze alleen maar minachting voor mij, vanwege mijn vergevorderde leeftijd (vijfendertig) en omdat ik geen hoge hakken en veel te weinig make-up droeg. *Als ik net zo word als zij, mag je me doodschieten.* Dat heb ik zelfs een van die krengetjes horen zeggen!

Omdat ik me bleef ergeren, stuurde ik Damien een sms'je.

Kook jij vanavond?

Nee. Jij?

Ik zuchtte en stopte mijn mobiel weer in mijn zak. We gingen wel naar de Indiër.

Toen er weer een bus de hoek omkwam, vermande ik me. Dit keer stapte ik gewoon in. Ik liet me door niemand tegenhouden en als een van die pukkelige klungels het nog een keer waagde om met z'n poten aan me te zitten, kon hij een elleboog krijgen.

Dit keer slaagde ik er zelfs in een zitplaats te veroveren en probeerde me in Dennis Lehane te verdiepen, maar de bus stopte om de haverklap om de hele bevolking van Ierland in en uit te laten stappen, dus moest ik mijn boek wel af en toe laten zakken om diep te zuchten en mijn ergernis niet onder stoelen of banken te steken. Er zat één voordeel aan dit hele gedoe: ik zou voldoende stof hebben om een week lang mijn column te vullen.

Mijn zak begon te trillen en toen ik mijn mobiel eruit viste, raakte ik de vrouw naast me zo hard met mijn elleboog dat ze bijna op de grond viel.

'Hier zul je vast niet blij mee zijn.' Het was een van de assistentredacteuren 'saaie' Hannah Leary. 'De Grote Baas heeft je column afgekeurd. Niet controversieel genoeg. Je hoeft het mij niet kwalijk te nemen, ik word ook maar gestuurd. Kun je iets anders inleveren?'

'Wanneer?' Dat wist ik best, ik lag alleen maar dwars.

'Binnen een halfuur.'

Ik klapte mijn telefoon dicht en voelde een pijnscheut in mijn hand. Ik bleef het maar vergeten en dan werd ik er steeds op zo'n onaangename manier aan herinnerd. Iets voorzichtiger trok ik mijn laptop uit mijn tas, bood de arme vrouw naast me opnieuw mijn verontschuldigingen aan omdat ik haar weer zat te porren en begon te tikken.

Controversieel? Nou, dat kon hij krijgen.

Tien voor acht kwam ik thuis, in een roodstenen rijtjeshuis in 'de dure voorstad Donnybrook' (volgens de makelaar). Een leuk huis, heel charmant, met oorspronkelijke kenmerken. En héél klein.

Natuurlijk lag het niet echt in hartje Donnybrook, want dan hadden we er veel meer voor moeten betalen en dan zou het ook niet zo'n eind van de bushalte bij de Donnybrook Apotheek hebben gelegen. In feite heette geen van de winkels bij ons in de buurt de 'Donnybrook'-nogwat. Misschien woonden we helemaal niet in Donnybrook. Misschien had de makelaar ons wel bij de neus genomen en woonden we eigenlijk in Ranelagh, dat niet half zo chic was.

Damien stond bij het aanrecht met de krant opengeslagen voor zich en maakte een paar tanden in een foto van Bono zwart. Hij zag er bekaf uit.

'Eindelijk!' riep hij uit. Hij deinsde achteruit, zoals iedere keer als hij mijn beurse gezicht zag. 'Ik was net van plan je een sms'je te sturen. Waar bleef je toch?'

'Die stomme rotbus.' Ik gooide mijn tas neer en knoopte mijn jack open. 'Tien minuten bij elke halte.'

'Sorry dat ik je de hele dag niet gebeld heb,' zei hij. 'Er stak een schandaaltje de kop op in de bijeenkomst van de Dáil en het was alle hens aan dek.'

Ik wuifde zijn verontschuldigingen weg. Damien was ook journalist, de politiek correspondent van de *Press*. Hij hoefde mij niets over deadlines te vertellen.

'Wat heeft de verzekeringsmaatschappij gezegd?' vroeg hij.

'Ha! Nou, dat was echt om te lachen. Als mijn auto alleen maar beschadigd was geweest, had ik recht gehad op een leenauto tot alles gerepareerd was. Maar omdat hij total loss was, krijg ik geen leenauto. Dat is toch niet te geloven? Ik heb de hele ochtend met hen aan de telefoon gehangen. Ik heb geen bal gedaan. Daar was Jacinta niet blij mee...'

'Jacinta is nooit blij.'

'...en toen ging ik ook nog eerder weg om mijn haar te laten doen.'

'Het zit heel leuk,' zei hij haastig.

Ik lachte.

'Hoe lang duurt het voordat ze het geld voor een nieuwe auto overmaken?' vroeg hij.

'Dat weet ik net zomin als jij. En wat ik ook krijg, het zal nooit genoeg zijn om een nieuwe auto te kopen.' Chagrijnig ritste ik mijn laarzen open.

'Hou ze maar aan,' zei hij. 'Hijs je jas weer aan, dan gaan we samen naar de Indiër en halen iets te eten.' Hij sloeg zijn armen om me heen. 'We leggen gewoon botje bij botje, Grace, en dan gaan we naar de bank om een lening los te kloppen zodat jij weer een auto kunt kopen. Tot dan breng ik je wel op de motor naar je werk.'

Damien was te ongeduldig om auto te rijden. In plaats daarvan wurmde hij zich in de spits door Dublin op een zwart met zilveren Kawasaki. (Ma zit erover in en noemt het een Kamikaze.)

'Maar dan moet je kilometers omrijden.'

De *Press* zat op een troosteloos industrieterrein aan de M50, waar je wel achtduizend scanners kon kopen, maar niet één broodje. En het kantoor van de *Spokesman* zat midden in de stad.

'Geeft niet, dat heb ik wel voor je over. Hoe is het met Bid?'

'Slecht. Ze ziet er afschuwelijk uit. Met de kleur van boter.'

'Boter? Maar dat is best een leuke kleur.' Hij dacht even na. 'Misschien niet voor een mens.'

Bijna acht maanden geleden was Bid naar de dokter gegaan omdat pa gek werd van haar hardnekkige hoest. De dokter had gezegd dat er een bronchoscopie gemaakt moest worden, maar het duurde zeven maanden tot ze een afspraak kon maken. Toen het zover was, wisten ze meteen dat het kanker was. Ze werd geopereerd, waarbij een tien centimeter grote tumor uit haar linkerlong werd verwijderd, maar daarna werden er ook uitzaaiingen gevonden in haar lymfeklieren. Om die te bestrijden moest ze een 'agressieve chemokuur' volgen van zes behandelingen, met tussenpozen van vier weken. Pas in februari zouden we weten of ze kon genezen. Als ze die bronchoscopie meteen hadden gedaan toen ze bij de dokter was geweest, had de kanker zich niet kunnen uitzaaien naar de lymfeklieren en was ze nu al beter geweest.

'Arme Bid,' zei Damien.

'Eh... moet je horen.' Ik besloot maar meteen de koe bij de hoorns te vatten. 'Ik ben blij dat je zo meeleeft, want ik moet je nog iets vertellen wat je helemaal niet leuk zult vinden. Ma en pa stoppen met roken. En jij en ik ook.'

Hij keek me met grote ogen aan.

'Uit solidariteit,' drong ik aan.

'Solidariteit,' mopperde hij. 'Door Bid is het net alsof ik twee schoonmoeders heb. Ik ben de ongelukkigste man ter wereld.'

Af en toe overwogen Damien en ik wel eens om met roken te stoppen. Meestal als we platzak waren en een van ons beiden begon uit te rekenen hoeveel we aan sigaretten kwijt waren. We waren het er altijd roerend over eens dat het beter was om te stoppen, maar verder ging het meestal niet.

'Ik maak me zorgen om Bid,' zei hij, 'maar ik móét roken.'

'Leuk geprobeerd. Bedenk eens iets anders.'

'Grace, als we stoppen met roken komen we allebei minstens vijfentwintig kilo aan.'

'We zouden weer kunnen gaan joggen. Dat is een tijdlang hartstikke goed gegaan.'

'Ja, in de zomer.'

We hadden echt ons best gedaan. In de maanden mei en juni waren we 's ochtends vroeg samen gaan hardlopen, in identieke joggingsuits waardoor we zo in een hypotheekcommercial pasten. In die paar weken werd de afstand die we aflegden steeds groter en onze conditie ging met sprongen vooruit. Maar toen waren we in juli op vakantie gegaan, we hadden geschranst en gezopen en daarna waren we er gewoon niet meer aan toe gekomen.

'Als je alleen maar over stoppen begint, krijg ik al zin in een sigaret.' Damien greep zijn pakje zoals een vrome katholieke vrouw zich op haar rozenkrans stort. 'Laten we er maar eentje nemen voor we gaan.'

We zaten naast elkaar op de stoep te roken en genoten van onze sigaretten die nog lekkerder smaakten dan anders.

Damien blies met samengeknepen ogen een lange sliert rook uit en zei: 'Meende je dat nou echt?'

'Ma heeft me een schuldgevoel aangepraat,' zei ik. Dat kon ze als geen ander. Maar altijd voor een goed doel. 'Als Bid niet beter wordt en ik ben gewoon blijven roken, dan is het mijn schuld. En de jouwe ook, Damien Stapleton,' voegde ik eraan toe. 'Moordenaar.'

Ik had Damien tien jaar geleden leren kennen, tijdens een persuitstapje naar Phuket toen ik nog bij de *Times* werkte. Damien had eigenlijk helemaal niet mee gemogen, want hij was een serieus politiek correspondent die geen stukjes schreef over reisjes naar Thailand, maar hij was platzak en echt aan vakantie toe en een van zijn redacteuren had zijn hand over zijn hart gehaald.

Ik zag hem al op het vliegveld toen we in de rij stonden om in te checken. Hij was met een groep andere journalisten, maar leek er op de een of andere manier toch niet bij te horen en het was net alsof ik een klap op mijn kop kreeg. Er hing een sfeer van eenzelvigheid om hem heen, iets onafhankelijks dat ik zo boeiend vond dat mijn hart begon te bonzen.

Ik wist meteen dat hij kieskeurig was. En moeilijk. En ik wist ook dat hij zich zou verzetten. Tot op dat moment had ik nooit een greintje begrip kunnen opbrengen voor vrouwen die zo weinig eigendunk hadden dat ze alleen verliefd werden op mannen die dat gevoel niet deelden. En nu was ik zelf de klos.

Maar ik kon er niets aan doen. Ik bleef maar naar die vent staren en dacht: jou wil ik hebben. Het was gewoon angstaanjagend.

Ik pakte mijn vriendin Triona (van de *Independent*) bij de kraag en vroeg: 'Die man daarginds...'

'Damien Stapleton van de *Tribune?*'

'Ja. Ken je hem?'

'Ja, wat is er met... O, nee, Grace, dat is helemaal jouw type niet,' zei Triona geschrokken. 'Met hem weet je nooit waar je aan toe bent.'

Ik luisterde nauwelijks naar haar, omdat me ineens allerlei details opvielen. Hij had een fantastisch lijf. Zo te zien krachtig genoeg. En hoewel hij niet echt lang was, was hij net groot genoeg. Minstens zo lang als ik en misschien nog wel vijf centimeter meer.

'Hij heeft geen gevoel voor humor,' waarschuwde Triona, het ergste wat er van een Ierse man gezegd kan worden.

Maar ik maakte hem aan het lachen.

Bij ieder busreisje en bij elke maaltijd die ons in Phuket werd aangeboden, zorgde ik ervoor dat ik naast Damien Stapleton zat. Zelfs als we een dagje 'vrijaf' hadden, kwam hij er niet onderuit om samen met mij bij het zwembad te zitten. Maar als hij verbaasd was over het feit dat hij mij overal tegen het lijf liep, liet hij dat niet merken.

Dat was het grote probleem: hij deed vrijwel geen mond open. Ik was degene die eeuwig aan het woord was en hem trakteerde op mijn complete verzameling anekdotes en leuke verhalen. Hij keek vaak verbaasd – en soms zelfs geschokt – maar zijn ogen bleven vast op mijn gezicht gericht en soms, als ik iets zei waar hij het mee eens was, knikte hij langzaam of grinnikte zacht. Aanleiding genoeg om vol te houden.

'Grace, kun je die arme vent niet met rust laten?' smeekten de andere journalisten. 'Hij is als de dood voor je.'

Zelfs Dickie McGuinness, de misdaadverslaggever van de *Times* die zo vaak in het gezelschap van criminelen verkeerde dat hij zelf ook behoorlijk dreigend overkwam, liet een intimiderende waarschuwing uit zijn mondhoek vallen: 'Eén goede raad, Grace. Mannen gaan liever zelf op jacht.'

'Nee,' zei ik strijdlustig. 'Mannen zijn lui en volgen altijd de weg van de minste weerstand. En kijk me niet aan alsof je van plan bent me tegen de muur te spijkeren. Je had niet eens mee mogen gaan met dit reisje, je bent misdaadverslaggever.'

'Ik had behoefte aan... vakantie.' Hij gaf het woord een zware lading mee.

'Ik stel je advies op prijs, Dickie... Hoewel, nee, dat lieg ik. Hou je goede raad verder maar voor je, want ik luister toch niet.'

De waarheid was, dat ik niet bij Damien uit de buurt kon blijven – een hele schok voor me, dat mag je best weten – en zo af en toe lepelde hij een wetenswaardigheidje op dat mij de overtuiging gaf dat wij voor elkaar gemaakt waren. Om een voorbeeld te geven: hij hield niet van radijsjes (ik ook niet) of van boottochtjes op de Shannon (ik ook niet). Hij hield van thrillers (ik ook) en hij vond het leuk om laat op te blijven en dan naar herhalingen te kijken van slechte series uit de jaren tachtig, zoals *Magnum PI* en *Knightrider* (ik ook). Hij vond dat fruitplukken in je vakantie pure oplichterij was. (En dat was ik alweer roerend met hem eens, terwijl andere mensen het juist zo leuk vonden.)

Omdat ik behoefte had aan goede raad, belde ik mijn tweelingzus Marnie op. Die had alle boeken over relaties gelezen en wist er alles van. Bovendien zou ze me niet uitlachen.

'Je moet me álles vertellen,' zei ze. 'Hoe hij eruitzag toen je hem voor het eerst zag, wat jij aan had...'

Het was ronduit heerlijk om over hem te kunnen praten en ik was niet meer te houden. Uiteindelijk zei ik: 'Vertel me maar wat ik moet doen.'

'Ik?' zei Marnie. 'Ik ben niet bepaald de meest geschikte persoon om je te vertellen hoe je een man moet veroveren.'

'Jij hebt anders massa's ervaring.'

Triest maar waar. Marnie was ontzettend intuïtief, maar kennelijk alleen als het om anderen ging, want ze was niet in staat om haar vlijmscherpe analyses op haar eigen leven los te laten. Haar relaties eindigden meestal in een of andere ramp. En terwijl ik maar eens in de tien jaar voor een kerel viel, stortte Marnie zich om de week in een andere diepe passie. In feite vertoonde onze houding ten opzichte van romances een treffende gelijkenis met onze gezondheid. Marnie kreeg alle bacilletjes en virusjes die er rondzwierven, maar was er dan ook zo weer bovenop, terwijl ik juist bijna nooit ziek was, maar als dat wel gebeurde, werd een onbeduidend verkoudheidje prompt bronchitis of een keelontsteking en, gedurende een gedenkwaardige decembermaand, zelfs mond- en klauwzeer (niet zo grappig als het klinkt).

'Hoe serieus is dit eigenlijk?' vroeg Marnie

'Longontsteking. Een dubbele. Pleuritis... en misschien ook nog tb.'

'Wat erg... Maar goed, op het gevaar af dat ik nou net als ma klink, Grace, kan ik je toch alleen maar aanraden om gewoon jezelf te zijn. Er is niemand beter dan jij.'

'Ah, toe nou...'

'Dat is zo! Je weet precies wie je bent, je pikt geen onzin van andere mensen, je kunt uit je hoofd rekenen, je hebt altijd wel iets te vertellen, je vindt het niet erg om zonder paraplu in de regen te lopen...'

'Maar moet ik geen spelletje met hem spelen? Door bijvoorbeeld net te doen alsof ik hem niet leuk vind? O, Marnie, het is allemaal zo'n gelul! Als een man een vrouw leuk vindt, stuurt hij haar bloemen...'

'Daar zou jij niets van moeten hebben. Dan zou je hem uitlachen.'

Ze sloeg de spijker op de kop. Natúúrlijk zou ik hem uitlachen.

'...of hij pakt gewoon de telefoon en vraagt of ze met hem uit wil. Waarom kunnen vrouwen dat niet? Waarom moeten wij altijd net doen alsof we iets heel anders voelen dan in werkelijkheid het geval is? Het is gewoon weer een manier om vrouwen een loer te draaien...'

'Zit je me nu je laatste column voor te lezen?'

'Nee, nee, nee.' Of misschien toch wel. Ik kwam schoorvoetend op het onderwerp terug. 'Hij is gescheiden.'

'Nou en? Iedereen torst een verleden met zich mee.'

Meestal waren dit soort perstripjes een losgeslagen bende, maar ik gedroeg mezelf onberispelijk. Als ik Damien niet kon krijgen, wilde ik ook niemand anders.

Toen we bij de luchthaven naar de taxistandplaats liepen, verbaasde het me niets dat hij me niet om mijn telefoonnummer vroeg. Ik vroeg ook niet naar het zijne, want nadat ik tien dagen lang mijn neus had gestoten was de waarheid uiteindelijk tot me doorgedrongen.

Ik wist hoe moeilijk het was om te besluiten dat je voortaan niet meer om iemand zou geven omdat de persoon in kwestie niets om jou gaf. Je kunt niet gewoon de stekker uit je hart trekken. Maar ik was praktisch van aard en ik deed mijn best. Dus Damien was niet geïnteresseerd, maar er waren anderen voor wie dat anders was. (Niet erg veel, dat hoor je mij niet zeggen, maar toch wel een of twee kandidaten.) Dus probeerde ik het met Scott Holmes, een nogal losgeslagen Kiwi die bij de *Sunday Globe* werkte, maar dat liep op niets uit.

Af en toe bereikte me een gerucht over Damien: dat hij weer naar zijn vrouw terugging, of dat hij een keer 's avonds laat was gesignaleerd terwijl hij samen met Marcella Kennedy van de *Sunday Independent* in een taxi stapte... Soms kwam ik hem zelfs tegen, want hoewel ik vastbesloten was om mijn onbeantwoorde liefde te vergeten, had ik vriendschap gesloten met een paar lui bij de *Tribune* waardoor ik zelfs een paar keer de kans kreeg om naar politieke bijeenkomsten te gaan. En dan was hij altijd blij om me te zien. Nou ja, hij vertoonde weinig gelijkenis met een cockerspaniël waarvan het baasje thuiskomt, maar hij was toch altijd bereid om mijn vragen te beantwoorden.

Daar leek ook op het feestje ter gelegenheid van Lucinda Breens dertigste verjaardag geen verandering in te zijn gekomen. Het was al laat, ik was een tikje aangeschoten, een tikje driftig en een tikje boos, ook al kon hij er niets aan doen dat hij niet op me viel.

'Hoe gaat het ermee, Grace?'

Zelfs de manier waarop hij mijn naam uitsprak, deed pijn.

'Ik ben kribbig. Waarom is alles zoveel gemakkelijker als je een vent bent?'

'Hoezo?'

'Dan kun je tenminste blijven staan als je piest.' Om vervolgens de koe bij de hoorns te pakken: 'En als ze op iemand vallen, kunnen ze gewoon met een goedkoop smoesje aankomen.'

'Zoals?'

'Zoals... neem je het me kwalijk als ik zeg dat je een prachtlijf hebt?'

'Nee.'

'Nee, wat?'

'Nee, dat neem ik je niet kwalijk.'

Ik stond zeker tien seconden met mijn mond vol tanden. 'Echt niet?'

'Nee. Ik dacht dat je het nooit zou vragen.'

Ik was opnieuw sprakeloos.

'Waarom zou ik je dat moeten vragen? Jij bent de vent.'

'Grace Gildee, ik had nooit gedacht dat jij zo'n sentimentele romanticus was.'

'Dat ben ik ook niet.'

'Dat idee had ik al.'

'Maar als je iets in me ziet... dat is toch zo? Of sla ik nu een enorme flater?'

'Nee.'

'Nee?'

'Nee, je slaat geen flater. Ja, ik zie iets in je.'

Droomde ik nu?

'Waarom heb je dat dan niet tegen me gezegd?'

'...ik was gewoon niet zeker van mezelf. Je was heel aardig, maar zo ben je tegen iedereen... Het is al een hele tijd geleden dat ik me met dit soort dingen bezighield.'

Ik kon mijn oren niet geloven.

'Je hebt zo'n enorme levenslust,' zei hij. 'Ik dacht dat je nooit genoeg aan mij zou hebben. Blinker.'

'Pardon?'

'Zo noem ik je altijd. Blinker Gildee. Omdat je me verblindt.'

Had hij me een bijnaam gegeven?

Uittreksel uit **Suikervrij**, de column van **Grace Gildee** in de *Spokesman*, zaterdag 27 september.

Ik heb de pest aan tienerknullen. Ik haat hun pukkels, hun hitsigheid en vooral het feit dat ze het achterste van een vrouw beschouwen als iets om in te knijpen. Iedere kont is een kans die je moet aangrijpen.

En eerlijk gezegd zien ze er ook niet uit. Zodra ze beginnen te puberen, zouden alle tienerjochies opgepakt en afgevoerd moeten worden naar een concentratiekamp waaruit ze pas op hun achttiende worden ontslagen. Daar zal ons straatbeeld een stuk van opknappen.

En als ze in dat kamp zitten, mogen ze ook absoluut geen exemplaar van *Nuts, Loaded* en *Maxim* inkijken. Zet ze in plaats daarvan maar op een streng dieet van feministische lectuur, alles van Germaine Greer tot Julie Burchill. Op die manier zullen ze, als we hen weer loslaten, tenminste volwassen en pukkelvrij zijn en bekend met het fenomeen vrouw. Zouden ze dan ook eindelijk een beetje respect voor ons kunnen opbrengen?

Ja, ik weet het, keihard. Maar ik word betaald om controversieel te zijn.

'Hou je mompel mompel in!' riep Damien over zijn schouder.

'Wat zeg je?'

'Je benen!' Hij tilde zijn vizier op. 'Druk ze stijf tegen de motor!'

Ik begreep waarom, toen ik zag dat hij van plan was om ons door het smalle gangetje tussen een donkerblauwe bestelbus en een personenbusje te wurmen. 'Adem inhouden!' riep hij.

De tocht naar mijn werk achter op zijn motor was heel opwindend. Op een heel foute manier. Damien beschouwde alles als een uitdaging, alsof hij constant op de proef werd gesteld. Geen ruimte was te nauw, geen stoplicht te oranje, geen file te groot om er niet op een overmoedige manier tussendoor te zigzaggen. Als hij de kans had gekregen om over achttien bussen heen te springen en zo een paar seconden te winnen, had hij die met beide handen aangegrepen. Zou dat komen door een gebrek aan opwinding in zijn leven?

Hij stopte voor de *Spokesman* en tilde zijn vizier op om me een kus te geven. Met dat leren pak en de ronkende motor tussen mijn benen was dat... laten we maar zeggen... behoorlijk sexy.

'Hou je haaks,' zei ik.

Ik had het niet over de rest van zijn reis, maar over ons besluit om te stoppen met roken. Ma had Bid betrapt terwijl ze stiekem met een sigaretje op de plee zat en de rook uit het raam blies. 'Alsof ze een tiener was!' had ma via de telefoon gezegd. 'Dat is echt de laatste druppel.' Daarna had ze de telefoon aan Bid gegeven en ik hoorde ineens mijn eigen stem zeggen dat als ik zonder sigaretten kon, dat zeker ook voor haar gold.

'En voor Damien,' riep ma.

'En voor Damien,' had ik met tegenzin herhaald terwijl Damien zijn hoofd in zijn handen stopte en 'nee!' kreunde.

Hij gaf geen antwoord. Hij sloeg gewoon zijn vizier dicht en denderde weg.

Ik schoot er trouwens niets mee op dat hij me op de motor naar mijn werk bracht. Om mijn werk naar behoren te kunnen doen had ik een auto nodig. Niet alleen als vervoermiddel, maar ook als klerenkast. In de kofferbak van mijn oude auto sleepte ik kleren voor alle gelegenheden mee. Een keurig pakje, platte schoenen en zelfs een parelkettinkje voor als ik een brave burgermevrouw zover moest zien te krijgen dat ze me alles over de dood van haar baby vertelde. Handschoenen, laarzen en een warmtevasthoudend hemd (mijn geheime wapen) om op een ijskoude kade te wachten tot ik hoorde of de vissers van een omgeslagen trawler dood of nog in leven waren. En een chique campingsmoking voor een artikel over drugs.

Zodra ik binnenkwam, vroeg mevrouw Farrell, onze receptioniste en het machtigste personeelslid van de *Spokesman*, waar mijn auto was. Je moest echt voor haar uitkijken, want als je haar tegen de haren instreek kon ze de telefoontjes van je stervende moeder tegenhouden, je privéadres 'per ongeluk' aan een of andere maniak doorgeven, of 'vergeten' je te vertellen dat er eindelijk een nier voor je niertransplantatie was gevonden. Zelfs de Grote Baas (Coleman Brien, de hoofdredacteur) hield rekening met haar.

'Gestolen. En uitgebrand.' Het had geen zin om te liegen, want Dickie McGuinness zou de waarheid binnen de kortste keren boven tafel hebben.

'Goh, wat afschuwelijk.' Toen barstte ze samen met Yusuf, de portier, in lachen uit. Yusuf was een lieve Somalische man geweest toen hij net begon, maar inmiddels was hij besmet met het *Spokesman*-virus en nu was hij net zo'n kreng als de rest.

Mevrouw Farrell begon meteen het nieuws rond te bellen en ik wist dat ik de rest van de dag meedogenloos gepest zou worden en dat er allerlei 'cadeautjes' op mijn bureau zouden belanden, van lucifersdoosjes en verbrande rode speelgoedautootjes tot de dienstregeling van het busbedrijf...

'Morgen, Suikervrij.'

Ik word Suikervrij genoemd omdat ik de reputatie heb dat ik een zuurpruim ben. (Maar als ik een man was geweest, zouden ze me alleen maar recht-voor-de-raap hebben genoemd.)

Op de afdeling redactionele bijdragen rinkelden alle telefoons en vrijwel iedereen zat al op zijn of haar plaats. Behalve Casey Kaplan, natuurlijk. Hij bepaalde zijn eigen werktijden. Maandagochtend negen uur? Tien tegen een zat Casey gezellig ergens samen met Bono aan de whisky-cola. Ik groette Lorraine, Joanne, Tara en Clare – op 'artikelen' werkten bijna alleen vrouwen, omdat de werktijden regelmatiger waren dan bij het nieuws en dat was prettig als je kinderen had. Omdat ik het enige redactielid was dat geen kinderen had, werd ik opgezadeld met alle onvoorspelbare klussen, waarvan niet gegarandeerd was dat ze om klokslag halfzes klaar zouden zijn.

Aan het bureau naast het mijne zat TC Scanlan ijverig te tikken. Omdat hij een zeldzaam fenomeen was, een man die redactionele artikelen schreef, kreeg hij vaak seksistische grapjes naar zijn hoofd, in de trant van 'hij gaat zitten om te piesen'. Krantenredacties zijn meedogenloos.

'Wat vervelend van je auto,' zei hij. Hij stond op, friemelde in zijn zak en haalde wat los geld tevoorschijn. 'Hier, meid. Een euro twintig. Dan kun je met de bus naar huis.'

De telefoon ging over en werd meteen doorgeschakeld naar de voicemail. We namen nooit op. 'We worden bestookt door boze lezers,' zei hij. 'Vanwege dat stuk over tienerjongens. Het is bijna even erg als die keer dat je schreef dat je geen kinderen wilde.'

Ja. Het was pas tot me doorgedrongen dat ik te ver was gegaan, toen ik zaterdagochtend door ma op mijn vingers werd getikt. De *Spokesman* behoort niet tot haar dagelijkse lectuur, maar ze houdt wel een oogje op wat ik schrijf.

'Grace,' zei ze, 'die column van je gaat echt te ver! Ja, ik kan tienerjochies ook niet uitstaan. Ze zijn zo... nou ja, zo góór. Niet alleen hun huid, want daar kunnen ze echt niets aan doen, hoor, dat komt gewoon door de hormonen. Maar ze doen van dat spul in hun haar dat het echt... nou ja, vet of goor maakt, anders kan ik het niet noemen. Of misschien hebben ze het gewoon wekenlang niet gewassen, dat zou ook kunnen. Maar je mag geen grapjes maken over concentratiekampen, zelfs niet als het om pubers gaat. Dat idee van die feministische lectuur sprak me trouwens wel aan,' voegde ze er nog aan toe.

'Ben ik al met de dood bedreigd?' vroeg ik aan TC.

'Alleen door de vaste klanten.'

'Mooi zo.'

Het schijnt dat je je eerste altijd herinnert: je eerste liefde, je eerste auto en je eerste doodsbedreiging. Een jaar of drie geleden, toen ik net bij de *Spokesman* was begonnen, had ik een controversieel stuk geschreven over de tirannie van borstvoeding. De volgende ochtend stond er een boodschap op mijn voicemail. 'Ik vermoord je, Grace Gildee, feministische slet. Ik weet hoe je eruitziet en ik weet waar je woont.' Hoewel zijn tekst niet bepaald origineel was, stond ik te trillen op mijn benen. Ik was nog nooit met de dood bedreigd. En hoewel ik altijd het idee had gehad dat ik behoorlijk dapper was, stierf ik nu echt van angst. Toen ik TC vertelde dat ik dat bericht had gehad, gaf hij het meteen door aan Jacinta Kinsella, die er maar twee seconden naar luisterde voordat ze uitriep: 'O, die idioot. Meneer-Ik-Weet-Waar-Je-Woont. Ik dacht dat we van hem af waren.' Ze wiste het bericht met een geïrriteerde druk op de knop. '"Ik weet hoe je eruitziet"? Ja, jezus, hij hoeft alleen maar naar je foto te kijken!'

'Dus ik hoef me geen zorgen te maken?'

'Helemaal niet.' Op ongeduldige toon. Ze was op weg om buiten de deur te gaan lunchen (om 10.35 uur).

Nu word ik met de regelmaat van de klok met de dood bedreigd. (Daarvoor hoef je alleen maar naar de receptie te bellen en tegen mevrouw Farrell te zeggen: 'Ik wil Grace Gildee met de dood bedreigen', dan word je meteen doorverbonden.) Ik heb vijf of zes vaste klanten die elkaar volgens een bepaald schema schijnen af te lossen. Maar ze hebben geen van allen ooit de moeite genomen om hun dreigementen gestand te doen, dus tegenwoordig ga ik er maar vanuit dat ze gewoon uit hun nek kletsen.

'Wat heb je voor me, Grace?'

'Ook goedemorgen,' zei ik.

Het was Jacinta Kinsella, met een van haar vijf Birkintassen. Iedere keer dat ze een kind kreeg, had haar man er een voor haar gekocht en om eerlijk te zijn loop ik nog liever rond met een plastic tas die naar kerrie ruikt dan die prijs neer te tellen. Vandaag was het de zwarte tas, die prima bij haar stemming paste. Als ze kwam opdagen met haar gele tas was het tijd voor een feestje, want dan was de kans groot dat ze voor iedereen een ijsje zou kopen met geld uit de kleine kas.

Jacinta was bijzonder modieus. Ze liet haar ravenzwarte haar iedere ochtend föhnen en ze zag er altijd uit alsof ze op weg was naar de paardenrennen. Als er een verslag moest komen van een begrafenis werd Jacinta erop af gestuurd, omdat zij de mooiste jas had.

'Ik kijk mijn aantekeningen wel even na,' zei ik.

Jacinta is hoofd van de afdeling redactionele bijdragen, ik ben de belangrijkste redactrice en de relatie tussen ons is uitstekend. Nou ja, dat zou het geval zijn geweest als zij niet zo bang was geweest dat ik op haar baan uit was en uiteraard wenste ik helemaal niet dat ze met vervroegd pensioen zou gaan of door een andere krant zou worden weggekocht...

Af en toe gaat ze te ver, maar als de Grote Baas haar dan probeert te ontslaan, haalt ze de vakbond erbij en smijt beschuldigingen in het rond alsof ze Jackson Pollock met een pot verf is. In feite komt het erop neer dat ze niet weg te branden is.

'Jacinta,' riep TC, 'ik heb een boodschap van Casey. Hij zit achter een verhaal aan dat, ik citeer, "onze hele wereld op de kop zal zetten".'

'Hoe laat is hij hier?' vroeg Jacinta scherp.

TC schudde triest zijn hoofd. 'Waarom vraag je mij dat? Ik weet van niks.'

Jacinta had heel wat te stellen met Casey en niets over hem te vertellen. De Grote Baas had hem weggelokt bij de *Sunday Globe* om ons wat 'extra sexappeal te bezorgen' en hem toen bij Jacinta gedumpt. 'Nog een man voor redactionele bijdragen.'

De Grote Baas was zo blij als een hond met twee staarten met zijn nieuwe aanwinst. Casey had zoveel naam gemaakt met grote interviews dat hij inmiddels zelf ook een bekende persoon was geworden. Grof gesteld had hij twee manieren om een profielschets aan te pakken. In de eerste versie werden bekende persoonlijkheden op heftige (maar ontegenzeggelijk geestige) wijze met de grond gelijk gemaakt door te verwijzen naar hun smakeloze domheid, de idiote verzoeken waarmee hun personeel werd geconfronteerd en het feit dat ze van dichtbij, als er geen airbrush aan te pas kwam, eigenlijk ontzettend onaantrekkelijk waren. De tweede versie, een associatief, in de tegenwoordige tijd geschreven verslag van marathon drankgelagen met rockbands of filmsterren die in achttien uur van de ene naar de andere club in de stad trokken tot ze uiteindelijk tot rust kwamen in een hotelsuite vol lijntjes cocaïne en half opgegeten clubsandwiches.

Ik haatte zijn werk. Het was zelfbevlekkend en egocentrisch. Maar dat kon ik niet zeggen, omdat iedereen dan zou denken dat ik jaloers was. En dat was ook zo.

'Suikervrij? Ga je mee een sigaretje roken?'

'Ik heb slecht nieuws voor je, TC,' zei ik, gewapend met een pakje nicotinekauwgom dat ik uit voorzorg had aangeschaft. 'Ik ben gestopt.'

'Alweer? Veel succes,' zei hij. 'Het is zo gemakkelijk als wat. Ik ben zelf al vaak genoeg gestopt.'

Ik liet mijn vingers treurig over mijn pakje kauwgom glijden en keek toe hoe hij samen met de anderen naar de brandtrap liep. Het ging mij niet alleen om de nicotine, maar vooral om het contact met mijn medemens. Sommige van de beste gesprekken die ik ooit heb gevoerd vonden plaats tijdens het roken van een sigaret. Rokers vormden een soort geheim verbond en zelfs als we op elkaar geprop als paria's in speciale 'rokersruimtes' zaten, zorgden de sigaretten voor kameraadschap en intimiteit. Ik was al eerder gestopt, dus dit gevoel – een soort verborgen verdriet, alsof een van je beste vrienden naar Australië verhuist – kwam me bekend voor, maar dat maakte het er niet gemakkelijker op.

Negentien nieuwe e-mails sinds de laatste keer dat ik keek, nog geen uur geleden. Allemaal persberichten van pr-firma's die op zoek waren naar publiciteit: binnenhuis-barbecuetoestellen, de voordelen van tea-tree-olie, een rapport over incontinentie, een kookboek van een beroemde kok, een nieuwsbrief van de Vrouwenhulp...

Was er iets bij waar ik in kon duiken? Terwijl ik de lijst doorkeek, zag ik een rapport over penisvergroting. Dat zou best lollig kunnen zijn.

Maar toen viel mijn oog op iets wat mijn hart sneller deed kloppen: Madonna kwam voor drie concerten naar Ierland. Maar de hele Ierse media zou natuurlijk met haar willen praten, waarom zou ik de uitzondering op de regel zijn? Ik wist alleen maar dat ik goed werk zou afleveren. Beter dan al die anderen bij elkaar.

Ik liet alles liggen om een bijzonder geraffineerd verzoek aan de publiciteitsman van Madonna in elkaar te flansen, waarbij ik mijn best deed om tegelijkertijd slaafs, intelligent en geestig over te komen en op die manier het complexe proces van de aanbidding van een wereldster in beweging te zetten.

Ik kwam net terug van buiten waar ik een zakje winegums, een broodje kaas en twee pakjes chips had gekocht – plus een mueslireep die ik op de trap naar boven al had opgegeten in mijn strijd tegen de nicotineverslaving – toen ik verzeild raakte tussen de deelnemers aan de dagelijkse redactievergadering. Alle afdelingshoofden liepen in marsorde naar het kantoor van de hoofdredacteur.

Jacinta kwam naar me toe hollen. 'Waar zat je nou, Grace?'

Ik wees naar mijn boodschappen.

'Hoor eens, ik kan niet naar die vergadering toe.'

Er was altijd wel iets. Ze moest met een kind naar de tandarts, of naar de voedingsdeskundige, of naar Euro-Disney...

'Oké. Op welk onderwerp zal ik me concentreren?'

Ze keek haastig mijn aantekeningen door. 'Neem maar de eyelifts die tussen de middag kunnen worden gedaan. Dan borstkanker en te dikke kinderen.'

Ik trok het zakje winegums open en stopte een handjevol donkere in mijn mond. Ik kon het zakje niet meenemen naar de vergadering want de Grote Baas werd gek als hij geknisper hoorde.

Ik glipte zijn kantoor binnen waar de vergadering al was begonnen. Jonno Fido van de nieuwsredactie somde de belangrijkste onderwerpen van de dag op terwijl ik tegen een archiefkast leunde en met een half oor meeluisterde. Daarna kwamen buitenland, sport en misdaad langs, die meer dan genoeg te bieden hadden.

'Politiek?'

David Thornberry schoot overeind. 'Dat gerucht over Dee Rossini is heel hardnekkig. Vrijdag werd bekend dat haar huis voor niets werd geschilderd.' Daar wist ik alles van, want dat was het minischandaaltje waardoor Damien had moeten overwerken. Dee Rossini was de minister van onderwijs en de leider van NewIreland, de partij van Paddy.

'In het weekend is er een verklaring over uitgegeven. Rossini heeft het renovatiebedrijf al in november een cheque gestuurd, maar die is nooit geïnd. Maar nu heeft iemand mij een ander verhaal doorgespeeld. Exclusief. De receptie voor de bruiloft van haar dochter was voor haar rekening, maar het hotel is nooit betaald. Ik ben erin gedoken en nu blijkt dat het hotel van de Mannix Group is.' Hij zweeg even om dat te laten bezinken. 'Dezelfde groep die eveneens eigenaar is van R&D Decorators, de lui die haar huis voor niets geschilderd hebben. Kennelijk heeft ze daar een vinger in de pap.' Met andere woorden: Dee Rossini, die als minister van onderwijs de macht had om contracten te verlenen voor de bouw van scholen, ontving van de Mannix Group allerlei gratis voorzieningen in de hoop dat zij daar in de toekomst voor in aanmerking zouden komen. Als dat waar was, zou het NewIreland op de lange termijn veel schade kunnen berokkenen.

'Of zou iemand haar een loer proberen te draaien?' vroeg de Grote Baas. Hij was een aanhanger van NewIreland. 'Doe maar even rustig aan.'

'En als ze nou eens echt corrupt is? Dan lijkt het alsof wij dat best vonden.' David was rood van kwaadheid. Hij zag zijn opwindende exclusieve bericht onder zijn neus verdwijnen. 'Als wij dit niet uitgebreid brengen, gaat iemand anders ermee aan de haal. Dan zal mijn bron een andere krant benaderen.'

'Ik heb al gezegd dat je rustig aan moest doen,' zei de Grote Baas. Hij had een diepe, dreunende stem die de ruiten kon laten rinkelen.

'Als wij het rustig aan doen, is het morgen overal bekend en dan zijn wij die idioten die de vuile was binnen proberen te houden. En wat zal het voor uitwerking hebben op de Nappies, als zij een coalitie blijken te vormen met een stel boeven?'

'Dee Rossini is geen boef. En als de Nationalistische Partij van Ierland niet wil dat er boeven aan de macht zijn, moeten zij en bloc aftreden.'

'Godver...'

'Juist,' zei de Grote Baas. 'Redactionele artikelen?'

Hij keek om zich heen, op zoek naar Jacinta, en ik stak mijn hand op. 'Ze laat zich excuseren.'

'Wat heb je?'

'Eyelifts die tussen de middag kunnen worden gedaan?'

'Jacinta Kinsella laat haar ogen maar in haar eigen tijd doen!'

'Borstkanker. Er is net een nieuw rapport verschenen. Ierland blijkt een veel hoger percentage abusievelijk negatieve onderzoeken te hebben dan de rest van de EU.'

'Verder nog iets?'

'Overgewicht bij schoolkinderen. Nieuwe cijfers, het wordt steeds erger.'

'Nee, nee, nee. Daar word ik zo langzamerhand doodziek van. PlayStations, junkvoer, te veel verzadigde vetten. Hou het maar op die borstkanker.'

Mooi. Daar had ik ook mijn zinnen op gezet.

Mijn mobiele telefoon ging over. 'Sorry.' In tegenstelling tot de rest van de wereld kon je tijdens een redactievergadering rustig je mobiel aan laten staan, want de bureauredacteuren van de afdelingen nieuws en misdaad moesten constant bereikbaar blijven.

Ik keek naar het nummer en dacht dat ik droomde. Wat moest hij van me?

Ik zette het toestel snel uit.

We gingen weer verder. 'De zaterdagse bijlage?'

Dat was Desmond Hume, een pietluttig mannetje dat ongelooflijk kon zeuren. Hij schudde zijn hoofd. Het was nog te vroeg in de week.

'Society?'

'Hier,' zei Declan O'Dowd. Hij was niet de echte societyverslaggever, dat was Roger McEliss, maar die zat thuis, waarschijnlijk op zijn knieën voor de wc-pot. (Variatie op het kip-en-het-ei-thema: wat was er eerder, de societyverslaggever of het drankprobleem?) Declan O'Dowd was een arme stakker die achter zijn bureau moest blijven zitten om een pagina in elkaar te flansen uit alles wat McEliss hem al kokhalzend doorgaf. Hij werd pas een echte societyverslaggever, compleet met premières en feestjes, als McEliss achter slot en grendel zat voor zijn tweejaarlijkse ontwenningskuur.

'Iemand heeft gezien dat de aanstaande vrouw van Paddy de Courcy trouwjurken stond te passen.'

'Foto's?'

'Ja.'

Ongetwijfeld. Mijn gebrek aan nicotine maakte me nog ongeduldiger dan anders. 'Uit anonieme bron?' vroeg ik. 'En natuurlijk hoefden ze niet eens geld te hebben?'

Het was duidelijk dat de foto's afkomstig waren van het publiciteitskantoor van NewIreland. In een tijd dat Dee Rossini tot aan haar nek in allerlei minischandaaltjes zat, zouden foto's van Paddy's stralende aanstaande vrouw in een wolk van witte kant alle opwinding weer een beetje kunnen sussen.

David Thornberry ging ontzettend tekeer, ik kon hem twintig bureaus verder nog horen. 'Die stomme ouwe klootzak, dat hou je verdomme toch niet voor mogelijk? Je kunt een verhaal niet tegenhouden omdat het schade toebrengt aan iemand met wie je toevallig goed kunt opschieten. Dat is geen manier om kranten te maken!'

Maar hij had geen gelijk. Kranten hebben hun vrienden altijd gesteund en hun vijanden altijd met de grond gelijk gemaakt. Journalisten hebben verhalen meegenomen in het graf die, als ze ooit bekend waren geworden, regeringen omver hadden kunnen werpen. En volslagen onschuldige mensen hebben hun baan moeten opgeven en zijn het land uit gepest, gewoon omdat de media behoefte had aan een heksenjacht.

'Heeft iemand het mobiele nummer van Paddy de Courcy?' riep David.

'Dat staat in de computer.'

'Nee, ik bedoel zijn echte nummer.'

Ik boog mijn hoofd. Ik zou het eigenlijk moeten geven... Wat maakte dat nou uit? Ik zou toch nooit meer met hem praten... Maar...

Jacinta was nog steeds niet terug. Ik probeerde TC voor mijn karretje te spannen, maar hij was met iets anders bezig, dus pakte ik Lorraine bij haar lurven. 'Ik heb hier een enig rapportje,' zei ik. 'Vol cijfertjes. Wil jij daar alsjeblieft normale taal van maken? En kun je dan ook nog een stukje van vierhonderd woorden maken over het uitzaaien van borstkanker? Met tijdsfactoren, behandelmethoden enzovoort.'

Daarna ging ik zitten rondbellen, op zoek naar vrouwen die te horen hadden gekregen dat ze geen borstkanker hadden, terwijl dat in werkelijkheid wel het geval was. Ik belde de Irish Cancer Society, St. Luke's Cancer Hospital en vier klinieken, die allemaal even aardig reageerden, mijn nummer opschreven en zeiden dat ze zouden proberen om een patiënt te vinden die met me zou willen praten.

'Vandaag nog,' zei ik nadrukkelijk. 'Het moet morgen in de krant staan.'

'Jezus, daar zullen we hem hebben,' mompelde TC, 'berg vlug al je cowboyspullen op.'

De moleculaire structuur van de lucht had een verandering ondergaan: om zeven minuten over halfeen was Casey Kaplan eindelijk op zijn werk verschenen. Hij kwam naar binnen paraderen in een zwarte leren broek die strak genoeg was om de wereld kond te doen van het feit dat hij linksdragend was, een zwart overhemd met witte biesjes, een bruin leren vest, een leren veter om zijn hals en afgetrapte, handgemaakte bordeelsluipers.

Hij wees naar mij. 'Een boodschap van Dan Spancil.' Een muzikant over wie ik een portret had geschreven. Het had me verdomd veel moeite gekost om dat interview te krijgen, ik had wekenlang bij zijn pr-man aan de telefoon gehangen en nu deed Casey Kaplan net alsof hij een weekendje bij hem had gelogeerd. 'Hij zegt dat je rockt.'

'Fijn,' zei ik kortaf. 'Dat geldt ook voor hem.'

'Is Jacinta er niet?' Hij bleef voor mijn bureau plakken.

Ik keek met veel vertoon op van mijn aantekeningen. 'Nee.'

'Waar is ze?'

'Weg.'

'Heb je 't druk?'

'Ja.'

Hij lachte. Omdat ik zo ijverig was? 'Brave meid.'

Hij wandelde op zijn gemak verder en ik deed opnieuw mijn best om me te herinneren wie ik de laatste tijd op feestjes of andere bijeenkomsten had gesproken. Was er niemand geweest die toevallig had gezegd dat ze op de afdeling oncologie werkte of dat ze een zus met borstkanker had? Maar ondanks het feit dat ik op de raarste plekken contactpersonen had, kreeg ik nul op het rekest in de kankerwereld. Ik weet het bitter aan het gebrek aan nicotine in mijn lijf. Als ik maar een sigaret kon opsteken, dan zou ik me gauw genoeg iets herinneren.

Als laatste redmiddel kon ik nog altijd gebruik maken van de verhalen op de internetsite, maar dat was een lapmiddel. Ik had 'couleur locale' nodig, zoals de beschrijving van het huis van de patiënte ('leuke gebloemde gordijntjes en een schoorsteenmantel vol familiefoto's uit gelukkiger tijden').

Ik tikte met een pen op mijn bureau. Ik wilde dit goed doen. Dat gold voor al mijn artikelen, maar af en toe kon ik gewoon wel janken om de lukrake, vrekkige manier waarop met de gezondheid van vrouwen werd omgesprongen. Als zo'n hoog percentage van onjuiste diagnoses bij teelbalkanker was voorgekomen – een vorm van kanker die alleen een man kon krijgen – was de wereld te klein geweest.

'Hou op met die pen!' schreeuwde TC.

Ik kon natuurlijk gewoon naar een kliniek gaan om door de gangen te dwalen en stervende mensen lastig te vallen tot ik een vrouw had gevonden die ik kon interviewen, maar ik had nog enige scrupules over.

Uiteindelijk besloot ik maar naar het hol van de leeuw te gaan, een van de oncologische ziekenhuisafdelingen die materiaal voor het onderzoek hadden aangeleverd. Bellen had geen zin, want ze zouden zich ongetwijfeld aangevallen voelen.

Ik zette mijn mobiel weer aan en wachtte gespannen op het dubbele piepje van de voicemail. Maar dat bleef uit. Hij had geen boodschap achtergelaten.

'Ik ga op reportage.' Om hem te pesten liet ik mijn pen nog een stuk of tien keer vlak naast TC's oor klikken en nam toen de benen.

Een goeie journalist moet een mengeling zijn van opdringerig gedrag en geduld. In het ziekenhuis moest ik een beroep doen op mijn geduld. Ik ging in de wachtkamer op de afdeling oncologie zitten en wachtte af, terwijl ik mijn omgeving scherp in de gaten hield. Na een tijdje deed ik net alsof ik naar het toilet moest, liep rond over de afdeling en stak een paar keer discreet mijn hoofd om de deur, maar afgezien van een schrikreactie bij een man die een anaal onderzoek onderging, zag ik niets bijzonders. Ik liep terug en ging weer zitten. Toen de waarheid tot me door begon te dringen, kreeg ik gewoon pijn in mijn maag.

Er is niets zieligers dan een journalist die zonder verhaal terugkomt. Het overkwam me eigenlijk nooit... maar toen moest ik ineens weer aan die verrekte Lola Daly denken, die nagel aan mijn doodskist. Iedereen had me uitgelachen, omdat het me niet was gelukt een stompzinnige styliste met paars haar over haar ex-vriendje aan de praat te krijgen. Maar in tegenstelling tot Lola Daly was dit verhaal belángrijk. Al die arme vrouwen die te horen hadden gekregen dat er niets aan de hand was en weer naar huis waren gestuurd, waardoor de ziekte zich ongehinderd in hun lichaam kon uitzaaien, hadden het recht om hun woordje te doen. Om nog maar te zwijgen van de kleine kans dat het ministerie van Volksgezondheid zich zo zou schamen dat dit soort dingen niet meer gebeurde.

Ik was zo verdiept in mijn sombere gedachten dat ik bijna de vrouw over het hoofd zag die briesend langs me heen stormde. Ze liep in zichzelf te praten alsof ze het Witte Konijn in eigen persoon was en de ergernis droop van haar af terwijl ze het kantoor naast de balie binnenliep en de deur met een klap achter zich dichttrok. Maar ik kon nog net horen hoe ze nijdig uitriep: 'Hoe vaak moet ik nog...'

Goddank!

Een paar minuten later dook ze weer op en liep nog steeds briesend de gang in, met mij op haar hielen. Toen ze verderop een deur openmaakte, kwam ik in actie. Ik was lang genoeg geduldig geweest, hoog tijd voor een beetje opdringerigheid.

'Neem me niet kwalijk,' zei ik.

Ze draaide zich om en wierp me een vijandige blik toe. 'Wat is er?' Niet echt een gezelligheidsdier.

Ik schonk haar mijn meest stralende glimlach. 'Hoi. Ik ben Grace Gildee. Heb je tijd om even met mij over de uitslagen van weefselonderzoek te praten?'

'Ik heb niets met weefselonderzoek te maken. Loop de gang maar uit en vraag het bij de balie.' Ze draaide zich om en was al halverwege de kamer toen ik zei: 'Waarschijnlijk is het juist goed dat je niets met weefselonderzoek te maken hebt.'

'Hoezo?' Ze draaide zich om. Ik had haar belangstelling gewekt.

'Omdat ik me afvroeg of je me misschien zou kunnen helpen.' Ik bleef glimlachen tot ik kramp in mijn kaken kreeg.

Een wirwar van emoties welde in haar ogen op. Verwarring. Nieuwsgierigheid. Slimheid. Begrip. Het leek wel een diavoorstelling. 'Ben je journaliste? Gaat het over dat rapport?'

'Precies!' Weer met een brede glimlach. Ik ben erachter gekomen dat mensen het gevoel krijgen dat er niets aan de hand is als je breed lachend probeert hen zover te krijgen dat ze iets ongeoorloofds doen.

Dit was het cruciale moment. Nu zou ze de bewakingsdienst waarschuwen of bereid zijn me te helpen. Ze bleef als een zoutpilaar staan.

'Ik heb alleen een paar namen en adressen nodig,' probeerde ik haar over te halen. 'Niemand krijgt te horen dat ze van jou afkomstig zijn.'

Ze aarzelde nog steeds. Ze zou het best leuk vinden als haar werkgever door het slijk werd gehaald, maar ze was duidelijk geen behulpzaam type.

'Krijgt de afdeling daar moeilijkheden door?' vroeg ze.

'Ja,' zei ik vriendelijk. 'Absoluut. Het enige wat ik nodig heb is een paar namen en adressen. Hooguit drie en zeker niet meer dan vier. En als het kan in Dublin.'

'Je vraagt nogal wat.'

Ze beet op haar lip en dacht na. 'Het is niet echt mijn terrein, maar ik zal mijn best doen. Wacht maar op de parkeerplaats, bij dat standbeeld van Jezus aan het kruis met zijn rouwende moeder. Als ik iets kan vinden, kom ik naar je toe.'

Ik had graag willen vragen hoe lang ik zou moeten wachten, maar bij nader inzien leek me dat geen goed idee. Deze dame zou binnen de kortste keren van gedachten kunnen veranderen.

Ik ging naast de rouwende moeder zitten en wachtte. Tot ik een ons woog. Ik snakte naar een sigaret. Journalisten moeten gewoon roken. We zitten zo vaak te wachten, hoe komen we anders de tijd door? En als je je verhaal hebt, moet je het in een race tegen de klok ook nog eens schrijven en ook dat gaat niet zonder sigaretten.

Na een poosje begon ik weer maagpijn te krijgen. Was de moed haar in de schoenen gezakt? Had dat Witte Konijn me gewoon voor de gek gehouden? Met dat soort figuren weet je het nooit. Ik rommelde in mijn handtas op zoek naar een zotan (tabletten voor magen die overwegen een maagzweer te nemen) en nam die in.

Ik begon net te denken dat ik toch zonder verhaal terug zou komen, toen de vrouw ineens voor me opdook. Ze duwde me een papier in mijn hand en zei: 'Dit heb je niet van mij.' Meteen daarna was ze weer verdwenen.

'Hartstikke bedankt!' Zes namen en adressen. Ze had haar best gedaan. Ik zocht het dichtstbijzijnde adres uit, hield een taxi aan en belde de fotodienst met het verzoek een fotograaf te sturen.

Ik stopte voor het huis. ('Keurig, twee-onder-een-dak, met een kennelijk liefdevol verzorgde tuin.') De deur werd opengedaan door een tiener. ('Pas geverfd, glimmend koper.') Ik gaf mijn lachspieren een zetje. Nu zou dat nette pakje met het parelsnoer goed van pas zijn gekomen. 'Hallo. Kan ik je moeder spreken?'

'Ze ligt in bed.'

'Ik heet Grace en ik ben van de *Spokesman*. Ik weet dat je moeder heel ziek is, maar ik vroeg me toch af of ik niet heel even met haar zou kunnen praten. Meer dan een paar minuten heb ik niet nodig.'

Ze vertrok geen spier. 'Ik ga het wel even vragen.' Ze denderde de trap op en kwam even later terug. 'Ze vroeg waar het over ging.'

'Over de uitslag van haar biopsie,' zei ik voorzichtig. 'Waaruit bleek dat er niets aan de hand was.'

Het gezicht van het meisje vertrok even, zo snel dat je het nauwelijks zag. Ze holde weer naar boven en toen ze terugkwam, zei ze: 'Ze vraagt of je binnen wilt komen.'

De smalle trap op naar een slaapkamer aan de achterkant. De gordijnen waren dicht en er hing een afschuwelijk ziekenluchtje. De persoon in het bed zag er uitgeput uit. Haar huid had een gele tint. Deze vrouw lag op sterven.

'Mevrouw Singer.' Ik liep langzaam naar haar toe. 'Het spijt me ontzettend dat ik u zonder waarschuwing lastig moet vallen.' Ik vertelde haar van het rapport en zei: 'Ik vroeg me af of u me zou willen vertellen wat u is overkomen?'

Het duurde even voordat ze hijgend zei: 'Goed.'

Christus, wat een tragedie. Ze had een knobbeltje in haar borst gevonden – iets wat voor iedere vrouw een enorme dreun is – en toen uit het weefselonderzoek bleek dat het niet om kanker ging, was dat zo'n opluchting dat het hele gezin meteen op vakantie was gegaan. Maar ongeveer zes weken later werd ze om de haverklap zo ontzettend moe dat ze moest gaan liggen en 's nachts lag ze soms zo te zweten dat het bed verschoond moest worden. Ze onderging een batterij aan onderzoeken, maar borstkanker werd uitgesloten geacht, gezien de uitslag van het weefselonderzoek. Ze vroeg of er geen nieuwe biopsie kon worden gedaan, omdat ze zelf intuïtief vermoedde dat dat het probleem was, maar dat werd weggewuifd. Toen ze uiteindelijk een tweede knobbel vond, was het al uitgezaaid naar de lymfeklieren. Ze bombardeerden haar met chemo – precies zoals momenteel met Bid gebeurde – maar het was al te laat. Het spel was uit. Mijn vingertoppen tintelden van angst. Zou het ook al te laat voor Bid zijn?

De stem van mevrouw Singer klonk door al die chemokuren zo hees en piepend dat de recorder haar niet oppikte. Ik zat haastig in mijn opschrijfboekje te krabbelen in een poging alles op te schrijven, toen iemand de trap op kwam denderen. Het meisje dat open had gedaan stormde de kamer in en klaagde: 'Ma-ham, Susan wil geen aardappels schillen.'

'Zou jij het dan alsjeblieft willen doen, Nicola?'

'Maar ik moet mijn vingers ook al in het hol van die kip steken. Dat is nog veel erger!'

Nicola stampte de trap af naar beneden waar vervolgens luidruchtig gekibbeld werd.

'Ik zit vreselijk in over de meisjes,' zei mevrouw Singer. 'Ze zijn pas veertien en vijftien. Dat is een akelige leeftijd om hen alleen te moeten laten.'

Ik knikte. Ik huilde nooit als ik werkte, dat had ik me in de loop der jaren aangeleerd. Maar af en toe voelde ik wel iets opwellen in mijn keel dat zich ergens boven in mijn neus leek samen te pakken. Het ging meestal gepaard met een verschrikkelijk verdrietig gevoel. Dat overkwam me nu ook.

Daar was Nicola weer. 'Er staat een man voor de deur die zegt dat hij fotograaf is.'

'Mevrouw Singer...' Christus, dit ging wel erg ver... 'Ik had moeten zeggen dat hij zou komen.'

'Ik zie er veel te akelig uit om op de foto te gaan.'

Ach ja, maar daar ging het juist om.

'Susan en ik kunnen je wel opmaken!' zei Nicola. 'En mogen wij dan ook op de foto?'

We moesten twintig minuten wachten tot Nicola en Susan wagonladingen make-up en glimmend roze lipstick hadden aangebracht en je hart brak als je die foto zag: twee jonge gezonde meiden aan weerszijden van hun stervende moeder.

Keith Christie, de fotograaf, had zijn auto bij zich. Hij reed naar het volgende adres op de lijst, waar de man van de vrouw in kwestie zei dat we moesten oprotten. 'Vuile aasgieren,' schreeuwde hij ons nog na toen Keith achteruit het doodlopende straatje uit reed.

'En nu?' vroeg Keith.

'Booterstown.'

Daar werden we wel binnengelaten en hoewel deze vrouw in de vijftig was, een jaar of tien ouder dan mevrouw Singer, was haar verhaal al even triest.

Keith en ik reden zwijgend terug naar kantoor, ik om het verhaal te schrijven en hij om de foto's af te werken. Hoewel mijn jarenlange ervaring met de meest treurige verhalen die je je kunt voorstellen me behoorlijk hard had gemaakt, zat ik toch behoorlijk in de put na deze confrontatie met de dood. Ik dacht aan Bid. Ze kon maar beter niet doodgaan.

Christus, ik snakte echt naar een sigaret.

Ik was pas laat klaar. Ik kreeg niet vaak de kans om de wereld te verbeteren en het borstkankerverhaal moest goed afgewogen zijn. Het moest agerend zijn maar niet hysterisch, ontroerend maar niet zo sentimenteel dat mensen het niet zouden lezen. Het was een uitdaging en zodra ik het had ingeleverd kreeg ik behoefte aan alcohol. Maar het was maandag, dus niemand ging naar Dinnegans. In plaats daarvan ging ik – met frisse tegenzin, dat mag je best weten – naar het zwembad om een gezonde duik te nemen. Maar er lagen zoveel mensen in de baan die allemaal op de verkeerde snelheid zwommen, dat ik nog veel pissiger was toen ik uit het water kwam dan toen ik erin ging.

En ik weet niet wat het is met kleedkamers in een zwembad, maar ik kan mezelf daar nooit fatsoenlijk afdrogen. Mijn bovenbenen blijven aan de achterkant nog steeds vochtig en als ik een panty aanheb (wat eerlijk gezegd maar hoogst zelden het geval is) dan kost het me de grootste moeite om die tot aan mijn middel op te hijsen.

Buiten, waar de wind dwars door mijn broek blies en me rillingen bezorgde op mijn nog steeds vochtige benen, werd de gedachte aan de bus me te veel. Al dat stoppen en optrekken zou me aan mijn mislukte zwempogingen doen denken. Dus ging ik lopen en bedacht ondertussen een ambitieus plan om dat iedere dag te doen tot ik weer een auto had. Dat zou ook een goeie manier zijn om te voorkomen dat ik aankwam omdat ik was gestopt met roken.

Onderweg luisterde ik naar mijn boodschappen. Er was er een bij van pa die vertelde dat Bingo weer was weggelopen, maar ondertussen terug was. Daarna belde ik Damien en vertelde hem het verhaal van mevrouw Singer. 'Dat gaf me zo'n triest gevoel.'

'Mooi zo,' zei Damien. 'Dan ben je dus nog niet afgestompt.'

'Hartelijk dank. Veel plezier met je tijd voor jezelf.'

Maandagavond was Damiens avond 'met de jongens'. Hij dronk whisky, speelde poker en gaf min of meer toe aan zijn regelmatig geuite behoefte aan 'een beetje vrijheid'.

'Ik kom pas laat thuis,' zei hij.

'Je gaat je gang maar.'

'Sarcastisch, Grace? Waarom misgun je me deze ene avond?'

Hij vond het leuk om te doen alsof ik hem elke seconde die hij met zijn vrienden doorbracht kwalijk nam en dat vond ik prima. Een man heeft het gevoel nodig dat hij ergens voor moet vechten.

Ik stapte naar binnen in het lege huis – ik vond het heerlijk om het helemaal voor mezelf te hebben – en stond in de keuken te rommelen op zoek naar iets te eten. Ik had de hele dag al gegeten, daar moest ik nu eens mee ophouden, maar ik wist dat ik dat niet zou doen. Puur uit gewoonte zette ik in de woonkamer het nieuws aan. Toen ik '...

Paddy de Courcy...' hoorde, schoot ik de keuken uit en bleef op de drempel naar de tv staan kijken. Paddy liep in een duur uitziend blauw pak met vastberaden pas door een of andere gang. Een efficiënte dame met een klembord volgde hem op de hielen en naast hem huppelde een reporter een tikje lachwekkend mee om hem de microfoon voor te houden die elk pareltje van wijsheid op zou vangen dat uit zijn mooie mond rolde. Paddy glimlachte. Paddy glimlachte altijd, tenzij er iets tragisch was gebeurd. Dan was hij toepasselijk somber.

Ze hadden zijn mening gevraagd over Dee Rossini. 'Dee is zo eerlijk als goud,' zei hij. 'Ik sta volkomen achter haar, net als de rest van de partij.'

De telefoon ging en ik schrok op met een schuldig gevoel.

Het zou Damien kunnen zijn. Zo tussen zijn vierde en vijfde drankje werd hij vaak ontzettend sentimenteel.

'Grace?'

'Marnie!'

'Gauw!' zei ze. 'Zet Sky aan.'

Ik pakte de afstandsbediening en kwam terecht in een bericht over een man die zijn tamme aap had geleerd te breien. Ronduit verbazingwekkend. De aap – die Ginger heette – had de naalden in zijn poten en voegde onhandig een paar steken toe aan iets wat op een rood sjaaltje leek. De man zei dat Ginger babysokjes zou gaan breien als de sjaal klaar was. Ik zat in Dublin te kijken en Marnie in Londen en we lagen allebei dubbel van het lachen.

'O god,' zei Marnie, 'daar had ik nou echt behoefte aan.'

Mijn hart kromp samen. Ik maakte me altijd zorgen om haar en de laatste tijd nog meer dan anders.

Mijn grootste wens was dat ze gelukkig zou zijn, maar die indruk maakte ze nooit. Niet echt. Zelfs op de mooiste dagen van haar leven – toen Daisy en Verity geboren werden – bleef er toch altijd nog iets van melancholie merkbaar.

'Wat is er aan de hand?' vroeg ik.

'Ik moet steeds aan Bid denken,' zei ze. 'Ik heb haar gisteren nog gesproken en ze klonk best goed, maar hoe gaat het volgens jou met haar?'

'Daar valt geen staat op te maken. We kunnen pas echt iets zeggen als ze die zes chemobehandelingen achter de rug heeft.'

'Nou ja, over drie dagen kan ik het zelf zien.' Zodra Bid had gehoord wat er aan de hand was, had Marnie vrije dagen opgenomen. Donderdag kwam ze samen met de meisjes en haar man, Nick, vanuit Londen naar Dublin.

'Zodra ik klaar ben, kom ik ook naar ma toe,' zei ik.

'Hoe gaat het op je werk?' Ik had haar alles verteld over mijn twijfels over Kaplan. Ze was, afgezien van Damien, de enige in wie ik het volste vertrouwen had.

Marnie was de intelligentste van ons beiden, maar op de een of andere manier verdiende zij haar geld op een stomvervelend makelaarskantoor terwijl ik af en toe de grootste beroemdheden mocht interviewen.

Toch gaf ze me nooit het gevoel dat ik ten onrechte in haar schoenen was gestapt.

'Laat me eens raden,' zei ze, 'jij moest naar het kampioenschap akkers ploegen, terwijl jullie man Casey Kaplan een interview deed met de paus, met Johnny Depp en... noem nog eens iemand.'

'JD Salinger, die heeft al in jaren geen interview meer gedaan.'

'Ik dacht dat hij dood was.'

'God, dat zou best kunnen.'

'Nou, als dat waar is, zou het een klapper van jewelste zijn.'

Ik was net van plan om met mijn Michael Connolly naar bed te gaan toen de telefoon opnieuw ging.

Het was mijn vader die zei dat ma wilde weten hoe laat ik Marnie en de rest van het vliegveld zou gaan halen.

'Ik?'

'Wie anders?'

'Eh... jij misschien?'

'Ik wil ze helemaal niet ophalen,' sputterde hij. 'De laatste keer heeft Verity in de auto overgegeven. Het matje stinkt nog steeds en dat vindt Bingo maar niets.'

'Pa, ik heb toch geen auto meer?'

Ik hoorde hem binnensmonds 'wat voor de donder nou weer' mompelen. 'Nog steeds uitgebrand?'

'Ja, pa, nog steeds uitgebrand.'

'Zal ik je eens vertellen hoe mijn leven op het moment is? Mensen vragen: Nog plannen voor vanavond, Manus? Naar het theater? Of een concert? Een etentje met vrienden? En weet je wat ik dan zeg? Verboden te roken. Ja, de hele avond, vanaf het moment dat ik van tafel opsta tot het moment dat ik naar bed ga, is het voor mij Verboden te Roken. Daar kun je het heel druk mee hebben.'

Christus, hij was nog maar een dag gestopt. Hoe zou hij zijn als hij een week lang geen nicotine had gehad?

'Dus jij gaat ze van het vliegveld halen, pa?'

'Zonder sigaretten voel ik me... hoe zal ik het zeggen... *niet af.*'

'Dus jij haalt ze op?'

'Hoe luidt dat zinnetje ook alweer uit die stompzinnige film die ik van Marnie moest zien?' Ik hoorde zijn vingers klikken. 'O ja. "Ze maken me compleet".'

'Begrijp ik nou goed...'

'Ja, ja,' viel hij me geërgerd in de rede. 'Ik ga wel naar dat klote vliegveld.'

Ik begon net in slaap te sukkelen toen ik hoorde dat de voordeur openging, gevolgd door het geluid van een koffertje dat onder het gangtafeltje werd geschopt. Damien was thuis van zijn 'avondje voor zichzelf'.

'Grace...' Hij kwam de trap op. 'Ben je wakker?'

'Nu wel, ja. Wat is er aan de hand? De korte versie graag, want ik moet al over vier uur opstaan om naar Londen te vliegen.'

'Oké. Moeten we een baby nemen?'

'Nu meteen?' Ik keek hem nadenkend aan.

Hij lachte en ging op het bed zitten om zijn laarzen uit te trekken.

'Hoe kom je daar nou ineens op?' vroeg ik. Hij begon er meestal over als hij niet tevreden was over zijn leven. En als het geen baby was, dan moesten we allebei onze baan opzeggen, het huis verhuren en gaan reizen. 'Was er vanavond iemand bij die net een baby heeft?'

'Ja, Sean. En iedereen op het werk heeft een baby.'

'Christus, Damien, een baby is geen auto van de zaak!'

'Ja, dat weet ik ook wel... maar je moest ze eens horen. Allemaal kerels die zich stuk voor stuk op de borst slaan omdat ze 's nachts drie keer moeten opstaan om de baby te voeden.'

'Echt waar?' Ik gaapte. Alleen het idee van nachtelijke voedingen was al genoeg om me in slaap te wiegen.

'Vier van hen hebben net weer een baby en iedere ochtend komen ze binnen met allerlei verhalen, Grace. Concurrenten in slapeloosheid. Angus Sprott is al sinds juli niet meer naar bed geweest – nu begin ik óók te gapen – en ze geven me het gevoel dat ik... er niet meer bij hoor. Alsof ik geen ballen heb, omdat ik gewoon zeven uur lang kan pitten.'

'Het gras is altijd groener.'

'Zeg eens iets anders.'

'Je zou een vreselijke vader zijn, je bent veel te humeurig.'

Daar scheen hij van op te kikkeren. 'Ja, dat is zo, hè?'

'Goeie genade, ja. En als we een baby hadden, zouden we dit huis moeten verkopen. Het is veel te klein. Dan zouden we een heel eind moeten verhuizen en een huis in een nieuwbouwwijk moeten kopen waar nog twintigduizend van dezelfde huizen staan.'

'Misschien moeten we dan maar geen baby nemen,' zei Damien.

'Een kortstondige verstandsverbijstering, maar die is nu voorbij.'

'Misschien is dat beter.'

Ik wilde geen kinderen. Maar van alle schandalige bekentenissen die een vrouw kon doen – dat ze haar borsten had laten vergroten, of met de vader van haar vriend naar bed was geweest – was deze het meest taboe.

Ik had genoeg tijdschriften gelezen om ervan uit te gaan dat zo rond de dertig mijn hormonen het heft in handen zouden nemen en ik ineens zou gaan snakken naar een baby. Ik vond het een ontzettend opwindend idee, maar het gebeurde gewoon nooit. Daarentegen was Marnie altijd dol op kinderen geweest en ze kon niet wachten tot ze zelf in verwachting zou raken. Af en toe vroeg ik me wel eens af of er in de baarmoeder iets was gebeurd waardoor ze niet alleen haar eigen portie kinderwens had meegekregen maar ook de mijne.

Vreemd genoeg – of misschien ook niet, ik zou 't niet weten – kon ik intens meevoelen met vrouwen die geen kinderen konden krijgen, omdat ik wist hoe het aanvoelde om niet de baas te zijn in je eigen buik. Ik wilde dolgraag kinderen wíllen hebben, maar daar kwam het nooit van.

Damien was nog vager dan ik. Als je aandrong, begon hij te mompelen dat er al meer dan genoeg mensen op de wereld waren en dat het fout was om er nog een bij te zetten. Maar ik had het vermoeden dat het in werkelijkheid aan Damiens familie lag. Dat is moeilijk te begrijpen als je daar nooit een tijdje hebt gelogeerd, want het zijn schatten van mensen. Echt waar, dat zeg ik niet uit beleefdheid. Damien heeft twee broers en twee zusjes: een broer en een zus boven hem en een broer en een zus onder hem. Hij is het middelste kind. En drie daarvan – Brian, Hugh en Christine – zijn chirurg. Het is zelfs zo dat Damiens vader, Brian senior, ook chirurg is geweest. (Voor het geval je het wilt weten: Damiens moeder heet Christine. Met andere woorden, meneer en mevrouw Stapleton hebben hun twee oudste kinderen naar zichzelf vernoemd en als je erover nadenkt, zegt dat genoeg.)

De enige van de Stapletonkinderen die geen chirurg was geworden – behalve Damien, dan – was Deirdre. En dat kwam omdat ze een succesvolle eigen zaak had opgebouwd door het 'creëren' van kinderkamers. Het was begonnen als een hobby voor haar eigen kinderen, maar ze had zulke betoverende en opwindende wereldjes bedacht dat iedereen haar ging vragen om dat ook voor hun kinderen te doen en voordat ze het wist had ze een waanzinnig succesvolle onderneming. Al zou ze zich daar nooit op laten voorstaan. Dat doen ze geen van allen. (Voor de goede orde: Bid heeft de pest aan de Stapletons. 'Om doodziek van te worden,' zegt zij.)

Maar goed, in elk ander gezin zou Damien als een soort genie worden beschouwd. Maar niet bij de Stapletons. Damien heeft me een keer verteld dat hij het gevoel heeft dat hij een soort spek-en-bonenlid van de familie is, zonder alle bijbehorende rechten en privileges en volgens mij is dat de echte reden waarom hij geen kinderen wil. Niet omdat het al zo vol is op deze wereld, maar omdat hij niet wil dat iemand anders zich net zo eenzaam en verlaten gaat voelen als hij zich voelt. (Voor de goede orde: ik zou er niet over piekeren om dat tegen Damien te zeggen. Hij gelooft niet in psychologie van de kouwe grond en ik eigenlijk ook niet...)

Ik heb wel eens geprobeerd om columns te schrijven waarin ik het opneem voor vrouwen zoals ik, maar dan vloog de kritiek me meteen om de oren en kreeg ik stapels brieven waarin stond dat ik 'onnatuurlijk' was, een 'freak' en een 'doorgedraaide feministe'.

Ik kreeg te horen (meestal van mannen en hoe kunnen díé dat verdomme nou weten?) dat ik kapot zou gaan van eenzaamheid op de dag dat ik in de overgang kwam en dat het dan te laat was om mijn 'zelfzuchtige' keuze ongedaan te maken.

Dat was heel oneerlijk, want ik leverde ook geen kritiek op mensen die wel baby's kregen, ook al werden ze – uit naam van hun kind – de meest zelfzuchtige wezens ter wereld.

Kon het mij iets schelen dat hun baby wel van gepureerde aubergines hield en niet van gepureerde pastinaken? Nee. Maar ik bleef gewoon geïnteresseerd luisteren en praatte opgewekt mee door allerlei voor de hand liggende vragen te stellen over gepureerde worteltjes, gepureerde aardappeltjes en – een gewaagd onderwerp – gepureerde kip.

Vond ik het erg dat zij een raam openzetten om wat frisse lucht voor 'de baby' (die lag te bakken onder een stapel technologisch bewerkte dekens) binnen te laten, ook al was het al ijskoud in de kamer?

Vond ik het erg dat, ook al stonden we met ons allen met jassen aan en mutsen op bij de voordeur omdat we naar het park zouden gaan, ineens de mededeling kwam dat 'de baby' in slaap was gevallen en de hele onderneming voor onbepaalde tijd uitgesteld moest worden?

Het rare was dat ik ook nog 'goed met baby's kon omgaan'. Ik was dol op dat melkachtige poederluchtje dat om hen heen hing en hun zachte, warme lijfjes in mijn armen. Ik had er nooit bezwaar tegen om een luier te verschonen en ik vond het ook helemaal niet erg als ze de hele inhoud van hun flesje over me uitkotsten. En om de een of andere reden werden al die mensen die mijn zelfgekozen kinderloze status afkeurden nog extra pissig, als weer eens bleek dat ik baby's altijd stil kreeg als ze huilden.

Ik hield van baby's. Ik wilde er gewoon zelf niet aan.

Blinker. Blinker! Zelfs nu staat me die rare mengeling van blijdschap en hoop toen Damien me op de verjaardag van Lucinda Breen vertelde dat hij een bijnaam voor me had (en zo'n geweldige naam!) nog scherp voor de geest. Mijn lijf tintelde zo dat ik gedurende een korte tijd geen gevoel meer in mijn voeten had en het duurde weken voordat ik weer met twee voetjes op de aarde stond. (Sinds die avond heb ik altijd een zwak voor Lucinda Breen gehad.)

Maar natuurlijk duurde het niet lang voordat ik het naadje van de kous wilde weten over dat gedoe met die ex-vrouw. Alle kerels hebben ex-vriendinnetjes, maar Damien was met die vrouw getrouwd.

'Hou je in,' had Marnie me bezorgd gewaarschuwd. 'Dat is een gegarandeerde manier om hem weg te jagen.'

'Maar ik moet het weten!'

'Wees dan alsjeblieft subtiel!'

Maar wanneer was ik ooit subtiel geweest?

Ik wachtte tot we een bijzonder hartstochtelijke vrijpartij achter de rug hadden. Toen we eindelijk min of meer uitgehijgd waren, zei ik: 'Damien, je bent een man, dus dit zijn vragen waar je geen antwoord op wilt geven, maar vertel me eens iets meer over je ex-vrouw. Juno heette ze toch?'

Hij liet zich achterover in het kussen vallen en fluisterde: 'O nee.'

'Ik moet het weten,' zei ik. 'Want als je nog steeds gek op haar bent...'

'Dat ben ik niet. Ze is mijn ex-vrouw. Ex.'

'Ja, maar wat is er gebeurd? Waarom zijn jullie getrouwd? En waarom zijn jullie niet bij elkaar gebleven? Waarom...'

Uiteindelijk werd het hem te veel en hij riep uit: 'Er waren drie redenen waarom het niet werkte.' Hij telde ze op zijn vingers af.

'Een: we zijn te jong getrouwd. Twee: ik maakte ontzettend lange dagen en we zagen elkaar nooit. En drie: ze dook met haar baas de koffer in.'

Hij dacht dat de discussie daarmee gesloten was, terwijl ik zijn opsomming alleen maar een interessante openingszet vond.

Ik ging boven op hem liggen en keek hem strak aan. 'Vertel me nou maar gewoon alles,' zei ik. 'Dat is het gemakkelijkst.'

'Nee.'

Ik bleef hem aankijken. 'Je hebt een sterke wil,' zei ik. 'Maar ik ben sterker.'

'We bleven elkaar aanstaren terwijl de spieren om onze ogen verkrampten en toen knipperde hij.

'Je knipperde met je ogen! Ik heb gewonnen!'

Hij deed zijn ogen dicht en meteen weer open en kon zijn lachen bijna niet inhouden. 'Nou, goed dan. Wat wil je weten?'

'Waar hebben jullie elkaar leren kennen?'

'Op school.'

Een dure privéschool natuurlijk, maar hoewel Damien en Juno bij elkaar in de klas hadden gezeten, werden ze pas verliefd op elkaar toen ze gingen studeren.

'Maar waarom zijn jullie toen getróúwd?' vroeg ik. Konden ze niet alleen maar verliefd op elkaar zijn, net als gewone mensen?

'Het begon eigenlijk als een grap,' zei Damien, alsof hij het zelf nauwelijks kon geloven.

Tussen de regels door kreeg ik het vermoeden dat Juno verveeld was en dacht dat trouwen een geweldig excuus was om een feest te geven. Maar wat de zaak echt in een hogere versnelling zette, was het feit dat zowel zijn als haar ouders er faliekant op tegen waren. Ze vonden het stel veel te jong.

Nu was ik er inmiddels achter dat Damien behoorlijk koppig is. Je moet nooit tegen hem zeggen dat hij iets niet moet doen. Hoe vaker hij te horen kreeg dat hij te jong was om te trouwen, des te vastbeslotener hij werd dat de bruiloft doorgang zou vinden.

Uiteindelijk kregen hij en Juno hun zin. In de zomer waarin ze allebei afstudeerden, trouwden ze met elkaar.

'Goed, dus toen waren jullie tweeëntwintig en getrouwd,' moedigde ik hem aan.

'Het was pure waanzin.' Hij schudde zijn hoofd. 'Ik maakte zestig uur per week als leerlingjournalist bij de *Times* en 's avonds deed ik er nog een studie politieke wetenschappen bij. En we hadden geen cent te makken.'

'En Juno?' vroeg ik. 'Bleef zij thuis om koekjes te bakken?'

'Nee, zij had ook een baan. Bij een pr-firma.'

'Welke?'

'Browning en Eagle.'

Meer hoefde ik niet over Juno te weten. In tegenstelling tot wat algemeen wordt aangenomen zijn niet alle pr-dames akelige parasieten. In mijn baan had ik regelmatig met ze te maken, dus ik wist waar ik het over had. Maar er is een bepaald type dat opdringerigheid paart aan een stuitend gebrek aan geloof in hun product. Ze konden nog geen blikje pils aan een alcoholist verkopen en gaven je het gevoel dat ze dit werk alleen maar deden omdat ze dan hun haar konden laten föhnen en in werkbijeenkomsten in dure hotels op een bazige manier mensen konden rondcommanderen. Zo was Juno dus ook. Uiteraard hoefde ik haar niet te ontmoeten om dat te weten.

'En wat gebeurde er toen?' vroeg ik.

'O, god.' Hij haalde zijn hand door zijn haar. 'Ik moest constant werken. Je weet zelf wel hoe dat gaat als je net begint.'

Dat wist ik inderdaad. Je bent overgeleverd aan de nukken van je redacteur. Je kon zonder waarschuwing ineens naar Antwerpen worden gestuurd en daar moest je je maar bij neerleggen, omdat je ervaring moest opdoen om je strepen te verdienen.

'En als ik niet werkte, zat ik te studeren. Maar haar baan ging met een heleboel feestjes gepaard. Er werden constant producten geïntroduceerd op feesten of zelfs gedurende speciale weekendjes. Daar kon ik niet aan meedoen, ik moest afstuderen om een fatsoenlijke baan te kunnen krijgen. Dus er ontstond een soort regelmaat waarin ik deed wat ik moest doen en zij deed wat zij moest doen. En ik denk dat ze de eerste paar jaar niet echt verveeld raakte. Maar in het derde jaar...'

Hij hield even zijn mond en ik wachtte rustig af.

'Het was op een zaterdagavond,' zei hij. 'Ze was voor een weekend naar Ballynahinch Castle, waar een of ander product werd gelanceerd. Ik had die week tachtig uur gewerkt en ik had haar alleen maar gezien gedurende het kwartiertje dat ze haar koffers inpakte. Daarna ging ze weg en ik begon aan een werkstuk over marxisme en globalisering. Daar ben ik de hele vrijdagavond en de zaterdag mee bezig geweest en zo rond tien uur zaterdagavond was het af.'

'Ja.'

'En ineens had ik niets te doen. Het was een warme avond. Er zal wel een voetbalwedstrijd op tv zijn geweest, want af en toe hoorde ik luid gejuich. Als er een doelpunt werd gemaakt of een kans werd gemist, denk ik. Iedereen om me heen was uit en vermaakte zich kostelijk. Ik voelde me de eenzaamste man in Ierland. En toen... toen moest ik ineens aan Juno denken die haar koffer inpakte. In gedachten zag ik hoe ze iets glimmend zwarts uit een la pakte.'

'Iets glimmend zwarts?'

'Ja. Een soort corselet. En toen vroeg ik me ineens af waarom ze dat in vredesnaam had meegenomen.' Hij keek me aan. 'Daarna herinnerde ik me hoe vaak ze het over Oliver Browning had gehad. Haar baas.'

Ik kende hem. Een griezel die zijn haar verfde. Hoewel het bruin moest voorstellen, lag er altijd een walgelijke oranjeachtige gloed over.

'Ik kreeg het gevoel dat ieder gesprek dat ik de afgelopen maanden met haar had gehad over hem ging en over hoe geweldig hij was.' Hij haalde zijn schouders op. 'Ineens vielen de schellen me van de ogen. En dat is alles, Grace.'

'O,' zei ik. Wat een triest verhaal. 'En heb je haar dat toen voor de voeten gegooid?'

'Nou, dat is een beetje overdreven uitgedrukt. Toen ze thuiskwam, vroeg ik haar wat er aan de hand was. Ze gaf het meteen toe. En ze zei dat wij uit elkaar gegroeid waren.'

'Uit elkaar gegroeid?'

'Ja, alsof we midden in een of andere goedkope tv-serie zaten. Maar we waren inderdaad uit elkaar gegroeid en allebei een andere kant opgegaan. Het hele verdomde gedoe hing vanaf het begin van clichés aan elkaar.' Hij lachte. 'Maar ik hield van haar. Het deed pijn.'

Na een eerbiedige stilte bracht ik het gesprek weer op gang. 'Dus toen zijn jullie gescheiden?'

'Ja. En zij is hertrouwd.'

'Maar toch niet met Oliver Browning?' Dat had ik vast wel gehoord.

'Nee, met iemand anders. Maar hetzelfde type, een rijke zakenman. Altijd in voor een pretje. Hij hangt eeuwig rond op Ascot, op Wimbledon en in Glyndebourne. Hij kon haar geven wat ze wilde. Ze zijn voor elkaar gemaakt.'

'Ben je verbitterd onder die zuurpruimfaçade van je?'

'Nee.'

'Gemakkelijk gezegd.'

'Ik ben zelfs naar haar bruiloft geweest.'

'Echt waar?' Fas-ci-ne-rend. 'Hoe was dat?'

'O, Grace.' Hij sloeg zijn handen voor zijn gezicht en kreunde. 'Toen we trouwden en wij elkaar eeuwige trouw beloofden, meende ik dat echt. Ik weet best dat ik pas tweeëntwintig was en van niets wist, ook al dacht ik het tegendeel. Iedereen voelde op zijn klompen aan dat het mis zou lopen. Maar toen ik mijn ex-vrouw met iemand anders zag trouwen, was dat toch een verrassing. Een nare verrassing.'

'Wie had je bij je?'

'Niemand.'

'Ben je alléén gegaan? Naar de bruiloft van je ex-vrouw?'

'Ik had geen vriendinnetje,' protesteerde hij. 'En ik kon toch moeilijk aan een wildvreemde vragen of ze misschien zin had om mee te gaan naar de trouwerij van mijn ex-vrouw?'

'Maar waarom moest je daar zo nodig naartoe?'

'Hè toe nou, Grace, ik kon niet anders.'

'Uit trots?'

'En anders zou Juno helemaal overstuur zijn geweest...'

'Nou en!'

'Ik moest gewoon,' zei hij simpel.

Ik begreep het wel. 'Maar om dan in je eentje op te komen dagen... Had je ook een rokkostuum aan?'

'Natuurlijk.' Hij bleef me strak aankijken. 'Met een hoge hoed. Ik zag eruit als een begrafenisondernemer.'

'Een victoriaanse begrafenisondernemer!'

Damien barstte als eerste in lachen uit en toen kon ik veilig meelachen. Het kwam door die hoge hoed die hij had gedragen en die een beeld opleverde dat ik zowel ongelooflijk grappig als tragisch vond. En ondanks het feit dat we allebei de slappe lach hadden, was het toch een ontzettend triest idee dat die arme Damien wel zoveel plichtsbesef had gehad dat hij in zijn eentje naar de bruiloft van zijn ex-vrouw was gegaan om te zien hoe ze eruitzag in een jurk van tienduizend euro (dat was een gokje, maar ik durfde te wedden dat ik gelijk had), maar toch teveel een eenling was om troost te putten uit de aanwezigheid van een ander mens.

'Nog één vraag, meneer Stapleton.'

'Nee! Het is mooi geweest.'

'Zie je Juno nog wel eens?'

'Nee.'

'En als je haar nu per ongeluk tegen het lijf loopt?'

'Dan zou er... niets aan de hand zijn.'

God, wat moest ik nodig.

Ik zat zenuwachtig te wiebelen met mijn been en vroeg me af of ik een van de anderen zou vragen om mijn plaatsje open te houden terwijl ik snel naar het toilet ging. Ik zat met een stuk of tien andere journalisten in de gang voor een hotelkamer ergens in hartje Londen. We waren komen opdraven om Antonia Allen te interviewen, een betoverende jonge actrice uit Hollywood. We waren allemaal om negen uur 's ochtends ontboden en inmiddels was het lunchtijd en er viel geen enkele logica te herkennen in de volgorde waarin we naar binnen werden geroepen.

Ik wierp een korte blik op het meisje naast me. Kon ik haar vertrouwen? Nee, besloot ik. Ze leek me keihard, een echt killerstype. Zodra ik de gang uit was, zou ze tegen die imponerende dame met het klembord zeggen dat de journaliste van de *Spokesman* naar huis was gegaan.

En dan te bedenken dat er een heleboel mensen waren die dachten dat mijn baan iets sprookjesachtigs was. Omdat sterren niet de moeite wensten te nemen om naar Dublin te komen voor een interview, moest ik vrij regelmatig naar Londen en dat was de reden dat mensen die niets met kranten van doen hadden altijd 'geluksvogel' zeiden.

Ze moesten eens weten. Die ochtend was ik om kwart voor vijf opgestaan, omdat ik om kwart voor zeven in een soort vliegende veewagen van Ryanair moest zitten als ik om negen uur in Londen wilde zijn. Ik had aan boord van het vliegtuig niets gegeten, uit angst dat ik zou gaan kotsen omdat het nog zo vroeg was. Nu rammelde ik van de honger.

'Ik durf te wedden dat ze zelfgebakken koekjes in de kamer hebben,' zei ik tegen niemand in het bijzonder. 'Die hebben ze altijd in dit soort hotels, maar ik zou al blij zijn met een gevulde koek.'

Een paar mensen keken op van hun hardware (laptops, Black-Berries, mobieltjes), maar ze waren te gespannen om antwoord te geven. Normaal gesproken zou een tante als Antonia Allen nauwelijks opwinding veroorzaken – gewoon weer een van die broodmagere blondjes met een allergie die een rolletje had mogen spelen in een routineuze film met een misselijkmakend budget. Maar vier dagen geleden was haar vriendje opgepakt wegens het plegen van ontucht met een (mannelijke) reporter die undercover werkte en ineens wilde iedereen met haar praten. Ik werd naar Londen gestuurd. 'Je komt terug met het verhaal over dat homovriendje,' had de Grote Baas gezegd, 'of je hoeft helemaal niet terug te komen.'

Ik had een boek van Val McDermid bij me, maar ik kon mijn gedachten er niet bijhouden, omdat ik pijn in mijn maag had van de zenuwen. Antonia's mensen hadden gezegd dat ieder interview waarin het woordje 'homo' viel onmiddellijk zou worden afgeblazen. Hoe moest ik haar zover krijgen dat ze haar mond opendeed?

Ik had een beetje rondgeneusd op internet en het enige wat ik had ontdekt was dat er niets te ontdekken viel. Maar het spookbeeld van Casey Kaplan en de wetenschap dat hij het wel voor elkaar zou krijgen maakte de druk nog groter. In de drie weken dat hij bij de *Spokesman* werkte, had hij ons verblind met zijn dodelijke stukjes waarin beroemdheden met de grond gelijk werden gemaakt. Ik wist dat het onvermijdelijk was dat we met elkaar werden vergeleken.

Ik belde TC. 'Is er nog nieuws?'

'Casey Kaplan heeft ons eindelijk verblijd met het verhaal dat "onze hele wereld op de kop zal zetten".'

'Wat dan?' *Laat het alsjeblieft niets bijzonders zijn.*

'De vrouw van Wayne Diffney is zwanger.' Wayne Diffney had vroeger in de walgelijke jongensgroep Laddz gezeten (hij was de 'mafkees' met haar dat leek op het operagebouw in Sydney). Nu deed hij zijn uiterste best om het als popster te maken. Hij had een vlossig baardje laten staan, ging er prat op dat hij nooit deodorant gebruikte en zei met opzet 'fuck' als hij een radio-interview deed.

'Is dat alles? Een verhaaltje over Wayne Diffney? Hoe is het met jouw wereld?'

'Recht overeind. En de jouwe?'

'Geen beweging in te krijgen.'

Opnieuw wachten. Nog meer gewiebel.

Mijn telefoon piepte. Een sms'je van Damian.

lening gdgkd! nwe auto 4 u!

We hadden sinds het weekend bij diverse financiële instituten geprobeerd een lening af te sluiten, dus dit was goed nieuws.

Een journalist kwam de hotelkamer uit en we keken allemaal op. Hoe was Antonia? Een kletskous? Maar op zijn uitgestreken gezicht stond niets te lezen.

Mijn telefoon ging over. 'TC?'

'Dit zul je vast niet leuk vinden.'

'Hoest maar op.'

'Wayne Diffney is niet de vader. Dat is Shocko O'Shaughnessy.'

Er ontplofte een bom in mijn maag. Harry 'Shocko' O'Shaughnessy was je van het, een echte rocker in hart en nieren. Wereldberoemd, stinkend rijk en met een door beveiligingsmensen bewaakt landhuis in Killiney, waaruit hij af en toe slonzig en glimlachend kwam opduiken om prijzen uit te reiken bij met veel publiciteit omgeven liefdadigheidsbijeenkomsten, of om bezoekende supermodellen te behagen.

'Hailey is bij Wayne...'

'Wie?'

'Mevrouw Diffney heet Hailey. Ze is bij Wayne weggegaan en bij Shocko gaan wonen. Het gebeurde onder Kaplans neus, hij stond nota bene *in Shocko's biljartkamer een potje met Bono te spelen* toen ze in een taxi aankwam. Hij is samen met Bono naar de plaatselijke drogist gewandeld om de zwangerschapstest te kopen. Dat beweert hij tenminste. Zouden ze daar geen loopjongens voor hebben? Een uur later kwam Diffney opdagen met een hockeystick – de arme stakker moest met het openbaar vervoer komen omdat Hailey zijn laatste briefje van twintig had ingepikt – om af te rekenen met O'Shaughnessy en die liet hem natuurlijk voor het hek staan. Maar Kaplan – die verrekte Kofi Annan – haalde Shocko over om hem binnen te laten zodat hij zijn woordje kon doen. En toen hij eenmaal binnen was, sloeg Diffney alles kort en klein met zijn hockeystick. Hij brak vier platinaplaten, gaf Bono een "ongenadige mep" tegen zijn linkerknie en zei "dat is voor *Zooropa*" voordat hij Shocko "op zijn kop" sloeg. De hele wereld praat erover en Kaplan stond erbij en keek ernaar.'

Antonia was in het echt kleiner. Dat zijn ze altijd. Met haar vermoeide en verschrompelde uiterlijk (om de een of andere reden deed ze me aan een gedroogde paddenstoel denken) leek ze in niets op de stralende prinses die in haute-couturejaponnen over rode lopers schreed. ('Het verdriet over de akelige streek die haar nog maar zo kort geleden is geleverd eist zijn tol, waardoor ze een vreemde, uitgedroogde indruk...')

'Amuseer je je een beetje in Londen?' vroeg ik. 'Of krijg je niets anders te zien dan deze hotelkamer?' (Een tijd geleden had een doorgezaagde Bruce Willis me een keer met schrille stem verteld dat hij nooit iets te zien kreeg van de steden die hij aandeed en dat hetzelfde gold voor alle acteurs die een publiciteitstournee maakten. Daar viel ik sindsdien altijd weer op terug als ik begripvol wilde overkomen.)

Antonia knikte. 'Alleen deze vier muren.'

'Mijn tweelingzusje woont in Londen.' Het kon geen kwaad om

ook iets over jezelf te vertellen. 'Maar ik heb nooit tijd om haar op te zoeken als ik hier voor mijn werk moet zijn.'

'Vervelend,' zei Antonia, niet bepaald geïnteresseerd.

'Ja,' zei ik terwijl ik mijn best deed om treurig te kijken.

De haaibaai met het klembord ging vlak bij ons op een bank zitten en sloeg ons gesprek met een kille blik gade. De lege ruimte tussen mijn wijs- en middelvinger jeukte. Ik had altijd behoefte aan een sigaret als ik nerveus was en op dat moment was ik ontzettend nerveus. Dit kostbare halfuurtje was mijn enige kans om het verhaal over het homovriendje los te weken en die kans was bepaald niet groot.

Antonia dronk kruidenthee. Ik had niet echt verwacht dat ze aan de sterke drank zou zitten – hoewel... ze had natuurlijk een vreselijke schok gehad – en dat ze loslippig zou worden van gedroogde frambozenblaadjes leek onwaarschijnlijk.

Om het ijs te breken begon ik met een paar flemende vragen over haar 'vak'. Acteurs vinden het prachtig om over hun vak te praten, maar het levert ontzettend saaie kopij op, vandaar dat het nooit in het definitieve artikel wordt opgenomen.

Ik zat ernstig te knikken terwijl ze haar spritsjes op haar bordje zat te verkruimelen (inderdaad, de zelfgebakken koekjes die ik had voorspeld) en uitlegde hoe ze zich in de rol van Owen Wilsons hardwerkende vriendinnetje had ingeleefd.

'Ik heb zelfs een tijdje op een advocatenkantoor gewerkt en de telefoon aangenomen.'

'Hoe lang?'

'O, ongeveer een morgen, maar ik leer snel.'

Ik slikte haastig een stuk sprits door en begon over een waardeloze zogenaamde kunstfilm waar ze een paar jaar eerder in had gezeten. 'Dat was een belangrijk werkstuk,' zei ik om aan te geven dat ik wist wat ik aan haar 'had' en dat ze niet het zoveelste veertig kilo wegende opwindpoppetje was, maar een serieuze actrice. 'Was je van plan om in de toekomst meer van dat soort dingen te doen?'

Ze schudde haar hoofd. Verdorie. Ik had gehoopt op die manier te kunnen beginnen over het feit dat ze in haar vak ook gebruik kon maken van persoonlijk leed. Hoog tijd om haar van haar automatische piloot weg te rukken.

'Antonia, wat was de laatste leugen die je hebt verteld?'

Ze wierp een angstige blik op mevrouw Klembord en ik zei haastig, bij wijze van goedmakertje: 'Dat was een grapje. Vertel me maar eens wat je goeie kanten zijn.'

'Ik... eh... ik ben een echte teamspeler. Met veel gevoel voor humor. Ik denk altijd het beste van mensen. En ik hou rekening met anderen, ik ben gevoelig en attent...'

Ja, ja.

'En – dit is een stuk moeilijker – je slechte kanten?'

Ze deed net alsof ze daarover moest nadenken. 'Ik denk... dat ik een perfectionist ben. En een workaholic.' Ja, ja. Ze begonnen altijd over dat perfectionistengedoe.

'Wat maakt je boos?'

'Onrechtvaardigheid. Armoede. Honger in de wereld.' Het gewone gezeur. Hoe zat het met dat vriendje van haar dat zich door een andere vent in de kont liet neuken? Jezus, Antonia, daar zou een heilige nog pissig over worden!

Maar ik voelde dat er iets veranderde. Iets in haar stemming. Ze begon opnieuw een koekje boven het bord te breken en ik waagde het erop. 'Antonia, waarom eet je dat niet op?'

'Opeten?!'

Mevrouw Klembord keek argwanend toe.

'Het is maar een koekje,' zei ik. 'Het geeft je een lekker gevoel. En zonder nu in bijzonderheden te treden...' – ik liet een veelbetekenende stilte vallen en wierp haar een blik vol medeleven toe – 'heb ik het idee dat jij dat op dit moment best zou kunnen gebruiken...'

Ze zat me nog steeds aan te kijken toen ze het koekje in drie snelle happen opat.

'Lekker?' vroeg ik.

Ze knikte.

Ik sloeg mijn opschrijfboekje dicht. Mijn cassetterecorder stond nog steeds aan, maar het sluiten van het boekje gaf de indruk dat het voorbij was.

'Zijn we al klaar?' reageerde ze verbaasd.

Het is altijd goed om er vroeg de brui aan te geven. Ze raken in paniek bij het idee dat iemand niet meer geïnteresseerd is.

'Ik wil niet te veel van je tijd in beslag nemen. Zeker als je nagaat wat je de laatste tijd allemaal hebt moeten verwerken. De pers...' Ik schudde mijn hoofd. 'Zoals ze jou achter de vodden hebben gezeten...'

Maar mij kun je vertrouwen, hoor, ik ben die lieve begripvolle journaliste met het tweelingzusje dat ze haast nooit te zien krijgt. En het zit er dik in dat jij staat te trappelen van verlangen om jouw kant van het verhaal te vertellen...

'Mijn eigen hoofdredacteur heeft ook gezegd dat ik niet terug hoefde te komen als ik niet vroeg hoe het nou precies met jou en Jain zat.' Ik haalde hulpeloos mijn schouders op. 'Maar ja...' Ik stopte mijn opschrijfboekje in mijn tas.

'O. Krijg je nu moeilijkheden?'

Ik maakte een gebaar waaruit ze hopelijk zou opmaken dat ik ontslagen zou worden. 'Ach, wie maakt zich daar nu druk om?' Ik veegde de kruimeltjes van mijn broek, alsof ik op het punt stond om op te staan.

'Luister,' zei ze dringend. 'Er is echt niet zoveel aan de hand. Het was toch al voorbij. Ik hield niet meer van hem. En wat de mensen ook mogen zeggen, ik wist best dat hij me bedroog. Zo dom ben ik echt niet. Ik wist alleen niet dat het om een vent ging.'

Mevrouw Klembord keek met een ruk op. 'Antonia! Mevrouw... eh...' Wie was ik ook alweer? 'Mevrouw Gildee!'

'Ik ben blij dat je in ieder geval verstandige mensen hebt die op je letten,' zei ik haastig. 'Heeft Jain wel eens laten merken dat hij homo is?' *Blijf praten, Antonia, gewoon doorkletsen.*

'Hij deed veel aan fitness en hij verzorgde zijn huid, maar dat doen alle kerels toch?'

'Platen van Judy Garland?'

'Mevrouw Gildee!'

'Wil je dat echt weten? Nee. Maar hij is wel een keer naar Vegas gegaan voor een concert van Celine Dion...'

'En qua seks?'

'Mevrouw Gildee, ik gebied u om onmiddellijk uw mond...'

'Dat was altijd geweldig!'

'Maar wel op de gewone manier?' Ik gooide alles overboord, het ging er nu om wie het eerst bij de eindstreep was, mevrouw Klembord of ik.

'Dit interview is nu officieel beëindigd...'

'Wat ik in feite bedoel is... Ik weet niet hoe ik dit netjes moet zeggen...' Er is een tijd waarop je moet flemen en er is een tijd om schoppen uit te delen. 'Ging het door de voordeur of door de achterdeur?'

'De wat? O! Is dat wat er wordt beweerd?' Antonia werd rood van verontwaardiging. 'Dat we alleen maar aan anale seks deden?'

'Nee, Antonia! Hou je m...'

'Dan deel ik hierbij officieel mee dat het niet altijd om anale seks ging! Het was nu eens dit en dan weer dat!'

'Officieel genoteerd.' Ik pakte mijn cassetterecorder op en drukte op de knop. 'Dank u wel, mevrouw Allen. U ook, mevrouw Klembord.'

Terwijl ik op een holletje door de gang naar het toilet liep, schaamde ik me diep. Ik had Antonia met een trucje zover gekregen dat ze zichzelf vergat. Maar toen dacht ik: ach, hou toch op. Zij was een eenentwintigjarige schoonheid die gratis kleren van Gucci kreeg en vijf miljoen dollar per film. En ik was een slecht betaalde journaliste die alleen maar haar werk deed.

'Ik heb een rauwe keel van al die koekjes.' Ik ontweek een stroom mensen die net uit Griekenland kwamen en liep verder met mijn mobiel tegen mijn oor. 'En ik word door die studio vast op de zwarte lijst gezet, zodat ik nooit meer met een van hun mensen zal mogen praten. Ik had echt niet zo ver hoeven gaan, Damien. De Grote Baas is toch niet bereid om teksten als "Antonia Allen erkent anale seks" te publiceren. Ik kon me alleen niet inhouden. De omgang van sterren met de media gebeurt altijd op hun voorwaarden. En...' gaf ik met tegenzin toe, 'Casey Kaplan spookte ook door mijn hoofd. Maar ik hou niet van gemene trucjes. Ik heb mijn eigen regels gebroken en dat is een naar gevoel...'

'Hebben wij wel eens anale seks gehad?' wilde Damien weten.

'Jezus mina! Min of meer.'

'Min of meer?'

'Een poging, toen we allebei dronken waren. Maar het ging niet zo goed. En we doen het nooit weer.'

'Ik herinner me daar niets van.'

'Nou, ik wel en we beginnen er niet meer aan.'

Er liep een rilling over mijn rug toen ik langs de belastingvrije sigaretten liep. Ook al waren ze niet langer belastingvrij. En ook al rookte ik niet meer.

'Zullen we vanavond een auto voor je gaan kopen?' vroeg hij.

'Maar het is de laatste van de maand. De dag voor onze date.' Omdat we allebei zulke lange en onregelmatige werktijden hadden, had Damien besloten dat we moesten proberen om minstens één keer per maand een romantische avond (lees: seks) te hebben.

'O, christus!'

'Hartelijk bedankt! Het was jouw idee.' Ik was faliekant tegen zo'n routineuze aanpak geweest.

'Het gaat niet om het idee, het gaat om dat woord. "Date". Sinds wanneer gebruik jij dat soort termen? Heb je het nu ook over "chatten" als je kletsen bedoelt? Of "shit" in plaats van rotzooi?'

'Gaat het nog door of niet?' Ik had echt zin in seks.

'Wil je dat dan?'

'Jij?'

'Ja.'

'Afgesproken.'

Bij wijze van uitzondering had mijn vlucht geen vertraging en ik was voor Damien thuis. Ik zette een cd op, deed de lampen uit en stak kaarsen aan. We hadden ijs in de vriezer, bosbessen in de koelkast (bij gebrek aan aardbeien) en een fles wijn op de salontafel. (Eten was niet nodig. Ik had aan boord een walgelijke panini gehad en hij had gezegd dat hij op het werk wel iets zou nemen.)

Inmiddels begon ik ongeduldig te worden. Ik kleedde me uit tot op mijn beha en mijn onderbroekje en trok een badjas aan, maar toen viel mijn oog onverwachts op mijn ondergoed. Een zwart katoenen broekje en een simpele zwarte beha (twee verschillende soorten zwart). Er was niets mis mee, maar echt... dolle pret was het niet. Zou ik er in blijven als ik eens wat leukere dingen kocht? Theoretisch niet. Maar eigenlijk vond ik dat maar niets. Ik was een echte vrouw, dus waarom zou ik me optutten als iets waar mannen van dromen?

Damien had gezegd dat hij niet van stoute broekjes hield. Maar als hij nou eens loog? Als hij me nou eens in de steek zou laten voor een meisje met een satijnen huidje en een la vol rode jarretelgordeltjes en met rijnsteentjes bezette strings?

Heel even gaf ik me over aan dat troosteloze idee. Maar toen kapte ik er resoluut mee. Als hij zo stom was, mocht ze hem hebben.

Ik nam een slokje wijn en ging languit op de bank liggen. Ik kon bijna niet meer wachten. Het was alweer eeuwen geleden.

Hij was thuis!

Ik holde de gang in en duwde hem een glas wijn in zijn handen. Ik leek wel zo'n huisvrouwtje uit de jaren vijftig dat haar uiterste best deed om de druk en de spanningen van de buitenwereld uit te wissen zodat hij sneller zin in een wip zou hebben.

'Hoe is 't vandaag gegaan? Drink maar op.'

De beleefdheid moest in acht genomen worden, ook al had Damien eigenlijk altijd zin. En dat stelde ik bijzonder op prijs... Het moest vreselijk zijn om afgewezen te worden als je ernaar snakte. Af en toe had ik gewoon medelijden met mannen. (Maar meestal niet.)

Op zijn haar was de afdruk van de helm nog te zien. Toen hij met een snel gebaar zijn motorjack openritste en in zijn keurige pak tevoorschijn kwam, was het net alsof ik naar een omgekeerde Superman zat te kijken.

Ik trok hem aan zijn das mee naar de woonkamer.

'Jezus, geef me een minuut de tijd,' zei hij, terwijl hij probeerde een slokje wijn te nemen en vervolgens zijn knie stootte aan de boekenkast waar ik hem per ongeluk mee naartoe had gesleept.

Op de bank ging ik schrijlings op hem zitten en liet mijn hand onder zijn overhemd over zijn borst glijden. Ik heb altijd iets met zijn borst gehad.

Maar ik was te ongeduldig. Ik gleed van hem af, wurmde mijn hand onder de tailleband van zijn broek en liet mijn vingers plagend en kringetjes draaiend omlaag glijden, waarbij mijn nagels over zijn huid schraapten.

'Wat is er gebeurd met het voorspel?' vroeg hij.

'Geen tijd, veel te geil.'

Er kwam onmiddellijk een reactie, die wel iets weghad van een versnelde video over het leven van een plant: een klein, onschuldig uitziend slaperig knopje dat langzaam groter werd, opensprong, omhoog kwam en dikker, sterker en harder werd tot het uiteindelijk de laatste schellen van zich afgooide en trots rechtop bleef staan. Ik vond het heerlijk om hem zo keihard in mijn hand te houden.

'Op,' zei ik met een duw tegen zijn heupen, zodat ik zijn broek uit kon trekken. Hij was al bezig met de knoopjes van zijn overhemd dat met een geritsel van gesteven katoen op de grond belandde.

Hij maakte mijn beha open en ik boog me voorover om hem van me af te schudden. Meteen daarna had hij mijn tieten al te pakken, die hij op zijn platte handen woog, voordat hij in mijn tepels kneep. Zijn ogen stonden glazig en ineens drong zich een vervelende gedachte aan me op: wat raar dat seks eigenlijk iets intiems hoorde te zijn terwijl het soms juist als het tegendeel aanvoelde, alsof vreemden bezit van ons hadden genomen.

'Vertel maar waar je van droomt,' fluisterde ik in een poging om die saamhorigheid weer terug te vinden. Dat soort dromen kwam er meestal op neer dat ik met een andere vrouw aan het stoeien sloeg. Een beetje eentonig, maar dat kon geen kwaad. Ik wist niet zeker of ik het wel leuk had gevonden als hij ervan droomde om in luiers voor volwassenen of een wezelpak rond te lopen.

'Grace,' fluisterde hij.

'Ja?'

'Laten we naar de slaapkamer gaan.'

'Nee. We doen lekker spontaan.'

We lagen op de grond in de woonkamer, met mij bovenop terwijl ik hem bereed. Ik deed mijn ogen dicht om het goeie gevoel weer op te roepen.

'Grace.'

'Wat is er nou?'

'Het doet hartstikke zeer aan mijn schouderbladen. Laten we naar boven gaan.'

'Vooruit dan maar.'

Mijn knieën begonnen pijn te doen.

'Op dit soort momenten mis ik ze het meest,' zei Damien en bewerkte het kussen met zijn vuisten alsof het net zijn moeder voor hoer had uitgemaakt. 'Dat zalige gevoel na het neuken is zonder sigaret niet half zo lekker.'

'Dapper blijven,' zei ik.

'Sommige mensen zijn gewoon geboren rokers,' zei hij. 'Het vormt een onmisbaar deel van hun persoonlijkheid.'

'Neem maar een bosbes.'

'Neem maar een bosbes, zegt ze.' Hij staarde naar het plafond. 'Zelfs een miljoen bosbessen kunnen dat gapende gat niet vullen. Ik heb er vannacht van gedroomd.'

'Van bosbessen?'

'Van sigaretten.'

'Je moet echt die kauwgom eens proberen.'

'Ach, dat werkt toch niet,' zei hij.

Ik hield mijn mond, maar het kostte moeite. Hij had dat zelfstandige machotrekje, waardoor hij ervan overtuigd was dat niets hem kon helpen. Als hij hoofdpijn had (om de haverklap), wilde hij geen pijnstiller. ('Wat schiet ik daar nou mee op?') Als hij last kreeg van bronchitis (altijd in januari) wilde hij niet naar de dokter. ('Die schrijft toch alleen maar antibiotica voor.') Om gek van te worden.

'Vergeet niet dat Marnie aanstaande donderdag met Nick en de kinderen uit Londen komt,' zei ik. 'Ma zorgt voor het eten.'

'Dat had ik niet vergeten. Als je me maar niet alleen laat met Nick.'

Nick was Marnies man, een aantrekkelijk ventje dat zich vanuit zijn arbeidersmilieu had opgewerkt tot een effectenmakelaar die bulkte van de poen. (Ma en pa, die twee ouwe socialisten, deden hun best om hem en zijn door Thatcher ingegeven economische principes af te keuren, maar hij was onweerstaanbaar.)

Ze woonden in een groot huis op Wandsworth Common en waren van top tot teen 'lifestyle'. Marnie reed in een Porsche SUV.

'Nicks leven is rozengeur en maneschijn,' zei Damien. 'Hij zal me vast weer gaan zitten doorzagen over de voordelen van de nieuwe Jag vergeleken met de nieuwe Aston Martin en vragen welke hij het best kan nemen.'

'Misschien niet. Het ziet er naar uit dat hij voor het tweede jaar achter elkaar naar zijn bonus kan fluiten. De wereldprijs voor hennep is niet meer wat het geweest is.'

Ik wist precies hoe ze er financieel voorstonden. Marnie vertelde me alles.

'Hé, hoofdkwartier,' riep Damien plotseling. 'Volgende week vrijdag heb ik toch niets te doen, hè?'

'Ik ben je secretaresse niet. Hoezo?'

'Dan is er een reünie van mijn oude school.'

'Een schoolreünie? Jíj?'

Damien was een van de minst gezellige mensen die ik ooit had ontmoet. Je kreeg hem nooit ergens mee naartoe. Hij zei vaak dat hij een hekel had aan iedereen, dat hij het liefst ergens op een eenzame bergtop zou willen wonen en dat ik de enige was bij wie hij het uit kon houden.

Ineens wist ik wat er aan de hand was. Mijn maag kromp samen. 'Komt Juno daar ook naartoe?'

'Ja, dat denk ik wel.'

'Hoezo, dat denk je wel?'

'Aangezien zij alles heeft georganiseerd denk ik dat wel, ja.'

'Wat heeft dat te betekenen?'

'Niets!'

'Heeft zij jou opgebeld of heb jij haar gebeld?'

'Zij heeft mam gebeld. Mam belde mij en toen heb ik Juno gebeld.'

'Wanneer?'

'Weet ik veel. Wanneer was het maandag?'

'Gisteren.'

'Nou, gisteren dan.'

Ik bleef hem strak aankijken. 'Wat heeft dat te betekenen?'

'Vertrouw je me soms niet?'

'Ja. Nee. Ik weet het niet.'

Afgezien van de spreekwoordelijke tweedehandsautoverkoper (weer zo'n geval van wat was er het eerst: het beroep of het bijbehorende ordinaire en veel te familiaire gedrag?) die alleen maar aandacht had voor Damien hoewel het om míjn auto ging, was het heerlijk om weer een auto te hebben. Opnieuw een Mazda, niet zo mooi en niet zo nieuw, maar je hoorde mij niet klagen. 'Laten we meteen maar een eindje gaan rijden!'

'Naar Dun Laoghaire? Om naar de zee te kijken?'

'Kunnen we dan ook even in Yeoman Road aanwippen? Om te zien of het alweer beter gaat met Bid en wij weer kunnen gaan roken?'

Hij aarzelde nauwelijks, wat betekende dat hij echt in een fantastische stemming was. (Hij aarzelde altijd als ik voorstelde om op bezoek te gaan bij mijn familie. Of bij de zijne, maar dat was logisch. Hij hield vol dat hij mijn ouders graag mocht en dat hij ook best met Bid kon opschieten – meer verdiende ze ook niet, als je naging hoe ze zich af en toe kon misdragen – maar dat hij alleen al van het woord 'familie' de kriebels kreeg.)

We werden ontvangen met oorverdovende Shostakovich. Pa zat in zijn stoel met gesloten ogen te dirigeren. Bingo deed voorzichtig een paar stapjes vooruit en dan weer achteruit, alsof hij een van de dansers was in een tv-bewerking van Jane Austen. Hij had alleen nog zo'n kanten mutsje op moeten hebben. Ma zat aan de keukentafel een artikel over islamfobie te lezen, terwijl Bid met een geel met wit gestreepte wollen muts op haar kale hoofd (het was net een eiwarmer) in iets zat te bladeren dat *Iets Lekkers voor Susie* heette. Iedereen – Bingo incluis – zat aan die walgelijke paardenbloemenwijn van pa.

Ma was de eerste die ons zag. 'Wat doen jullie hier?'

'Ik heb een nieuwe auto!'

Pa's ogen vlogen open en hij ging met een ruk rechtop zitten. 'Zijn die bloedzuigers echt met dat geld over de brug gekomen?'

'Ja,' jokte Damien. Het zou nog maanden duren voordat we een cent zouden krijgen, maar we hadden geen zin in weer zo'n tirade van pa. 'Hoe gaat het met je, Bid?' vroeg Damien.

Ze legde haar boek neer. 'Leuk dat je dat vraagt. Ik zou een moord doen voor een sigaret.'

'Ik had het eigenlijk over je gezondheid...'

'O dat,' zei ze treurig. 'Nog maar vijf chemobehandelingen, dan kunnen we allemaal weer gaan roken.' Er rolde een traan over haar ongezond gele wang.

'Ga alsjeblief niet huilen,' zei ik geschrokken.

'Ik kan er niets aan doen. Ik mis... ik mis... ik mis mijn sigaretten zo,' zei ze gesmoord.

'O, ik ook, lieve Bid, ik ook.' Ma begon te huilen en zelfs pa hield het niet droog!

'Je wordt er zo ontzettend moe van,' zei hij schor en wanhopig. Zijn schouders schokten. Bingo's nagels tikten tegen het linoleum toen hij naar hem toe holde en zijn kop op pa's schoot legde. 'Het is verdomme een pure kwelling.' Pa wreef een tikje maniakaal over Bingo's kop. 'Ik kan nergens anders aan denken en het is een dagtaak om ervan af te blijven.'

'Ik vind het helemaal niet erg om kanker te hebben.' Bid keek met een betraand gezicht op. 'Maar dat ik niet mag roken zal mijn dood nog worden.'

'Ik droom er zelfs van,' bekende ma.

'Ik ook!'

'Ik ook,' zei Damien.

'En ik,' zei pa met een stem waarin de tranen doorklonken. 'Ik heb nog nooit zoveel cake gegeten. Ik zie niet in wat voor nut het heeft om nicotine op te geven als je daardoor aan een overdaad aan onverzadigde vetten sterft.'

'Hoe is het met je Boeketboekjes?' vroeg ik met een knikje naar Bids boek.

'Nee, dit is een erotische roman. Over een meisje dat Susie heet en met allerlei mensen naar bed gaat. Dom, heel dom, maar de stukken over seks zijn leuk.'

'O ja? Wat fijn!'

Jezus, Marnie was echt ontzettend mager geworden. Ik kon haar ribben dwars door een van ma's wollen vesten tellen. Ze was altijd al slank geweest, maar het was net alsof ze dunner was dan ooit. Word je niet juist dikker naarmate je ouder wordt? Zelfs als je nog steeds rookt? (Ik was er pas vier dagen vanaf, maar ik kon nu al bijna mijn broek niet meer dichtkrijgen.)

'Ik sterf van de kou,' zei ze. 'Dit huis. Waar is Damien?'

'Onderweg.' Dat was hem tenminste geraden. 'Wat ben je ontzettend mager.'

'O ja? Mooi.'

O, god, dacht ik. Ik hoop niet dat ze als klap op de vuurpijl nog anorexia heeft ook. Ik had er nog niet zo lang geleden een stuk over geschreven omdat het steeds vaker scheen voor te komen bij vrouwen van in de veertig. Marnie telde pas vijfendertig lentes, maar ze was overal altijd als de kippen bij.

Beneden in de keuken werd geschreeuwd en heerste chaos. Daisy en Verity galoppeerden om de tafel heen terwijl ze net deden alsof ze pony's waren. Ma stond in een pan te roeren en een kruiswoord- puzzel op te lossen en pa was verdiept in een biografie van Henry Miller.

Het leek alsof er een roze bom was ontploft: roze rugzakken, roze jacks, poppen in roze kleertjes...

'Hallo, snoes.' Nick rekte zich uit (als ik eerlijk ben, ging hij op zijn tenen staan) om me met een kus te begroeten. 'Je ziet er fantas- tisch uit!'

Dat gold ook voor hem. Hij was hooguit een meter tweeënzeven- tig, maar hij was knap op een ondeugende manier. Zijn haar was op- vallend modieus geknipt en zijn kleren, spijkerbroek en t-shirt met lange mouwen, zagen er nieuw uit en (zoals ma later zei) alsof ze zo afkomstig waren uit een tijdschrift.

'Zeg eens dag tegen tante Grace!' beval Marnie.

'Dat kan niet,' zei Daisy. 'We zijn pony's. Pony's kunnen niet praten.'

Ze denderde voorbij en ik pakte haar beet en kuste haar smette- loze smoeltje. Ze rukte zich los en riep: 'Je hebt een paard gekust, Grace heeft een paard gekust.'

'Ze heeft in haar leven wel ergere dingen gekust.' Damien was ge- arriveerd.

'Fijn dat je het gered hebt,' zei ik zacht.

'Vind ik helemaal niet.'

Ik mocht niet lachen, want dat zou hem alleen maar aanmoedigen.

'Oom Damien!' Daisy wierp zichzelf op hem en probeerde als een aapje tegen zijn been op te klimmen. Hij pakte haar bij haar enkels vast en hield haar ondersteboven terwijl ze het uitgilde van verruk- king. Daarna zette hij haar weer neer en stak zijn armen uit naar Verity. Maar die had zich achter de keukentafel verschanst.

'Zeg eens hallo tegen Damien,' zei Marnie. Maar Verity week nog verder achteruit en stond met bange ogen naar Damien te staren.

'Trek het je niet aan, Verity,' zei hij vriendelijk. 'Het is niet de eer- ste keer dat ik een blauwtje loop.'

Die arme Verity was een toonbeeld van onaantrekkelijkheid. Ze was klein en zag er een beetje verschrompeld uit met haar oude ge- zichtje. Er was iets mis met haar ogen, niets ernstigs, maar daardoor moest ze wel een bril dragen, die haar een volwassen en pienter uiter- lijk gaf.

Het was vast niet gemakkelijk om Daisy's kleine zusje te zijn. Daisy was zo'n vrolijk kind, vol zelfvertrouwen, lang voor haar leef- tijd en met de heldere ogen en het zachte huidje van een engel.

'Biertje, Damien?' vroeg Nick.

'Ja lekker, Nick, een biertje. Dat gaat er wel in.' Damien was altijd heel erg ouwejongenskrentenbrood als Nick in de buurt was, om te verbergen dat hij niet wist waar hij met hem over moest praten.

'En, hoe is 't op 't werk?'

'Geweldig. En bij jou?'

'Ja, geweldig!'

'Is er ook wijn?' Ik duikelde een fles rode wijn op en schonk vier glazen in.

'Ik doe niet mee,' zei Marnie treurig. 'Ik zit aan de antibiotica.'

'Wat is er nu dan weer mis met je?' vroeg ik.

'Nierinfectie.'

God allemachtig, ze had altijd wat. Ik kende niemand die zo ziekelijk was als zij.

'Dat is jouw schuld,' zei ze grinnikend. 'In de baarmoeder pikte jij alle voedingsstoffen in en liet niets voor mij over.'

Dat had ik al vaker gehoord en als je ons samen zag, moest je het wel met haar eens zijn. Zij was klein, tenger gebouwd en nauwelijks een meter vijftig lang. Maar met haar kleine gezichtje, haar grote blauwe ogen en haar lange, kastanjebruine haar was ze wel een schoonheid. Ik voelde me naast haar altijd een log karrenpaard.

Het gegaloppeer begon opnieuw, waarbij de pony's gillend en lachend constant tegen stoelen aan denderden (vooral die van pa).

'Hé, jullie twee!' schreeuwde pa plotseling nadat ze voor de vijfde keer het boek uit zijn handen stootten. 'Hou daar mee op! Hou daar in 's hemelsnaam mee op! Ga maar tv kijken in de andere kamer.'

'Er is niks op tv,' zei Daisy. 'Jullie hebben niet eens kabel.'

'Ga dan maar een boek lezen,' stelde ma voor. Aan dovemansoren.

'Zeg eens dat we dan maar een dvd moeten kijken,' beval Daisy mij.

'Ga maar een dvd kijken,' zei ik.

'Dat kan niet.' Daisy pakte me bij mijn pols en zei met grote ogen van verbazing: 'Want er is niet eens een dvd-speler!'

We keken elkaar zogenaamd verbijsterd aan.

Pa stond op. 'Ik ga Bingo uitlaten.'

'Je hebt hem al uitgelaten,' zei ma. 'Ga maar gewoon weer zitten. Marnie! Hoe kom je aan die blauwe plekken?'

'Wat voor blauwe plekken?' De mouwen van Marnies vest waren omhoog geschoven waardoor blauwpaarse plekken op haar beide onderarmen zichtbaar werden. Ze keek er even naar. 'O die. Van de acupunctuur.'

'Waar heb je dat voor?'

'Verlangens.'

Ik wierp onwillekeurig een blik op Nick. Hij wendde snel zijn ogen af.

'Wat voor verlangens?' vroeg ma.

'O, je weet wel. Om een meter vijfenzestig te zijn. Om een eeuwige optimist te worden. Om de staatsloterij te winnen.'

'Krijgt iedereen zulke blauwe plekken van acupunctuur?'

'Waarschijnlijk niet, maar je weet hoe ik ben.'

'We hebben een klein probleem.' Nick kwam de trap naar de keuken af lopen. 'Verity wil niet naar bed. Ze zegt dat het hier spookt.'

Ma keek hem stomverbaasd aan. 'Maar dat is niet waar. Dat is zo'n beetje het enige wat er niet aan dit huis mankeert.'

'Als het wel zo was, konden we entreegeld vragen,' zei pa.

'Ze wil naar huis. Naar Londen.'

Verity stond op de overloop met haar roze rugzakje ingepakt en weigerde koppig me aan te kijken.

'Er zijn geen spoken in dit huis,' zei ik.

'Nee, die zijn allemaal naar hiernaast verhuisd, toen ze daar kabel kregen,' zei Damien die achter me aan de trap op liep.

'Geen man!' schreeuwde Verity die plotseling weer bij zinnen leek te komen. 'Ik wil mamma!'

'Prima, mij best, neem me niet kwalijk.' Damien liep terug.

Marnie nam het heft in handen en ging naast Verity op haar hurken zitten, terwijl ze rustig tegen haar praatte in een poging haar gerust te stellen zonder denigrerend te klinken. Er kwam geen eind aan haar geduld, zodat ik begon te vrezen dat we daar de hele avond vast zouden zitten, maar Verity gaf ineens toe. 'Sorry, mam. Ik hou van je, mam.'

'Ik hou ook van jou, lieverd.'

Ze stapte in bed en Marnie ging naast haar liggen. 'Eventjes, tot ze slaapt. Ik kom er zo aan.'

Toen ik beneden kwam, greep Damien me meteen in mijn kraag. 'Slaapt ze? Kunnen we nu naar huis? Alsjeblieft, hoofdkwartier.'

'Ik wil nog even uitgebreid met Marnie praten.'

'Mag ík dan weg? Ik heb morgen al vroeg een vergadering. En ik ben levensmoe. Ik heb eeuwen met Nick moeten praten. Misschien had ik niets gemerkt als ik had mogen roken, maar mijn uithoudingsvermogen is niet meer wat het geweest is...'

Het had geen zin om hem te dwingen. 'Nou, vooruit dan maar,' zei ik lachend. 'Maar ik blijf nog even.'

Pa zag dat Damien zijn spullen pakte en reageerde onmiddellijk. 'Ga je naar de kroeg?'

'Nee, eh... gewoon naar huis.'

'Wat, nu al?' riep iedereen teleurgesteld. 'Waarom?'

'Ik moet morgen vroeg beginnen.' Hij grinnikte niet op zijn gemak en ging er meteen vandoor.

Pa keek naar de deur waardoor Damien was verdwenen en zei bedachtzaam: 'Het vreemde is dat hij, ondanks alles, toch een geschikte kerel is. Hij zou je zijn laatste overhemd geven.'

'Maar dan wel met de opmerking dat het zijn lievelingsoverhemd was en dat hij het verschrikkelijk zou missen,' zei ma en daar moesten zij en pa ineens onbedaarlijk om lachen.

'Laat hem met rust!' protesteerde ik.

Marnie dook weer op. 'Waar is Damien gebleven?'

'Hij heeft even behoefte aan eenzaamheid.'

Ze schudde haar hoofd. 'Ik snap niet hoe je dat uithoudt. Ik ben veel te onzeker voor iemand als Damien. Als hij een slechte bui had, zou ik meteen denken dat het mijn schuld was.'

'Maar hij heeft altijd een slechte bui!' riep pa uit alsof hij net een briljante ontdekking had gedaan en daarna zat hij samen met ma nog een hele tijd te lachen.

Ik probeerde in bed te kruipen zonder hem wakker te maken, maar Damien ging meteen rechtop zitten en deed het licht aan.

Slaperig vroeg hij: 'Wat is er met Verity aan de hand?'

'Geen idee.'

'Zou het door die bril komen? Ze ziet eruit als een econoom.'

'Of een accountant. Ik weet het.'

'Ze is eng.'

'Ze is maar een gewoon klein meisje.'

'Ze is net Carrie. Ik durf te wedden dat ze brand kan stichten.'

Ik zei niets. Ik wist precies wat hij bedoelde.

'Kom binnen, Grace.'

Dee Rossini. Begin veertig. Bruine huid. Rode lipstick. Felle bruine ogen. Zwarte pijpenkrullen opgerold in een knotje. Ruim gesneden Katherine Hepburn-broek. Een heuplang vest, met een strakke ceintuur om een smal middel.

Ze liep voor me uit door een korte hal. 'Thee? Koffie? Met een kokosmakroon? Net vers uit de oven?'

'Wat? Heb je zelf kokosmakronen gebakken?'

'Een van mijn legertje helpers heeft ze gekocht en tien minuten voordat jij zou komen in de oven gelegd.'

Ze had een van die keukens, je weet wel wat ik bedoel: met kruidenplantjes in de vensterbank en schappen vol potjes en blikjes met de meest exclusieve etenswaren. Het was er warm en gezellig en doortrokken van de lucht van warme chocola. Ik schepte troost uit het feit dat het bovenop kastjes behoorlijk stoffig was.

De Grote Baas had beslist dat er een portret van Dee moest komen, maar Jacinta wilde niet met haar gaan praten. Het had iets te maken met een Hermès-sjaal. Ze beweerde dat Dee de laatste in Ierland onder haar neus weg had gekaapt. Dus had ik gevraagd of ik het mocht doen.

Ma was blij. Ze was dol op Dee Rossini, die een van zeven kinderen was uit een gezin met een Ierse moeder en een Italiaanse vader, slachtoffer van huiselijk geweld, alleenstaande moeder en de eerste vrouw in de Ierse politiek die zelf een politieke partij had opgericht. Dat eindigde meestal in tranen, vooral in Ierland waar de politiek bepaald werd door een klein, hecht groepje mannen. Maar tegen alle logica in had NewIreland het gered, niet als een onbelangrijke randgroepering, maar als partner in een succesvolle coalitie met de Nappies (de Nationalistische Partij van Ierland). Hoewel de Nappies de toon zetten die ze verplicht was te volgen, liet Dee Rossini zich luid en duidelijk horen als het om vrouwenzaken ging – de belachelijke Ierse regels met betrekking tot kinderverzorging, het gebrek aan middelen voor de opvang van vrouwelijke vluchtelingen, de ontbrekende wetgeving met betrekking tot plastische chirurgie.

'Ga zitten.' Ze trok een keukenstoel achteruit.

Het kwam maar zelden voor dat je een politicus thuis kon interviewen. En het was nog zeldzamer dat die politicus koffiezette en met een stapel warme kokosmakronen op de proppen kwam, keurig gerangschikt op een met wilgentakken versierde schaal die nog van haar oma was geweest.

'Oké, Dee... heb je hier bezwaar tegen?' Ik wees naar mijn cassetterecorder.

Mijn bezorgdheid werd ongeduldig weggewuifd. 'Prima. Ik heb liever dat je me juist citeert. Vind je het goed dat ik mijn nagels lak terwijl we zitten te praten?'

'De vele taken van een vrouw.'

'Dat is nog maar het begin. Straks ga ik op de grond liggen om mijn bekkenoefeningen te doen en ondertussen denk ik na over wat we vanavond zullen eten. En maak ik me zorgen over de derde-wereldschuld.'

'Oké, Dee.' Ik sloeg mijn opschrijfboekje open. 'Laten we het maar over die zogenaamde schandalen hebben.' Het had geen zin om eromheen te draaien. De bedoeling van dit stuk was dat Dee een kans kreeg zichzelf te verdedigen. 'Wie zou je onderuit willen halen?'

'Massa's mensen. De oppositie, uiteraard. Maar er zijn ook genoeg leden van de Nationalisten die mij een lastpak vinden.'

Daar zat iets in. Ze legde altijd de nadruk op de schandalige manier waarop vrouwen werden behandeld, zelfs als de Nappies daarvoor verantwoordelijk waren. Nog geen week geleden had ze de benoeming van een mannelijke rechter (door de Nappies) tegengehouden ten faveure van een vrouwelijke kandidaat en erop gewezen dat verkrachters en mannen die hun vrouwen mishandelden van een sympathiserende en vrijwel geheel uit mannen bestaande rechterlijke macht meestal alleen maar een schertsstraf kregen.

'Maar koester je verdenkingen? Tegen bepaalde personen?'

Ze lachte. 'En binnen de kortste keren een aanklacht wegens smaad aan mijn broek krijgen?'

'Laten we dan maar even doornemen wat er precies is gebeurd. Je hebt je huis laten schilderen. Hoe ben je aan die firma gekomen? Hebben ze jou benaderd?'

'Lieve hemel, nee. Zo stom zou ik nooit zijn. "Hallo minister van Onderwijs, mogen we misschien voor niets uw huis schilderen?" Iemand heeft ze aanbevolen.'

'Goed, dus ze kwamen hiernaartoe, schilderden je huis, bezorgden je veertien dagen vol ellende en stuurden vervolgens een rekening?'

'Geen rekening. Ik heb er vier keer over opgebeld, kreeg uiteindelijk van iemand een totaalbedrag te horen en heb hun een cheque gestuurd.'

'Dus geen rekening. En geen bewijs dat je betaald hebt. Om hoeveel ging het?'

'Tweeduizend euro.'

'De meeste mensen zouden het wel merken als een cheque voor tweeduizend euro niet afgeschreven werd.'

'Dat hoef je mij niet te vertellen. Maar het kwam van een rekening waarop ik iedere maand een bepaald bedrag stort, voor het geval er iets groots gedaan moet worden, zoals het vervangen van de boiler of nieuwe dakpannen. Die wordt niet vaak gebruikt, dus ik kijk er niet vaak naar. Ik werk achttien uur per dag, zeven dagen per week. Er blijft wel eens iets liggen.'

Terwijl ze praatte, zat ze met de handigheid van een professionele manicure haar nagels te lakken. Drie perfecte penseelstreekjes – midden, links en rechts – en dan was de volgende nagel alweer aan de beurt. Heel ontspannen om naar te kijken. En dan de kleur, een zacht lichtbruin tintje als van slappe koffie die de meeste vrouwen (met name mij) in de winkel nooit zou opvallen. Maar het veroorzaakte zo'n bijzonder en mooi effect, dat ik durfde te wedden dat mensen haar om de haverklap vroegen waar ze die lak kocht. Ze was verbijsterend modieus. (Dat zou haar Italiaanse kant wel zijn.)

'Prima. En de bruiloft van je dochter? Waarom heb je die niet betaald?' (Ondanks de pogingen van de Grote Baas om dat verhaal in de doofpot te stoppen, hadden de andere kranten zich er wel op gestort.)

'Het grootste gedeelte was al voor de bruiloft betaald. Ik had in mei tachtig procent vooruitbetaald en ja, die cheque is wel geïnd. Ik geef onmiddellijk toe dat de rest niet is betaald, omdat... god...' Ze zakte onderuit. 'Er is die dag zoveel misgegaan. Geen vegetarische maaltijden, er was niet voldoende van het hoofdgerecht en zeven mensen hebben niets te eten gekregen. Ze zijn de bruidstaart kwijtgeraakt en we weten nog steeds niet wat daarmee is gebeurd. Het damestoilet was onbruikbaar en de dansvloer leek op een ijsbaan. Iedereen gleed erover uit en Toria's nieuwe schoonvader moest naar de spoedeisende hulp met een ontwrichte knie. Ik weet wel dat ik als minister een bepaalde standaard op moet houden, maar het ging om de trouwdag van mijn enige dochter.'

Ik knikte vol sympathie.

'Het is nog maar een paar maanden geleden gebeurd – in augustus – en we zijn het er nog steeds niet over eens, maar zodra we tot overeenstemming zijn gekomen worden ze natuurlijk meteen betaald.' Ze zag er een beetje verloren uit.

'Vind je het geen naar idee dat iemand heeft geprobeerd je onderuit te halen? Dat je zo nauwgezet gevolgd wordt dat ze het meteen weten als je het openstaande bedrag voor een bruiloft niet betaalt? En vervolgens proberen je daarmee in diskrediet te brengen?'

'Dat hoort bij het bestaan van een politicus.' Ze glimlachte wrang. 'Ik heb wel ergere dingen meegemaakt.'

Daardoor moest ik ineens aan haar verleden denken. Ze was acht keer door haar ex-echtgenoot het ziekenhuis in geslagen, voordat ze uiteindelijk bij hem wegging en door haar vrome katholieke familie meteen met de nek werd aangekeken.

Uit pure nieuwsgierigheid vroeg ik ineens: 'Kook je wel eens risotto alleen maar voor jezelf?'

Risotto is zo'n gedoe, met al die stuk voor stuk toegevoegde lepels bouillon, wie zou nou al die moeite nemen?

'Ik bedoel er niks bijzonders mee, hoor,' voegde ik eraan toe.

Na even nadenken, zei ze: 'Soms.'

Ik wist het. Ik had diep ontzag voor mensen die zelfs als ze rammelen van de honger nog de tijd nemen om iets heerlijks klaar te maken. Als ik honger had, pakte ik alles wat voor de hand lag: oud brood, zwarte bananen of handenvol cornflakes die ik zo vanuit het pak in mijn mond propte.

'En hoe zit het met mannen?' vroeg ik.

'Wat is daarmee?' Een stralende glimlach.

'Is er iemand in het bijzonder?'

'Nee, geen tijd. Bovendien zijn de enige mannen die ik ontmoet politici en echt, dan moet je wel heel wanhopig zijn...'

Maar ze was sexy. En natuurlijk temperamentvol. Nou ja, in ieder geval voor de helft. Ik kon me levendig voorstellen hoe ze lekker lang met allerlei kerels naar bed ging, van belachelijk aantrekkelijke acteurs tot miljonairs met een stal vol dure renpaarden...

'Oké, Dee, ik denk dat ik zo wel voldoende heb. Bedankt voor de makronen. Het spijt me dat ik er niet een van heb opgegeten.'

'Dat maakt niet uit. Paddy komt zo meteen hier voor een werklunch, dan zet ik ze hem wel voor.'

'Hoe is het om met Paddy samen te werken?' Dat had ik eigenlijk niet moeten vragen.

'Paddy?' Ze keek omhoog en keek met een flauw glimlachje om haar lippen naar een hoek van het plafond. 'Kijk toch eens wat daar voor een spinnenweb zit. Meestal draag ik thuis geen contactlenzen. Als het huis smerig is, zet ik gewoon mijn bril af. Dat maakt alles een stuk minder scherp.' Ze draaide zich weer om naar mij. 'Weet je,' zei ze. 'Paddy is echt geweldig.'

'Ach ja, dat weet iedereen. Zou ik even gebruik mogen maken van het toilet voordat ik vertrek?'

Heel even maakte ze een bezorgde indruk. 'Dat is boven. Kom maar, dan zal ik je laten zien waar het is.'

Ik trok de deur van de badkamer achter me dicht. Dee bleef achter op de overloop en zag er een tikje zenuwachtig uit. Ik begreep best waarom. Journalisten schrijven altijd afschuwelijke stukjes over de persoonlijke dingen die ze in de badkamer van hun onderwerp aantreffen, hoewel ik dat helemaal niet van plan was. En maar goed ook, want de badkamer was schoon en er was geen beschimmeld douchegordijn of een doe-het-zelf-Botox-kit te bekennen. Een slechte oogst.

Toen ik weer naar buiten kwam, was Dee verdwenen. Drie gesloten deuren keken me aan. Slaapkamers, en het was net alsof ze fluisterden: Open me, Grace, open me. Ik kon er geen weerstand aan bieden. Ik deed net alsof het mijn journalisteninstinct was, op zoek naar wat extra couleur locale, maar eerlijk gezegd was ik gewoon nieuwsgierig.

Ik pakte de knop van een deur en duwde die open. Hoewel het er donker was, voelde ik tot mijn verrassing de lichaamswarmte van een ander menselijk wezen in de kamer. Een gevoel van angst welde in me op. Ik was over de schreef gegaan. Als het nu eens een of andere stevige bouwvakker was, die Dee mee naar huis had genomen om zich eens lekker te laten neuken?

Ik was alweer op de terugweg toen ik zag dat het een vrouw was die op het bed lag, of liever een meisje. Ze kwam overeind toen de deur openging en toen het licht van het raam op de overloop naar binnen viel, stond ik verstijfd van schrik. Haar neus lag platgeslagen op haar gezicht en haar ogen waren zo gezwollen en blauw dat ze echt niets kon zien. Toen ze haar mond opendeed, zag ik dat twee van haar voortanden ontbraken.

'Sorry!' Ik stapte achteruit.

'Dee!' riep het meisje in paniek. 'DEEEEE!'

'Nee, stil maar, er is niets aan de hand. Stil maar.' Dee vermoordde me vast.

Dee schoot de keuken uit en rende de trap op. 'Wat is er aan de hand?'

'Het is mijn schuld! Ik wou even stiekem om me heen kijken. Dat had ik niet mogen doen.'

Dee zuchtte. 'Als je in mijn la met ondergoed wilde neuzen, hoefde je dat alleen maar te vragen.'

Terwijl ze langs me heen liep en haar armen om het meisje sloeg, wenste ik dat ik de verleiding van de gesloten deur had kunnen weerstaan en als een gewoon mens naar beneden was gegaan.

'Ik wilde je niet bang maken,' riep ik vanaf de drempel naar het meisje. 'Het spijt me echt ontzettend.'

'Elena, *pulako, pulako*,' koerde Dee en maakte geruststellende geluidjes in een vreemde taal. Uiteindelijk liet het gewonde meisje zich, met een angstige blik op mij, overhalen om weer te gaan liggen.

Dee trok de slaapkamerdeur stevig dicht en zei tegen mij: 'Dit heb je niet gezien.'

'Ik zal mijn mond houden, dat zweer ik.' Ik struikelde over mijn woorden in mijn pogingen om haar gerust te stellen. Nu begreep ik waarom Dee zich niet op haar gemak had gevoeld toen ze mij naar boven liet gaan. Dat had helemaal niets te maken met akelige opmerkingen over haar badkamer.

'Ik meen het echt, Grace, je mag hier met niemand over praten. Voor haar veiligheid. Ze is pas vijftien.' Heel even leek het alsof Dee in tranen zou uitbarsten.

'Dat beloof ik, Dee, bij alles wat me dierbaar is.' (Ik wist niet precies wat dat inhield, maar ik wilde haar duidelijk maken dat ik het meende.) 'Maar wat is er met haar gebeurd? Elena heette ze toch?'

'Haar vriendje of haar pooier, hoe je hem ook wilt noemen, heeft haar onder handen genomen. Hij weet niet waar ze is. Als hij dat ontdekt, komt hij achter haar aan. Ze hebben haar pas een paar uur geleden hier gebracht. Het was te laat om het interview naar een andere plek te verplaatsen en als je niet naar het toilet had gemoeten...'

'...en mijn neus in zaken had gestoken die me niets aangaan... Ik zweer dat ik er geen woord over zal zeggen, Dee.'

'Ook niet tegen je vriend. Hij is ook journalist, hè? Kun je dit voor hem geheimhouden?'

'Ja.'

'Ze maakt haar eigen kokosmakronen. Ze kan nagels lakken met haar linkerhand.' *Ze geeft onderdak aan weggelopen vrouwen. Ze spreekt een of andere Slavisch klinkende taal.*

Ik was min of meer voor Dee Rossini gevallen...

'En ze is sexy,' zei Damien. 'Dat NewIreland is een behoorlijk aantrekkelijk ogende partij, hè?'

...maar tegelijkertijd gaf ze me het gevoel dat ik een beetje onvolwaardig was.

Hij drong aan toen ik geen antwoord gaf. 'Paddy de Courcy? Half man, half persbericht? Hij is toch ook aantrekkelijk?'

'Ik zou eigenlijk meer moeten doen,' mompelde ik.

'Wat dan?' vroeg Damien.

'Gewoon... meer.'

Maandagochtend en ze had de rode handtas bij zich: ongeduldig.

'Ga achteruit,' zei Jacinta wapperend met haar armen. 'Niet zo opdringerig.'

Het was onze wekelijkse vergadering waarbij nieuwe voorstellen werden besproken. De hele afdeling zat rond Jacinta's bureau, met uitzondering van Casey Kaplan, van wie niemand wist waar hij uithing.

'Achteruit,' zei ze nog een keer. 'Ik word benauwd van jullie. Grace. Voorstellen. En ik wil alleen de goeie horen.'

'...Juist.' Zonder nicotine was ik langzamer en slaperiger en mijn hersenen werkten minder snel. Zelfs na een volle week was ik nog steeds niet vooruit te branden. 'Als we eens iets aan huiselijk geweld deden?'

'Wát?' Haar gekrijs klonk zo schril dat ze er zelfs op de sport-redactie van opkeken. 'Je hoeft niet te denken dat je maar kunt doen en laten wat je wilt omdat je Antonia Allen zo gek kreeg dat ze heeft toegegeven dat ze zich in de kont liet naaien!' (In het weekend was mijn verhaal over Antonia Allen over de hele wereld door-verkocht, wat de *Spokesman* de nodige poen opleverde aangezien mijn interview het enige was waarin Antonia iets over haar 'Gay Jain Pain' – niet mijn woorden - had gezegd. De Grote Baas was daar bijzonder mee ingenomen geweest. Hij had geaarzeld tussen een mildere versie en het grote geld en had uiteindelijk voor het laatste gekozen.)

Niemand had commentaar gehad op mijn verhaal over borstkan-ker, want dat was niet eens gepubliceerd. Een plotselinge lawine in een Argentijnse wintersportplaats had de plaats van mijn stuk inge-nomen. Mevrouw Singer en haar tragische verhaal zouden nooit het daglicht zien, omdat het rapport niet langer nieuws was. Zo gaat dat in de krantenwereld, je hebt geen tijd om je in een bepaald onder-werp vast te bijten. Dat was een van de eerste dingen waaraan je maar moest wennen en dat was mij nooit gelukt.

'Ik had het idee,' ging ik gewoon verder alsof ik Jacinta's gekrijs niet had gehoord, 'om gedurende zes weken het verhaal te publice-ren van zes verschillende vrouwen, steeds uit een andere omgeving. We zouden zelfs een campagne kunnen beginnen.'

'Hoe kom je daar nou verdomme ineens op?'

'Het is een groot probl...'

'Is er een rapport over verschenen?'

'Nee.'

'Je hebt niet eens een rapport om het aan op te hangen! Er is geen hond die zich druk maakt over huiselijk geweld! Het komt door Dee Rossini, hè? Ze heeft je voor haar karretje gespannen.'

'Helemaal niet.'

Maar in werkelijkheid zou dat best kunnen. Mijn verhaal over haar, dat ik vrijdagmiddag heel zorgvuldig in elkaar had gesleuteld, was heel enthousiast geweest en de zaterdag daarna was ik op zoek gegaan naar die lichtbruine nagellak, maar die had ik niet kunnen vinden. Gisteren had ik zelfs nog opgebeld om te vragen hoe het met Elena ging. (Dee had kortaf gezegd dat ze 'in veiligheid' was.)

'Een op de vijf Ierse vrouwen krijgen in hun leven te maken met huiselijk geweld,' zei ik. Dat had Dee me verteld.

'Dat kan me geen bal schelen,' zei Jacinta. 'Het laat me zelfs koud als ze er allemaal mee te...'

'Wij,' viel ik haar in de rede.

'Wat?'

'Als *wij* er allemaal mee te maken krijgen, niet *ze*. Het gaat om *ons*, Jacinta.'

'Dat is helemaal niet waar, verdomme! Ik heb er niet mee te maken, jij hebt er niet mee te maken en Joanne heeft er niet mee te maken, of wel soms Joanne? Lorraine, Tara en Clare hebben er geen van allen mee te maken! Je hebt je wél door Dee Rossini laten inpalmen. Maar we doen het niet!'

'Geweldig,' mopperde ik. Ik had een moord willen doen voor een sigaret. En niet één, maar een heel pakje, vijfentwintig achter elkaar. Ik luisterde niet naar de voorstellen waarmee de anderen op de proppen kwamen en ik schrok pas weer op toen ik Jacinta hoorde zeggen: 'We doen een interview met Alicia Thornton.'

'Met wíé?' Misschien waren er twee Alicia Thorntons.

'De verloofde van Paddy de Courcy.'

'Maar... waarom?'

'Omdat de Grote Baas het zegt.'

'Maar wie is ze dan?' vroeg ik. 'Wat is er zo interessant aan haar?'

'Zij is de vrouw die "het hart van Quicksilver veroverd heeft",' zei Jacinta.

'Maar ze is saai... gewoon een duffe politieke echtgenote. Hoe moet je daar tweeduizend woorden uithalen?'

'Ik zou maar gauw een andere houding aannemen, want jij bent degene die met haar gaat praten.'

'Nee!' Het duurde even voordat ik mezelf weer in bedwang had. 'Geen denken aan.'

'Hoe bedoel je, nee?'

'Ik bedoel nee, dat doe ik niet.' Ik wees naar TC. 'Stuur hem maar. Of Lorraine. Of Casey.'

'Jij doet het.'

'Dat kan ik niet.'

'Wat bedoel je daarmee?'

'Jacinta.' Ik had geen keus, ik moest wel met de billen bloot. 'Ik ken... ik heb Paddy de Courcy gekend. In een ander leven. Mijn integriteit is aangetast. Ik ben de verkeerde persoon.'

Ze schudde haar hoofd. 'Je doet het toch.'

'Waarom?'

'Omdat ze naar jou heeft gevraagd. Speciaal naar jou. Als jij het niet doet, gaat ze naar een andere krant. Dus je zult wel moeten.'

Ze probeerde zich los te rukken, maar hij was veel sterker.

'Ik wil dit niet.' Haar pyjamabroek werd omlaag gerukt tot op haar knieën. Kippenvel op haar dijen. Hij drong bij haar binnen ondanks haar tegenzin. Droog. Pijn. Korte, heftige stoten, stuk voor stuk vergezeld van geknor.

'Alsjeblieft...'

'Hou. Je. Bek.' Grommend en met de tanden op elkaar.

Ze staakte haar verzet en liet toe dat hij zich naar binnen ramde, hoewel de rand van de wastafel pijnlijk tegen haar rug drukte.

Het geknor werd luider en de stoten begonnen steeds meer op steken te lijken tot hij ineens begon te huiveren en te kreunen. Hij werd slap en zakte over haar heen, zodat haar gezicht plat tegen zijn borst werd gedrukt en ze nauwelijks kon ademhalen. Maar ze klaagde niet. Ze wachtte gewoon tot hij klaar was. Na een tijdje richtte hij zich op en glimlachte haar teder toe. 'Kom, dan stoppen we je weer in bed,' zei hij.

Marnie

Inademen. 'Ik ga.' Uitademen. 'Dood.'
Inademen. 'Ik ga.' Uitademen. 'Dood.'
Inademen. 'Ik ga.' Uitademen. 'Dood.'
Inademen. 'Ik ga.' Uitademen. 'Dood.'
Inademen. 'Ik ga.' Uitademen. 'Dood.'
Inademen. 'Ik ga.' Uitademen. 'Dood.'
Inademen. 'Ik ga.' Uitademen. 'Dood.'
Inademen. 'Ik ga.' Uitademen. 'Dood.'

Ik ga dood. Ik ga dood. Ik ga dood. Ik ga dood. Ik ga dood. Ik ga dood. Ik ga dood. Ik ga dood. Ik ga dood. Ik ga dood. Ik ga dood. Ik ga dood. Ik ga dood. Ik ga dood. Ik ga dood. Ik ga dood. Ik ga dood. Ik ga dood. Ik ga dood.

Inademen. 'Ik ga.' Uitademen. 'Dood.'

Het was de verkeerde mantra. Het moest zijn: Inademen. 'Alles.' Uitademen. 'Is goed.' Alles is goed. Alles is goed. Alles is goed. Alles is goed. Alles is goed. Ik ga dood. Ik ga dood. Ik ga dood. Ik ga dood. Ikgadoodikgadoodikgadoodikgadoodikgadood.

Maar ze ging niet dood. Ze wilde alleen dat het wel zo was.

Het zachte geklingel van belletjes. De stem van Poppy, die zei: 'Kom maar terug in de kamer.'

Ze deed haar ogen open. Acht andere mensen, voornamelijk vrouwen, zaten in een kring in het flakkerende kaarslicht.

'Hebben jullie het gevoeld?' Poppy had tegen hen gezegd dat ze zich moesten concentreren op hun ziel. 'Hebben jullie contact gemaakt?'

Ja, mompelden de stemmen, ja, ja.

'Laten we de kring dan maar even rondgaan en onze ervaringen met elkaar delen.'

'Mijn ziel is een zilveren schijnsel.'

'Mijn ziel is een gouden bal.'

'Mijn ziel is wit en glanzend.'

'Marnie?'

Haar ziel? Die leek het meest op een tomaat die al vier maanden onder in de koelkast lag. Zwart, stinkend en rottend. Eén aanraking en alles viel uit elkaar. Het zat binnenin haar en bezoedelde haar hele wezen met viezigheid.

Ze deed haar mond open. 'Mijn ziel...'

'Ja?'

'...is als de zon.'

'Wat een prachtige beeldspraak,' mompelde Poppy.

Ze liep op haar tenen naar de mozaïekschaal en legde er een zorgvuldig gevouwen briefje van tien pond in. Ze gaf altijd meer dan de anderen.

'Tot volgende week,' fluisterde Polly, die met haar lange benen in kleermakerszit op de grond zat.

Ja, ja en vergeet niet te lachen.

Ze liep snel het pad af om naar haar auto te gaan, stapte in en sloeg het portier dicht. Waarschijnlijk harder dan strikt noodzakelijk was.

Ze had haar buik vol van meditatie.

Maar medicatie... Dat was een heel ander verhaal.

'Geen verbetering?' vroeg dr. Kay.

'Nee. Hooguit slechter.' Ze had niet naar Dublin moeten gaan. Nadat ze haar familie tot en met het weekend een vrolijk gezicht had moeten tonen, zat ze nog dieper in de put dan anders.

'In dat geval moeten we je maar iets sterkers geven.' Dr. Kay bestudeerde Marnies gegevens. 'Je mag wel 75 mg meer hebben.'

'Ik wil liever... kan ik geen ander merk proberen?' Het was hoog tijd voor iets beters. 'Mag ik Prozac hebben?'

'Prozac?' Daar keek dr. Kay van op. 'Prozac is eigenlijk oude koek. Dat schrijft niemand meer voor. De medicijnen die je momenteel slikt, zijn van hetzelfde soort, alleen nieuwer en geraffineerder. Minder bijwerkingen en toch effectiever.' Ze pakte haar medicijnenencyclopedie. 'Ik kan het je wel laten zien.'

'Nee, dank u, dat hoeft niet.' Ze kon het geduld niet opbrengen om te wachten tot dr. Kay Prozac had opgezocht en haar liet zien wat de bijverschijnselen waren en vervolgens dat andere middel ging opzoeken. Het zou waarschijnlijk nog geen minuut duren, maar een minuut was al te lang. 'Alstublieft. Ik wil graag Prozac proberen. Daar heb ik een goed gevoel over.'

'Maar... als we nou eens... heb je wel eens aan therapie gedacht?'

'Ik heb therapie gehad. Jarenlang.' Af en toe. 'Ze hebben me van alles geleerd, maar... ik voel me nog steeds afschuwelijk. Alstublieft, dr. Kay...' Ze wist maar één ding: ze ging de deur niet uit zonder recept voor Prozac.

Dr. Kay zat haar weifelend aan te kijken.

Geef me alsjeblieft Prozac.

Toen sloeg dr. Kay haar ogen neer. Marnie had zich er zo op geconcentreerd dat ze moest wachten, dat het haar overviel.

'Oké. We geven je een recept voor een paar maanden, om te zien hoe dat je bevalt.' Dr. Kay pakte haar receptenblok op. 'Is er verder nog iets, Marnie? Iets waar je je... zorgen over maakt?'

'Nee. Dank u, hartelijk bedankt. Dank u wel.'

Ze liep dankbaar de spreekkamer uit, met het recept in haar hand geklemd.

Het was algemeen bekend. Prozac werkte.

Toen ze de voordeur openduwde, kwam Nick de keuken uitgeschoten. Hij zag er verontrust uit. Wat was er aan de hand?

En toen wist ze het ineens. 'Weer geen bonus?'

'Wat?'

'Geen bonus. Heb je dat nu te horen gekregen?'

'Nee, dat is het niet.' Hij pakte haar bij haar armen. 'Waar zat je, verdomme?'

'Dat heb ik toch gezegd. Bij de dokter.'

'Maar het is acht uur.'

'Ik had geen afspraak, dus ik moest wachten. Waar zijn de meisjes?'

'In de speelkamer.'

Ze zaten naar *Beauty and the Beast* te kijken. Alweer. Daisy lag languit op de bank, met haar benen over de armleuning. Verity zat helemaal opgekruld op haar duim te zuigen.

'Hallo, lieverds.'

'Hoi, mam.'

'Hoe was het op school?'

Geen antwoord. Ze waren in trance. Ze had ergens gelezen dat als kinderen tv keken hun stofwisseling op een nog lager pitje stond dan als ze sliepen.

'Hoe lang zitten ze daar al naar te kijken?'

'Ongeveer een uur.'

'O, Nick. Had je niet met ze kunnen spelen? In plaats van ze voor de tv te zetten?'

'Had jij niet eerder thuis kunnen komen?'

Hij liep achter haar aan naar de keuken, een stap achter haar, als een schaduw. Ze trok de koelkast open en vroeg zich af wat ze moesten eten.

Ze voelde dat hij naar haar keek en draaide zich om.

'Wat is er?'

'Hoezo?'

'Waarom sta je zo naar me te kijken?'

'Hoe laat ben je van je werk weggegaan?'

'Wat heb je hun te eten gegeven?'

'Lasagne. Hoe laat ben je weggegaan?'

'Hoeveel heeft Verity gegeten?'

'Genoeg. Hoe laat ben je weggegaan?'

'Om zes uur.'

'Precies om zes uur?'

'Dat weet ik niet, Nick.' Ze zuchtte. 'Min of meer. Misschien drie minuten over zes, of vijf over zes.'

'En je bent rechtstreeks naar de dokter gegaan?'

'Ik ben rechtstreeks naar de dokter gegaan.'

'En daar heb je al die tijd gezeten?'

'Daar heb ik al die tijd gezeten.'

'Wat heb je gedaan toen je in de wachtkamer zat?'

'Tijdschriften gelezen.'

'Welke?'

'Even denken... *Good Housekeeping*. *Red*. En nog een. Ik geloof dat het *Eve* was.'

'En daarna ben je rechtstreeks naar huis gekomen?'

'Daarna ben ik rechtstreeks naar huis gekomen.'

Hij bleef haar strak aankijken en ze sloeg haar ogen neer.

Er zou wel iets in de vriezer liggen wat ze kon ontdooien. Ze trok een paar laden open. Moussaka, dat was wel goed. En diepvriesdoperwten. Proteïne, als je daar niet genoeg van kreeg dan werd alles nog veel erger. Ze duwde de deur van de vriezer met haar heup dicht en toen ze zich omdraaide, stond hij vlak achter haar, zo dichtbij dat ze tegen hem opbotste. 'Jezus!'

Hij verroerde zich niet.

'Je staat me in de weg.'

Hij had haar in de hoek tussen de vriezer en de muur gedreven en stond zo dichtbij dat ze zijn adem kon ruiken.

'Nick.' Haar stem klonk rustig. 'Je staat me in de weg.'

'O ja?'

Hij bestudeerde haar gezicht alsof hij alles wat hij zag in zich opnam. Ze kon zijn gezichtsuitdrukking niet plaatsen, maar ze werd er wel zenuwachtig van. Het moment leek eindeloos te duren, toen stapte hij opzij om haar langs te laten.

Eigenlijk moest je je schamen als je maar zo'n kort ritje hoefde te maken naar je werk. Alleen mislukkelingen hadden een reistijd van twintig minuten. Echte mensen waren minstens een uur en een kwartier onderweg, dan had je tenminste iets om over te klagen. Terwijl ze voor het stoplicht op Wimbledon High Street stond te wachten, reed er een bus voor haar langs en de grote letters op de zijkant leken een boodschap te bevatten toen ze voorbijflitsten. ONBEVREESD. Het woord trof haar tot in het diepst van haar hart.

Onbevreesd. Vandaag ben ik nergens bang voor. Vandaag ben ik nergens bang voor. Vandaag ben ik nergens bang voor.

Maar toch twijfelde ze, zelfs toen ze het een paar keer herhaald had. Het voelde niet goed aan. Nee, deze boodschap was niet voor haar bestemd. Ze moest op de volgende bus wachten.

Maar stel je nou voor dat er geen bus voorbijkwam voordat het stoplicht op groen sprong? Dan zou ze het vandaag zonder boodschap moeten doen.

Ze begon ongerust te worden. Ze wilde weten wat haar te doen stond.

Niet op groen springen, niet op groen springen, niet op groen springen, smeekte ze het stoplicht.

Tussen de bomen rechts van haar zag ze een grote rode vlek glinsteren. Er kwam een bus aan. Ze keek vol verwachting toe. Wat zou erop staan? Een voor een kwamen de woorden tevoorschijn. Vries. Alles. In. Vries alles in.

Wat zou dat betekenen? Dat je alles bij het oude moest houden? Dat je geen belangrijke beslissingen moest nemen? Of zou het een praktischer advies zijn? Dat je létterlijk alles moest invriezen? Ja, daar zat wel wat in.

Toen realiseerde ze zich dat het alleen maar een reclameslogan op de zijkant van een bus was en dat het waarschijnlijk niets met haar leven van doen had.

Terwijl ze stond te wachten tot de slagboom naar de ondergrondse parkeergarage open ging, zag ze dat ze tien minuten te laat was. Daar snapte ze niets van. Ze had vanmorgen toch tijd genoeg gehad. Maar de tijd hield haar altijd voor het lapje: hij ging met een sprong vooruit, rekte zich uit en slikte zichzelf in. De tijd wilde haar aan het verstand brengen dat ze er geen controle over had en dat maakte haar bang.

Ze zette haar auto tussen Rico's Aston Martin en Henry's Land Rover. En met Craigs Jag, de Saab van Wen-Yi en Lindka's TransAm leek de garage meer op de showroom van een bedrijf in luxe auto's. Hypotheekadviseurs werden goed betaald en dit stel zeker. Haar eigen Porsche terreinwagen paste er naadloos tussen, alleen had zij, in tegenstelling tot de anderen, haar auto niet zelf betaald.

Ze keek om zich heen in de hoop dat ze de Lotus niet zou zien, maar hij stond er wel degelijk. Guy was al binnen.

Het was hoog tijd om het portier open te doen en de wijde wereld in te gaan, maar in plaats daarvan leunde ze achterover tegen de hoofdsteun. Acht uur. Vol andere mensen. Met wie ze moest praten. Vol beslissingen die genomen moesten worden.

Stap uit stap uit stap uit.

Ze kon zich net zomin bewegen als een opgeprikte vlinder, maar dat verlamde gevoel werd nog veel erger in de wetenschap dat ze weer te laat was en dat ze met de seconde later zou zijn.

Stap uit stap uit stap uit.

Ze bewoog. Ze stond al naast de auto. De steen die de plaats van haar maag had ingenomen was zo zwaar dat ze bijna niet kon staan. Ze had het gevoel dat ze wankelde toen ze naar de lift liep, alsof haar knieën haar gewicht niet konden houden.

Dood me dood me dood me.

Ze keek naar het liftknopje. Daar moest haar hand op drukken. Er gebeurde niets.

Druk op de knop druk op de knop druk op de knop.

Rico was de eerste die ze zag toen ze de deur opendeed. Hij had op haar zitten wachten en zijn donkere ogen lichtten op. 'Hoe is het ermee?'

Ik ben dood ik ben dood ik ben dood. 'Prima. En met jou?'

Toen hij haar stem hoorde, keek Guy op met een kille blik op zijn hooghartige gezicht. Hij tikte op zijn horloge. 'Twaalf minuten, Marnie.'

'Het spijt me ontzettend.' Ze liep haastig naar haar bureau.

'Vind je niet dat je me een verklaring schuldig bent?' riep hij haar na.

'Wegwerkzaamheden.'

'Daar hebben we allemaal last van en wij zijn niet te laat.'

Henry legde de telefoon neer. 'Nieuwe klant! Directeur van een bedrijf. Massa's poen.' En daar zou Henry zijn deel van krijgen. Hypotheekadviseurs kregen één procent van de prijs van elke hypotheek die ze verkochten.

'Waar heb je die gevonden?' vroeg Craig jaloers. Een nieuwe klant voor de een betekende minder procenten voor de ander. Ze beconcurreerden elkaar fel.

'Op de begrafenis van de schoonvader van een neefje.'

'Doe jij zaken op een begrafenis?' vroeg Lindka.

Henry schokschouderde. 'Met bescheidenheid kom je geen stap verder.'

Lindka pakte de *Telegraph* van Guy en sloeg de overlijdensadvertenties op. 'Ik heb hier een wagonlading vol. Zullen we ze verdelen? "Gecondoleerd met uw verlies. Hebt u misschien een hypotheek nodig?"'

Ze barstten allemaal in lachen uit.

Marnie kon net een flauw lachje opbrengen. Vroeger was ze net zo genadeloos geweest als de anderen. Op bruiloften en verjaardagsfeestjes had ze zich onder de gasten gemengd en glimlachend en babbelend voor de hand liggende vragen gesteld ('Waar woon je?') om daarna zo tactvol mogelijk ter zake te komen ('Ben je van plan om te verhuizen?'). Ondertussen had ze hardnekkig het inwendige stemmetje genegeerd dat haar voorhield dat het heel onfatsoenlijk was om tijdens familiebijeenkomst en zaken te doen. Ze had zichzelf wijsgemaakt dat het enige dat telde de telefoontjes waren die om nadere inlichtingen vroegen. Als zij haar procent van de verkoop kreeg, was dat bedrag al die minachtende blikken wel waard.

Maar zelfs op haar hoogtepunt was ze nooit een van de beste verkopers geweest, zoals Guy, de eigenaar van het bedrijf, of Wen-Yi, die een eindeloze rij huizenkopers uit het luchtledige leken te toveren. Zij kon het niet opbrengen om mensen tot het bittere eind achter de vodden te zitten. Als ze merkte dat ze geïrriteerd raakten of zich onbehaaglijk begonnen te voelen, had ze ingebonden. Vreemd genoeg had dat af en toe in haar voordeel gewerkt, als mensen haar beschaafde gedrag prettig vonden.

Toen ze in verwachting raakte van Daisy was ze ermee gekapt. Dat kon best want Nick verdiende meer dan genoeg voor hen beiden en ze wilde zich helemaal aan het moederschap wijden. Op die manier kon ze ophouden voordat iedereen in de gaten kreeg dat ze het niet meer kon opbrengen.

Ze was nooit van plan geweest om terug te komen, maar een jaar geleden had Nick zijn jaarlijkse bonus niet gekregen en toen bleken ze ineens met een angstaanjagend tekort aan inkomsten te zitten. Het bedrag waarvan ze gewoonlijk het grootste deel van de hypotheek en het schoolgeld betaalden, was er gewoon niet.

Toen de eerste schrik voorbij was en het aanpassen begon, leek het een verrukkelijke gedachte om na een pauze van zes jaar weer aan het werk te gaan. Ineens begreep ze dat ze alleen maar zo ongelukkig was, omdat ze geen geboren huismoedertje was. Ze was dol op Daisy en Verity, maar misschien had ze gewoon behoefte aan een stimulans van buitenaf.

Guy had haar met open armen ontvangen en toen ze die eerste dag binnen was gekomen, op hoge hakken en in haar nieuwe broekpak, glunderde ze van trots. Maar al binnen een paar dagen werd duidelijk dat ze het werk niet meer aankon.

Ze bracht geen nieuwe klanten binnen. Aanvankelijk dacht ze dat het kwam omdat ze niet zo vaak meer uitging, maar Nick had genoeg goed betaalde collega's die ze had kunnen aanspreken. Maar het ging gewoon niet meer en de enige verklaring daarvoor was dat ze mensen niet langer lastig wilde vallen, dat ze het vervelend vond om de aandacht te trekken en dat ze niet om dingen wilde vragen omdat een negatief antwoord haar helemaal van streek maakte.

Na vier maanden had ze nog geen nieuwe klant binnengebracht en dat was slecht nieuws voor het bedrijf, maar nog slechter voor haar, want ze verdiende geen cent commissie.

En toen was Bea, de officemanager, weggegaan en Guy had voorgesteld dat Marnie haar taken over zou nemen. Het was zowel een opluchting – nu had ze tenminste een vast salaris – als een vernedering. Ze was een mislukkeling. Alweer.

De degradatie betekende dat ze nu alleen nog maar een onbetekenende kantoorkracht was, dus er waren ook geen met alcohol besprenkelde lunches meer en op vrijdag kon ze er ook niet langer rond het middaguur de brui aan geven.

Ze werkte van negen tot zes, dus was ze verplicht om op kantoor te blijven als alle anderen het voor gezien hielden. Het leek op een soort zondeval: eerst was ze de gelijke geweest van de anderen, nu moest ze hun fotokopieën maken. Maar toch was ze ontzettend dankbaar dat ze nog steeds werk had. Guy betaalde haar meer dan ze waard was. Hij had ook voor minder geld iemand anders in dienst kunnen nemen.

Op haar bureau lag een dossier dat haar beschuldigend aankeek. Van Wen-Yi. Het was de map van meneer Lee. Ze had het gevoel dat ze in drijfzand wegzakte.

Dat dossier was behekst. Er ging steeds van alles mee mis, documenten ontbraken zonder dat ze wist waar ze gebleven waren, ze had post naar verkeerde adressen gestuurd en fotokopieën naar de bank, bijna een halsmisdaad. Daardoor was de koop van het huis ernstig vertraagd, minstens een paar weken, hoewel ze zichzelf niet toestond om precies uit te rekenen hoeveel. Maar af en toe ging haar brein uit eigen beweging aan de slag, ook al deed ze nog zo haar best het tot zwijgen te brengen. Nu ontbrak er weer een of andere verklaring. De hypotheekbemiddelaars werkten met zesentwintig verschillende banken en leeninstellingen en ze hadden allemaal verschillende eisen.

'Ik zal het formulier meteen naar hem toesturen, Wen-Yi. Het spijt me.'

'Het geld is geregeld,' zei Wen-Yi. 'We hadden de zaak vandaag kunnen afsluiten, maar dit houdt alles weer op. De verkopers zijn heel geduldig geweest, maar nu wordt toch gezegd dat ze van plan zijn het pand weer op de markt te gooien. Dat kan maar beter niet gebeuren.'

Hij draaide zich om en liep weg. De anderen deden net alsof ze niets gehoord hadden en bleven naar hun scherm kijken, met uitzondering van Rico die haar vol sympathie aankeek.

Ze liep naar de kast achter haar en zocht met trillende vingers het correcte formulier op. Er lagen echt honderden verschillende formulieren, maar Bea had een goed systeem bedacht en toen ze het had gevonden controleerde ze het wel een keer of vier, tot ze zeker wist dat ze het juiste had. Daarna begon ze het in te vullen en lette zo goed op alle details dat ze begon te zweten. Wat was er toch met haar aan de hand? Wanneer had haar zelfvertrouwen zo'n deuk opgelopen dat ze zelfs zoiets simpels niet meer zonder aarzelen kon doen?

'De post,' zei Guy terwijl hij een grote, slordige stapel enveloppen op haar bureau deponeerde. Ze schrok op. 'Sorry. Schrok je van me?'

Ze lachte bevend. 'Geeft niet.'

'Kun je alsjeblieft nu meteen de post doen?' Guy was altijd beleefd als hij haar iets vroeg. 'De getekende formulieren van de Findlaters moeten erbij zitten. Die wil ik meteen doorsturen.'

Guy stond boven Wen-Yi, de post kwam op de eerste plaats. Ze legde het formulier van meneer Lee veilig in het bakje van haar inkomende post en begon de enveloppen met haar nagels open te scheuren.

Guy fronste. 'Gebruik je briefopener.'

'Ja, natuurlijk.' Ze kon zelfs de post niet fatsoenlijk openmaken. Ze pakte de briefopener en zag in haar verbeelding plotseling hoe ze die recht in haar hart stak.

In plaats daarvan begon ze mechanisch enveloppen open te snijden en de inhoud op keurige stapeltjes te leggen.

'Hier zijn ze, Guy.' Ze hield de formulieren omhoog.

'Prima. Maak er kopieën van en stuur ze naar de bank.'

Bij het fotokopieerapparaat besloot ze om alle getekende documenten die binnen waren gekomen te kopiëren en zichzelf te dwingen zich goed te concentreren, zodat de fotokopieën in de dossiers werden opgeborgen en de originelen opzij werden gelegd om naar de banken te worden gestuurd. Ze pakte een stapeltje A4-enveloppen en liep terug naar haar bureau om de documenten naar de juiste bank te sturen. Het was een geruststellend werkje en toen ze ontdekte dat ze puur bij toeval het juiste aantal enveloppen had gepakt, veerde ze op.

Ik voel me al beter, dacht ze. Dat kwam vast door de Prozac, hoewel ze die nog niet eens had genomen. Maar het feit dat het recept in haar handtas zat, scheen al een positieve uitwerking te hebben.

En toen viel haar oog op het formulier voor meneer Lee, dat nog steeds geduldig in haar inkomende bakje lag te wachten tot het in een envelop werd gedaan en verstuurd zou worden en alle euforie verdween. Daar had ze geen envelop voor. De kast met de enveloppen en het briefpapier stond hooguit drie of vier meter verderop, maar ze slaagde er niet in om op te staan en ernaartoe te lopen. Ze snapte er niets van. Het had niets met lichamelijke uitputting te maken, haar benen voelden helemaal niet moe aan. Het was alsof er een krachtveld om haar heen hing dat haar met een onweerstaanbaar gewicht omlaag drukte. Ze had bij wijze van grap wel kunnen vragen of een van de anderen haar even kon helpen – Rico zou dat vast wel doen – maar het was wel een raar verzoek. En inmiddels was ze niet eens meer in staat om iets te zeggen. Ze was op.

Het is dringend het is dringend het is dringend.

Maar dat was precies de reden waarom ze het niet kon doen: het was te angstaanjagend.

Ik doe het zo ik doe het zo ik doe het zo.

Maar iedere keer als ze het formulier vanuit haar ooghoeken zag, had ze het gevoel alsof ze levend gevild werd, dus pakte ze het uit het bakje en stopte het in haar la, onder een pot met vitamine B5-tabletten – 'de antistress-vitamine' – en een pakje sintjanskruid.

'Marnie!' riep ma uit. 'Wat grappig dat je nu belt. Ik zat letterlijk net dat walgelijke roddelblad van Bid in te kijken – want echt lezen hoef je daarvoor niet te kunnen – en toen zag ik een foto van Paddy de Courcy en zijn "beeldschone aanstaande vrouw".'

Toen zijn verloving in augustus bekend werd gemaakt, had Grace haar meteen gebeld. 'Ik heb nieuws. Over Paddy. Hij gaat trouwen.'

Heb het lef niet om gelukkig te worden, klootzak.

'Is alles goed met je?' Grace had gespannen geklonken. Ze kon er niet tegen als Marnie verdriet had.

Marnies plotselinge opwelling van woede smolt als sneeuw voor de zon en het was ineens veel belangrijker geweest om Grace gerust te stellen. 'Ik voel me best. Maar ik ben blij dat ik het van jou hoor. Het zou niet zo... fijn zijn geweest om er op een andere manier achter te komen.'

'Pa en ma zouden erover kunnen beginnen. Ik wilde dat je daarop voorbereid zou zijn.'

Die kans was inderdaad groot geweest. Pa en ma waren het niet helemaal eens met Paddy's politieke opvattingen, maar ze bleven toch nog steeds in hem geïnteresseerd.

Ma babbelde opgewekt verder. 'Er staat hier dat Sheridan zijn getuige zal zijn als ze trouwen. Dat steekt je toch een hart onder de riem, hè, dat hun vriendschap stand heeft gehouden, ondanks de weggooitijd waarin we leven. Ik moet bekennen dat als ik Paddy tegenwoordig in zo'n pak zie en dan terugdenk aan hoe hij bij mij aan de keukentafel zat, broodmager, met die hongerige ogen en geen nagel om aan zijn kont te krabben... We hadden toch geen van allen verwacht dat hij zou opgroeien tot zo'n... nou ja, staatsman is het enige juiste woord. Zijn politieke beginselen bieden weliswaar nauwelijks houvast, maar het irritante is dat hij zoveel charisma heeft dat mensen zich daar niets van aan schijnen te trekken. Natuurlijk beweert je vader nu dat hij hem nooit heeft gemogen, maar dat is alleen maar om dwars te liggen.'

'Mmm.' Ze was even geschokt geweest, maar nu was alles weer in orde.

'In zekere zin doet Paddy me denken aan de jonge Bill Clinton,' zei ma. 'Ik vraag me af of het hem net zoveel moeite kost om zijn lul in zijn broek te houden.'

'Je moet geen lul zeggen, ma.' Gelukkig waren de anderen allemaal buiten de deur gaan lunchen.

'Dank je, kind, je bent altijd al zo'n lieve meid geweest. Wat moet ik dan zeggen? Penis? Jongeheer? Pik?'

'Pik lijkt me het best.'

'Goed, dan vraag ik me af of het hem net zoveel moeite kost om zijn pik in zijn broek te houden.'

'Ik denk het wel.'

'Ik ook. Natuurlijk heb ik geen enkele reden om zoiets te zeggen, behalve dat hij zo vaak wordt "gekoppeld" aan mooie, succesvolle vrouwen. Als je er wel pap van lust, zal het niet meevallen om dat op te geven. Maar eigenlijk kan ik ontrouwe mannen die de biologische aandrang als excuus gebruiken niet uitstaan. Maar Alicia Thornton kan haar borst natmaken.'

'Ze weet heus wel waar ze aan begint.'

'Het gerucht gaat dat ze weduwe is, hè? Waar is haar man aan gestorven?'

'Waarschijnlijk heeft hij zelfmoord gepleegd omdat hij het zat was om met haar getrouwd te zijn.'

'Waarom zeg je dat nou?' vroeg ma stomverbaasd. 'En hoe oud is ze eigenlijk?'

'Je weet best hoe oud ze is, vijfendertig, net als ik.'

'Hoe moet ik dat weten?'

'Maar ma... je kent haar toch.'

'Nee, echt niet.'

'Ma... ik kan het nauwelijks geloven... ik dacht dat je het wist.'

'Dat ik wat wist, kind?'

'Kijk eens goed naar haar foto, ma. Probeer je haar voor te stellen zonder die coupe soleil.'

Er klonk geritsel toen ma de krant oppakte.

'En zonder die make-up. Met langer haar en veel jonger.'

Ma hield plotseling haar adem in. 'Jezus christus op een bakfiets... Het is toch niet...'

'Ja, wel degelijk.'

Ze had de hele dag geen vitamine B geslikt, geen wonder dat ze zich zo ellendig voelde, maar toen ze haar la opentrok, zag ze onder het flesje met vitaminepillen het formulier van meneer Lee liggen. Ze had het gevoel dat de grond onder haar voeten wegviel. Hoe kon ze dat nu vergeten? Terwijl het zo belangrijk was? En nu was het te laat, de post van vandaag was al weg. Bevend van schrik pakte ze het velletje papier uit de la en propte het haastig in haar handtas.

Wen-Yi keek ineens op, alsof hij iets had gemerkt, en vroeg: 'Heb je dat formulier nog naar meneer Lee gestuurd?'

'Ja.'

'Marnie?' zei Rico. 'Zullen we nog gauw iets gaan drinken? Om mijn grootste commissie ooit te vieren?'

Heel even kwam ze in de verleiding, maar toen dacht ze weer aan wat er de laatste keer was gebeurd toen ze een borrel met Rico was gaan drinken.

'Nee, ik...' Ineens had ze het gevoel dat iemand naar haar zat te kijken. Ze keek om en zag dat Guy hun gesprek volgde. Hij wendde meteen zijn ogen af en zij keek Rico weer aan. 'Nee, ik kan niet, Rico.'

'Jammer.' Hij leek het echt te betreuren. Maar hij was zo'n aantrekkelijke vent, hij zou vast wel iemand anders vinden.

Vijf uur. Te vroeg om op te staan, te laat om weer in slaap te vallen. Ze moest die tijd eigenlijk nuttig besteden. Bijvoorbeeld door naar beneden te gaan en aan yoga te doen. Alleen werkte dat bij haar niet. Het moest kalmerend zijn, of juist een opkikker. En als je geluk had, kon het je hele leven veranderen. Jennifer Aniston had gezegd dat het haar door de hele scheiding van Brad Pitt heen had geholpen.

Dat formulier voor meneer Lee. Waarom had ze dat niet gewoon op de post gedaan? Het was zoiets kleins, het zou haar hooguit twintig seconden hebben gekost. Maar ze had het niet gedaan en nu moest ze boeten voor haar luiheid terwijl ze hier in de kleine uurtjes bezorgd en angstig wakker lag.

De enige manier om zichzelf gerust te stellen was door zich – opnieuw – vast voor te nemen om het te doen zodra ze op haar werk was. Nog voordat ze haar jas had uitgetrokken. Tot dan kon ze niets doen. *Ik kan niets doen ik kan niets doen ik kan niets doen.* Ze liet haar gedachten de vrije loop, op zoek naar iets wat haar houvast kon bieden. Woorden speelden door haar hoofd: op dit moment wordt ergens ter wereld iemand gemarteld. *Laat dat ophouden. Laat dat ophouden. Laat dat ophouden. Laat dat ophouden. Laat dat ophouden. Laat dat ophouden. Laat dat ophouden.*

Wie ze ook zijn, waar ze ook zijn, geef hun even respijt.

Dit was haar eigen schuld. Er was gisteren in het nieuws een item geweest over vier mannen die twee tienermeisjes ontvoerd hadden. De mannen hadden hen op diverse manieren afschuwelijk misbruikt, uit wraak voor een mislukte drugsdeal. Niet met de meisjes, maar met hun vaders.

Ze had geweten dat ze niet in de kamer moest blijven zitten. Ze had geweten dat ze daar op een gegeven moment voor zou moeten boeten. Maar een walgelijke fascinatie hield haar aan de buis gekluisterd, hoewel ze het helemaal niet had willen zien. Toch was ze stuitend nieuwsgierig naar alle vreselijke dingen die mensen elkaar aan konden doen.

Ze stelde zich voor dat het haar meiden zou overkomen. Of Grace. Ze kreeg meteen het gevoel dat ze moest kotsen.

Een beul had zoveel meer fantasie dan ze ooit had gedacht en het was logisch dat ze zich afvroeg wat dat voor mensen waren. Werden ze gedwongen om anderen te folteren? Sommigen wel, om te voorkomen dat het hun ook werd aangedaan. Maar de rest moest er wel genoegen in scheppen.

En hoe kwam het dat anderen zich daar lang niet zo intens mee bezighielden als zij? Toen ze als tiener met die angstgevoelens naar Grace was gegaan, had Grace haar opgewekt een praktisch advies gegeven: als het jou ooit overkomt, had ze gezegd, dan moet je ze gewoon meteen vertellen wat ze willen weten.

Maar dat was voordat Marnie had ontdekt dat er mensen waren die er genoegen in schepten om anderen te folteren.

Ze stak haar arm uit en pakte haar boek van de vloer. Ze zat midden in *De glazen stolp*. Alweer. Geen wonder dat ze gedeprimeerd was, had Nick gezegd. Maar ze had geprobeerd om iets vrolijkers te lezen – romannetjes die beloofden dat ze 'hardop zou moeten lachen' – en daar was ze mee gestopt omdat ze zo stom waren. Bij Sylvia Platt had ze tenminste de troost dat iemand anders dit ook had meegemaakt. Hoewel... kijk eens hoe het met haar was afgelopen.

Ze hield het boek vlak onder haar neus om de woorden in het grauwe ochtendlicht te ontcijferen. Nick draaide zich om. Ze had hem wakker gemaakt door de bladzijden om te slaan.

'Hoe laat is het?' mompelde hij.

'Tien voor halfzes.'

'Godallemachtig.'

Hij trok met een boze beweging onder het dekbed zijn knieën op en drukte zichzelf tegen het matras in een poging de slaap weer te vatten. Er werd op de deur geklopt. Trippelende voetstappen. Verity.

'Mag ik binnenkomen, mam?'

Marnie knikte en legde haar vinger tegen haar lippen – maak pappie niet wakker – en sloeg uitnodigend het dekbed open. Verity's kleine, warme lijfje kroop in het bed en ze trok haar stijf tegen zich aan.

'Mam?' fluisterde Verity.

'Ssst, maak pappie niet wakker.'

'Pappie is al wakker.' Zijn stem klonk gesmoord en knorrig.

'Mam, wat gebeurt er als jij doodgaat?'

'Ik ga niet dood.'

'En als je nou ineens naar het ziekenhuis moet?'

'Zachtjes praten, lieverd. Ik word niet ziek.'

'Wat gebeurt er als pappie zijn baan kwijtraakt?'

'Pappie raakt zijn baan niet kwijt.'

Maar de kans bestond dat hij dit jaar geen bonus zou krijgen. Weer niet.

Ze streelde Verity's haar en probeerde haar weer in slaap te sussen. Hoe kwam ze aan al die angstgevoelens? Die kwamen niet zomaar uit de lucht vallen.

Zij was Verity's moeder, dus het was vast en zeker haar schuld.

'Mam, wil je mijn haar vlechten? Niet van die gewone, maar zo'n hoge.'

'Mam! Ik kan mijn roze schrift niet vinden.'

Marnie die zenuwachtig veters in Verity's modderige sportschoenen zat te rijgen keek de keuken rond. 'Daar ligt het.'

'Nee, die niet, dat schrift met die roze glitters!'

'Kijk dan in je schooltas.'

'Het zit niet in mijn schooltas.'

'Kijk dan nog maar een keer.'

'Wil jij niet even kijken, mam?'

'Ma-am,' zei Daisy geërgerd. 'Wil je nou als-je-blieft mijn haar doen? Ik vraag je nooit iets.'

'Ja, goed, maar laat me eerst dit even afmaken. Dan pak ik jullie lunchkoffertjes in en daarna doe ik je haar. Verity! Waar is je bril?'

'Weg.'

'Zoek hem dan maar op.'

'Nee. Ik haat die bril.'

Marnie voelde een steek in haar hart. 'Dat weet ik wel, lieverd. Maar je zult hem niet altijd hoeven te dragen. Hier, vang.' Ze gooide Verity haar sportschoenen toe. 'Stop ze maar gauw in je sporttas. Kom, Daisy, dan doen we nu eerst je haar.'

'Maar je hebt gezegd dat je mijn schrift zou zoeken!' zei Verity verontwaardigd.

'En je moet eerst onze lunchkoffertjes inpakken,' zei Daisy. 'Voordat je dat weer vergeet.'

Jezus christus, dat was ze maar één keer vergeten. In hoeveel dagen? Maar er bestond geen absolutie voor een moeder. Iedere overtreding werd je eindeloos onder de neus gewreven.

'Dat vergeet ik heus niet, geef me die haarborstel nu maar.' Onhandig vlocht ze Daisy's haar. Helemaal verkeerd. In een platte vlecht in plaats van in een hoge. 'Maar wat is in vredesnaam een hoge?' Ze begon een beetje in paniek te raken. De tijd vloog voorbij en ze kon niet weer te laat komen. Ze stelde Guys geduld al te veel op de proef. Ze wist niet hoe lang hij het nog zou uithouden, maar ze wist intuïtief dat de grens bijna bereikt was.

'Eerst in een paardenstaart en die moet je dan vlechten!'

'Nou gauw dan.' Ze maakte het haar weer los en vlocht het opnieuw, maar zo haastig dat het alle kanten uitstak.

'Vooruit, opschieten!'

'De lunchkoffertjes!'

Terwijl Marnie druiven en suikervrije mueslirepen in de doosjes gooide, volgde Daisy de procedure met de ernst van een wapeninspecteur van de Verenigde Naties.

Het blik met de minizakjes organische appelchips was leeg... hoe kon dat nou?

'Papa heeft ze opgegeten,' zei Daisy. 'Ik heb nog tegen hem gezegd dat die voor onze lunchkoffertjes waren, maar hij zei dat je wel iets anders zou bedenken.'

Die verrekte Nick. Wat moest ze hen dan meegeven?

'Doe er maar meer druiven bij,' stelde Daisy voor.

Ze had geen andere keus. Marnie klikte de dozen dicht en gaf ze aan de meisjes. 'Wacht even, Daisy, ik moet nog iets aan je haar doen.' Terwijl ze bezig was, zei ze: 'Veel plezier op school en pas goed op Verity.'

Daisy wist heel goed dat ze ten opzichte van Verity in het voordeel was. Ze was aantrekkelijk, populair, intelligent en goed in sport en ze wist ook dat macht automatisch verantwoordelijkheid meebracht. Maar in plaats van zoals gewoonlijk plechtig te beloven dat ze op haar zusje zou passen, zei Daisy rustig: 'Mam, ik kan niet altijd voor Verity zorgen. Ze moet leren voor zichzelf op te komen.'

Marnie was sprakeloos. Ze keek Daisy aan en dacht: Je bent pas zes jaar. Wat was er gebeurd met haar kinderlijke onschuld? De overtuiging dat de hele wereld veilig was? Maar ze besefte ook wat Daisy bedoelde. Het was een te grote verantwoordelijkheid om altijd voor Verity op de bres te moeten staan.

Precies zoals dat bij Grace en haar het geval was geweest.

Daisy zuchtte opnieuw, een diepe, volwassen zucht. 'Ik zal mijn best doen, mam, maar ik ben er niet altijd bij.'

'Goed, lieverd, het is al goed. Maak je maar geen zorgen.'

Ze trok Daisy tegen zich aan. Nu zat ze niet alleen opgescheept met Verity's ongebreidelde angsten, maar ook met Daisy's rancuneuze schuldgevoelens.

Hoe kan ik ze beschermen tegen al het verdriet dat het leven meebrengt?

'Mam, je doet me pijn!'

'Echt waar? Sorry. Dat spijt me ontzettend.'

Ze keek in Daisy's helderbruine ogen: Ik hou zoveel van jullie dat ik geen raad meer weet met mijn verdriet. Ik hou zoveel van jullie dat ik wou dat ik jullie nooit had gehad. Geen van beiden. Jullie zouden beter dood kunnen zijn.

Het duurde heel even voordat ze zich, lang niet verbaasd genoeg, afvroeg: Overweeg ik echt om mijn kinderen te doden?

Ze zette hen af bij het hek van de school. Meestal bracht ze hen naar hun klas toe, maar daar had ze vandaag geen tijd voor. In haar achteruitkijkspiegel zag ze de beide meisjes over het plein sjokken, in hun schooluniform en bepakt en bezakt met lunchkoffertjes, sporttassen, rugzakken en muziekinstrumenten, een viool voor Daisy en een wat bescheidener blokfluit voor Verity. Ze voelde zich nog steeds schuldig toen ze zich in het verkeer voegde.

Wen-Yi hield haar in de gaten. Omdat het licht in zijn brillenglazen weerspiegelde kon ze zijn ogen niet altijd zien, maar ze had het gevoel dat ze niets kon doen zonder dat hij het zag. Vandaar dat ze onmogelijk het formulier uit haar tas kon halen om het in een envelop te doen, dat zou hij vast zien. In haar lunchpauze ging ze naar buiten om een envelop en postzegels te kopen en de brief ergens in een brievenbus te gooien. Maar er stond een lange rij in de kantoorboekhandel en er was maar één kassa open. Er waren al diverse klanten boos weggelopen.

Ze wilde niet op haar horloge kijken. Dat kon ze niet eens. Ze zou stapelgek worden als ze zag hoe de tijd voorbijvloog. Toen zei de man voor haar: 'Verdomme, het is al vijf over twee!' En ze wist dat ze terug moest naar kantoor, want ondanks het feit dat ze de meisjes bij het hek had afgezet was ze die ochtend toch weer te laat geweest.

Wanhopig legde ze de spullen die ze had gepakt weer terug en de dag eindigde zoals hij was begonnen, met het formulier van meneer Lee nog steeds in haar tas.

'Waarom bent u hier?'

'...Ik wil gelukkig zijn.' Wat een zielige bekentenis.

'En dat bent u niet?'

'Nee.'

'Waarom niet?'

'Dat weet ik niet. Ik heb alles... een man, twee schatten van kinderen, een huis...'

'Dat maakt niet uit. Daarop wordt u niet beoordeeld.'

Cognitieve Training. Ze had er een artikel over gelezen in de weekendbijlage. Na tien korte sessies had dat het leven van de journaliste volledig veranderd. Haar gevoel van minderwaardigheid was volledig verdwenen en vervangen door intense tevredenheid. Marnie had meteen het nummer onder aan de pagina gebeld, maar was niet in staat geweest om met de betreffende therapeut een afspraak te maken. Dankzij alle positieve publiciteit was ze al een jaar volgeboekt. Maar een speurtocht op het net was uitgemond bij een zekere Amanda Cook in Wimbledon, die beweerde dat ze aan 'cognitieve counseling' deed.

'Is dat hetzelfde als cognitieve coaching?' had Marnie tijdens het telefoongesprek gevraagd.

'Wat is cognitieve coaching?'

'O.' Marnie was ervan uitgegaan dat iemand die therapie gaf wel op de hoogte zou zijn van alle verschillende disciplines. 'Nou, er stond een stuk in de krant...'

'Ik moet u wel even waarschuwen,' had Amanda streng gezegd, 'er zijn in dit beroep een heleboel eendagsvliegen, die zichzelf een chique titel geven en...'

Tot haar grote schrik begon Marnies hoop weer weg te ebben en daar moest ze iets aan doen, want ze wilde geloven dat er iemand was die haar kon helpen. De titel van deze vrouw bevatte het sleutelwoord 'cognitief' en dat was goed genoeg.

'Oké, dat maakt niet uit! Kan ik een afspraak maken?'

'Wat dacht u van morgen?' had Amanda gezegd. 'Dan ben ik de hele dag vrij. Of woensdag?'

Marnies hoop had opnieuw een deuk gekregen. Ze zou zich veel geruster hebben gevoeld in de wetenschap dat deze raadgever, therapeut of wat ze ook precies mocht zijn het heel druk had.

Heel even vroeg ze zich af of ze niet beter naar een gewone non-cognitieve therapeut kon gaan, maar dat had ze al geprobeerd, diverse keren in de loop der jaren, en die hadden niets geholpen. En misschien bevond dat 'cognitieve' gedoe zich nog in een beginfase en zou de popularitet snel toenemen zodat je over drie maanden met geen mogelijkheid nog een afspraak met Amanda kon maken.

'Ik zit in een zijstraat van High Street,' had Amanda gezegd. 'Er is een hele rits winkels en ik zit boven de drogist.'

'Denkt u dat u mij kunt helpen?'

'Ja, maar u moet niet voor de deur parkeren, die plaatsen zijn alleen voor vergunninghouders. Probeer het maar op Ridley Road, daar is om kwart over zes vaak nog wel plaats. Om vijf over zeven kun je dat ook wel vergeten.'

'Oké. En mag ik dan nog vragen...' Ze wilde eigenlijk precies weten welke kwalificaties Amanda Cook had, dat had het krantenartikel aangeraden, maar dat durfde ze toch niet. Ze wilde niemand beledigen. 'Nee, eh... laat ook maar, het is zo in orde. Dus eh, tot dan.'

Terwijl Marnie op de stoffige smalle trap naar de spreekkamer op de eerste verdieping liep, vroeg ze zich af hoe de vrouw die haar zou moeten redden eruit zou zien. Een therapeut moet een wandelende advertentie voor haar eigen vak zijn, net als een kapper of een yogalerares. Als ze hun trucjes niet op zichzelf kunnen toepassen, hoe moet een ander dan geloof aan hen hechten?

Gelukkig was de eerste indruk niet ontmoedigend. Amanda was een opgewekte vrouw in een ruimvallende blouse met rok, waarschijnlijk achter in de dertig, hoewel dat moeilijk in te schatten viel bij iemand met zo'n rond gezicht. Ze had bruin haar, niet steil en niet krullend. Marnie voelde zich meteen veel te mager en neurotisch nerveus in haar zakelijke mantelpakje en met haar keurige paardenstaart.

'Ga zitten.' Ze wees naar een oranje leunstoel. Op de stoel ertegenover lag een halfleeg pak chips (garnalencocktail). Amanda veegde het opzij en liet zich in de stoel vallen.

Marnies eerste positieve indruk verdween als sneeuw voor de zon. Het was helemaal verkeerd om iemand op haar uiterlijk te beoordelen, maar ze wilde dat Amanda Cook een wonder zou verrichten en als Amanda Cook daar echt toe in staat was, zou ze dan wel zo... zwaarlijvig zijn?

Zo moet je niet denken. Hartchirurgen opereren zichzelf ook niet. Trainers van renpaarden springen niet zelf over Beecher's Brook.

Misschien, prentte Marnie zich in, was Amanda Cook juist zo tevreden met zichzelf dat het haar helemaal ontging dat ze – precies kon ze het niet inschatten, vanwege die ruimvallende kleren – een kilo of twintig te zwaar was.

'Ik werk met een combinatie van cognitieve gedragstherapie en adviezen om je te helpen je ideale leven te bereiken,' zei Amanda. 'In tegenstelling tot traditionele psychotherapie, waarbij de cliënt soms jarenlang trauma's uit het verleden moet herbeleven. Cognitieve therapie gaat alleen over het heden. Met een combinatie van visualisatie en feitelijke veranderingen heb ik heel snel succes.'

Wat een zelfvertrouwen! En dat met zulk haar. 'Altijd?' vroeg Marnie. 'Heb je altijd snel succes?'

'Ja.'

'Bij mij mislukt alles.'

'Dat denk je alleen maar, lieverd.'

Marnie wilde niet vervelend doen, maar dat was niet waar. Het was gewoon een feit dat keer op keer bewezen was. 'Heb je ook mensen zoals ik behandeld?'

'Wat bedoel je met mensen zoals jij?'

'Hopeloos... zonder de hoop... dat er ook maar iets veranderd of beter kan worden.'

'Ik mag mijn beroepsgeheim niet verbreken, maar pas geleden heb ik nog een man weerhouden om zelfmoord te plegen.'

Tja, dat was heel indrukwekkend.

'Je moet gewoon je gedachtepatroon veranderen, lieverd. Ik wil graag een paar bijzonderheden weten. Waar je woont...'

'In Wandsworth Common.'

'Leuk. In een van die grote huizen?'

'Ja...'

'Wat doet je man?'

'Effectenmakelaar, maar...'

'Ik probeer een beeld van je te krijgen.' Amanda maakte een aantekening. 'En je hebt twee kinderen. Meisjes?'

'Twee meisjes, van vijf en zes.'

'Goed, Marnie. Ik wil graag dat je je ogen dicht doet, je van de wereld afsluit en me dan vertelt hoe je ideale leven eruitziet.'

Daar keek ze van op. 'Mijn ideale leven?'

Amanda lachte. 'Je moet toch weten wat dat is, voordat je het waar kunt maken?'

Daar zat iets in. 'Maar... ik weet niet wat mijn ideale leven is!' Als ze heel eerlijk was, dan had ze ook het vermoeden dat haar leven niet het probleem was, maar zij zelf.

'Je moet je eigen dromen kennen,' grinnikte Amanda. 'En niet te bescheiden zijn!'

'Ja, maar...'

'Vergeet niet dat onze verbeelding het enige is dat ons geluk in de weg staat.'

Opnieuw wilde Marnie niet te wijsneuzerig zijn, maar die opmerking was eenvoudig te weerleggen. Het liep allemaal heel anders dan ze had verwacht. Ze had gedacht dat ze zich zouden concentreren op de harde werkelijkheid van haar leven zoals het was, niet dit zweverige gedoe over verlangens.

'Laat je dromen de vrije teugel,' drong Amanda aan. 'Lever jezelf over aan de energie, dan komen de juiste woorden vanzelf.'

Maar was dat wel zo? Ze betwijfelde het ten zeerste, maar toch wilde ze niets liever dan ongelijk krijgen.

'Vooruit, Marnie, je hoeft niet bang te zijn. Je bent hier veilig en de tijd is aan jou.'

Gedurende het grootste deel van de dag werd Marnie bekropen door een veelvoud aan intense verlangens, maar nu ze die onder woorden moest brengen kon ze gek genoeg niets bedenken. Met een groeiend gevoel van paniek pijnigde ze haar hersens op zoek naar zelfs maar het kleinste wensje. Het kon toch niet zo zijn dat haar dit ook al niet lukte, dat was echt godsonmogelijk.

'Begin maar met iets kleins,' zei Amanda. 'Zomaar iets om de bal aan het rollen te brengen.

'Oké.' De bal aan het rollen te brengen. Ze slaakte een diepe zucht. 'Het klinkt een beetje mal, maar ik zou graag willen dat ik... dingen kon repareren. Bijvoorbeeld door een kapotte ventilatorriem tijdelijk te vervangen door mijn panty.'

'Zelf je auto onderhouden?'

'Nou nee, niet precies.' Ze schrok een beetje van Amanda's reactie. 'Ik dacht meer aan aantrekkelijk en in staat om een crisis het hoofd te bieden... maar wacht even! Ik bedenk net iets.' Ze had een idee gekregen en ze klampte zich er ademloos en dankbaar aan vast. 'Ik zou graag een van die geweldige vrouwen willen zijn...'

'Geweldige vrouwen?'

'...Een van die blanke Afrikaanse vrouwen uit *White Mischief*, ook al heb ik die niet gezien. Die een vliegtuig kunnen besturen en paardrijden en spoorzoeken.'

Amanda maakte opnieuw een aantekening. 'Zou je alsjeblieft voor mij je dagelijkse leven als een van die "geweldige vrouwen" willen beschrijven?'

'Eh...' Goeie genade, hoe moest ze dat nu doen? Ze had die verrekte film niet eens gezien. 'Ik eh... ik... hoef nooit te koken, te wassen of te strijken.'

Amanda keek minachtend. 'Dus dat is jouw ideale leven. Vooruit, Marnie, geef je dromen vrij baan! Je hebt vast ook bedienden?'

'Ik denk het wel.'

'Beschrijf eens een gesprek met een van hen. Haal je de beelden voor de geest.'

'Eh...' Dit was belachelijk. 'Ik loop met grote stappen het huis in. Ik draag een rijbroek en hoge zwarte rijlaarzen... Ik val neer op een bank die bedekt is met een zebrahuid en zeg: "Breng me een grote gin-tonic, Mwaba."' En na even nagedacht te hebben, voegde ze eraan toe: 'En een beetje gauw!'

'Prima. Ga verder.'

'O. Nou, hij gaat dat drankje voor me halen en... en... ik bedank hem niet. Ik bedank nooit iemand ergens voor. Als ik ergens aankom, gooi ik de eerste persoon die ik zie de sleutels van mijn Land Rover toe en zeg: "Zet mijn auto weg."'

Marnie raakte er helemaal gedeprimeerd van. Elkaar bedanken was toch wel het minste wat mensen konden doen en zij had die arme, verzonnen Mwaba niet eens willen bedanken, alleen maar om Amanda een plezier te doen.

'Hoe zie je eruit?' vroeg Amanda.

'God, dat weet ik niet.' Dit was echt moeilijk. 'Lang, denk ik. Slank. Maar ik geef niets om mijn uiterlijk.' Dat vond ze wel goed klinken. 'Ik gebruik nooit conditioner voor mijn haar en ook geen gezichtscrème. En als ik zo'n lang, mouwloos safari-jack aantrek, ziet het er fantastisch uit.'

'Maar je bent wel mooi?'

'Ach, waarom niet?'

'Ben je getrouwd? In dat ideale leven van je?'

Geen flauw idee. 'Ja. Nee. Ja. Toen ik eenentwintig was heeft mijn eerste man zichzelf doodgeschoten en op mijn zevenentwintigste ben ik van mijn tweede gescheiden.' Ineens schoot het ene na het andere idee door haar hoofd. Misschien begon ze dit eindelijk onder de knie te krijgen. 'Ik ben vijfendertig in mijn ideale leven – ik bedoel, dat ben ik in werkelijkheid ook, maar ik heb het nog steeds over mijn ideale leven – en ik lig momenteel in scheiding met mijn derde man. Ik heb een hartstochtelijke relatie met een veel jongere man.' Het bleef even stil. 'En met een veel oudere man.' Wel ja, waarom ook niet? 'Niet zoveel ouder, een paar jaar. Vijf. Zeven. Ja, zeven jaar ouder.'

Er kwam weer een aantekening in Amanda's opschrijfboekje terecht. 'Ga verder.'

'Het is altijd verstikkend heet. Af en toe heb ik een aanval van malaria, maar dat is gewoon een excuus om nog meer gin te drinken, vanwege de kinine in de tonic. Ik zeg: "Ik lust die verrekte

tonic niet puur. Daar zou ik alleen maar nog zieker van worden."
Mijn vrienden heten Bitsy en Monty en Fenella en waar ik ook naartoe ga, ik kom altijd dezelfde mensen tegen. Af en toe vlieg ik in mijn eigen vliegtuig naar Jo'burg, maar daar krijg ik al snel de kriebels om weer terug te gaan naar de rimboe.' Ineens ging het van een leien dakje, ze zat er helemaal in. 'In de rimboe drinken we ons suf en het avondeten wordt nooit voor elf uur 's avonds opgediend, maar dan is iedereen al te dronken om te eten. We blijven constant naar de lucht kijken en vragen ons af wanneer het vliegtuig met de voorraden weer zal komen om nog meer gin te brengen.'

Amanda maakte geen aantekeningen meer. Ze zat gewoon te luisteren.

'Mijn man heeft het met dubbelslaande tong altijd over "mijn beeldschone echtgenote". Dat is ironisch bedoeld, maar hij is duidelijk zo verliefd op me, dat hij gewoon zielig is. Dan zeg ik: "Hou je bek, Johnny, je bent dronken." Vroeger was hij heel knap, maar tegenwoordig is hij opgeblazen en zijn kaken zijn slap van de drank. "Zo koud als ijs," zegt hij dan en zijn tong slaat opnieuw dubbel. "Echt ijskoud." Niemand kan tegen mij opdrinken, alleen mijn jongere minnaar." Marnie stopte even om adem te halen. Ze begon er plezier in te krijgen... maar ineens was dat voorbij.

Amanda zat haar met een vreemde blik aan te kijken, half bezorgd, half iets anders. Zou het minachting kunnen zijn?

'Nou!' Ze ging rechtop zitten en zei quasi opgewekt: 'Dat is me nogal wat, Marnie. Laten we eens zien wat ons dat heeft opgeleverd. Heb je ooit in Afrika gewoond?'

'Nee.'

'Heb je een vliegbrevet?'

'Nee.'

'Kun je een geweer afschieten?'

'Nee.' Marnies stem was tot een gefluister gedaald. 'Maar ik heb wel een mouwloos safari-jasje...' Van die blauwe maandag dat ze op paardrijles had gezeten. 'En ik heb een terreinwagen.'

'Een terreinwagen? Ja, dat geloof ik onmiddellijk.' Amanda keek neer op haar aantekenblok en Marnie besefte dat het te lang duurde voordat ze weer opkeek.

Uiteindelijk hief ze haar hoofd op en zei: 'Ik kan je niet helpen.'

Marnie bleef verstijfd zitten. Ze kon van schrik geen woord uitbrengen.

Ze vindt me gewoon een verwend, verveeld huisvrouwtje. En dat ben ik niet. Ik werk. Maar de woorden bleven in haar keel steken.

'Ik zou je gewoon kunnen laten betalen, maar dat zou onethisch zijn. Ik zal je het consult van vandaag ook niet in rekening brengen.'

Ik wil helemaal niet in Afrika wonen. Ik wil niet onbeleefd zijn tegen mensen. Dat zei ik alleen maar om jou een plezier te doen.

Marnie pakte met gebogen hoofd haar tas op en trok haar jasje aan, verbijsterd door wat zich net had afgespeeld. Zou Amanda Cook zich in haar oordeel hebben laten leiden door het feit dat ze in Wandsworth woonde en door haar – onware – heilloze aspiraties? Of zou Amanda Cook gewoon tot de slotsom zijn gekomen dat ze haar niet mocht?

Ik trek me hier gewoon niets van aan, helemaal niets.

Marnie gaf Amanda bij wijze van afscheid een knikje en liep toen de kamer uit. Ze kon zich er nog net van weerhouden om de trap af te hollen, want anders zouden haar trillende knieën er nog voor zorgen dat ze holderdebolder naar beneden viel.

Toen ze weer buiten kwam, besefte ze ineens dat er geen ingelijste diploma's aan de muur hadden gehangen. Zou Amanda Cook wel bevoegd zijn om mensen te behandelen? Maar in plaats dat ze zich daardoor beter voelde – het was tenminste geen echte therapeut geweest die vond dat ze niet aan de eisen voldeed – maakte het haar nog ellendiger. Ze had zichzelf en haar geestelijke gezondheid overgeleverd aan een vrouw die misschien wel een van die eendagsvliegen was voor wie ze Marnie had gewaarschuwd.

Dat was toch ontzettend stompzinnig van haar? Waarom had ze zo weinig eigendunk dat ze niet eens controleerde of iemand wel de juiste papieren had?

Ze hield de schaamte die ze voelde in bedwang door heel snel te lopen. Het geklik van haar hakken op het trottoir stelde haar gerust, want dat betekende dat haar benen gewoon bewogen, ook al voelden haar knieën aan alsof ze van rubber waren.

Nick wachtte haar in de gang op. Ze zag meteen dat hij zich zorgen maakte. Maar ze was niet te laat. Ze had niets verkeerds gedaan. Het kwam vast door die...

'Bonus?' vroeg ze geluidloos.

Zijn blik sprak boekdelen. De kogel was eindelijk door de kerk: weer geen bonus dit jaar.

Verdomme!

De kinderen hadden instinctief aangevoeld dat er iets rampzaligs aan de hand was en waren naar de speelkamer geslopen.

'Het is een slecht zakenjaar geweest,' zei hij verontschuldigend.

'Niemand neemt jou iets kwalijk.'

Hij was er kapot van. Hij beoordeelde zichzelf uitsluitend naar de hoeveelheid geld die hij verdiende.

'We vinden wel een oplossing,' zei ze.

Later, nadat ze de meisjes naar bed had gebracht, liep ze naar Nick die in zijn kantoor zat, omringd door stapels bankafschriften en rekeningen van creditcardmaatschappijen.

'Waar blijft het allemaal?' vroeg hij hulpeloos. 'Alles is zo duur.'

Vooral hun hypotheek kostte handenvol geld. Maar Nick had per se naar het grote huis willen verhuizen en Marnie had zich erbij neergelegd toen hij zei dat ze dat gemakkelijk konden betalen.

'Laten we maar een lijstje maken van dingen waaraan we het meest uitgeven en dan beslissen wat niet noodzakelijk is,' zei ze. Maar dat was gemakkelijker gezegd dan gedaan. Nick wilde geen goedkopere school voor de meisjes, Marnie kon niet zonder het kindermeisje of de werkster.

De kritiek op haar medische uitstapjes – meditatie, acupunctuur, cognitieve therapie – werd gepareerd met de opmerking dat ze daarmee ophield omdat het allemaal toch niet hielp en de vraag of hij dan misschien niet zijn lidmaatschap van de fitness op kon zeggen. Maar dat was al voor een jaar betaald, dus zette ze zich schrap voor een écht pijnlijk onderwerp. 'Je auto...'

'Ben je nu helemaal gek geworden? Als ik bij mijn werk aankom in een Ford Fiesta kan ik net zo goed "mislukkeling" op mijn voorhoofd laten tatoeëren. Ik heb een Jag nodig om respect af te dwingen. Waarom neem je zelf geen Ford Fiesta?'

'Prima. Dat maakt me niets uit.'

Maar dat maakte Nick nog bozer. Ze zou zich er wél druk over moeten maken.

'Vakanties,' zei ze. 'Die kosten ons handenvol geld.'

'Maar we hebben die vakanties nódig!'

Dat hadden ze helemaal niet, net zomin als de pakken van duizend pond die hij met drie stuks tegelijk kocht, of de peperdure handtassen die zij zonder na te denken aanschafte.

Maar Nick had het juist prachtig gevonden als zij met geld smeet. Dat zijn vrouw zich een kappersbeurt van honderdvijftig pond kon veroorloven, betekende dat hij een succesvol man was. En dat hij haar nu moest vragen om zuiniger te gaan leven was een regelrechte vernedering.

'In ieder geval hebben we elkaar nog,' zei hij. 'We komen er wel weer bovenop.'

Het was zo'n aperte leugen dat ze niet wist wat ze moest zeggen.

'Ik wil trouwen met een rijke vent, die met me wil pronken.'

Het was Marnies zestiende verjaardag (en die van Grace ook, natuurlijk) en het gesprek tijdens de feestmaaltijd was via wat omwegen terechtgekomen op wat de toekomst zou brengen.

Grace had verklaard dat ze journaliste wilde worden. Leechy, die altijd aanwezig was tijdens familiefeestjes, zei dat ze 'in de zorg' wilde gaan werken.

'Misschien wel als verpleegster,' had ze gezegd.

'Als dokter,' had ma haastig verbeterd. 'In dit land moet je geen verpleegster worden. Dan verdien je niks en je moet dag en nacht werken.'

Daarna hadden ze allemaal naar haar gekeken. En wat wil jij later worden, Marnie?

Ze had geen flauw idee. Ze had nu al het gevoel dat ze volwassen was – soms voelde ze zich zelfs volkomen afgeleefd – en er was eigenlijk niets wat haar aantrok. Het enige wat ze zeker wist, was dat ze kinderen wilde hebben, maar in dit gezelschap was dat geen optie.

'Kom op, Marnie, wat wil je later worden?

'Gelukkig.'

'Maar wat voor werk wil je gaan doen?' had Bid gevraagd.

Omdat ze zich schaamde dat ze weer eens het buitenbeentje was, had ze even overwogen om te zeggen dat ze stewardess wilde worden, maar toen besefte ze ineens dat ze hen nog meer tegen de haren in kon strijken door te zeggen dat ze met een rijke man wilde trouwen. Niet dat die kans erin zat, want daarvoor was ze gewoon niet lang genoeg. Net als wanneer je politieagent of mannequin wilde worden, was er een minimum lengte vereist voor vrouwen met wie gepronkt kon worden.

'Met een rijke vent trouwen!' had ma verontwaardigd uitgeroepen. 'Zo heb ik je niet opgevoed, Marnie Gildee!'

'Niet zomaar een rijke vent,' had Marnie luchtig gezegd. 'Eentje die met me wil pronken.'

Ze had het alleen maar gezegd om hen te choqueren, want ze had zich ontzettend onbehaaglijk gevoeld omdat Grace en Leechy zo zeker van zichzelf waren. 'Je bent toch zelf ook getrouwd,' zei ze beschuldigend tegen ma.

'Maar dat was niet het enige doel in mijn leven.' Ma was haar hele leven actief geweest in de vakbondswereld. Zo had ze ook haar man leren kennen.

'Je bent niet eens blond,' was Bid ineens onverwacht venijnig tegen Marnie uitgevallen. 'Dat soort vrouwen is altijd blond.'

'Als het echt nodig is, kan ik ook best blond worden. Het heeft voor mij toch geen zin om toekomstplannen te maken,' zei Marnie. 'Ik ben een hopeloos geval, ik kan helemaal niets.'

'Jij? Je bent juist ongelooflijk begaafd,' zei ma met stemverheffing. 'Jij zou alles kunnen doen, als je maar wilde. Je bent veel intelligenter dan Grace en Leechy... sorry, meiden, maar het heeft geen zin om eromheen te draaien. Het is misdadig om zoveel aanleg te verspillen.'

'Heb je het over mij?' Marnie was bijna boos geworden. 'Verwar je me niet met iemand anders?'

Zij en ma hadden elkaar woedend aan zitten kijken, voordat ma haar ogen afwendde. Ma geloofde niet in slaande ruzies tussen moeders en tienerdochters. Dat was een mythe die door tv-series in het leven was geroepen.

'Zelfvertrouwen,' zei ma, 'dat is het enige waar het jou aan ontbreekt.'

'Ik ben een hopeloos geval,' had Marnie haar opnieuw onder de neus gewreven.

Ze had vervolgens het bewijs geleverd dat ze gelijk had, want tegen de tijd dat Grace al voor de *Times* op pad werd gestuurd om verslag te doen over verminkte lijken, had Marnie met matige cijfers een studie economie afgerond en haar eigen voorspelling waargemaakt door geen baan te kunnen vinden. Toen was het pas tot haar doorgedrongen dat ze niet gelogen had toen ze zei dat ze wilde trouwen.

Zonder man voelde ze zich klein en kwetsbaar. Een vriendje was niet goed genoeg, zelfs geen vaste vriend. Ze wilde een ring om haar vinger en een andere achternaam, omdat ze van zichzelf niet goed genoeg was.

Maar trouwen was niet zo gemakkelijk als ze had gedacht.

Er waren twee soorten mannen: de types die zo weinig mee hadden gekregen van Paddy's stralende charisma dat ze niet eens kon hebben dat ze haar aanraakten en de Goeie Kerels. Met hen verging het haar precies hetzelfde als bij haar sollicitaties: aanvankelijk was het enthousiasme groot, maar zodra het gesprek op een bepaald punt was aanbeland veranderde er iets. Dan kregen ze ineens door hoe ze werkelijk was en trokken ze zich schoorvoetend terug.

Het was haar eigen schuld. Ze werd altijd dronken en vertelde dan precies wat er in haar hoofd omging. Op een ochtend werd ze wakker met een flinke kater en herinnerde ze zich dat ze de avond ervoor tegen Duncan, een vrolijke, zorgeloze advocaat, had gezegd: 'Vraag jij je nou nooit af waarom we geboren worden met een beperkt vermogen om plezier te maken en met een onbeperkt vermogen om te lijden? De top van blijdschap is snel bereikt, maar als we in de put zitten, blijkt die bodemloos te zijn.'

Hij had geprobeerd daar iets tegenin te brengen, hij was per slot van rekening niet voor niets advocaat, maar haar doffe ellende werd hem toch te veel. Uiteindelijk had hij bijna in paniek gezegd: 'Je hebt hulp nodig. Ik hoop dat het je lukt om alles op een rijtje te krijgen.' Hij had het etentje betaald en haar naar huis gebracht, maar ze wist dat ze hem nooit terug zou zien.

Inmiddels was ze halverwege de twintig, woonde ze in Londen en had ze een soort vast patroon ontwikkeld waarbij ze alle Goeie Kerels afstootte en zichzelf was gaan haten omdat ze daar kennelijk geen eind aan kon maken. Ze ontmoette vaak genoeg nieuwe mannen, maar ze slaagde er steeds weer in om alles voor zichzelf te verpesten.

Rond haar zevenentwintigste begon Marnie eraan te wennen dat ze 's morgens veel te vroeg en in paniek wakker werd. Ze raakte steeds meer geïsoleerd en was een soort optelsom van al haar mislukkingen geworden. Ze zag er geen gat meer in.

En toen leerde ze Nick kennen. Knap (ook al was hij aan de kleine kant) als een ruwe diamant en met een soort pocherig haantjesgedrag waar ze om moest lachen. Het werk dat hij deed vereiste stalen zenuwen, hij was dol op kinderen en zijn optimisme was aanstekelijk. Hij was absoluut een Goeie Kerel. En hij had zijn zinnen op haar gezet vanaf het moment dat hij haar in het oog kreeg. Ze herkende die blik, want die had ze vaak genoeg bij anderen gezien, maar veel hoop had ze niet. Ze wist wat er vervolgens zou gebeuren. Ze kon zich nog zo vast voornemen om niet te drinken, maar ze zou toch dronken worden en zich raar gaan gedragen. Maar het vreemde was, dat Nick zich daar niets van aantrok.

Toen ze hem vertelde welke verschrikkelijke dingen allemaal door haar hoofd speelden, begon hij vertederd te lachen. 'Vertel me eens waarom je je dat soort dingen in je hoofd haalt, honnepon.'

Hij begreep haar niet helemaal, maar hij deed zijn best. Zijn bedoelingen waren duidelijk: hij was vast van plan haar gelukkig te maken. Al zijn ondernemingen hadden altijd succes opgeleverd en dat moest zo blijven.

Zij, van haar kant, vond hem heel bijzonder. Hij had nauwelijks opleiding gehad, maar hij kon overal zinnig over meepraten. Het was net alsof hij altijd haast had en constant in beweging was. En hij liep altijd net een tikje voor, of het nu om wijn, vakantiebestemmingen of kappers ging...

Dat hij in modieus opzicht de vinger aan de pols had, vond ze bijna net zo geruststellend als het feit dat hij zo sentimenteel was. Alles wat met kinderen of dieren te maken had, kon Nick tot tranen toe ontroeren en hoewel ze hem vaak plaagde dat hij gewoon een super gevoelige cockney was, vond ze dat een hele opluchting. Als hij kil was geweest, was ze vast op hem afgeknapt.

'Waarom hou je eigenlijk van me?' vroeg ze. 'Toch niet omdat ik uit de middenklasse kom? Zeg alsjeblieft niet dat je door middel van mij een stapje hogerop wilt.'

'Ach, schei uit!' was het antwoord geweest. 'Wie maalt er nou om dat soort dingen? Ik hou van je omdat je zo'n onderdeurtje bent.' Nick was zelf een meter zeventig. 'We passen precies bij elkaar.'

'Hij noemt ons Watt en Halfwatt,' zei ze tegen Grace tijdens een van hun telefoongesprekken.

'Bijnaampjes!' zei Grace. 'Dat is een goed teken.'

'Ja,' had Marnie weifelend gezegd.

'Waarom hij van jou houdt, is niet belangrijk,' had Grace gezegd. 'Waarom hou jij van hem?'

'Ik weet niet of ik wel van hem hou. Ik ben wel verliefd op hem, alsof ik echt... en hij is echt fantastisch in bed, maar ik weet niet zeker of ik van hem hou.'

Dat veranderde op een avond toen ze vrij laat vanuit een restaurant naar de plek liepen waar Nick zijn auto had geparkeerd. Ze hoorden het gerinkel van glas en toen het geluid van een autoalarm. 'Dat is mijn wagen!' had Nick meteen uitgeroepen en was op een holletje de straat overgestoken om te zien of alles in orde was. 'Heb je je mobiel bij je, Marnie? Blijf hier maar wachten.'

Daarna rende hij op de drie kerels af die in zijn auto probeerden in te breken. Ze zagen hem aankomen en gingen ervandoor, maar tot Marnies grote verbazing zette Nick de achtervolging in. De drie mannen splitsten zich op en renden allemaal een andere kant op, maar Nick bleef achter de grootste aan lopen. Nick had een strak, pezig lijf en hij was snel. Ze holden een steegje in dat naar een woonwijk leidde en een paar minuten later kwam Nick hijgend en teleurgesteld terug.

'Ik ben hem kwijtgeraakt.'

'Dat was heel gevaarlijk, Nick, hij had je best...'

'Ik weet het,' zei hij snakkend naar adem. 'Het spijt me, honnepon. Ik had je hier niet alleen moeten achterlaten.'

Dat was wat haar betrof het keerpunt geweest: zijn moedige poging om het recht te laten zegevieren zorgde ervoor dat ze van hem ging houden.

Ze geloofde in hem.

Ze wilde zijn vrouw worden.

Ze besloot dat het de hoogste tijd was om hem mee te nemen naar Dublin om hem aan de familie voor te stellen. En dat was een groot succes.

Hij slaagde er moeiteloos in om ma en pa om zijn vinger te winden, ook al hadden ze totaal verschillende economische ideologieën. De chagrijnige Bid (die geen barst om socialisme gaf) en Big Jim Larkin (de hond voor Bingo) lagen aan zijn voeten. 'Je moet hem gewoon wel aardig vinden,' had Grace gezegd en zelfs Damien had schoorvoetend moeten toegeven dat Nick 'best een aardige vent' was.

'Je dagen als vrije meid zijn geteld,' zei Grace tegen Marnie.

En daar had het alle schijn van. Een man had dwars door haar bedrieglijk aantrekkelijke uiterlijk gekeken en zich niet laten afschrikken door de duisternis die daarachter schuilging. Maar voor alle zekerheid bleef ze het controleren.

'Waarom hou je van me?' vroeg ze Nick om de haverklap.

'Je bent te goed voor deze wereld.'

'O ja?'

'Ja! Ik ken niemand die zo zachtaardig is als jij. Kijk maar hoe je altijd tranen met tuiten zit te huilen om mensen die je niet eens kent.'

'Dat is niet zachtaardig, dat is… neurotisch.'

'Zachtaardig,' hield hij vol. 'En je bent ook hartstikke intelligent. Bovendien heb je een paar prachtbenen, je kunt een lekkere, hete Indische maaltijd maken en als je niet zit te jammeren over de toestand in de wereld ben je behoorlijk grappig. Daarom hou ik van je.'

'Dat was de laatste keer dat ik dat heb gevraagd,' zei ze dan.

'Je mag het zo vaak vragen als je wilt, honnepon, het antwoord blijft toch hetzelfde. Ben je nou gelukkig?'

'Ja.' Nee. Bijna.

Marnie probeerde te accepteren dat ze eindelijk had gevonden waar ze zo lang naar op zoek was geweest. Maar ze kon de vrees niet van zich afzetten dat er een addertje onder het gras zat.

Er zat altijd een addertje onder het gras.

Vrijdag. Wen-Yi wachtte haar op. 'Marnie,' siste hij zodra hij haar zag. 'Meneer Lee had dat formulier gisteren moeten ontvangen. Hij hoefde het alleen maar te tekenen en terug te sturen.'

'De post is net gekomen,' zei Guy. 'Laten we maar kijken of het erbij zit.'

Terwijl ze dapper probeerde om vol verwachting elke envelop open te maken in de hoop dat het formulier erbij zat, werkte ze de post door. Ongeveer halverwege de klus begon ze zelfs echt te geloven dat het erbij zou kunnen zitten. Ze was er zo van overtuigd dat ze echt stomverbaasd kon reageren toen ze alles had geopend.

'Wat raar,' zei ze. 'Het zit er niet bij.'

'Wat? Waarom niet?' Wen-Yi liet zijn nietapparaat met een klap op zijn bureau neerkomen. 'Waar is het dan?'

Ze kon niet voorkomen dat ze een schuldige blik op haar handtas wierp en verwachtte half-en-half dat de tas zou gaan schudden en gloeien.

'Bel hem maar op,' beval de geagiteerde en geërgerde Wen-Yi. 'Probeer er maar achter te komen wat er aan de hand is.'

'Oké.'

Maar dat had natuurlijk geen enkele zin. Vandaar dat ze haar eigen nummer belde en een zakelijk verzoek achterliet of meneer Lee haar alsjeblieft zo spoedig mogelijk wilde bellen.

Daarna krabbelde ze zijn adres op een geel plakbriefje en zei zo opgewekt mogelijk tegen haar collega's: 'Ik loop even de deur uit, naar de drogist.'

Guy keek haar zonder iets te zeggen na. Er ontging hem niets.

Ze rende naar de kantoorboekhandel en slaagde er dit keer wel in om een envelop en een postzegel te kopen. Meneer Lee zou het formulier maandag ontvangen, het meteen tekenen en dan zou het dinsdag op Wen-Yi's bureau liggen. Dan zouden ze nog meer dan genoeg tijd hebben.

'Ga je mee lunchen?' vroeg Rico. 'Ik heb weer iets te vieren. Het is zo'n mooie dag dat we best naar het park kunnen gaan.'

'Ik moet eigenlijk naar Pilates, maar dat is zo'n slap gedoe dat ik blij ben met elk excuus. Wat valt er nu weer te vieren?'

'Ik heb een kantoorflat verkocht.'

'Maar een heel kleintje!' riep Craig.

Ondanks dat had Rico, die van het charme-offensief en de jongste en aantrekkelijkste van alle hypotheekadviseurs die Guy in dienst had, een geweldig jaar waarin hij de ene na de andere commissie in de wacht sleepte.

Het was een stralende, zonnige dag, warm voor de tiende oktober. Ze gingen op een bankje zitten en schopten met hun voeten de uitgedroogde herfstbladeren omhoog, die als een rood met paars tapijt op de grond lagen.

'De herfst is mijn favoriete seizoen.' Rico gaf haar een broodje.

'Mmm.' Zij had een hekel aan de herfst. Het was letterlijk een rotseizoen, vol dood en verderf. God mocht weten wat zich onder die bladeren schuilhield.

Maar ze had ook een hekel aan de zomer. Die was veel te vrolijk, op het hysterische af.

'Wat is jouw favoriete seizoen?' vroeg hij.

'De lente,' jokte ze. Maar ze had ook een hekel aan de lente, die werkte op haar zenuwen, met al die frisheid en hoop die uiteindelijk niets opleverde. Als de lente een mens was, zou ze Pollyanna heten.

De winter was het enige seizoen waarin ze zich enigszins goed voelde. Maar dat vertelde ze niemand, want als je openlijk toegeeft dat de winter je favoriete seizoen is, moet je wel net doen alsof je helemaal uit je bol gaat van sneeuwpoppen en warme chocolademelk, omdat anders iedereen begrijpt hoe raar je bent.

'Champagne, mevrouw?' Rico toverde als het ware uit het niets een fles champagne en twee flutes tevoorschijn.

Ze schrok zich dood. Daar had ze niet op gerekend. Het duurde even voordat ze weer iets uit kon brengen. 'Nee, Rico, nee. Doe dat weg. Ik moet nog massa's dingen doen. Ik kan nu niet drinken.'

'Ik dacht dat je van champagne hield.' Hij zat al aan de folie om de dop te prutsen.

'Ja, natuurlijk, maar nu niet, Rico. Alsjeblieft. Niet openmaken.'

'Wil je het dan niet met me vieren?' Zijn stem klonk overdreven onschuldig.

'Ja, natuurlijk wel, maar niet in lunchtijd.'

'Na het werk dan?'

'Vandaag niet.'

'Oké, dan bewaar ik het wel voor een volgende keer.' Ogenschijnlijk zonder rancune stopte hij de fles en de glazen weer terug in de plastic tas.

'Ben je boos op me?' vroeg ze.

'Ik zou nooit boos op jou kunnen worden.'

Het antwoord kwam te snel en te glad, maar ze was niet zeker genoeg van zichzelf om uit te zoeken wat het precies inhield. Nu wenste ze dat ze hem de fles had laten openmaken.

'Heb je nog plannen voor het weekend?' vroeg Rico die zich omdraaide om haar recht aan te kunnen kijken.

'Alleen de gewone dingen. Met de meisjes naar hun normale weekendbezigheden. En zondag zullen we wel weer naar de bioscoop gaan. En jij?'

'Ik ga vanavond na het werk een paar borrels pakken. En morgenavond ga ik uit eten.'

'Met een meisje?'

Hij knikte zonder haar aan te kijken.

Ze voelde een licht steekje – jaloezie? Het deed geen pijn, het voelde juist goed aan. Een normale reactie gaf haar altijd hoop.

'Jaloers?' vroeg hij.

'Een beetje.'

'Dat hoef je niet te zijn. Ze is niet half zo goed als jij. Dat is niemand.'

Bezorg me nou niet nog meer schuldgevoelens.

'Maar tot jij vrij bent...'

Hij pakte haar hand en speelde met haar vingers. Ze liet hem even begaan en trok toen haar hand terug.

In het vrijetijdscentrum, omgeven door hordes kinderen en de geur van verschaalde boter, dacht Marnie: ik ben de enige persoon hier die nog in leven is. Al die anderen zijn dood zonder dat ze het weten. Ik leef, maar ik ben alleen en zit gevangen. Heel even geloofde ze dat echt en ze werd bekropen door een gevoel van angst dat bijna heerlijk was.

Daisy en haar vriendinnetje Genevieve botsten tegen haar op alsof ze een vangrail was.

'We hebben snoep gekregen!'

Verity en Nick vormden de achterhoede. Nick had veel te veel zoete dingen voor hen gekocht, maar ze had geen zin om hem op de vingers te tikken. Laat ze hun tanden maar verpesten. Op een dag zouden ze allemaal dood zijn en dan maakte het niet uit als iedere tand in hun mond een zwart stompje was.

Toen zag Marnie de vrouw: lang, slank en glimlachend, het bruine haar in een zwierige paardenstaart. Aanvankelijk wist ze niet waar ze haar van kende. Maar toen ze zich dat herinnerde, sloeg de schrik haar om het hart.

Niet naar me kijken niet naar me kijken niet naar me kijken.

De vrouw – hoe heette ze ook alweer? O ja, Jules – had haar gezien en kwam naar haar toe. Ze wilde haar net begroeten en misschien zelfs bij haar komen zitten, toen ze ineens zag dat Nick naast Marnie stond. Ze sloeg haar ogen neer en liep met een flauwe glimlach voorbij.

Uiteraard had Nick alles gezien. Hij zag altijd alles. Hij was voortdurend op zijn qui-vive.

'Ken je haar?'

'Nee...'

Binnenkort was het weer zover. Ze voelde het. Net als hij. Ze wisten allebei dat het zou gebeuren.

'Nu is het genoeg!' zei Wen-Yi, toen het door meneer Lee ondertekende formulier op maandag nog steeds niet bij de post zat. 'Stuur nu meteen een nieuw formulier op! Per koerier. Zeg maar dat ze moeten wachten tot hij het heeft getekend en laat het dan meteen naar de bank brengen.' Hij had tijdens het weekend met de verkopers gesproken. 'Als het contract vandaag niet wordt getekend, kunnen we de hele deal vergeten.'

Dat betekende niet alleen dat Wen-Yi zijn één procent niet zou krijgen – en dat was veel geld – maar, nog veel erger, dat meneer Lee daar 'niet blij' om zou zijn.

Met bonzend hart pakte ze de telefoon op. Het zou best in orde komen. Omdat ze niet wist waar ze de koerier naartoe moest sturen, belde ze de mobiele telefoon van meneer Lee. Een vrouw nam op en zei met een Chinees accent: 'Meneer Lee niet hier. In China. Komt volgende maand terug.'

O nee toch.

Ze kreeg uit pure paniek een vieze smaak in haar mond.

'Wanneer is hij weggegaan?'

'Vorige week.'

'Ik... ik bel u zo terug.'

Ze liep naar het bureau van Wen-Yi en zei zacht: 'Meneer Lee zit in China. Hij komt pas volgende maand terug.'

Hij keek haar vol afschuw aan.

'Als we dit pand kwijtraken, zal meneer Lee...' Hij wreef over zijn gezicht en dacht even na. 'Stuur het formulier dan maar per koerier naar China.'

'Komt in orde,' zei ze op een quasi efficiënte toon, maar dat leverde haar alleen een blik vol walging op.

Na veel vijven en zessen slaagde ze er eindelijk in het adres van meneer Lee in Shanghai te achterhalen en als in een droom zag ze zichzelf de envelop klaarmaken en bij de deur staan wachten tot de man van UPS langskwam om hem persoonlijk de envelop te overhandigen.

Haar zelfminachting was zo groot dat ze uit zichzelf was getreden. Op een gegeven moment zou ze weer terug moeten om de waarheid onder ogen te zien, maar op dit moment was ze helemaal nergens.

'Marnie? Zin in een borrel?'

Rico stond voor haar, zo knap, zo vriendelijk, zo overtuigend. Haar enige bondgenoot. Er waren meer dan genoeg redenen om nee te zeggen en ze kende ze allemaal van buiten, maar tot haar verbazing stak een deel van haar brein daar een stokje voor en vertelde haar zonder omhaal dat ze ja moest zeggen.

Na die afschuwelijke dag, na al die afschuwelijke dagen die ze achter de rug had, smolten angst en tegenzin als sneeuw voor de zon en de beslissing was genomen. Ze had zich wekenlang met de tanden op elkaar moeten beheersen en dat ze zich nu – zo volslagen onverwachts – kon laten gaan, maakte haar duizelig van genot. Plotseling voelde ze zich heerlijk, verrukkelijk licht en vrij.

Ze was Marnie Hunter en ze hoefde aan niemand verantwoording af te leggen.

'Ik moet wel even mijn kindermeisje bellen,' zei ze tegen Rico. 'Als zij bij de meisjes kan blijven, ga ik mee.'

Maar zelfs als Melodie niet kon blijven zou ze toch meegaan om een borrel te drinken. Hoe wist ze niet, maar ze wist dat het door zou gaan.

'Melodie, met Marnie. Het spijt me ontzettend, maar ik kom vanavond iets later thuis. Er is iets gebeurd op mijn werk.' Ze zag dat Rico glimlachte.

Melodie klonk bezorgd. 'Maar mevrouw H. ik moet hier echt om kwart over zes weg.'

'Ik zal je wel wat extra geld geven.'

Toen viel haar oog op Guy. Vanaf de andere kant van het kantoor zat hij afkeurend mee te luisteren.

Nou, hij kon de klere krijgen. Ze ging gewoon iets drinken met een collega. Dat deed iedereen. Het was iets heel normaals. Ze had zin om haar hand over de telefoon te leggen en hem toe te schreeuwen: Het is iets heel NORMAALS!

'Het gaat niet om het geld, mevrouw H.,' zei Melodie. 'Ik moet naar mijn volgende klant.'

'Ik ben om kwart over zes thuis. Jezus christus.' Ze kon haar ongeduld niet bedwingen. 'Het gaat maar om één drankje.'

'Een drankje? U zei dat er iets op uw werk was. Weet meneer H. dat?'

Meneer H. kon de klere krijgen. Ze verbrak de verbinding en glimlachte naar Rico. 'Kom op, dan gaan we!'

..................................nee..................................
.........................gewichtheffen.......................
...................nee..................................
..................lichter worden...................
.........en langzaam omhoogrijzen naar de oppervlakte.

Plotseling was ze er weer. Eerst was ze er niet en nu wel. Ze had de overstap gemaakt van niet-bestaand naar bestaand, van niets tot iets. Alsof ze net geboren was.

Waar? Waar was ze dit keer geboren?

Een indruk van plafond en muren. Afgesloten. Ze was binnen. Waarschijnlijk in een huis. Iets zachts onder haar. Ze lag op een bed. Maar ze herkende de kamer niet.

Gordijnen voor een raam. Ze probeerde zich erop te concentreren, maar ze zag alles dubbel. Twee paar gordijnen, fladderend, opwaaiend, vaag. Zo meteen nog maar een keer proberen.

Tanden deden pijn, kaak deed pijn, oogkassen bonsden. Misselijkheid lag op de loer, klaar om ieder moment de kop op te steken.

Nu herkende ze het bed. Het was haar eigen bed. Beter dan een vreemd bed? Een ziekenhuisbed? Misschien niet.

Ze had iets aan, maar wat? Haar vingertoppen gleden over haar maag. Ze ging te rade bij de huid op haar rug. Koel, zacht katoen. Een nachtpon.

Nu controleren hoe erg ze eraan toe was. Eerst haar gezicht. Maar ze had geen controle over haar arm, die bewoog veel te snel en kwam met een zware, zinloze klap op haar wang terecht. Pijn. Schrik. Braakneigingen.

Haar hele gezicht deed pijn, maar geen gespleten lip. Voorzichtig liet ze haar tong door haar mond glijden en toen een van haar tanden wiebelde, voelde ze de eerste golf van ontzetting opkomen. Andere dingen kunnen wel weer in orde worden gemaakt, maar als je een tand kwijtraakt, krijg je die nooit meer terug. *Permanente schade.*

Verder omlaag controleren. Ribben waren er slecht aan toe. Bekken ook. Ruggenwervels oké. Alle schade zat dit keer aan de voorkant. Ze controleerde haar benen, door haar voeten eroverheen te laten glijden. Op beide benen zaten pijnlijke plekken die zouden opbloeien als ronde blauwe bloesems.

Ten slotte wreef ze haar voeten over elkaar. Zelfs haar voeten waren beurs. Van hoofd tot voeten... Weer een golf van ontzetting. Er zouden er nog veel meer volgen, met steeds kortere tussenpozen, tot ze uiteindelijk ophielden en ze overstelpt werd door een oneindig gevoel van doodsangst, wensend dat er voorgoed een eind aan zou komen.

De doden zijn gelukkiger te prijzen dan de levenden. Dat was een bijbeltekst, de enige die haar ooit echt had geraakt.

Hoe was het dit keer gebeurd? Dat kon ze zich niet herinneren. Nog niet. Misschien nooit. *Waar zijn de kinderen?* Paniek. *Waar zijn de kinderen?*

'Nick.' Haar zwakke stem verraste haar. Die paste niet bij dat dringende gevoel.

'Nick.' De laatste die ze wilde zien, maar ze had geen keus.

Een schaduw in de deuropening. Nick. Hij stond zwijgend naar haar te kijken.

'Waar zijn de kinderen?' vroeg ze. 'Is alles in orde?'

'Ze zijn bij mijn moeder. Ik wilde niet dat ze je zo zouden zien.'

'Sorry,' fluisterde ze.

'Als je dit ooit aan iemand vertelt,' zei hij, 'dan vermoord ik je. Begrepen?' En nog een keer, een beetje harder: 'Begrepen?'

Ze veegde het bloed van haar gezicht, verrast omdat het zoveel en zo rood was. 'Begrepen.'

Alicia

Ze boog zich dichter naar de spiegel toe, op zoek naar onvolkomen-heden. Hè nee. Ze was net een halfuur bezig geweest om zich zorg-vuldiger dan ooit tevoren op te maken en kijk nou: schilfertjes in de holtes naast haar neus. Dat zou Grace Gildee onmiddellijk zien. Heel voorzichtig peuterde Alicia de schilfertjes met een vingernagel weg. Maar nu zaten er weer ronde rooie plekken naast haar neusvleugels. Ze pakte haar make-upsponsje en bracht wat kleur op de geschon-den plekken aan. Weer schilfertjes.

Klote.

Gewoon klote.

Ze was een wrak. Ze had al diverse interviews gedaan sinds het nieuws over haar en Paddy bekend was geworden, maar ze was nooit zo nerveus als nu geweest, ook al was daar totaal geen aanlei-ding voor. Dit was haar moment van victorie, waarin ze een lange neus kon trekken naar iedereen die ooit op haar had neergekeken.

Zij was de vrouw die zo lang had gewacht dat ze alles kreeg wat ze zich had gewenst: Grace Gildee zou haar moeten interviewen, omdat zij, ja zíj, Alicia Thornton, met Paddy de Courcy ging trouwen.

Dus het was helemaal niet nodig om zenuwachtig te zijn. Grace Gildee was degene die in haar Doc Martens (of welk ander merk lompe schoenen ze tegenwoordig ook droeg) moest staan te trillen.

Ze wierp nog een laatste blik in de spiegel, om er zeker van te zijn dat ze er niet zielig en bescheiden uitzag, maar geraffineerd, vol zelf-vertrouwen en elegant. Echt mooi zou ze nooit worden, dat had ze al lang geleden geaccepteerd. En maar goed ook, want tegenover elke vleiende opmerking in de kranten over haar 'elan' stond een ginnegappende verwijzing naar haar lange gezicht. De eerste en meest kwetsende was geweest: 'In galop naar het altaar!' Ze was ontzet – en vol onbegrip – geweest over de vijandigheid waarmee haar verloving door sommige kranten was ontvangen. Er was zelfs een artikel geweest dat haar ervan beschuldigde dat ze Paddy alleen maar had geaccepteerd omdat ze daardoor een stap hogerop kon komen. En dat vond ze ronduit belachelijk. Paddy was *fantastisch*. Zelfs als hij in een poppenkast had gestaan, of aan een lopende band had gezeten om alle foute M&M's eruit te vissen zou ze nog van hem gehouden hebben.

'Kunnen we ze niet voor de rechter slepen?' had ze in tranen gevraagd.

'Welnee,' had Paddy ongeduldig gezegd. 'Je moet er maar aan wennen.'

'Bedoel je dat dit vaker zal gebeuren?'

'Ja.'

'Waarom?'

Ze had gedacht dat de media haar vol adoratie zouden omhelzen, omdat ze met Paddy ging trouwen. Iedereen hield toch evenveel van hem als zij?

'Dat is ook zo,' had Paddy zonder omhaal bevestigd. 'Ze zijn jaloers op je.'

Jaloers! Zodra dat tot haar doordrong, werd alles anders. Ze geloofde niet dat iemand ooit eerder jaloers op haar was geweest. Maar nu... nou ja... jalóérs...

Ze wierp nog een laatste blik in de spiegel en keek op haar horloge.

Vijf over elf. Zes, om precies te zijn. Grace was zes minuten te laat.

Alicia liep de keuken in, trok de deur van de koelkast open en controleerde of de wijn er nog steeds lag. Ja. Ze keek uit het keukenraam en ja, de grond was er ook nog steeds, een verdieping lager. Maar Grace was in geen velden of wegen te bekennen.

Inmiddels was ze al acht minuten te laat.

Wat moest ze doen? Ze had gevraagd of Sidney Brolly, de persman van NewIreland, weg wilde blijven omdat ze dit interview in alle privacy wenste te doen. Maar als hij er wel was geweest, zou hij nu het nummer van Graces mobiel bellen om uit te vissen waar ze bleef.

Of zou Grace helemaal niet komen? Met Grace wist je immers maar nooit...

Jezus! De bel! Alicia's gespannen zenuwen reageerden met een schok. Die bel had nog nooit zo schel geklonken. Hoe kreeg Grace dat in vredesnaam voor elkaar?

Alicia drukte op de knop om de benedendeur open te maken en een paar minuten later hoorde ze iemand het halletje binnenkomen.

Ze wierp nog een laatste blik in de spiegel – die verrekte schilfertjes zaten er nog steeds – en deed toen de voordeur open.

O, god, Grace zag er nog precies hetzelfde uit. Kort haar, uitdagende ogen, in een spijkerbroek en een kaki jack, een van de lelijkste dingen die ze ooit had gezien.

'Grace! Wat enig om je weer te zien.' Ze boog zich voorover om haar met een kus te begroeten, maar Grace wendde haar hoofd af en wist haar te ontwijken. 'Kom alsjeblieft binnen. Zal ik je jas aanpakken?'

'Hallo, mevrouw Thornton.'

Mevrouw Thornton? 'Mevrouw Thornton? Grace! Ik ben het! Zeg maar gewoon Alicia.'

'Alicia.'

Ze voelde een spoortje twijfel opkomen. 'Je weet toch wel wie ik ben, Grace?'

'Alicia Thornton.'

'Maar je herinnert je mij toch wel?'

'Laten we maar beginnen,' zei Grace alleen maar. 'Waar wil je gaan zitten?'

'Hier...' Volkomen uit het veld geslagen liep Alicia voor haar uit naar de zitkamer. Het was duidelijk dat Grace wist wie ze was, want anders zou ze vast veel aardiger zijn geweest.

'Leuke flat,' merkte Grace op.

'Nou ja, daar kan ik me niet echt op laten voorstaan...'

'...omdat het Paddy's flat is, hè? Wanneer ben je bij hem ingetrokken?'

'Ik woon hier niet,' zei ze haastig. 'Ik heb nog steeds mijn eigen huis.' In feite was het maanden geleden dat ze een nacht in haar eigen huis had doorgebracht, maar Paddy had gezegd dat ze de schijn moesten ophouden. De Ierse kiezer was onberekenbaar, zei hij. Het ene moment zo liberaal als je maar kon wensen, het volgende moment vuurspuwend over mensen die 'in zonde leefden'. In feite had Paddy geprobeerd om haar zover te krijgen dat ze écht apart bleven wonen tot na de bruiloft, maar op dit punt had Alicia haar poot stijf gehouden. Ze had al zo lang op hem moeten wachten, ze hield zo ontzettend veel van hem dat ze het gewoon zonder hem niet uithield.

'Waarom doen we dit interview dan niet in jouw huis?' vroeg Grace.

'Omdat eh...' De waarheid was dat ze had willen opscheppen tegenover Grace: kijk eens naar mij, verloofd met Paddy de Courcy, en ik woon zelfs met hem samen! Maar alleen iemand die niet goed wijs was, zou dat toegeven.

Ze besloot de vraag te negeren. 'Mag ik je iets aanbieden, Grace? Koffie? Een glaasje wijn?'

'Nee, dank je.'

'Zelfs geen glaasje wijn? Per slot van rekening is dit toch een soort reünie,' voegde ze er dapper aan toe.

'Nee, bedankt.'

'Een asbak? Rook je nog steeds?'

'Ik rook niet. Laten we maar beginnen.' Grace zette haar cassetterecorder aan. 'Waar ben je opgegroeid?'

'... Dun Laoghaire.'

'Waar heb je op school gezeten?'

'... Maar Grace, dat weet je toch allemaal allang?'

'Ik moet alle bijzonderheden op een rijtje hebben. En ik zou het op prijs stellen als je gewoon antwoord zou willen geven.'

'Ik sta hier niet terecht voor moord.' Alicia probeerde luchtig te klinken. 'Ik bedoel, het lijkt allemaal zo formeel.'

'Zo werk ik nu eenmaal. Je hebt specifiek naar mij gevraagd. Als het je niet bevalt, heeft de *Spokesman* nog een heel stel andere journalisten.'

'Maar ik dacht dat... het juist minder formeel zou zijn, omdat we elkaar kennen.' Natuurlijk was dat niet de reden geweest waarom ze Grace had willen hebben, maar dat maakte verdorie toch niets uit?

'We kennen elkaar niet,' zei Grace kortaf.

'Maar dat is...'

'We hebben elkaar misschien ooit gekend,' zei Grace, 'maar dat was lang geleden en het heeft niets met het heden te maken.'

Alicia schrok van die opmerking, waarbij alle vijandigheid die Grace tot dan toe nog had ingehouden ineens aan de oppervlakte kwam. Ze had gehoopt dat het heel anders zou lopen, in het volste vertrouwen dat Grace zich vriendelijk, verzoeningsgezind en misschien zelfs wel nederig zou opstellen en haar, gezien de omstandigheden, als een gelijke zou behandelen. In haar verbeelding had ze zelfs samen met Grace hartelijk gelachen om hoe alles was gelopen.

Maar in dat opzicht had ze de plank volkomen misgeslagen.

Het gespannen gevoel dat Alicia de hele ochtend had gehad was verdwenen. Ze was teleurgesteld en een tikje verdrietig en zelfs – tot haar grote schrik – een beetje bang.

'Laten we maar gewoon verdergaan,' zei Grace met een blik op haar aantekeningen. 'Dus je bent... weduwe?' vroeg ze, bijna alsof ze daaraan twijfelde.

'...Ja.'

'Waar is je man aan gestorven?' Het was een brutale vraag, zonder een zweem van de sympathie die andere journalisten tentoon hadden gespreid.

'Een hartaanval.'

'Was hij al oud?'

'Nee. Achtenvijftig.'

'Achtenvijftig. Vergeleken bij jou is dat oud. Wat was zijn beroep?'

'Het was niet oud.'

'Wat was zijn beroep?'

'Jurist.'

'Net als Paddy. Hij zal wel behoorlijk in zijn slappe was hebben gezeten en jou een aardig bedragje hebben nagelaten...'

'Hoor eens, hij was helemaal niet oud en ik heb altijd een baan gehad. Ik hoefde geen geld van hem te hebben.' Ze was niet van plan om zich door Grace Gildee af te laten schilderen als een soort Anna Nicole Smith. Want dat was echt niet het geval. Hoewel de werkelijkheid waarschijnlijk niet minder prikkelend was geweest...

'Hoe lang ben je getrouwd geweest?'

'Acht jaar.'

'Acht jaar? Dat is een hele tijd. De klap moet hard aangekomen zijn.'

'Ja... behoorlijk hard.' Alicia staarde in de verte, met de trieste blik die ze van Sidney moest oproepen als haar dode man ter sprake kwam.

'En tien maanden later ben je verloofd met Paddy de Courcy. Sjongejonge, Alicia, je moet er echt kapot van zijn geweest.'

'Zo is het helemaal niet gegaan! Ik kende Paddy al jaren – dat weet je best, Grace – en hij heeft me na de dood van mijn man getroost. Die vriendschap is uitgegroeid tot liefde.'

'Uitgegroeid tot liefde,' herhaalde Grace, met een – ja, écht – spottend lachje. 'Juist. Dus jij bent de vrouw die eindelijk de ongrijpbare Paddy bij zijn kladden heeft gepakt? Wat heb je dat jou zo bijzonder maakt?'

Alicia vroeg zich af of ze bezwaar moest maken tegen dat 'bij zijn kladden gepakt', maar koos uiteindelijk voor: 'Dat kun je volgens mij beter aan Paddy vragen.'

'Ik vraag het aan jou.'

'Ik kan niet voor hem spreken.'

'Hè toe nou, Alicia Thornton, je bent toch een volwassen vrouw? Geef eens antwoord. Wat maakt jou anders?'

'Ik ben heel... trouw.'

'O ja?' vroeg Grace met een soort grimmige opgewektheid. 'En dat gold niet voor al zijn andere vriendinnetjes?'

'Dat zeg ik helemaal niet!' Jezus, Paddy zou woest zijn. Hij had tegen haar gezegd dat ze in interviews nooit iemand onderuit moest halen. Zwart op wit maakte dat een veel hardere indruk dan in de loop van een gesprek. 'Maar ik ben bijzonder standvastig.'

'Verwacht je daar in een modern huwelijk dan veel aan te hebben?'

'Wat bedoel je?'

'Het is geen geheim dat Paddy erg geliefd is bij de dames. Zou je hem ook blijven steunen als er sprake is van een overspelschandaal? Zou je dan komen opdraven voor de familiefoto bij het tuinhekje, of zou je bij hem weggaan?'

De vragen volgden elkaar te snel op. Ze wist niet wat ze erop moest zeggen. Nu had ze er spijt van dat ze Sidney er niet bij had willen hebben. Hij zou meteen ingegrepen hebben om een eind te maken aan dit soort vragen.

'Zou je blijven of de benen nemen?' drong Grace aan.

Alicia wist niet wat ze daarop moest zeggen. Ze dacht aan Paddy. Wat zou hij willen dat ze zei?

'Ik zou hem blijven steunen.'

Grace Gildee kneep minachtend haar ogen samen. 'Je moet wel een heel lage dunk van jezelf hebben als je al van tevoren weet dat je eventueel overspel vergoelijkt. Geef je daarmee je toekomstige echtgenoot geen carte blanche om zich te misdragen?'

'Welnee!'

'Je hoeft niet te gaan schreeuwen.'

'Ik schreeuwde helemaal niet. En ik vergoelijk helemaal niets. Ik zeg alleen maar dat het huwelijk een plechtige gelofte is.'

'Een plechtige gelofte?' herhaalde Grace. 'En als een van de twee die gelofte breekt, is dat voor de ander nog geen reden om dat ook te doen?'

'Ja.' Dat klonk goed.

Er waren nog geen vijftien minuten voorbijgegaan toen Grace haar recorder uitzette en zei: 'Oké, meer heb ik niet nodig.' Om de een of andere reden klonk dat als een dreigement.

Grace stond op en Alicia bleef zitten, alsof ze niet besefte dat het interview voorbij was. Het was veel te gauw. Ze had er zoveel van verwacht, maar het was heel anders gelopen dan ze had gepland.

'Mijn jas,' drong Grace aan toen Alicia wezenloos op de bank bleef zitten.

'O ja.' Alicia schrok op en haalde het afschuwelijke jack uit de halkast. 'Enig jasje,' zei ze. 'Zo'n mooie kleur.'

Grace keek haar strak aan. Het sarcasme was haar kennelijk niet ontgaan. Ze had Grace nooit voor het blok kunnen zetten. Zelfs nu niet.

In een laatste poging om de zaak te redden, zei Alicia met een warme stem: 'Vertel eens, hoe gaat het met Marnie?'

'Prima. Ze woont in Londen, is getrouwd met een fantastische man en heeft twee schatten van kinderen.'

'Geweldig. Doe haar de groeten van me.'

Grace bleef haar strak aankijken tot ze haar ogen neersloeg.

Alicia luisterde hoe Grace de trap af bolderde en kennelijk erg veel haast had om terug te gaan naar haar kantoor om het artikel te schrijven waarin geen spaan van haar heel bleef. Heel even knikten haar knieën van angst.

Ze moest Paddy bellen. In de dagen en weken voor dit interview had ze het volste vertrouwen gehad dat zij als winnaar uit de strijd zou komen. In plaats daarvan was ze met de grond gelijk gemaakt. En het was haar eigen schuld, ze had speciaal om Grace gevraagd. Paddy had het haar afgeraden, maar ze wilde het zo graag dat ze tegen Paddy had gezegd dat hij haar dit maar als huwelijksgeschenk moest geven.

'En wat voor huwelijksgeschenk krijg ik dan van jou?' had hij gevraagd.

'Wat wil je hebben?'

'Dat weet ik nog niet precies,' had hij vaag gezegd. 'Maar er kan een moment komen dat ik je vraag om iets voor me te doen en dan zou ik graag willen dat je hieraan terugdenkt en doet wat ik vraag.'

Ze had geen flauw idee waar hij het over had, maar ze had er toch mee ingestemd.

Met tegenzin toetste ze het nummer van Paddy's kantoor in.

'Hoe ging het met Grace Gildee?' vroeg hij.

'Eh... wel goed.'

'Wel goed?' Hij voelde meteen nattigheid.

'O, Paddy, het is zo'n kreng.'

'Waarom? Hoezo? Ik heb je hier verdomme nog zo voor gewaarschuwd! Ik stuur Sidney wel op haar af.'

'Nee, Paddy, niet doen. Ze heeft niets vervelends gezegd, ze was alleen niet echt aardig.'

'Wat had jij dan verwacht?'

Toen ze met Jeremy trouwde, had ze geweten dat ze niet zoveel van hem hield als van Paddy.

Maar ze had wel degelijk van hem gehouden. Jeremy was een fantastische man, intelligent en vol zelfvertrouwen, die het leven als één groot avontuur beschouwde. Hij had een grote vriendenkring, die altijd gezamenlijk overal naartoe ging, of het nu om het proeven van truffels, een jazzfestival of een helikoptertochtje over de Noordpool ging.

Vergeleken bij Jeremy had Alicia niets gezien, niets gedaan en ze wist ook van niets, maar juist die onbeholpenheid vond hij aantrekkelijk. Hij nam haar mee naar operafestivals. Hij ging met haar winkelen in Milaan. Hij nam haar mee naar een restaurant in Barcelona met een wachtlijst van zes jaar. 'Jij houdt alles fris voor me,' zei hij tegen haar.

Alles ging snel en ze was altijd druk. Zo druk dat ze min of meer vergat op te merken dat de seks niet veel soeps was.

Ze was beslist voor hem gevallen, ook al was hij drieëntwintig jaar ouder dan zij, twee jaar jonger dan haar vader. Maar Jeremy leek totaal niet op haar vader, hij was voor zijn leeftijd een knappe vent. Donker haar (geverfd, maar dat was het hare ook), donkere ogen die altijd twinkelden en een beginnend buikje dat in bedwang werd gehouden door regelmatige partijtjes tennis.

Omdat hij van al die buitenissige dingen hield, had ze eigenlijk verwacht dat hij in bed ook behoorlijk veeleisend zou zijn en waarschijnlijk een tikje verknipt (om eerlijk te zijn had ze zich daar wel zorgen over gemaakt), maar tot haar verbazing leek hij zich daar niet echt druk over te maken. Zelfs voordat ze trouwden, gebeurde het niet al te vaak en als dat wel het geval was, bleef het maar een lauwe bedoening. Daar schrok ze toch wel van en het was best teleurstellend om tot de conclusie te moeten komen dat het leven met Jeremy niet bepaald een leven vol hartstocht zou worden. Maar dat was de prijs die je moest betalen als je met een oudere man trouwde en dat ze voorbestemd was voor een oudere man, dat wist ze zeker. Met mannen van haar eigen leeftijd ging er altijd iets mis. Ze was niet knap genoeg, of niet hip genoeg, of er mankeerde iets anders aan. Maar Jeremy was bereid dat gemis door de vingers te zien.

Ze wist dat er iets niet klopte toen drie van zijn vrienden hen vergezelden op hun huwelijksreis naar Lissabon. De bittere waarheid kwam aan het licht toen ze op een avond 'toevallig' in een homobar belandden. Alicia zat vol afschuw op haar barkruk vastgenageld, terwijl haar kersverse echtgenoot, zijn vrienden en de jonge knulletjes met wie ze flirtten haar als een tamme homodiva behandelden.

Ze was ontzet over Jeremy's wreedheid.

Dus hij was homo. Maar hij had niet eens het lef gehad om haar dat te vertellen, dus wreef hij het haar maar op deze manier onder de neus.

Zodra ze zich kon bewegen, gleed ze van de kruk en liep naar de deur.

'Waar ga je naartoe?' vroeg Jeremy.

'Naar het hotel.'

'Ik ga wel mee.'

Zodra ze in hun kamer waren, begon Alicia schoenen en kleren in een koffer te gooien.

'Wat doe je nu?' vroeg Jeremy.

'Wat denk je? Ik ga bij je weg.'

'Waarom?'

'Waaróm? Je had me best mogen vertellen dat je homo bent.'

'Bi, om precies te zijn. Maar ik dacht dat je dat wist, Alicia.'

'Dacht jij dan echt dat ik het soort vrouw was dat zonder iets te zeggen met een homoseksuele man trouwt?'

De blik in zijn ogen zei voldoende. Schuldig, schichtig. Hij had niet echt gedacht dat ze het wist, maar was ervan uitgegaan dat ze zich er wel bij neer zou leggen, als ze erachter kwam.

'Waarom ben je met me getrouwd?'

'Dat weet je best.'

'Nee.'

'Omdat je het zo graag wilde.'

En dat was waar. Nu het hoge woord eruit was, moest ze toegeven dat alle actie van haar kant was gekomen. Zij had willen trouwen, dat had ze altijd gewild, want dat was normaal, dat deed iedereen. Het was zo zalig geweest om eindelijk eens een man te ontmoeten die bereid was om te doen wat zij wilde. Vóór Jeremy was ze niet eens in staat geweest om een man zover te krijgen dat hij haar belde. Maar met Jeremy had ze gewoon eerlijk kunnen zijn en bij wijze van grap dingen kunnen zeggen als: 'Hoeveel heb je opzijgelegd voor mijn verlovingsring?' of 'Waar gaat onze huwelijksreis naartoe?'

'Nou, hartelijk bedankt,' zei ze. 'Dat is heel aardig van je. Maar aangezien je homo bent, had je jezelf de moeite kunnen besparen.'

'Alicia, waarom ben jij met mij getrouwd?'

'Omdat ik van je hou.'

'En?

'Verder niks.'

'Juist,' zei hij, terwijl hij haar strak aankeek.

Toen besefte ze dat hij het wist. Misschien wist hij niet dat het om Paddy ging, maar hij wist dat er iemand anders was. Op dat moment drong tot hen door dat ze allebei leugenaars waren en dat ze allebei om de verkeerde reden aan dit huwelijk waren begonnen.

'Blijf vanavond nog maar hier,' zei Jeremy. 'Slaap er maar een nachtje over' en hij had zijn armen troostend naar haar uitgestoken. Ze gaf toe, omdat ze op haar manier echt van hem hield.

De volgende ochtend haalde hij haar over om de huwelijksreis gewoon af te maken en toen ze terug waren in Dublin was ze te gegeneerd geweest om meteen te vertrekken. De vernedering was gewoon te groot. Ze had besloten om een jaar te wachten, puur om haar gezicht niet te verliezen. En gedurende dat jaar had ze hem vergeven.

Ze sliepen nooit meer met elkaar, maar ze waren vrienden geweest, echte vrienden.

'Waarom geef je niet gewoon toe dat je homo bent?' had ze hem een keer gevraagd. 'Ierland is veranderd. Tegenwoordig kan het best.'

'Wil jij dan dat iedereen weet dat je man zich door een negentienjarige broodpoot in de kont laat neuken?'

'Is dat zo?' vroeg ze gefascineerd.

'Ja.'

Nee, ze wilde niet dat iedereen dat wist.

Maar ze vroeg zich af of Paddy het zou weten.

Ze kwam hem af en toe tegen, geen afgesproken werk maar bij grote evenementen zoals liefdadigheidsbals, en dan bleef hun conversatie beperkt tot grapjes. De eerste keer dat hij Jeremy en Alicia na hun verloving ontmoette, had hij hen zo onbeleefd zitten aanstaren dat ze zich onbehaaglijk begon te voelen. Ze kon zich nog herinneren dat ze had zitten kijken hoe hij hen zat op te nemen – wikkend en wegend – en zich had afgevraagd wat hij precies zag.

Haar zus Camilla wist het ook, omdat ze het haar verteld had. Ze moest het aan iemand vertellen, maar had daar ook meteen spijt van gehad, omdat Camilla echt een akelige opmerking had gemaakt. 'Waarom laat je zo over je lopen? Waarom ga je niet bij hem weg en wacht je tot je de ware vindt?'

'Omdat ik die al heb gevonden. Ik weet wie hij is.'

Die stelligheid was in zekere zin een troost. Het was niet haar schuld dat ze hopeloos verliefd was op een man die ze nooit zou kunnen krijgen. In vroeger tijden zou ze in het klooster zijn gegaan en daarmee was dan aan alles een eind gekomen. Als ze bij Jeremy bleef, kon ze van het leven genieten, op wintersport gaan, winkelen en plezier maken.

Ik heb een Kelly-tas van krokodillenleer, hield ze zichzelf voor.

Ik heb Tiger Woods ontmoet.

Ik heb in een privévliegtuig gevlogen.

Ze had in de *Marie Claire* een artikel gelezen over relaties waarin de partners niet meer aan seks deden. Kennelijk kwam dat veel vaker voor dan de mensen dachten of wilden toegeven. Ik ben eigenlijk normaal, fluisterde ze bij zichzelf. De mensen die aan een stuk door aan seks doen zijn juist abnormaal.

Ze wist dat het allemaal door Paddy kwam. Hij had haar voor alle andere mannen verpest.

'Misschien moet je hulp zoeken,' had haar zusje voorgesteld. 'Ga naar een psychiater of zo.'

'Een psychiater zal me niet helpen een man als Paddy te vinden.'

Haar zus drong niet verder aan. Zij viel ook op Paddy.

Ondanks het gebrek aan seks had Alicia een goed leven samen met Jeremy. Met humor, geld, drank, eten en reizen voorkwam hij dat alles te somber of te serieus werd. Hij hield van haar, dat wist ze zeker. Hij behandelde haar altijd teder en vol genegenheid.

En toen hij stierf, rouwde ze echt om hem.

's Avonds om een uur of halfelf kwam Sidney meestal de ochtendkranten bij Paddy afleveren. Normaliter was er weinig aan de hand: Sidney gaf hem de hele stapel en ging er vervolgens vandoor, waarna Paddy ze op zijn gemak begon door te bladeren. Maar die avond hing er zo'n donkere wolk om Paddy heen toen hij terugkwam naar de zitkamer, dat Alicia meteen wist dat er iets aan de hand was.

'Het staat erin,' zei Paddy. 'Het interview met Grace Gildee.'

Alicia's maag draaide zich om. Ze hadden het hooguit pas over een week verwacht.

Paddy sloeg het artikel meteen op en zat zo geboeid te lezen, dat ze over zijn schouder mee moest kijken. Het was een groot stuk, op een dubbele pagina, met een kop in dikke zwarte letters.

DOOR DIK EN DUN

Het is een waarheid als een koe dat een ongetrouwde man met een ongebreidelde politieke ambitie absoluut op zoek moet naar een vrouw.

Lieve hemel. Alicia wierp een angstige blik op Paddy. Hij las nog een paar zinnen verder en maakte toen een verontwaardigd geluid. 'Waarom heb je haar verdomme om elf uur 's ochtends een glas wijn aangeboden?'

'Ik dacht...' Wat had ze eigenlijk gedacht? Dat ze samen met Grace een tikje aangeschoten zou raken om uiteindelijk gezellig samen over die goeie ouwe tijd te gaan zitten giebelen?

Paddy las gretig alle saaie bijzonderheden door over haar opvoeding, haar schoolopleiding en het werk dat ze had gedaan. Daar was niets mee aan de hand... maar toen volgde er een ramp.

'Heb jij dat gezegd?' wilde Paddy weten.

'...Een deel daarvan...'

'En zij zei de rest, wat jij hebt beaamd?'

'...Ja...' Ze had zich te laat herinnerd dat als jij het eens bent met een uitspraak van een journalist, ze dat als citaat mogen gebruiken.

'Ik word geacht het verrekte moderne Ierland te vertegenwoordigen!'

Thorntons normen doen denken aan die uit de jaren vijftig, toen vrouwen hun overspelige echtgenoten door dik en dun bleven steunen omdat 'het huwelijk een plechtige gelofte is. En als een van de twee die gelofte breekt, is dat voor de ander nog geen reden om dat ook te doen.'

'Het spijt me, Paddy.'

'En niet een of andere verdomde achterlijke katholieke bananenrubriek! Waarom hebben we je verdomme mediatraining gegeven als je je niet eens aan de verrekte grondbeginselen kunt houden?'

'Het spijt me, Paddy.'

'Waarom wilde je Sidney er niet bij hebben?'

Maar ze wisten allebei waarom niet.

Ze las verder.

Thornton is van oordeel dat ze de rokkenjagende De Courcy heeft gestrikt omdat ze zo 'trouw en standvastig' is. Dat zal ongetwijfeld als een grote verrassing komen voor alpiniste Selma Teeley, die zes jaar geleden – met een opmerkelijk vertoon van 'trouw' – een deel van haar aanzienlijke sponsorgelden heeft opgeofferd om de verkiezingscampagne van De Courcy te financieren.

Was dat echt waar? Dat had Alicia nooit geweten. Ze keek verbaasd naar Paddy, maar wendde snel haar blik af. Dit was niet het juiste moment voor oogcontact.

Alicia besefte dat eigenlijk het ergste van het artikel was dat Grace alles volkomen correct had weergegeven. Er waren geen hatelijke tussenopmerkingen, de citaten van Alicia waren op zich al schadelijk genoeg.

Alicia klonk als een doetje dat over zich liet lopen en dat was haar eigen schuld.

Toen Paddy het artikel uit had, gooide hij de krant opzij en bleef piekerend in zijn stoel zitten. 'Stomme trut,' zei hij.

Lola

Vrijdag 17 oktober, 11.07
Wakker. Blik op de wekker. Fijn. 11.07, mooie tijd. Minder tijd te verspillen. Sinds terugkeer in de hut van oom Tom was 12.47 de beste tijd om wakker te worden geweest, maar de avond ervoor zat ik nog heel laat naar *Apocalypse Now* te kijken. Een zeer emotionele ervaring. En ook heel lang. Zette koffie en liep met mijn kom vol cornflakes en een keukenstoel naar de achterkant van het huis om met uitzicht op de Atlantische Oceaan te ontbijten. Dat was een gewoonte geworden, omdat het nog steeds prachtig weer was, ook al was het oktober.

Ierland is toch een raar land. In juli – en dan is het volgens mijn berekening toch zomer – kan het schandalig koud en nat zijn. Al die arme Amerikaanse toeristen die de Ring of Kerry moeten bekijken vanuit bussen met beslagen ramen, omdat het weer ons voor gek zet. Maar moet je nu zien! Midden in oktober! Iedere dag prachtig weer, wind en zon, strakke blauwe luchten, overijverige golven, jonge kerels die nog steeds aan het surfen zijn. Een gigantisch strand dat er doordeweeks verlaten bij ligt, afgezien van de vrouwen met een gebroken hart die daar op en neer banjeren. Zouden ze hopen dat ze op die manier het geluk terugvinden? Had me nog steeds niet bij hen aangesloten. Zou er ook niet van komen. Kwestie van trots.

Een stuk of zes, zeven surfers aan het strand, glimmend als zeehonden in hun wetsuits. Ik zou dolgraag willen surfen. Nee, dat zeg ik verkeerd. Zou dolgraag willen kúnnen surfen. Heel iets anders. Heb zo'n idee dat ik surfen helemaal niet leuk zou vinden. Water in je neus en je oren en denk eens aan je haar.

De oceaan was ineens verdacht rustig. Surfers lagen op hun buik op hun planken te wachten. Voor surfen heb je geduld nodig. Je kunt niet even een sms'je gaan versturen.

Vergiste ik me nou of lag een van hen naar mij te kijken? Jake, de halfgod? Plotseling leek er vanuit zijn richting een lichtflits te schieten die boven mijn hoofd eindigde. Geen minibliksemschicht, maar het knipperen van zijn zilverkleurige ogen.

Was het niet gewoon door water weerkaatst zonlicht? Ik kon toch niet op die afstand de kleur van zijn ogen zien, ook al waren ze belachelijk fel? Hij was een behoorlijk eind weg en ik zat met samengeknepen ogen (raar eigenlijk, waarom zou je je ogen kleiner maken om beter te zien?) te turen. Ineens zwaaide de surfer.

Het moest Jake zijn!

Iedere keer als ik Jake in Knockavoy tegen het lijf liep, schonk hij me een sexy glimlachje en keek hij me lang en veelbetekenend aan, om vervolgens de benen te nemen.

''ij valt op je,' zei Cecile als ik haar zag, wat praktisch iedere dag was.

'Dat zeg je iedere keer,' antwoordde ik dan. 'Maar hij doet er niets aan.'

''ij is 't niet gewend om achter vrouwen aan te lopen,' zei Cecile. 'De meisjes komen altijd achter 'em aan.'

'Dit meisje niet,' zei ik, alsof ik een overdosis eigendunk, waardigheid en zelfbewustzijn heb. Is niet het geval. Eerlijk gezegd zijn Jake en zijn halfgod-fratsen alleen maar een beetje afleiding, want ben nog steeds kapot van Paddy.

De wind was kil, dus naar binnen om sjaal of zoiets te zoeken. Op de bank lag een boa van roze veertjes. Precies wat ik zocht. Hoewel... Zag ineens dat ik mijn pyjama nog aanhad, plus mijn rubber laarzen en de roze boa. Moest oppassen dat ik geen excentriekeling werd. Als ik niet oplette, vroeg ik straks nog aan Bridie of ik haar groene-ruitertjestrui mocht lenen.

12.03

Afgewassen, aanrecht schoongeveegd, theedoek opgehangen en ineens weer zo'n onderdeel van een seconde waarin ik niet zeker wist wat ik daarna moest doen... Grote vergissing! Kreeg meteen gevoel van paniek en werd zo benauwd dat ik nauwelijks kon ademhalen. *Wat heb ik hier in vredesnaam te zoeken?*

Ik kon de klok gelijkzetten op die paniekaanval, want die kreeg ik iedere dag als ik de theedoek had opgehangen. Wilde meteen Nkechi, Bridie, maakt niet uit wie, bellen om te smeken: 'Mag ik alsjeblieft terugkomen naar Dublin? Mag ik nog niet naar huis?'

Was opgehouden met echt te bellen, want het had geen zin, ik mocht van niemand terug naar Dublin. Maar o mijn werk, mijn werk, mijn heerlijke werk...

Omdat ik geen man, geen kinderen, geen familie en geen bijzondere gaven heb – kan bijvoorbeeld geen bloemen uit worteltjes snijden – ben ik helemaal niets zonder mijn werk.

Bleef maar piekeren over Nkechi die ijverig bezig was mijn klanten onder mijn neus weg te kapen, totdat ik me ineens weer de puinhoop herinnerde van de laatste keer dat ik had geprobeerd te werken en moest erkennen dat het waarschijnlijk maar goed was dat ik in Knockavoy zat. Kon mijn zaak zelf sneller om zeep helpen dan Nkechi.

Wat niet hielp, was de telefoon die maar bleef rinkelen. 'Nkechi heeft waanzinnig goed werk afgeleverd!' 'Nkechi heeft me schitterend opgetut voor het Waterpokken Gala!' 'Dankzij Nkechi heb ik iedereen bij de Dysenteriebenefiet de ogen uitgestoken!' Oftewel: Nkechi is briljant, briljant, driewerf briljant. Jij bent waardeloos, waardeloos, geen knip voor de neus waard.

Bridie denkt daar anders over. 'Zijn gewoon aardig...'

'Aardig? Die vrouwen weten niet eens hoe je dat spelt.'

'...en Nkechi zorgt ervoor dat je zaak doordraait terwijl jij er niet bent.'

'Als ze voor zichzelf begint, zullen ze allemaal klant bij haar willen zijn.'

'Nee hoor. Al was het alleen maar een kwestie van de wet van de gemiddelden.'

Enige troost: Abibi is niet bepaald geliefd.

12.46

'Lola?' Een mannenstem die voor het huis mijn naam roept. Verbazing. 'Lola?'

Paddy die me komt halen! Die me komt vertellen dat het allemaal een afschuwelijk misverstand is geweest!

Nee. Natuurlijk niet. Het houdt maar niet op. Zelfs als ik er helemaal niet aan zit te denken, is er maar iets kleins nodig – bijvoorbeeld de naam van Louise Kennedy in een tijdschrift – om een hele rits ellendige gedachten op gang te brengen. Bijvoorbeeld:

'De laatste collectie van Louise Kennedy...' = Alicia Thornton draagt pakje van Louise Kennedy op foto in de krant = krant die uitkraamde dat zij de vrouw was die 'het hart van Quicksilver veroverd heeft' = Paddy gaat trouwen met andere vrouw = Pardon? Paddy gaat trouwen met andere vrouw? = ondraaglijk verdriet.

Het speelde zich allemaal in minder dan een seconde af. Ik voelde al een gloeiend hete steek van pijn in mijn hart voordat mijn hersens de tijd hadden om uit te vissen waarom. Iedere cel in mijn lichaam had het nieuws al gehoord voordat het eindelijk tot mijn arme brein doordrong.

Dat ik zonder Paddy verder moest, was het enige wat telde in mijn leven. Natuurlijk altijd verdriet gehad als het uit raakte met een vriend. Maar toch altijd nog een zweempje hoop dat de toekomst iets voor me in petto had. Toen ontmoette ik Paddy en hij was de Ware Jacob. Nu lag dat achter me en toekomst had me niets meer te bieden.

12.47

Ik deed de deur open. Een zwaargebouwde man op de stoep. Op de weg stond een vrachtwagen van DHL.

'Lola Daly?'

'Ben ik.'

'Pakje voor je. Hier tekenen.'

Vroeg me af wat het was. Wie zou me nou iets sturen?

Onder het kopje 'inhoud' stond 'schoenen'. Nu wist ik wat het was.

DHL-man keerde doos ondersteboven om het ook te lezen. 'Schoenen, hè?'

In Dublin had hij een kille blik kunnen krijgen voor die nieuwsgierigheid. Maar in Knockavoy kon dat niet. Was verplicht om met mijn schouder geleund tegen deurpost indruk te wekken dat ik alle tijd van de wereld had voor kletspraatje. 'Ja, schoenen.'

'Voor een bruiloft zeker?'

'Eh, nee, niet voor een bruiloft.' De schoenen waren toevallig ook niet voor mij, maar dat kon ik hem niet vertellen, al werd ik geacht nog zo openhartig te zijn. Zat vast aan de belofte mijn mond te houden.

'Dus je had gewoon zin om een paar nieuwe schoenen te kopen?'

'Dat klopt.'

'Je bent hier toch op vakantie?'

'Eh... nee, niet meer.'

'Hoe lang blijf je nog?'

'Eh... weet niet.' Schaamde me diep. Kon niet zeggen dat ik hier vastzat tot mijn vrienden en collega's besloten dat ik weer genoeg gezond verstand had om terug te keren naar Dublin. 'Ik eh... zie wel, snap je?'

'Dus de kans bestaat dat ik je weerzie?'

'Misschien.'

'Niall,' zei hij en stak zijn hand uit.

'Lola,' zei ik.

'Weet ik toch.'

12.57

Wachtte tot hij uit zicht was verdwenen en maakte toen doos open om inhoud te controleren. Precies wat ik had verwacht. Belde Noel van de werkloosheidsuitkeringen en zei: 'Je pakje is aangekomen.'

'Eindelijk? Dat werd tijd. Super. Kom vanavond na het werk wel langs. Hoe laat komt je uit?'

Lastig. 's Avonds altijd het drukst. Moest op de kademuur gaan zitten en met voorbijgangers over prachtige zonsondergang praten. Moest soep zonder klonten in The Oak gaan eten. Moest samen met mevrouw Butterly naar soaps kijken. Moest een lang en ernstig gesprek hebben met Brandon en Kelly over welke dvd ik mee zou nemen. Moest naar The Dungeon om tijdje met Boss, Moss en de Meester door te brengen en luisteren hoe de Meester onmogelijk lange gedichten voordroeg. Ik zat tot de nok toe vol.

Vandaag stak er een nog grotere spaak in het wiel.

'Het spijt me, Noel, maar ik krijg vrienden op bezoek die het hele weekend blijven.'

Licht verbijsterde stilte. Toen zei hij: 'O, goed hoor. Het zij zo. Zeker uit Dublin, hè, die vrienden van je?' Op een minachtende toon, alsof Dublin een pretentieus gat was.

Wacht heel even... 'Jij bent degene die om absolute geheimhouding vroeg,' zei ik. 'Ik vind het best als je je pakje komt ophalen als er hier ook andere mensen zijn.'

Noel was nogal een kruidje-roer-me-niet, maar mijn uitkering was binnen de kortste keren geregeld, zonder dat me om de gemalen hoorn van een eenhoorn of om restanten koperpoets van de heilige graal was gevraagd. Heel ongebruikelijk. En gezien de omstandigheden was het verstandiger hem niet tegen me in het harnas te jagen.

Na een kribbige stilte zei hij: 'Goed, dan wacht ik wel. Maar je mag je vrienden uit Dublin niets over mij vertellen.'

'Tuurlijk niet.' Ik loog. Ik zou ze alles vertellen, maar ze – uiteraard – laten zweren dat ze hun mond zouden houden.

'Hoe zit het met maandag?' vroeg Noel.

Maandag was nog heel ver weg. Misschien was ik dan wel officieel genezen verklaard en weer onderweg naar Dublin. Al leek dat niet waarschijnlijk.

'Maandag is prima. Kom maar na je werk.'

13.06

Laat. Haastig naar het dorp. Alsof het iets uitmaakte. Deed snel waarvoor ik gekomen was – kopen van etenswaren, wijn en veel, heel veel chocola voordat Bridie, Treese en Jem arriveerden – en toen weer rap naar huis. Trok weer pyjama en rubber laarzen aan, sloeg de boa om en sleepte de bank naar de achterkant. Bleef er de hele middag op liggen met een thriller van Margery Allingham.

Het grappige was dat als je mensen zou vragen wat hun idee van het ideale leven was, ze misschien wel mijn leventje zouden beschrijven: een huis in een werkelijk schitterend plaatsje vol zee en natuur en zo; niet bij het krieken van de dag op hoeven staan, de halve dag kunnen slapen, geen werkdruk en tijd genoeg om dvd's met als thema wraak te kijken, vochtige thrillers te lezen en elke hap chocola twintig keer te kauwen. Maar kon er niet van genieten. Bleef bezorgd en zenuwachtig. Had het gevoel dat het leven langs me heen ging. Had het gevoel dat alles waar ik voor gewerkt had uit mijn vingers glipte.

Schandalige ondankbaarheid. Nu had ik nog een vervelende emotie te doorstaan. Nou ja, verandering van spijs doet eten, vermoed ik. Het was weer eens iets anders dan angst en verdriet.

Praatte mezelf moed in (in stilte, was nog niet zover dat ik tegen mezelf begon te praten): op een dag zou het leven weer anders zijn, vol stress en drukte en dan zou ik het heerlijk vinden om naar een beeldschoon plaatsje te vluchten en niets te doen. Dus moest ik maar eens mijn best doen om van mijn verblijf te genieten. Dit zal niet eeuwig duren!

16.27

Legde mijn boek neer, sloot mijn ogen en dacht aan Paddy. Soms had ik het gevoel dat ik er vrede mee had. Maar dan miste ik hem ineens weer zo ontzettend. Dacht af en toe nog steeds: er was zo'n band tussen ons, al die gevoelens kunnen toch niet zomaar in rook zijn opgegaan omdat hij met iemand anders gaat trouwen.

Had hem sinds mijn terugkeer in Knockavoy niet meer gebeld. Nou ja, één keertje, maar toen was ik natuurlijk dronken. Alleen dan kon ik mezelf er nog toe brengen hoop te koesteren. (Was per ongeluk dronken geworden, omdat iedereen, van Pruimenoog en mevrouw Butterly tot Boss en de vijandelijke zuipschuiten me een drankje hadden aangeboden. Zou onbeleefd zijn geweest om die plaatselijke gastvrijheid af te wijzen. Dan had ik ze vreselijk kunnen beledigen.)

Ik was vrolijk, hoopvol en – laten we er maar geen doekjes om winden – bezopen naar huis gelopen en besloot hem te bellen. Dan kon ik hem ervan overtuigen dat hij het meteen uit moest maken met die zogenaamde Alicia Thornton. Heerlijke avond. Zoel. Maan die glimlachend neerkeek op een 'wijnkleurige' zee (citaat van de Meester). Alles leek mogelijk.

Helaas niet. Gewoon dronken misrekening.

Belde wel, maar kreeg de voicemail. Had moeten ophangen, maar kon mezelf niet inhouden.

'Met Lola, Paddy. Ik bel alleen even om hallo te zeggen. Eh... dat is alles. En eh... je moet niet met dat andere mens trouwen. Goed dan... eh... tot ziens.'

De volgende ochtend dacht ik dat ik het gedroomd had. Dat hoopte ik dan maar. Maar toen ik mijn telefoon controleerde, wel degelijk gebeld.

Schaamde me dood.

En dat kon je als vooruitgang beschouwen. Direct nadat ik het nieuws had gehoord schitterde schaamte vooral door afwezigheid.

17.30

Geen kwestie van gluren. Dit keer niet. Ik sleepte de bank weer naar binnen toen ik toevallig naar het huis van pyromaan Considine keek en hem in zijn keuken zag staan. Eerst de reactie van nieuwsgierige buurvrouw: hij is vandaag al vroeg thuis van zijn werk. Daarna: is dat écht pyromaan Considine en zo ja, wat heeft hij dan in vredesnaam áán?

Ik bleef met grote ogen naar hem kijken. Droeg hij echt een zwembrilletje en een douchemuts? Ja. Wel degelijk.

Gebeurden rare dingen in dat huis.

18.57

Aankomst van Bridie en Barry

Zat te luisteren of ik de auto hoor, zoals alle eenzame mensen op het platteland. Hoor hen al lang van tevoren aankomen. Niet omdat het de enige auto op de weg is – echt niet, is hoofdweg van Knockavoy naar Miltown Malbay en behoorlijk druk – maar vanwege muziek die Bridie aan heeft staan. Oasis, als ik me niet vergis. Bridies smaak op muziekgebied bijna even slecht als haar smaak op gebied van kleren, maar daar trekt ze zich niets van aan.

Auto stopte naast me, muziek werd abrupt uitgezet en Barry kwam achter het stuur vandaan. Barry mocht meekomen, omdat hij altijd deed wat hem werd gezegd, geen eigen mening had en geen moeilijkheden veroorzaakte. In tegenstelling tot andere echtgenoten.

'Drie uur en negenenveertig minuten,' was het eerste wat Bridie tegen me zei. 'Prima tijd voor vrijdag in de spits. Wacht even, eerst opschrijven.'

19.35
Aankomst van Treese en Jem

Treese reed in schattige blauwe Audi TT – cadeautje van Vincent! Misschien excuus omdat hij zo belachelijk verwaand was? Jem zag eruit alsof hij zich voorin naast haar niet echt op zijn gemak voelde. Te laag bij de grond en net iets te dik voor die auto. Zou hij zich ook generen omdat hij in zo'n typische meidenauto zat? (Vriendin van Claudia heeft vrijgezellenweekend, vandaar dat Jem ook mee mocht.)

Treese zag er heel chic uit, op hoge hakken en in glad zittend pakje. 'Je ziet er fantastisch uit,' zei ik. 'En hoe gaat het met Vincent?' Moest ik wel vragen. Uit beleefdheid. Hij was ook uitgenodigd voor het weekend – kon niet anders, aangezien Barry er ook bij was – maar heeft niets laten horen. Waarschijnlijk omdat we het er allemaal (Treese incluis) stilzwijgend over eens waren dat hij maar beter niet kon komen.

19.38 – 19.45

Nieuwkomers snuiven zilte zeelucht op. Staan met het gezicht naar de zee en handen op de heupen hun longen met ozon te vullen en zeggen: 'God, wat fantastisch!' Duurde zeven tot acht minuten. Daarna klapte Jem in zijn handen en zei: 'Goed! Welke kroeg?'

20.07
The Oak, voor een aperitief (Margery Allingham)

Pruimenoog nam de tijd om even bij ons te komen zitten. Een en al glimlach, glinsterende ogen, gezellig. Vertelde de anderen dat hij van alles over hen had gehoord. Enig. Had een trots gevoel, alsof ik hem zelf had uitgevonden.

'Ibrahim, mag ik je een drankje aanbieden?' vroeg Bridie.

'Nee, dank je wel. Drink niet.'

'Waarom niet? Ben je alcoholist?' Wat is Bridie toch nieuwsgierig! 'Ik drink uit religieuze overwegingen geen alcohol.'

Bridie keek hem met grote ogen aan en zat zich duidelijk af te vragen welke rare godsdienst het drinken van alcohol verbiedt. Als katholiek ben je bijna verplicht om een drankprobleem te hebben.

'Welke religie is dat dan? Christian Science?'

'Islam,' zei hij.

'O ja, dat was ik even vergeten. Nou eh… de mazzel ermee.'

Het gesprek stokte. Toen kwamen twee golfers binnen, op de vlucht voor al dat geschreeuw in de Hole in One, en Ibrahim moest zijn plicht als barkeeper weer oppakken.

Zodra hij weg was, boog Bridie zich naar ons over en fluisterde: 'Het is echt vreselijk, maar zodra ik hoor dat iemand moslim is, denk ik meteen dat het zelfmoordbommenwerpers zijn.'

'Ja!' beaamde Jem enthousiast, eveneens op fluistertoon. 'En dat ze alleen maar minachting voor me koesteren!'

'Ja!'

'Toen ik met Claudia in Marokko was, keken alle mannen naar haar alsof ze een hoer was.'

Omdat ze dat ook is. Bridie en ik bleven elkaar even strak aankijken terwijl we deze boodschap uitwisselden.

'Ze hebben geen respect voor vrouwen,' zei Jem. 'Ze slaan hun vrouwen als die hun haar niet bedekken!'

Treese begon een beetje geagiteerd te raken en probeerde hem in de rede te vallen: 'Dat is een schan…'

'Ik wed dat het privé allemaal zuipschuiten zijn,' zei Bridie. 'Die zich een stuk in de kraag drinken, terwijl ze net doen alsof ze…'

'Dat is een schan…'

'…geheelonthouders zijn en beweren dat alle andere mensen onreine zwijnen zijn omdat die af en toe een glaasje wijn en een broodje ham nemen.'

'Wat een schandalige manier van denken!' Eindelijk kreeg Treese de kans om ook een duit in het zakje te doen. 'Jullie moeten je schamen! Er zijn meer dan twee miljard moslims op de wereld, dat kunnen niet allemáál zelfmoordbommenwerpers zijn! Dat is puur racisme!'

Waarmee mijn grootste angst bevestigd werd. Ik wilde niet racistisch zijn.

'De overgrote meerderheid van de moslims is gematigd.'

'Ja, natuurlijk, uiteraard!' zei Jem geruststellend. Maar het was al te laat. We werden getrakteerd op een lezing die erop neerkwam dat iedereen ter wereld, ongeacht ras of religie, recht heeft op respect en vlekkeloos functionerende latrines.

Twee uur later

Terug in The Oak, nadat we een hapje hebben gegeten bij Mrs. McGrory.

Veel drukker nu. Pruimenoog rende zich rot.

Jem ging naar de bar om een rondje te halen en kwam blozend en blij terug. De dag erna waren we uitgenodigd voor een feestje! Hij had vriendschap gesloten met een paar mensen terwijl hij de drankjes bestelde. Het was niet de eerste keer dat zoiets gebeurde, maar…

'Wat voor feestje?' vroeg Bridie.

'Bij die knullen aan de bar.'

Surfers. Een stuk of vijf, zes. Halfnaakt: teenslippers, afgeknipte spijkerbroeken, gebruinde bast en zout. En daar was Jake, in een verwassen T-shirt, een heupspijkerbroek en een ketting van haaientanden. Hij leunde tegen de bar met een borrel in zijn hand en stond naar me te kijken. 'Lola,' zei hij geluidloos en lachte.

Bridie greep me meteen in mijn nekvel. 'KEN JE HEM?'

'Jake? …Eh, ja.' Om eerlijk te zijn was ik daar best trots op. Het leek alsof ik een gloednieuwe Chloé-jas had gekocht zonder dat aan iemand te vertellen, alleen om er gewoon in te verschijnen en dan die gezichten te zien.

'Hij valt op je!' Bridie stootte Barry aan. 'Ja, toch?'

'Het lijkt er in ieder geval wel op.' (Voorzichtig. Geen eigen mening geven.)

'Zoals hij naar je stond te kijken!' Bridie wierp opnieuw een blik op Jake. 'Hij kijkt nog steeds! Hij is gek op je, dat durf ik te zweren!'

'Eerlijk gezegd…' Ik schraapte mijn keel, klaar om met volle teugen van het voorval te genieten, 'is dat ook zo.'

Daar stond ze van te kijken. 'Echt waar? Hoe weet je dat?'

'Dat heeft Cecile me verteld.'

'Wie is Cecile?' Bridie wil graag alles weten. En op dat moment wist ze eigenlijk niets.

'Een Frans meisje. Kijk, daar heb je haar net.'

Cecile stond giechelend tussen de surfers, in een driekwart broek en op ballerina's. Ze had een sjaal jolig om haar nek gedrapeerd op een manier die een Ierse nooit voor elkaar zou krijgen, ook al oefende ze een maand. Zelfs Treese kreeg dat niet voor elkaar.

'Roep haar eens,' beval Bridie. 'Hé, Cecile. Cecile! Kom eens hier!'

Cecile keek verbaasd en trok haar volmaakte wenkbrauwen op, maar ze kwam toch.

'Dus jij bent Cecile?' zei Bridie. In snel tempo werd iedereen aan haar voorgesteld. 'Bridie, Barry, Treese en Jem. Zeg eens, is die blonde vent daar aan de bar – Jake? – echt gek op Lola?'

Cecile giechelde. 'O ja, 'ij is van plan om 'aar midden volgende week te pakken.'

Treese trok een gezicht, maar daar kon Cecile niets aan doen. Ze is niet echt onbeschoft, alleen maar Frans.

''ij wil 'aar zo'n stevige beurt geven dat ze een maand lang niet meer kan lopen.'

'Dank je.'

Cecile kon weer gaan.

'Goed,' besliste Bridie. 'Volgens mij is het beste wat Lola op dit moment kan overkomen een avontuurtje met die Jake. Zijn we het daarover eens?' Ja, daar waren ze het over eens.

'Maar je moet niet gaan denken dat het iets blijvends is,' waarschuwde Bridie me. 'Daarvoor ziet hij er veel te goed uit.'

'Waarom blijf je toch maar steeds zeggen dat elke kerel er veel te goed uitziet voor mij?'

'Dat is niet kwaad bedoeld, Lola, je ziet er zelf ook best lekker uit. Maar kijk nou eens naar die Jake. Hij is echt abnormáál knap! Een idiote speling van de natuur. Iedereen moet wel op hem vallen. Zelfs ik val op hem!'

'Sorry,' zei ze tegen Barry.

'Maakt niet uit,' zei hij. 'Ik val zelf ook op hem.'

'Echt waar?'

'Misschien kunnen we een triootje met hem doen,' zei Barry en toen leunden ze tegen elkaar en begonnen te lachen alsof ze een geheimpje hadden, terwijl wij een tikje onbehaaglijk toekeken.

01.30
Terug in het huis

Ik mocht dan zat zijn, maar ik schrok me toch een hoedje toen Bridie en Barry weer die rare vrijetijdsbroeken aantrokken die ik al eerder had gezien. Met elastiek onder in de pijpen, ongeveer zoals die broeken die MC Hammer altijd droeg. Die van Barry was bedrukt met vliegers en ballonnen, Bridie had blauwe en rode zebrastrepen.

Afschuwelijk.

Daar moest ik toch iets van zeggen.

Zaterdag 18 oktober, 12.00

Iedereen op. Bedoeling was om lange wandeling te maken en frisse lucht op te snuiven, maar moesten eerst even snel naar dorp omdat de melk op was.

'Ik ga wel,' zei ik. 'Ik ben de gastvrouw, dus ik hoor daar voor te zorgen.'

'Nee, ik,' zei Jem. 'Want ik heb vanmorgen om vijf uur alle melk opgedronken.'

'Nee, ik,' zei Bridie, die altijd haantje de voorste wil zijn.

'Waarom gaan we niet gewoon met ons allen?' stelde Treese voor.

'Oké.'

'Dan zou ik me maar even gaan aankleden,' zei ik met een blik op de MC Hammer-broeken van Bridie en Barry.

'Hoe bedoel je? We zijn aangekleed!'

O, jemig. Het was al erg genoeg dat ze die krengen thuis aantrokken, maar om er ook nog de straat in op te gaan? Hemeltergend.

12.18

Onderweg naar het dorp

Bridie begon opnieuw over Jake.

'Het zou goed voor je zijn als je met hem naar bed ging. Goed voor je ego, goed voor je zelfvertrouwen. Wat weet je van hem?'

'Niets. Is vijfentwintig, komt uit Cork, is met elke vrouw in Knockavoy naar bed geweest en wil mij kennelijk zo'n stevige beurt geven dat ik een maand niet meer kan lopen.'

'Maar heeft hij een baan?' drong Treese aan. 'Waar leeft hij van?'

'Geen idee en het kan me niets schelen ook. Ik wil niets van hem weten.'

'Dat is geen basis voor een relatie,' zei Treese.

'Maar ze krijgt helemaal geen relatie met hem!' zei Bridie. 'Daarvoor is hij gewoon veel te knap!'

'Wacht eens even! Maakt het misschien ook iets uit wat ik ervan vind? Jullie doen net alsof ik de gelukkigste vrouw ter wereld ben omdat hij op me valt – en hij valt alleen maar op me omdat ik nieuw ben – maar misschien val ik wel helemaal niet op hem!'

'Val je nou wel of niet op hem?' wilde Bridie weten.

Daar moest ik even over nadenken. 'Niet echt.'

Kreten van ontzetting, zelfs van Jem.

'Je probeert alleen maar moeilijk te doen,' besloot Bridie. 'Maar dat kun je wel vergeten, want hij wil toch geen relatie met je.'

'Ik doe niet moeilijk. Ik hou nog steeds van Paddy.'

'Sla je echt een nummertje met een halfgod af omdat je nog steeds verkikkerd bent op een slijmjurk van een politicus met de grijns van de Joker uit *Batman*?' Bridie was diep verontwaardigd. 'Een politicus die ook nog eens gaat trouwen met een paard?'

12.49

Nadat we melk hadden gekocht werden we The Dungeon in gelokt. Deur stond wijd open, hoewel normaal gesproken daglicht werd geschuwd als de pest in The Dungeon. Had het vermoeden dat de zuipschuiten op de uitkijk stonden. En ja hoor, zodra Boss me in het oog kreeg, schalde het over straat: 'Hé, Lola Daly! Zijn wij ineens niet meer goed genoeg voor je?'

Niet waar, maar wilde liever vermijden dat vrienden uit Dublin kennismaakten met Boss etc. Anders gingen ze zich nog zorgen maken over de mensen met wie ik omging. Dus zei ik alleen maar 'ha ha' en liep door. Maar Bridie zei: 'Wie is die man? Hoe komt het dat je zoveel mensen kent?'

Ze wilde per se kennismaken met Boss en ik kon protesteren wat ik wilde; even later stond ik binnen in het halfduister iedereen aan elkaar voor te stellen.

Boss was dolenthousiast. Zijn ronde rode gezicht straalde. 'Weet al ALLES van jullie af! Even kijken of het klopt...' Hij wees naar Treese. 'Ben jij die betweter?'

'...Eh...'

Jemig!

'Nee, dat ben ik,' zei Bridie.

'Dus dan ben jij vroeger zo dik geweest?' vroeg hij aan Treese.

Ze knikte bevestigend.

'Sjonge jonge!' Boss was duidelijk diep onder de indruk. Dat zou je nooit zeggen, want je bent nu net een windhond... hè, jongens?'

Terwijl Boss, Moss en de Meester Treese op de korrel namen, steeg mijn temperatuur de pan uit. Voelde diep berouw over het feit dat ik zo uitgebreid over vrienden had gepraat met klanten van The Dungeon. 'En ben jij dan de vent van die betweter die zo onder de plak zit?' informeerde Boss bij Barry.

Barry wierp een nerveuze blik op Bridie. Was hij dat? 'Ja,' zei hij nadat hij het signaal correct had geïnterpreteerd.

'En aangezien jij niet die ex-rugbyspeler met dat grote hoofd bent,' zei Barry tegen Jem, 'moet jij dus wel die knaap zijn met wie Lola Alleen Maar Goeie Vrienden is.'

Slaagde erin om 'alleen maar goede vrienden' een akelige bijklank te geven.

'...Eh... ja.'

'En waar is die mooie verloofde van je?'

'Die heeft een vrijgezellenweekend.'

'Jammer! Ik hoorde dat ze namaaktieten heeft. Die heb ik altijd nog een keer willen zien voor ik de pijp uitga.'

Vond dat het zo wel mooi was geweest.

Voelde me helemaal niet op mijn gemak en wilde niets liever dan iedereen The Dungeon uitslepen en terug naar de hut van oom Tom, maar Boss stond erop om een rondje te geven. En als een man als Boss erop staat om een rondje te geven, heb je geen enkele keus.

En een frisdrankje bestellen? Vergeet het maar.

Jem maakte die fout door om een cola te vragen en de hele kroeg leek de adem in te houden. Vaag hoorde ik een stem zeggen: 'Verbeeld ik me dat nou of bestelde die pyjamaklant nou een cola?' 'Twasniet die pyjamaklant, twas die andere vent.'

'COLA?' herhaalde Boss. 'Ben je nou een vent of hoe zit dat? Een pilsje? Vijf pils!' riep hij naar de barkeeper.

Pakte de Guinness niet bepaald dankbaar aan. Dronk glas snel leeg omdat ik wilde wieberen. (Raar woord.) Maar voordat we onze pilsjes op hadden, had Moss alweer een rondje besteld. Kon halverwege tweede drankje ineens ontspannen. Boss had besloten dat het mooi was geweest met al die gênante opmerkingen en scheen zo blij dat hij mijn vrienden ontmoette dat ik tegen beter weten in toch een beetje ontroerd was. 'Was een prachtige dag toen Lola Daly besloot Knockavoy met haar aanwezigheid te verblijden,' zei hij, kennelijk uit het diepst van zijn hart, tegen Bridie. 'Ze heeft ons geluk gebracht. Sinds haar komst heeft de Meester driehonderdvijftig euro met kraslotten gewonnen en ik had de luxe vruchtentaart in de loterij die is georganiseerd om geld voor een nieuwe dvd-speler voor meneer pastoor bij mekaar te krijgen. En als klap op de vuurpijl heeft doodsvijand te horen gekregen dat hij prostaatkanker heeft. Kan niet meer geopereerd worden. Lola is schat van een meid en we zijn allemaal dol op haar.' Hij liet zijn stem zakken, maar ik kon hem nog steeds letterlijk verstaan. 'Is natuurlijk schande dat die smerige Chrispy haar heeft laten zitten.'

'Paddy de Courcy? Maar hij is van NewIreland.'

'Was Christelijk Progressief voordat hij NewIreland was. Eens smerige Chrisp, altijd smerige Chrisp. Maakt niet uit wat voor mooie titel hij zich tegenwoordig aanmeet. Christelijk Progressief! Bah!'

Ga alsjeblieft niet spugen, dacht ik.

Er werd opnieuw een rondje gegeven, dit keer door Barry, en het geanimeerde gesprek werd voortgezet. Het ging helaas voornamelijk over mij.

'…veel te knappe vent voor haar…' hoorde ik.

'…foute grijns… net de Joker in *Batman*…'

'…koffers vol foute kleren… veroorzaakte bijna een internationaal incident…'

Er groeide duidelijk een band. Uiteindelijk hadden we allemaal vijf drankjes op voordat Bridie er een eind aan maakte. 'Anders missen we het feestje van vanavond nog.'

Bridie dwong Barry om samen met haar het strand over te wankelen, want 'de zeelucht zal ons wel ontnuchteren', de rest van ons ging naar huis, viel in slaap en werd twee uur later kwijlend wakker.

20.39
Mevrouw Butterly's

Akelige verrassing. Zijn al twee mensen aanwezig. Heb nooit eerder mevrouw Butterly – Honour (ze weet niet dat ik haar voornaam ken. Heb ik van Boss gehoord en is zelfde gevoel als wanneer je op de kleuterschool de voornaam van de juf hoort) – met andere klanten hoeven te delen.

Zag toen pas dat een van de klanten de pyromaan was! Rossa Considine. Hij was met een vrouw. Weer aan met verloofde? Maar een snelle blik leerde dat de vrouw met wie hij was absoluut niet de vrouw in de bruidsjurk was. Ze leek zelfs een beetje op een fret. Zou dat het vriendinnetje zijn waar de zuipschuiten het over hadden gehad? Ondanks dat – frettenkoppie, het had iets met haar tanden te maken – was ze niet lelijk. Of onaantrekkelijk. Integendeel, ze zag er lief uit.

Maar wat stak daar achter? Had Rossa Considine het frettenmeisje de bons gegeven toen hij het meisje in de bruidsjurk ontmoette? En probeerde hij het nu weer goed te maken omdat het bruidsjurkmeisje de benen had genomen?

Mevrouw Butterly helemaal overstuur. 'Ik weet niet waar ik al die mensen moet laten. Sorry, Lola, ik weet dat dit jouw vrienden zijn, maar ze kunnen er niet allemaal bij. Jij…' – ze wees naar Treese – 'en jij.' Jem. Zij mochten erin. Maar niet Bridie en Barry. Bridie verbijsterd. Zelfs helemaal overstuur. 'Waarom zij wel en wij niet?'

'Niets persoonlijks, maar kan geen mensen in pyjama bedienen. Opdracht van de directie. Er is trouwens ook niet genoeg ruimte.'

'Laat maar,' zei Rossa Considine. 'Wij zijn toch klaar. Ze mogen wel op onze plek gaan zitten.'

'Goed. Zal uitzondering maken voor vrienden van Lola.'

Rossa Considine wrong zich langs me heen en zei: 'Hallo, Lola.'
'Hallo, Rossa,' antwoordde ik.

Voor buitenstaanders zal dit wel gewoon een vriendelijke groet lijken. Maar stilzwijgend speelde zich heel wat meer af. Aan de sarcastische uitdrukking in zijn ogen te zien, bedoelde Rossa Considine eigenlijk: ik zie je 's morgens om de haverklap naar me gluren, geflipt nieuwsgierig aagje.

En mijn ogen zeiden: o ja? Nou, toevallig heb ik je betrapt toen je midden in de nacht de jurken van je ex-verloofde stond te verbranden. En ronddanste in je keuken met een zwembrilletje en een douchemuts op. Jij moet nodig zeggen dat ík geflipt ben.

'Wie is dat?' vroeg Treese toen ze zich naar buiten wurmden.

'De buurman.'

'Lijkt best leuk.'

Bewijst eens te meer dat je er geen bal van snapt, dacht ik.

Licht gekrenkt. Wat had ik Rossa Considine ooit misdaan? Afgezien van het feit dat ik 's morgens af en toe naar hem zat te gluren? En wat was daar trouwens mis mee?

'Je hebt echt een boel vrienden gemaakt hier!' Bridie was kennelijk onder de indruk, maar had nog een appeltje te schillen met mevrouw Butterly. 'Dit is geen pyjama, dit is een vrijetijdspak.'

'Ben een oude vrouw en heb al een heel leven achter de rug. Weet echt wel wat een pyjama is.'

00.12
Feestje in het huis van de surfers
Keiharde muziek. Stampvol. Waar komen al die mensen vandaan? Wist niet dat er zoveel aantrekkelijke jonge dingen in Knockavoy waren.

Zag door de menigte in de hal Jake staan praten met een meisje met lang donker haar. Bleef me ondanks al die mensen om ons heen onfatsoenlijk lang aankijken en glimlachen, een lome, betekenisvolle lach, alle witte tanden bloot.

Ik knikte kort. De vlammen sloegen me uit.

Naar de woonkamer. Treese en ik gingen preuts op een matras zitten, terwijl Bridie biertjes uitdeelde als een moeder bij een picknick. Barry en Jem waren in topvorm.

'Knockavoy is een verdomd leuk dorpje!' verklaarde Jem, die niet al te vast meer op zijn benen stond. 'Dit is een fantastisch nummer!'

'Van wie is 't dan?'

'Geen idee!' zei Jem opgewekt. 'Maar het is een verdomd leuk nummer! Kom op, dan gaan we dansen!'

Hoewel ik me een beetje te oud en te netjes voelde, was ik dronken genoeg om op te staan. Bridie en Barry stortten zich ook in het gewoel maar Treese bleef zitten. Ze heeft nooit echt leren dansen omdat ze het niet leuk vond toen ze nog dik was.

Ik was net lekker aan het dansen toen iemand me een hengst in mijn rug verkocht. Deed behoorlijk pijn, om eerlijk te zijn. In de nierstreek. Draaide me om en het was dat langharige meisje met wie Jake had staan praten. Jong, surftype, hele serie tattoos. (Heb ik ook, maar ééntje, beschaafd vlindertje op mijn enkel. Dit meisje versloeg me ruimschoots, want die had een Keltische cirkel om haar bovenarm, een zon rond haar navel en een Om-symbool op haar pols.)

'Ben jij Lola?' zei ze.

Ik was eraan gewend dat iedereen in Knockavoy alles van me afwist, maar dit was toch anders.

'... Eh, ja.'

Ze nam me met een minachtende blik van top tot teen op. 'Ik ben Jaz. Die naam zou ik maar niet vergeten als ik jou was.' Voordat ik haar kon uitlachen om zo'n afgezaagde opmerking, liep ze met grote passen weg en botste tegen Jem die op zijn beurt weer tegen Bridie aan viel, die hem een dreun verkocht en zei: 'Kijk een beetje uit waar je danst!'

Toch triest, hè? Tattoo-meisje duidelijk helemaal hoteldebotel van Jake en die probeerde alleen maar mij te versieren. Maar ik was niet geïnteresseerd in Jake, want verliefd op Paddy. Maar Paddy ging trouwen met Alicia en daarmee kwam meteen een eind aan de reeks, want Alicia zou ongetwijfeld verliefd zijn op Paddy. Dat kon toch niet anders.

01.12

Jake kwam kamer waar gedanst werd binnen. Toen hij mij zag, liep hij snel naar de stereo en ineens veranderde de muziek van Arctic Monkeys (geloof ik) in langzaam nummer. Dansers verrast. Waren net zo lekker bezig. Hoorde duidelijk iemand vragen: 'Wat is dit nou voor rotzooi?' Jake baande zich een weg tussen hen door, bleef voor me staan en vroeg zacht iets.

'Hè?'

Wist best wat hij vroeg, maar wilde zijn mond het nog een keer zien vragen.

Iets luider zei hij: 'Wil je met me dansen?'

'Oké...'

Hij pakte mijn hand met een hoofs gebaar en bracht me een halve meter verder naar het midden van de kamer.

'Zet 'm op, Lola!' riep Jem, alsof hij bij de Grand National een paard aanmoedigt. Hij had een behoorlijk stuk in zijn kraag.

Hoorde Bridie sissen: 'Jem, hou je bek, sukkel!'

Jake opende zijn armen – prachtig gespierd, met stevige biceps, maar niet zo obsceen als Mr Universe – en ik stapte erin. Meteen getroffen door de warmte van zijn lichaam. Moeilijk te beschrijven hoe ik me voelde. Niet geil of duizelig van romantiek. Maar ook niet terughoudend. Geen afkeer omdat hij niet Paddy was. Ik veronderstel dat ik... geïnteresseerd was.

Hij legde een hand tussen mijn schouderbladen en de andere in mijn taille. Prettig. Had op dat moment nauwelijks fysiek contact met mensen. (Mevrouw Butterly was echt dol op me, maar zij was een Ierse boerenvrouw. Zou erin blijven als ze me moest omhelzen.)

Ik legde mijn armen om zijn hals en woelde met mijn handen door het haar in zijn nek. Lekker plekje onder zijn sleutelbeen om mijn hoofd tegenaan te vleien, net rechts van de ketting met de haaientanden. Probeerde of dat ging. Ja, echt prettig. Paste precies. Sloot mijn ogen en ontspande.

Zijn T-shirt was warm en zacht, de borst eronder warm en hard. Lekker, o ja, ontegenzeggelijk erg lekker.

Had het gevoel dat het achtduizend jaar geleden was dat ik met een vent op een langzaam nummer had gedanst. Is er nog iemand die dat na haar vijftiende doet?

Zijn huid rook zilt. Had het vermoeden dat als ik mijn tong uitstak en hem likte, hij zout zou smaken.

Jake pakte me nog iets steviger vast en drukte me met twee handen tegen zich aan. Prima, mij best. Maar ik concentreerde me strikt op alles boven de gordel, want als er daaronder iets wakker werd – bij een van ons beiden – dan wilde ik dat niet weten.

Het nummer was voorbij. Het volgende begon, al even langzaam. Maar ik had er genoeg van. Kan het niet beter omschrijven. Ik had het lekker gevonden om hem te voelen en te ruiken, maar voor vanavond was het genoeg.

'Bedankt.' Ik trok me los.

Hij leek verbaasd. 'Is dat alles, Lola?'

'Dat is alles, Jake.'

Hij glimlachte.

Wat hield die blik in zijn ogen in? Bewondering? Respect? Waarschijnlijk niet, maar wie zal 't zeggen?

Ik ging terug naar de anderen.

'Waarom maakte je er een eind aan?' wilde Bridie weten.

'Omdat ik dat wilde.'

'Ja ja, je wilt hem nog even aan het lijntje houden...'

'Nee, niet waar.'

'... maar daar schiet je toch niets mee op. Je kunt net zo goed meteen naar boven gaan en met hem in bed kruipen!'

Gaf geen antwoord. Bridie nam in gedachten mijn plaats in. Ze viel op hem.

Zondag 19 oktober, 13.17

Voelde me niet lekker toen ik wakker werd. Kater natuurlijk. Jem was de enige die al op was en zat in de keuken de krant te lezen.

'Ik ga mijn vader bellen,' zei ik. 'Doe ik iedere zondag rond deze tijd.'

Ik ging op de stoep voor het huis zitten en belde het verre Birmingham. Pap nam op met het noemen van hun nummer. Raar, hè? Alsof je teruggaat in de tijd. (Ze doen het ook in de boeken van Margery Allingham. 'Whitehall 90210' en zo.)

'Pap?'

'O. Lola.'

'Komt het ongelegen?'

'Nee.'

'Weet je het zeker? Je klinkt...'

'Hoe klink ik?'

'Alsof het ongelegen komt. Alsof je niet met me wilt praten.'

'Waarom zou ik niet met je willen praten?'

'Eh... eh...' Plotselinge opwelling van moed. 'Pap, waarom bel jij mij nooit?'

'Omdat jij me iedere zondag belt.'

Bleef me onwillekeurig toch afvragen: en als ik nou eens niet bel? Hoe lang zou het dan duren voordat hij mij belde? Soms kreeg ik zin om hem op de proef te stellen, maar durfde het risico niet te nemen dat hij me gewoon nooit zou bellen, helemaal nooit, en dan had ik geen vader meer.

Het doelloze gesprek was ten einde. Ik was degene die het meest aan het woord was geweest.

Toen vroeg pap: 'Wat wil je voor kerstcadeautje hebben?'

'Het is pas oktober.'

'Maar voor we het weten is het zover. Dus wat wil je hebben?'

'Een fles parfum.' Want dat is het soort cadeau dat vaders volgens hem aan hun dochters geven.

'Welke parfum?'

'Doet er niet toe. Maak er maar een verrassing van.'

'Koop het zelf maar. Ik stuur je wel een postwissel.

Een postwissel! Waarom geen cheque? Hij had toch gewoon een bankrekening!

Uiteindelijk bloedde het gesprek vanzelf dood. Mijn geduld was op, ik nam gepikeerd afscheid, klapte de telefoon dicht en beende terug naar Jem.

'Hoe was het met je vader?' vroeg hij.

'Emotioneel voor mij onbereikbaar.' (Had ik op therapie geleerd.) 'Zal ik je eens wat vertellen, Jem?' Plotselinge uitbarsting van ergernis. 'Het is geen wonder dat ik een beetje verknipt ben. Moet je zien uit wat voor familie ik kom: moeder dood, vader gedeprimeerd, oom gedeprimeerd. Alles bij elkaar ben ik nog behoorlijk normaal!'

'Ja,' beaamde Jem. 'Klopt als een bus!'

Mijn trouwe vriend Jem.

14.12

Op bevel van Bridie maakten we een strandwandeling, de eerste keer sinds mijn aankomst in Knockavoy dat ik voet op het strand zette. Zag tevreden dat Bridie en Barry normale kleren droegen. Daarna sleepte ze ons mee naar de kroeg waar we een paar borrels moesten drinken om 'alles uit het weekend te halen'. Barry mocht niet drinken omdat hij naar huis moest rijden.

Had geen zin in alcohol – last van een kater, eigenlijk behoorlijk ziek van de hoeveelheid die ik de avond ervoor achterover had geslagen – maar Bridie haalde me toch over. 'Je vrienden uit Dublin komen niet elk weekend op bezoek!'

17.38

Bridie, Barry, Treese en Jem uitgewuifd. Weer behoorlijk dronken.

'Ik vind het maar niks om je hier alleen achter te laten,' zei Jem.

'Komt allemaal best in orde! Blij dat jullie weer terug gaan. Ben kapot. Heb niet de conditie voor al die drankgelagen en wilde feesten. Dol op jullie allemaal, maar voorlopig hoeven jullie niet terug te komen.'

Maandag 20 oktober, 10.07

Veel te vroeg wakker. Voelde me knap ellendig. Biologische klok helemaal van slag door weekend vol drank en laat opblijven.

Belde Bridie op om even te kletsen.

'Waarom bel je?' vroeg ze.

'Om te kletsen.'

'Kletsen? Ik ben verdomme het hele weekend bij je geweest. Moet ophangen.'

Ze verbrak de verbinding en ik zat naar de telefoon te kijken. 'Krijg dan maar het heen en weer,' zei ik.

Toen het gekwetste gevoel over was, belde ik Treese. Iemand anders nam op. 'Kantoor van Treese Noonan.'

'Mag ik Treese spreken, alstublieft?' Moeilijk om haar direct aan de lijn te krijgen. Is belangrijke vrouw.

'Met wie spreek ik?'

'Lola Daly.'

'Waar gaat het over?'

'Latrines.'

Werd meteen doorverbonden. Wist ik van tevoren. Latrines is het toverwoord.

'Alles in orde, Lola?'

'O ja, bel alleen om even te kletsen.'

Maar Treese heeft ook geen tijd.

'Sorry, Lola, maar we zitten midden in een crisis.'

Veel bezorgd geschreeuw en geblèr op de achtergrond. Om het andere woord is 'latrines'.

'Tussen twee haakjes,' zei ze. 'Je moet echt naar bed met die surfer.'

Toen was ze weg.

In zak en as. Echt waar. Zat somber naar de telefoon te staren en overwoog om Jem te bellen, maar had geen zin om nog een keer afgekapt te worden. Toen ging de telefoon. Was Jem!

'Ik hoor dat je even wilde kletsen.'

'Ach,' zei ik. 'Laat maar zitten. Is al over.'

Maar wel lief. Heel lief.

14.08

Ging niet naar het dorp. Bleef in huis hangen en deed laffe poging me te amuseren. Jem had mijn post meegebracht uit Dublin, stapels catalogi van ontwerpers maar te pijnlijk om ze in te kijken. Momenteel te verdrietig om herinnerd te worden aan feit dat ik niet mag werken. In wanhoop nam ik het fatale besluit om de kranten die Jem had achtergelaten door te bladeren. Had ik niet moeten doen, want ja hoor, op de societypagina stond een foto van Paddy en Alicia het paard bij de opening van een of andere kunsttentoonstelling.

Verschrikkelijk overstuur. Bibberde van top tot teen. Niet alleen voor de hand liggende lichaamsdelen als vingers, knieën en lippen, maar ook verborgen dingen als maagwand, blaas en longen. Ineens sterk verlangen naar mijn moeder. Miste haar zo ontzettend dat het pijn deed. Wilde naar haar graf om met haar te praten. Maar kon niet naar Dublin rijden met die trillende handen. Was trouwens ook verboden.

Een idee. Zou naar kerkhof van Knockavoy gaan, graf van een vrouw zoeken die even oud was geweest als mijn moeder en met haar praten.

15.04

Ging lopend naar het kerkhof in de hoop dat beweging zou helpen – endorfinen, serotonine et cetera – en was nog maar net onderweg toen auto met veel gerinkel van glas naast me stopte. Rossa Considine in zijn ecomobiel. Akelig brandend gevoel. Wat wilde hij van me?

'Wil je een lift naar het dorp?' vroeg hij. 'Scheelt je minstens tachtig meter lopen.'

'Ga niet naar het dorp.'

'Waar dan naartoe?'

'Kerkhof.' Zonder op details in te gaan. Waarom zou ik?

'Kan ik je ook wel afzetten. Stap maar in.'

Akelig brandend gevoel. Wilde niet instappen. Wilde niet met andere mensen praten (tenminste niet met levende). Wilde alleen gelaten worden met akelige brandende gedachten. Maar was bang dat als ik hem afsnauwde, hij zou begrijpen dat ik hem ervan verdacht een ontvoerder en een zwembrilletjes dragende mafkees te zijn, dus deed ik het toch maar.

Wist niets om tegen hem te zeggen. Reden verder in akelige brandende stilte.

'Waarom ga je naar het kerkhof?' vroeg hij.

'Om met mijn moeder te praten.'

'Ligt ze hier dan begraven?'

'Nee, in Dublin.' Had geen zin om het uit te leggen.

'Is dat een grapje?'

'Nee.'

Weer stilte.

'Waarom ben je niet op je werk?' vroeg ik, omdat ik toch beleefd moest zijn omdat hij me een lift had aangeboden, ook al wilde ik die helemaal niet.

'Dagje vrij.'

Weer stilte.

'Echte kletskous,' zei ik.

Hij haalde zijn schouders op, alsof hij wilde zeggen: de pot verwijt de ketel.

'Waar ga jij naartoe?' vroeg ik niet echt aardig. 'Of is dat ook strikt geheim?'

'Naar de afvalverwerking. Om flessen weg te brengen. Zin om mee te gaan?' Sarcastisch lachje. 'Misschien wel goed voor je stemming om een paar flessen kapot te slaan.'

'Stemming? Ben niet in bepaalde stemming.'

We kwamen bij een tweesprong en hij remde af. 'Tijd om te beslissen,' zei hij. 'Wat zal het zijn? Kerkhof of afvalverwerking?'

'Kerkhof of afvalverwerking? Geen wonder dat je zoveel succes hebt bij de meisjes.'

Zijn gezicht betrok – ergernis? – en ik zei haastig: 'Afvalverwerking.'

Ik bedoel maar, waarom niet? Ik had toch niets anders te doen. Kon het bezoek aan het kerkhof ook wel tot morgen bewaren.

Ik bleef zo stijf rechtop zitten dat mijn rug niet eens de leuning raakte. Had het gevoel dat ik hem dan zijn zin zou geven. Bovendien ijverig op zoek naar iets dat fout was met auto, maar moest toegeven dat auto op elektriciteit kennelijk net zo goed is als auto op benzine.

Het landschap waar we doorheen reden, was wild en... ja, wild. Links van ons gaf de Atlantische Oceaan de kust een pak rammel van jewelste, rechts van ons braakliggende velden met hier en daar rotsblokken en incidentele, verminkte bomen.

Na een poosje zette Considine de radio aan. Programma over Colin Farrell, die kennelijk vroeger een 'rondreizende volksdanser' was geweest.

'Kolder!' verbrak Rossa Considine plotseling de stilte. 'Colin Farrell is een schreeuwlelijk. Schreeuwlelijken doen niet aan volksdansen.'

Was het voor de verandering roerend met hem eens.

15.24

Afvalverwerking op plek vol schitterend natuurschoon. Kan toch niet?

'Hier.' Rossa Considine gaf me een doos vol rinkelende flessen. 'Gooi ze maar kapot.'

Aan de hand van hun afval kun je veel over mensen te weten komen. Rossa Considine dronk bier en rode wijn, maar niet in zorgwekkende hoeveelheden, tenzij dit de opbrengst van één weekend was. Hij kookte met olijfolie en sojasaus, slikte vitamine C en gebruikte aftershave (Cool Water). Zag echter niets dat verklaring kon geven voor het feit dat hij een mysterieuze bruid verstopt hield in zijn slaapkamer of waarom hij met een zwembrilletje op in de keuken stond.

Recycling onverwacht bevredigend. Uiteraard geeft het een goed gevoel om iets voor het milieu te doen, maar onderschat nooit het plezier van dingen kapot te maken. Het was ronduit heerlijk om flessen in afvalbakken te gooien en te horen hoe ze aan gruzelementen gingen. Slaagde erin om alle akelige dingen kapot te smijten.

'Had mijn eigen flessen eigenlijk mee moeten nemen,' zei ik. 'Stapels na afgelopen weekend. Vrienden op bezoek.'

'Ik geef je wel een seintje als ik weer ga.'

'Dank je.' Wilde nog iets onaardigs zeggen als 'lekker uitsloverig', maar bedacht me. Hoe je het ook bekeek, zijn aanbod om me mee te nemen naar het afvalverwerkingsbedrijf had niets met sarcasme van doen.

18.33
Auto voor de voordeur, bijna in de voordeur. Nauwelijks ruimte voor Noel van de werkloosheidsuitkering om portier open te doen zonder huisdeur te raken. Stapte uit. Kwam in elkaar gedoken vanuit auto naar het huis rennen. Wilde kennelijk niet gezien worden. Zodra hij binnen was, richtte hij zich op en gaf me een fles wijn. Onverwacht. Goedbedoeld, ook al was het rosé.

'Lola, wat heb je een beeldschone boa om. Zijn dat struisvogelveren? O, echt beeldig.' Beetje overdonderd. Niet gewend dat hij zo aardig doet. 'Waar zijn ze? Waar zijn mijn baby's?'

'Hier.' Ik wees naar de doos.

Hij stortte zich erop en haalde er vol eerbied een paar naaldhakken met luipaardprint uit, maat vijfenveertig. Wiegde ze in zijn armen alsof het pasgeboren lammetjes waren en wreef zijn vossengezicht ertegen.

Ik keek bezorgd toe. Kon bijna de verleiding niet weerstaan om handen voor ogen te slaan. Was bang dat hij iets seksueels zou gaan doen, bijvoorbeeld zich erboven aftrekken.

Alsof hij mijn gedachten kon lezen, zei hij boos: 'Ik ben geen perverseling. Ik wil ze alleen maar dragen.'

Hij rukte zijn sportschoenen en sokken uit en rolde zijn broekspijpen tot aan zijn knieën op. Daarna pakte hij zijn stropdas en wond die om zijn hoofd, zoals de sjaals die actrices wel eens dragen.

'En voor de goede orde,' voegde hij er ook nog aan toe, 'ik ben geen homo. Ik ben even hetero als Colin Farrell.' Tweede keer dat de naam van Colin Farrell die dag viel. Zou dat iets betekenen? 'Ik heb een vrouw die er prima uitziet en niets te klagen heeft als je snapt wat ik bedoel.'

Jakkes! Wilde niet op die manier aan Noel denken.

Langzaam en eerbiedig zette hij de schoenen op de grond. Liet eerst de ene voet er sensueel in glijden en toen de andere. 'Ze passen! Ze passen!' Assepoester in eigen persoon.

Banjerde heen en weer over de tegelvloer. 'Wat een heerlijk geluid maken die hakken!' zei hij blij. Het gekletter ging door.

'O, daar is mijn bus! Wacht even! Niet zonder mij vertrekken!' gilde hij, terwijl hij een belachelijke imitatie gaf van hardlopen, waarbij zijn hakken bijna zijn kont raakten. 'O, dank u wel dat u op mij hebt gewacht, meneer de chauffeur.' Hand koket tegen keel. 'U hebt deze dame heel gelukkig gemaakt.'

Jemig.

'Waar kan ik me omkleden?' wilde hij weten, weer met zijn mannenstem.

Ómkleden?

'In mijn jurk.'

Júrk?

'Ja, mijn jurk.' Tikte met een geërgerd gebaar op zijn koffertje.

O god. 'Heb jij vrouwenkleren in je koffertje?'

Ik wilde niet dat hij een jurk aantrok. Ik wilde dat hij weg zou gaan. Maar dat kon ik niet zeggen omdat ik bang was dat hij dan zou denken dat ik hem veroordeelde. Maar veroordeelde hem niet omdat hij een vestje was. Vond hem gewoon niet aardig.

'Ga maar naar de keuken.' Ik wilde niet dat hij naar boven zou gaan. Mijn grenzen lagen nu ook al in duigen.

19.07

Hij verdween in de keuken en trok koket de deur achter zich dicht. Ik ging op de bank zitten en wachtte. Voelde me ellendig. Ik had mezelf in de nesten gewerkt, maar hoe precies ontging me.

Het was allemaal begonnen toen hij in die kroeg in Miltown Malbay tegen me zei: 'Kun je een geheim bewaren?'

'Nee,' had ik gezegd. 'Ik kan nooit mijn mond dichthouden. Ik ben berucht vanwege mijn gebrek aan discretie.'

Was niet waar, maar wilde gewoon niets te maken hebben met zijn geheim. Wat het ook was, het zou me op een soort gruwelijke manier aan hem binden.

Maar dat kon hem niet schelen. Hij wilde het aan iemand opbiechten. 'Ik vind het leuk om vrouwenkleren te dragen.'

Wist niet precies wat ik moest zeggen. Besloot uiteindelijk tot: 'Ik vind het ook leuk om vrouwenkleren te dragen.'

'Ja, maar jij bent een vrouw.'

'Dus je bent een vestje?'

'Een travestiet.'

'En je hebt geen vriendin?' vroeg ik.

'Nee.'

'Die schoenen maat vijfenveertig zijn voor jou?'

'Ja.'

(Ik wist het wel: hij kon nooit een vrouw én een vriendin hebben. Hij mocht al van geluk spreken dat hij een vrouw had.)

Ik kreeg zijn hele levensverhaal te horen. Had al vanaf zijn zeventiende, achttiende jaar gehunkerd naar vrouwenkleren. Als hij alleen in huis was – wat maar zelden voorkwam – deed hij wel eens de make-up van zijn vrouw op en droeg haar ondergoed. Maar niet haar kleren – 'te saai'.

In de loop der jaren had hij wel wat eigen kleren verzameld – jurk, ondergoed, pruik en make-up, maar geen schoenen. Moest zich behelpen met sandaaltjes met open teen en hiel in maat drieënveertig, de grootste die hij kon krijgen. Maar zijn tenen en zijn hakken staken over de rand en ze deden zeer aan zijn voeten. Hij bewaarde zijn 'kostuum' in een tas in de kofferbak van zijn auto, doodsbang dat zijn vrouw ze zou vinden.

Toen kwam het grote keerpunt: ging naar Amsterdam voor vrijgezellenweekend. Wist zich van zijn metgezellen te ontdoen en vond een winkel voor vestjes. Genoot met volle teugen terwijl hij schoenen paste in zijn eigen maat en keus maakte uit de grote voorraad ondergoed, negligées en jurken. 'Nooit geweten dat het zo heerlijk voelde!' Schafte zich een hele lading spullen aan, maar toen hij de winkel uit was, kreeg hij de zenuwen. Was bang dat op het vliegveld zijn koffers doorzocht zouden worden... waar al zijn vrienden bij waren. Dan zou hij zich doodschamen. Besloot alles te dumpen. Liep urenlang door Amsterdam en smeet uiteindelijk zijn aankopen in de gracht. Toen hij terugkwam in het hotel vroegen zijn maten waar hij was geweest. Hij loog en zei dat hij met een hoer was meegegaan. Maten diep verontwaardigd. De rest van het weekend bleef de sfeer gespannen.

Weer thuis kon Noel geen rust meer vinden. Vrienden liepen met een grote boog om hem heen vanwege het hoer-incident. Maar wat veel erger was, hij kon maar niet vergeten hoe hij zich voelde toen hij daar in die winkel voor een spiegel had staan ronddraaien. 'Heel even kon ik mezelf zijn. En dat heeft iets in me wakker gemaakt. Ik heb geprobeerd het te verdringen, maar dat ging niet. En toen kwam jij mijn kantoor binnenlopen en zei dat je styliste was...'

'...Eh, ja... maar je hebt mij helemaal niet nodig. Ik weet zeker dat je vestjeskleren op internet kunt krijgen.'

'Maar dat kan ik niet riskeren. Ik kan die sites op mijn werk niet bekijken, want dat valt te controleren. Zelfs als je alles wist, blijft het toch op de harde schijf staan. En zelfs als ik ergens in een anoniem internetcafé, ver van Ennistymon, ga zitten kijken, dan kan ik die spullen toch niet thuis laten bezorgen. Dan zou mijn vrouw ze te zien krijgen. Ze zou de pakjes openmaken.'

'Zelfs als ze aan jou geadresseerd zijn?' Vrouw met lef.

'Nou, misschien zou ze dat niet meteen doen, maar ze zou me constant aan mijn kop zeuren, vragen wat er in die pakjes zat, voor wie die spullen waren, of ze ze mocht zien... Daar zou ik niet tegenop kunnen.'

Een gedachte schoot door mijn hoofd. 'Zou het zo erg zijn als ze het wist?'

'Jezus!' Hij sloeg zijn handen voor zijn gezicht. 'Daar wil ik niet eens aan denken! Niemand mag het weten! Ik heb drie jonge kinderen, ik ben een respectabel lid van de maatschappij. Ik neem al een enorm risico door jou dit allemaal te vertellen.'

Uiteindelijk verklaarde ik me bereid om wat catalogi voor hem te bestellen. Toen de eerste arriveerde – met schoenen – kreeg hij me zover dat ik een paar naaldhakken met luipaardprint bestelde. 'Kan niet van mijn creditcard worden afgeschreven. Devla zou het meteen merken.'

Devla (vrouw) klonk als een eersteklas haaibaai.

Moest ze met mijn creditcard betalen – puur geluk dat de koop doorging, gezien de toestand van mijn financiën – en laten afleveren in de hut van oom Tom. Moet wel eerlijk toegeven dat Noel me het geld meteen contant terugbetaalde.

(Geef het niet graag toe, maar moet eigenlijk niets hebben van vestjes. Ze mogen van mij hun gang gaan, hoor, maar ik vind het toch een beetje... Laten we het zo zeggen: ik zou het helemaal niet leuk hebben gevonden als Paddy het gedaan had. Het idee dat hij in damesondergoed en met lipstick op verleidelijk probeerde te doen... Dan zou hij eruitzien als... In feite word ik al misselijk bij het idee alleen... O nee. Nou ben ik niet alleen een racist, maar ook nog een vestjeshater. Kom allerlei onplezierige dingen over mezelf te weten sinds ik in Knockavoy ben.)

19.22

'Doe-hoei!' Trots en verlegen dook Noel uit de keuken op, in een korte stretchjurk met een oranje-zwarte luipaardprint, lange luipaard-avondhandschoenen en – uiteraard - luipaardschoenen. Zo te zien hield hij van luipaardprint. (Heb gemerkt dat dat voor veel roodharige mensen geldt.) Visnetpanty, Tina Turner-pruik, slonzig aangebrachte make-up. Hij zag er ontzettend goedkoop uit. Allemaal iets te opvallend. Kom vaak tot de conclusie dat minder meer is. Maar zei niets. Hij had zelf voor dat uiterlijk gekozen en probeerde er profijt van te trekken.

Bovendien had ik geen zin om zijn spelletje mee te spelen, zodat hij nog langer zou blijven.

'Ik ben Natasha,' zei hij met 'vrouwenstem'. 'Heb je mijn nieuwe catalogi daar?'

'Eh... ja. Hier.'

'Laten we maar een borreltje nemen. Een opkikkertje.'

Keek hem met grote ogen aan. Had geen zin in een opkikkertje. Afgezien van het feit dat ik het weekend nog niet verwerkt had, begon dit steeds meer op een nachtmerrie te lijken.

'De wijn die ik heb meegebracht,' zei hij ongeduldig. 'Trek die maar open.'

O. Was dus geen cadeautje voor mij, maar voor hem. Nou ja, voor Natasha.

Trok de fles open. Schonk hem een glas wijn in. Hij nipte eraan en zat op zijn gemak de nieuwe catalogi in te kijken, met de benen over elkaar, alsof hij bij de kapper zat. Best mooie stelten. Lang, slank en niet echt harig. En wat er aan haar op zat, was rossig blond. Heel wat vrouwen zouden er trots op zijn geweest.

Ik keek toe. Zenuwachtig. Hoe lang was hij nog van plan te blijven? Ik had die avond nog van alles te doen. (Kademuur, mevrouw Butterly, enzovoort.)

Hij keek op. 'Heb je geen snacks?'

'Snacks? Zoals?'

'Kaasstengels bijvoorbeeld.'

'Kaasstengels? Waar moet ik in Knockavoy kaasstengels kopen?'

'Oké. Chips dan? Of pinda's?'

'Waarschijnlijk niet.'

'Ga dan even kijken.'

Liep kribbig naar de keuken en vond een half zakje vettige pinda's achter in de kast.

'Ik heb wel pinda's, maar god mag weten hoe lang ze al...'

'Doe ze in een schaaltje – een mooi schaaltje – en bied ze me aan.'

Terwijl ik me binnensmonds afvroeg waar zijn laatste slaaf aan overleden was, liep ik terug naar de keuken, koos om te pesten juist geen mooie schaal uit en mikte de pinda's erin.

'Een paar pinda's, Noel?'

'Natasha.'

'Pinda's, Natasha?'

'O nee! Ik moet lijnen!'

'Maar je vroeg erom!'

Toen begreep ik het ineens. Was spelletje. En ik was verplicht om het mee te spelen. 'Maar je hebt al zo'n beeldig figuurtje, Natasha. Je hebt de hele week geen toetjes genomen en je bent vanmorgen nog naar de fitness geweest.' Ik begon te overdrijven en voelde me lichtelijk hysterisch. 'Wees nou maar een stoute meid en neem een pinda. En nog een opkikkertje!'

Ik plensde nog wat rosé in zijn glas.

'Oké, Lola. Wil je deze twee sexy jurkjes voor me bestellen? Ik heb ze aangevinkt. En die babydoll met negligée, een zwarte en een roze.'

De moed zakte me in de schoenen. De relatie was nog niet ten einde. En hij had echt een walgelijke smaak.

'Mag ik mijn nieuwe schoenen hier laten?' vroeg hij. 'Ze zijn te mooi om ze in de kofferbak van de auto te gooien.'

'Maar wat heb je eraan als je ze hier laat?' Ik begon knap ongerust te worden.

'Ik kan ze toch komen opzoeken. We zouden een vaste tijd kunnen afspreken, bijvoorbeeld iedere vrijdagavond. Mijn vrouw denkt dat ik dan na het werk altijd iets ga drinken. Maar in plaats daarvan kan ik hiernaartoe komen.'

Was inmiddels echt in paniek. Wilde geen vaste afspraken met Noel van de uitkeringen. 'Maar dit huis is niet van mij! En ik kan ieder moment weer naar Dublin vertrekken!'

Hij fronste. Dat beviel hem niet. 'Je moet iedere adreswijziging meteen doorgeven. Zodra je de provincie verlaat, stopt je uitkering van County Clare.'

'Ja, dat weet ik nou wel.' Had me dat uit en te na uitgelegd.

'En trouwens, je bent nog lang niet goed genoeg om naar Dublin te vertrekken. Moet je zien hoe je eruitziet.'

Ja. Lievelingskleren. Pyjama, veren boa en rubber laarzen.

Had spijt van de boa. Veren boa echt kenteken van de ware excentriekeling. Brengt mensen op verkeerde idee.

'Van nu af aan is vrijdagavond onze meisjesavond!' besloot hij. 'Goed, Lola?'

'Zal ik eerst toestemming moeten vragen aan Tom Twoomey, eigenaar van dit huis.'

'Hoezo, toestemming? Je nodigt gewoon een vriend uit om iets te komen drinken.'

'Ja, maar...'

'Gewoon alleen een vriend die iets komt drinken,' herhaalde hij. 'Goed, Lola? Zijn we het daarover eens?'

Knikte treurig. Geen keus. Zag er naar uit dat relatie met Noel van de uitkeringen nog wel een tijdje zou duren. Niet blij. Mag hem echt niet.

Maar – zoals al eerder gezegd – hij had er wel voor gezorgd dat ik binnen de kortste keren een uitkering had. Hij kon me maken en breken.

20.58

Zodra het geluid van Noels auto was weggestorven, besloot ik dat het me niets kon schelen dat hij me kon maken en breken. Ik belde Bridie en vertelde alles over dat vestjesgedoe. 'Iemand moet het aan oom Tom vertellen,' zei ik. 'Zijn huis wordt te schande gemaakt. Waarschijnlijk zal hij erop staan dat al dat soort praktijken meteen gestaakt worden.'

'Oom Tom is heel gemakkelijk.'

'Zit er dik in dat hij ontzet is,' zei ik. 'Ontzet!'

'Denk ik niet,' antwoordde Bridie. 'Ben je al met die surfer naar bed geweest?'

Dinsdag 21 oktober, 10.38

Voicemail van SarahJane Hutchinson. Klonk hysterisch. Heeft 'onenigheid' gehad met Nkechi. SarahJane had zich erbij neergelegd dat ze het met Nkechi moest proberen, maar nu was haar grootste angst uitgekomen.

'Het gaat gewoon niet!' krijste ze. 'Nkechi is niet aardig, lang niet zo aardig als jij. En wat die Abibi betreft...'

Kreeg ondanks alles warm gevoel vanbinnen.

'Ik kan er niet meer tegen! Moet naar vier liefdadigheidsbals en dat red ik niet zonder hulp! Al die trutten uit het liefdadigheidscircuit zullen me uitlachen en nawijzen!'

Was helaas waar. SarahJane echt niet paranoïde of opgezadeld met overdreven gevoel van eigenwaarde.

'Ik heb jou nodig, Lola. Ik kom naar New York toe. Waar zit je ergens? In de Pierre of in het Carlyle?'

Rijke mensen! Zelfs de aardige als SarahJane hebben geen flauw idee waar ze het over hebben. Zou me nog niet eens één nacht in een van die tenten kunnen veroorloven, laat staan onbepaalde tijd.

Belde SarahJane al wist ik best dat ik dat eigenlijk niet moest doen. Had immers afspraak met Nkechi. Maar was kwestie van normale beleefdheid.

'Lola, o, Lola, je bent mijn reddende engel!' Aandoenlijk blij met mijn telefoontje. 'Kan niet opschieten met die Nkechi. En kan op zo korte termijn ook geen andere styliste vinden die me kan helpen. Ik kom naar je toe.'

'Maar ik zit niet in New York.'

'Ik kom toch naar je toe, al zit je in Buiten-Mongolië.'

'Verder weg. In County Clare.'

'In Ierland? Geen enkel probleem. Ik kom met de auto naar je toe.'

'Maar ik zit aan de westkust en jij woont aan de oostkust.'

'Dankzij die nieuwe rondweg bij Kildare ben ik er zo.'

Ik moest haar aan Bridie voorstellen. Dan konden ze een fanclub voor die rondweg oprichten.

Bespraken wat SarahJane nodig had. Beloofde dat ik japonnen zou laten komen, schoenen, sieraden en avondtasjes. Kon niet langer ondergedoken blijven, maar dat kon me geen barst schelen. Wat is er zo erg aan County Clare vergeleken bij New York? Nkechi was gewoon paranoïde.

12.05

Belde Marilyn Holt, de inkoper van Frock (naar mijn mening de beste zaak in Ierland).

'Lola, ben je het echt?' riep ze uit.

'Ja, ja.' Legde in het kort uit wat eraan de hand was, namelijk dat ik tijdelijk in Knockavoy zat.

'Ik dacht dat je in New York was.'

'Ja, maar inmiddels in County Clare.'

'Ja, natuurlijk,' zei ze discreet. 'Niet nodig om in details te treden.' Marilyn Holt is een lief mens. Echt heel lief.

Natuurlijk weet iedereen wat mij is overkomen. Geen geheimen in zo'n klein land als dit. Heel even akelig brandend gevoel.

Maar toen ik de telefoon neerlegde nadat Marilyn had beloofd om stapels spullen te sturen voelde ik me toch weer best lekker. Had aangetoond dat ik het kunstje nog steeds beheerste. Ik ben nog steeds iemand om rekening mee te houden.

13.12
Op het kerkhof van Knockavoy

Na lang zoeken en struikelen over grafstenen die helemaal overwoekerd waren met onkruid vond ik eindelijk de perfecte kandidaat. Katie Cullinan, overleden in 1897 op negenendertigjarige leeftijd, precies zo oud als mam was geweest. Daarmee zou ik me gedurende mijn verblijf in Knockavoy wel kunnen redden. Trok een paar plukken onkruid uit en had een fijne babbel met mam. Inwendig, niet hardop. Er was niemand die me zag, maar nam geen risico.

15.01
Op de weg terug van het kerkhof

Telefoon. Bridie.

'Ik heb het met oom Tom over dat vestje van je gehad,' zei ze.

'Wat zei hij?' Geschrokken. 'Was hij er ondersteboven van?'

'Hij zegt dat het hem geen bal kan schelen wat je uitspookt, zolang het broodrooster maar heel blijft.'

'Maar heb je hem wel verteld dat Noel vrouwenkleren draagt en make-up en... en... ondergoed en zo?'

'Ja! Dat kan hem niets schelen! Hij zegt dat vestjes arme stakkers zijn en dat ze geen kwaad doen.'

'... Juist... Oom Tom is wel heel erg vriendelijk...'

Vervelend nieuws.

Woensdag 22 oktober, 04.18 (ongeveer)

Heel raar gedroomd. Was samen met Rossa Considine en Colin Farrell aan het volksdansen. Massa's volksdansers achter ons, maar wij op de voorste rij omdat we de besten waren. Hiel-teen, hiel-teen, hup op de andere voet, hiel-teen, hiel-teen, met de duimen door onze broeklussen. Hoorde in gedachten zelfs het nummer:

Achy Breaky Heart. Droegen rode cowboyhoeden, geborduurde overhemden en cowboylaarzen. In mijn droom was ik een schitterend volksdanser, kende alle passen en bewoog over de vloer alsof mijn voeten vleugeltjes hadden. Daarna moesten we het tegen elkaar opnemen. (Dromen nooit geloofwaardig. In dat opzicht net soaps.) Rossa Considine won. Colin Farrell slechte verliezer: beschuldigde hem van bedrog.

Donderdag 23 oktober, 11.08

Niall, de zwaargebouwde kletskous van DHL leverde grote doos vol schitterende kleren af. Kon bijna niet van hem afkomen.

Staarde naar de doos. Opgewonden. Vol verwachting. Bloed bruiste als vanouds door de aderen.

Trok de doos open. Plotseling opwelling van akelig brandend gevoel. Wat moest ik met die malle jurken? Marilyn Holt had me rotzooi gestuurd! Ben niet iemand om rekening mee te houden, integendeel, alleen maar geschikt voor a-modieuze troep gemaakt van kunstvezels.

Wanhopig. Echt wanhopig.

Keek nog een keer. Geen beeldschone japonnen van Frock, maar ordinaire travestiespullen voor Noel. Oef!

18.38

Op weg naar het dorp voor avondbezigheden

Kwam langs hek van Rossa Considine, die net bezig was iets in zijn ecomobiel te leggen. Knikte kort. Kreeg kort knikje terug.

Dacht toen ineens aan mijn droom. 'Hé,' ontsnapte me.

Considine keek op en kwam naar het hek toe.

'Schiet me net te binnen,' zei ik. 'Heb laatst heel raar gedroomd. Dat jij en ik samen met Colin Farrell aan het volksdansen waren.'

'O? O! Komt natuurlijk door dat radioprogramma!'

'Ja. En we waren briljant.'

'Echt waar?' Kennelijk diep onder de indruk.

'Jij won de eerste prijs en Colin Farrell was daar ontzettend pissig over. Zei dat je de zaak geflest had. Kon zelfs het nummer horen. *Achy Breaky Heart.*'

Hij trok een gezicht. 'Nou zal dat nummer de hele week door mijn hoofd blijven spoken. Bedankt, Lola.'

Kribbekont.

Als ik weer over hem droom, laat ik hem niet winnen.

Vrijdag 24 oktober, 11.09

Weer Niall van DHL. Dit keer met echte japonnen. Jemig, wat mooi, wat mooi, wat beeldschoon! De stoffen, de snit, de details. Golvende meters ivoorkleurige zijde, glanzend als water. Rokken en onderrokken van knisperende taffeta. Zwartsatijnen lijfjes die het licht weerkaatsen.

Kon wel janken omdat ze zo mooi waren.

Heb mijn werk meer gemist dan ik besefte.

16.35

Telefoon. Noel. Waarom belde hij? Kon alleen maar zijn om afspraak af te zeggen.

'Ben rond zeven uur bij je,' zei hij. Zegde helemaal niet af! 'Vergeet de snacks niet. Zet een spiegel in de keuken en leg mijn nieuwe kleren erbij. En heb een verrassing voor je. Breng een vriend mee.'

'Vriend?'

'Ja, die heb ik gevonden in chatroom op internet. Hij woont nog geen twintig kilometer hiervandaan. Vertelde hem over jou en het onderduikadres...'

Onderduikadres!

'Noel, je kunt niet nog een vestje meebrengen!'

'Waarom niet?'

'Hoezo waarom niet?' sputterde ik. 'Dit is niet eens mijn eigen huis!'

'Is wel het adres waarop je je uitkering ontvangt. En is trouwens niks mis mee. Gewoon vrienden die langskomen om een borreltje te drinken. Ik zie je om zeven uur.'

IJsbeerde door de kamer. Echt waar. Had het zelfs handenwringend gedaan, als ik had geweten hoe dat moest. Vroeg me af of dit wel wettelijk toegestaan was. Heb je een vergunning nodig voor een bijeenkomst van travestieten?

19.03

Noel schoot langs me heen en trok andere man mee naar keuken. Snelle indruk van nauwelijks verborgen schaamte, toen sloeg de deur dicht. Veel geklets en gegiechel achter gesloten deur.

19.19

Noel zag er behoorlijk provocerend uit in zijn nieuwe kleren – strakke zwarte spandex jurk – maar de andere vent, 'Blanche', zou nooit voor een vrouw door kunnen gaan: groot, stevig gebouwd met een gezicht dat een meter breed was, een mond die op een vuurrode snijwond leek, dikke vegen vloeibare make-up, zichtbare stoppeltjes, Margaret Thatcher-pruik, ouderwets zachtpaars tweed pakje (in de rok was mannelijke bobbel duidelijk zichtbaar) en lichtroze blouse, aan de hals scheef gestrikt onder enorme adamsappel.

Gaf me een hand en zijn enorme klauwen voelden aan als schuurpapier. Handarbeider?

'Ben blij dat ik welkom ben in jouw huis,' mompelde hij met verlegen glimlach en onmiskenbaar boers accent.

'Niet echt mijn huis,' zei ik haastig.

'Momenteel wel,' zei Noel over zijn schouder, terwijl hij heupwiegend terugliep naar de keuken om wijn open te trekken. 'Hier gaat de uitkering naartoe.'

Bleef dat maar onder mijn neus wrijven!

'Ga zitten,' zei ik tegen Blanche en wees naar de bank. 'Iets te knabbelen?'

'Nee,' fluisterde hij tegen de vloer. Hij zat met gespreide benen en handen als kolenschoppen over zijn knieën.

Voelde me niet op mijn gemak. 'Waar heb je dat pakje vandaan?'

'Van wijlen mijn moeder, God zegene haar.'

'Is beeldschoon... kleurtje.' Ik moest toch iets zeggen.

'Tijd voor borreltje!' Noel deelde glazen rosé uit. (Zag onwillekeurig dat in het mijne veel minder zat dan in hun glazen. Was geen vol glas waard, want geen vestje.)

'Proost, meiden,' zei Noel terwijl hij klonk met Blanche. 'Gezondheid!'

Akelig brandend gevoel. Had zin om tegen Natasha te zeggen dat ik geen enkele vrouw kende die 'Gezondheid!' zou zeggen.

'Dat is een prachtige jurk die je daar aanhebt, Lola,' zei Blanche verlegen. '... Is die van Dior?'

Klopte als een bus! Tweedehands, natuurlijk, kan me anders geen Dior veroorloven, maar diep onder de indruk. 'Ja, is inderdaad Dior.'

'Puur kunstwerk,' mompelde hij. 'Echte kunst.'

'Chique jurk,' beaamde Natasha, die ook een duit in het zakje wilde doen.

'Hoe wist je dat het een Dior is?' vroeg ik.

'Wist ik gewoon,' zei Natasha.

'Niet jij!' Kon mijn ergernis nauwelijks inhouden. 'Blanche.'

'Ik heb veel boeken over stijl gelezen. In het geheim, natuurlijk.'
'Echt waar? En verkleed je je allang... als vrouw?'
'Heb ik mijn leven lang gedaan, Lola. Al sinds ik een klein jochie was.'
Fascinerend. 'En wisten je ouders dat ook?'
'O ja. Iedere keer als ze me betrapten, sloeg mijn vader me bont en blauw met zijn broeksriem.' Klonk onverwacht vrolijk. 'Maar kon er niets aan doen, Lola. Heb wel een miljoen keer geprobeerd te stoppen. Schaamde me ontzettend.'
Praatte gemakkelijker dan je op het eerste gezicht zou denken.
'En hoe ziet je leven er tegenwoordig uit... eh... Blanche? Ben je getrouwd?'
'Jazeker.'
'En is je vrouw op de hoogte?'
Moeizame stilte. 'Ik heb geprobeerd het haar te vertellen. Ze dacht dat ik haar wilde uitleggen dat ik homoseksueel was. Stond meteen op haar achterste benen. Toen heb ik het maar laten zitten... Maar het is heel moeilijk geweest. Mijn hele leven is een leugen, Lola, gewoon een leugen. Toen hoorde ik van Natasha dat ik hier mocht komen. Het was een reddingsboei, niets meer en niets minder. Ik liep al te denken dat ik er beter een eind aan kon maken. Dat ik me maar moest opknopen.'
'Bedoel je... dat je aan zelfmoord dacht?'
Hij haalde zijn schouders op. 'Ik ben ontzettend eenzaam.'
Jemig! Was bang dat ik in tranen uit zou barsten.
'Ik hou van mooie dingen,' zei hij. 'En soms wil ik die ook dragen. Word ik daardoor een beest?'
'Nee. Welnee!'
'Ben geen perverseling, geen buitenbeentje. En het heeft niets met seks te maken. Ik zou het al ontzettend fijn vinden om in mijn kostuums tv te mogen kijken.'
'Tuurlijk!'
'Natasha zegt dat jij wel bereid bent om me te helpen kleren en schoenen uit catalogi te bestellen.'
Jemig. Moest even iets wegslikken. Maar ik had medelijden met die arme kerel. Ik wilde hem helpen. Ik kon hem helpen.

19.37 – 20.18
Noel showde zijn nieuwe kleren, met inbegrip van roze babydoll en bijpassend onderbroekje.
Werd me bijna te veel.

20.19-20.40

Enthousiaste discussie over beeldschone japonnen bij *Strictly Come Dancing*. Niet gezien omdat ik geen tv had, dus kon niet meepraten.

20.41-22.10

Noel bladerde luidruchtig de *Vogue* door en had kritiek op alle modellen, die hij 'dikke trutten' noemde.

Blanche verdiepte zich in de catalogi voor vestjes. Vond meeste jurken niets omdat ze 'veel te gewaagd' waren, maar wees met een eeltige vinger naar een donkerblauwe rechte jurk en een beschaafd lamswollen vest. 'Klassiek.'

'Ja,' beaamde ik. 'Strak van lijn. Zou je best goed staan.' Kreeg ineens een idee. 'Mag ik je een raad geven? Zul je niet beledigd zijn? Als je een choker van parels om je hals zou dragen ziet niemand je adamsappel.'

'Helemaal niet beledigd.'

'En daarbij dan pumps met een bescheiden hakje?'

'Ja.'

'En... wil je echt niet beledigen, maar... speciaal ondergoed om minder geprononceerd over te komen?' Bedoelde in feite 'om je edele delen weg te drukken, zodat ze onder je donkerblauwe jurk niet te zien zijn'. Hij begreep me meteen. Niet in het minst beledigd. Integendeel, blij!

Toen keuze gemaakt was, haalde hij potlood tevoorschijn, likte eraan, telde de kosten op, maakte antediluviaanse handtas open, haalde er een dikke stapel smerig uitziende briefjes van vijftig euro uit, pelde er een paar van af en legde ze met een klap in mijn hand alsof hij net een prijsstier van me had gekocht.

'Je hebt me te veel gegeven,' zei ik.

'Voor jou. Voor de moeite.'

Noel keek op van zijn tijdschrift en wierp me een kille blik toe. 'Alle inkomen moet worden opgegeven,' zei hij scherp.

'Is geen inkomen,' zei Blanche. 'Is gift.'

Onbehaaglijk gevoel. Heel bezorgd. Wilde Blanche me omkopen om aardig voor hem te zijn? Oefende ik nu ineens een bedrijf uit in de hut van oom Tom? Waar zou het allemaal op uitdraaien?

22.15

Slot van de avond in zicht. Blanche moest weg. Is melkveehouder. Heeft zestig koeien en moet om vijf uur op om ze te melken. Blanche zit goed in zijn slappe was.

'Mag ik volgende week vrijdag weer komen?' vroeg hij.

'Ja, en elke vrijdag daarna,' antwoordde Noel.

'Je bent een fijne vrouw,' zei Blanche tegen mij. 'Ik ben zo alleen geweest.'

22.30

Onderweg naar het dorp

Kille avond, maar warm vanbinnen. Maakte plannen. Als oom Tom het goed vond dat ik niet één maar twee vestjes in zijn huis haalde, zou ik ze helpen. Nou ja, eigenlijk wilde ik Noel helemaal niet helpen, ik kon Noel niet uitstaan en ik wilde eigenlijk geen vinger voor hem uitsteken. Maar die arme Blanche. Ik zou hem make-uplessen geven en hem leren dat hij zich niet zomaar op goed geluk vol moest smeren alsof hij een muur aan het witten was. Ik zou hem leren de juiste accessoires te kiezen. Ik zou hem vertellen hoe hij zich moest gedragen. Ik had mijn leven lang mijn best gedaan om vrouwen mooier te maken. En dit was eigenlijk precies hetzelfde, alleen waren de vrouwen mannen.

Plotseling leuk idee: zou een mooie film uitzoeken voor volgende week vrijdag. Fijne film met mooie kleren. Zou helemaal mooi zijn als het ook nog over wraak ging. Leuk probleem om aan Brandon voor te leggen. Een uitdaging.

00.12

Hmmm. Weer op weg naar huis. Besloot om weg langs de zee te nemen in plaats van over de hoofdweg te lopen. Reden? Geen reden. Wilde alleen maar... langs het huis van de surfers. Maar toen ik ernaartoe liep, was alles donker. Teleurgesteld.

Bleef er even voor staan en keek naar het raam boven of ik flakkerende kaarsjes zag. Zou hij er zijn?

Niets. Onder me sloeg de zee met veel lawaai op de kust. Wilde net verder lopen toen een stem zacht, net boven de herrie van de golven uit, mijn naam zei. 'Lola.'

Verrast. Het was Jake, die met de benen over elkaar op de vensterbank zat. Ik kon hem nauwelijks zien, ving alleen af en toe een flits van zilver op als de zee in zijn ogen weerkaatste.

'Wat doe je daar in het donker?' wilde ik weten.

'Naar de zee luisteren.' Bonzend hart. 'Aan jou denken.' Bonzend hart. 'En daar ben je dan.'

Alle zintuigen ineens op volle kracht, als bij een dier dat onraad ruikt... tintelende vingertoppen, tepels die plotseling alert waren, besef dat ik katoenen onderbroekje aanhad.

'Wat ga je doen?' vroeg hij. Zijn stem... zo vol genegenheid.

'Naar huis.'

'Niet meer. Kom hier.'

Moest er even over nadenken. Wat zou er gebeuren als ik dat deed?

'Maar één manier om daar achter te komen,' zei hij. Kon kennelijk gedachten lezen.

Deed drie stappen naar hem toe en toen ik vlak bij hem stond, gebruikte hij zijn benen om me naar zich toe te trekken. Plotseling zo dichtbij dat ik het zout en het zweet kon ruiken. Een tikje geschrokken van zijn nabijheid. Was er niet op voorbereid. Onze gezichten op gelijke hoogte, zijn zilveren ogen vast in de mijne, zijn legendarische mond op afstand van hooguit vijftien centimeter.

Hij kneep zijn benen nog vaster tegen elkaar zodat ik voetje voor voetje naar hem toe moest schuifelen. Ik verzette me niet. Zijn handen om mijn schouders trokken me verder. Een flauw glimlachje maakte dat zijn mondhoeken licht omhoog krulden. Uitdagend? Bewonderend?

Ik wist niet waar ik mijn armen moest laten. Maar besloot toen, ach verrek, ik ben een volwassen vrouw. En liet ze om zijn nek glijden.

'Dat begint erop te lijken.' Ik staarde naar zijn mond. 'Luister naar de zee,' fluisterde hij. 'Doe je ogen dicht en luister.'

Kneep mijn ogen dicht. Het sissende en slurpende geluid van de zee werd meteen luider. Net als het geluid van Jakes ademhaling. Meteen daarna een schok! Schokkend gevoel van het puntje van zijn tong dat mijn mond raakte. Langzaam, pijnlijk langzaam liet hij het over mijn onderlip glijden. God, wat lekker. God, dat was echt lekker. Ik tintelde van genot toen het puntje van zijn tong eindelijk de hoek van mijn mond bereikte en langs mijn bovenlip de duizeligmakende cirkel van zenuwprikkels vol maakte. Vervolgens een echte tongzoen.

'Ga mee naar binnen,' zei hij zacht en teder in mijn oor.

Dacht aan zijn slaapkamer. Dacht aan alles wat er zou gebeuren als ik over de drempel stapte.

Golf van paniek. Hij was veel te dichtbij. Te veel mannelijkheid die niet Paddy was.

Rukte mezelf los uit zijn omhelzing alsof ik zo'n hijgerige juffrouw uit een melodrama was. 'Nee, kanniet.'

'O, Lola!' Klonk geërgerd, maar toen ik haastig de weg op liep, kwam hij niet achter me aan.

Was ik blij om. Ik had niet naar hem toe moeten gaan. Hem niet moeten kussen. Helemaal van mijn stuk. Halfgod bood me seks aan.

Op een presenteerblaadje! En dat ik uiteindelijk het lef niet had, was alleen maar de schuld van Paddy de Courcy. Heeft me verpest voor normale seks met andere mannen!

Vervelend idee. Behalve een racist en een vestjeshater ben ik nu ook een treitertrut.

Terug in de tijd

Paddy leek totaal niet op andere mannen. Naakt leek hij nog groter. Haar op de borst. Heel geconcentreerd als het om seks ging. Glanzende ogen. Hield van spelletjes, inventief en vol fantasie. Gebruikte graag hulpmiddelen.

Na dat eerste afspraakje wilde ik meteen weer met hem uit. Was omgeslagen van twijfel over zijn goedkope neigingen tot volledige fascinatie. Het enige wat ik wilde, was opnieuw met hem naar bed. Ik hoefde mijn ogen maar dicht te doen om te zien hoe hij zich over me heen boog, nat van het zweet, precies zoals ik in mijn verbeelding op het kerkhof had gezien.

Tweede afspraakje met Paddy begon gewoon genoeg. John haalde me op uit mijn flat en nadat we een tijdje in de spits van Dublin hadden vastgezeten stopte hij voor een onopvallend huis dat rond 1800 was gebouwd. Hij zei zacht in zijn telefoon dat we gearriveerd waren, toen ging een onopvallende deur open en een fluisterende heer ging me voor naar het heilige der heiligen. Veel met rood fluweel beklede zitjes. Besefte dat ik in een privéclub was, niet in een normaal restaurant. Had het donkerbruine vermoeden dat er veel wild op het menu zou staan.

Het bedienend personeel – allemaal mannen – sloeg overdreven discreet hun ogen neer terwijl ik langsliep.

Paddy zat op een bank met een hoge rugleuning met een rode pen aantekeningen te maken op een of ander papier. Voelde een moment van aarzeling bij aanblik van dat geföhnde haar, maar werd vervolgens meteen door zijn intens blauwe ogen als een hulpeloos stukje saté aan een pen geregen en was verloren.

'Wat een overdreven bedoening is dat hier!' zei ik lachend terwijl ik ging zitten. 'Wedden dat die kelners met alle liefde hun eigen ogen uit zouden steken als ze iets zagen wat ze niet mochten zien?'

'Is lichtelijk overdreven,' beaamde Paddy.

'Afschuwelijk ouderwets,' zei ik, om me heen kijkend.

'Ja. Af en toe ben ik bijna bang dat ik jicht zal krijgen als ik te lang hier blijf, maar kan me wel ontspannen. Hoef niet bang te zijn voor foto's in de krant.'

Persoonlijk zou ik het geen probleem vinden als onze foto in de krant kwam, maar ik hield mijn mond. Ik wilde niet dat hij zou denken dat ik alleen maar uit was op geld en roem.

Het menu was precies wat ik verwacht had, veel wild en ouderwetse gerechten, maar Paddy moest voor me bestellen omdat – volgens hem – de kelners vrouwenstemmen niet hoorden. Alsof het een stel auditieve eunuchs was.

'Vertel eens wat je vandaag hebt gedaan,' zei hij.

Begon over fotosessie voor tijdschrift met het gevoel dat ik een kind was dat vertelde hoe het die dag op school was gegaan.

'Heb je dat altijd al willen doen? Styling?'

'Jemig, nee. Ik wilde eigenlijk altijd ontwerper worden, maar dat lukte niet.'

Hij werd even stil, alsof hij diep in gedachten verzonken was. Meteen daarna was hij weer bij de tijd en wierp me een blik uit die blauwe verstralers toe. 'Denk je dat de vroege dood van je moeder van invloed is geweest op je leven?'

'Weet ik niet. Ik denk dat je daar nooit achter kunt komen. Ik weet niet of ik ooit genoeg talent had om ontwerper te worden. Maar misschien was het beter gegaan als zij me had kunnen aanmoedigen... Wie zal het zeggen? Misschien kan ik beter proberen om gelukkig te worden. En jij?'

Hij keek in de verte en zei langzaam: 'Ja, misschien is het inderdaad beter om te proberen gelukkig te worden. Als een van je ouders sterft als je nog zo jong bent, weet je dat het ergste kan gebeuren. Dan ben je die onschuld kwijt, dat geloof in "en ze leefden nog lang en gelukkig". Je wereld is somberder dan die van anderen. Weet je wat me echt dwars kan zitten?' vroeg hij. 'Dat andere mensen zo kunnen klagen over hun moeder.'

'Ja! Mensen die volhouden dat hun moeder niets anders doet dan zeuren waarom je niet trouwt met die man die zo'n goeie pensioenvoorziening heeft.'

'Of haar uitlachen omdat ze van die ouderwetse dingen kookt. Ze moesten maar eens een tijdje voelen hoe het zonder moeder is.'

We ontdekten ook dat we allebei afwezige vaders hadden, waardoor we in zekere zin wees waren!

'De mijne woont in Birmingham,' zei ik.

'Die van mij zou net zo goed in Birmingham kunnen wonen.'

'Hoezo?'

'Hij neemt alleen maar ruimte in beslag.' En een tikje verbitterd:

'Ik zie hem nooit.' Paddy was een gevoelig man. Je zou nooit denken dat hij zo pervers was.

Toen de rekening kwam, in een grote roodleren map, was ik langzamerhand ziek van al die onderdanigheid van de kerels om me heen.

'Dit keer betaal ik,' zei ik.

Paddy schudde van nee en fluisterde in mijn oor: 'Als een vrouw hier zou proberen te betalen zouden ze er van schrik in blijven. Ze vinden nog steeds dat vrouwen geen tv onder hun eigen naam mogen huren. Zin om met mij mee naar huis te gaan?'

Die plotselinge verandering van onderwerp en stemming overviel me. Maar ik pakte meteen de handschoen op. 'Mijn flat is dichterbij.' Toch was ik nieuwsgierig genoeg om een kijkje bij hem te willen nemen.

Veel kans kreeg ik daar trouwens niet voor. Zodra we aankwamen, moest ik naar het toilet en toen ik weer tevoorschijn kwam, hoorde ik Paddy uit een andere kamer roepen: 'Hierheen, Lola.'

Niet de woonkamer, zoals ik had verwacht, maar zijn slaapkamer. Paddy lag poedelnaakt dwars op zijn bed iets te lezen. Een tijdschrift. Met foto's. Ik liep naar hem toe, maar bleef ineens staan. Walgend. Porno. Toen zag ik zijn erectie, die gigantisch en paars omhoog torende uit een dikke vacht schaamhaar.

Ik deinsde terug. Voelde me beledigd en wilde meteen naar huis.

'Niet weggaan.' Hij lachte. Echt waar. 'Je zult dit vast leuk vinden.'

'Dat denk ik niet,' antwoordde ik.

Maar hoewel ik me gekwetst voelde, was ik tegelijk nieuwsgierig. En zelfs een tikje... geil.

Hij klopte op het bed. 'Kom maar even kijken.'

Ik verroerde me niet. Mijn benen weigerden dienst.

'Toe nou,' drong hij aan. 'Je vindt dit vast geweldig.'

Iets in me geloofde hem ondanks alles. Ik liep langzaam naar het bed toe en ging preuts op het randje zitten.

'Kijk,' zei hij. 'Kijk eens naar haar.'

Het blad was opengeslagen bij de foto van een Aziatisch meisje met lang zwart haar en grote borsten. 'Is ze niet prachtig?'

Ik aarzelde maar zei toch: 'Ja.'

Hij ging op zijn zij liggen en pakte zichzelf vast. Ineens drong het tot me door dat hij zich loom lag af te trekken. Walgde opnieuw.

'Zou jij haar niet willen neuken?' vroeg hij.

'Nee!'

'Nee? Nou, ik wel.'

Zijn hand ging sneller bewegen, steeds sneller. Hij begon te zweten en lag me strak aan te kijken.

'Ik zou het heerlijk vinden om jullie samen in bed te zien,' zei hij.

Ik voelde me jaloers en kribbig en misselijk en tegen beter weten in ongelooflijk geil.

'Ik ben bijna zover,' zei hij gesmoord tegen me. 'Ik kan ieder moment klaarkomen.'

'Als je dat maar laat!' zei ik scherp.

Ik sloeg zijn hand opzij, pakte het tijdschrift op en keilde het door de kamer.

'Je komt pas klaar als ik dat zeg! Waar zijn de condooms?'

'Daarin,' zei hij met een wilde blik.

Ik trok de la open, pakte een condoom, deed het om – zo snel had ik dat nog nooit bij iemand voor elkaar gekregen – pakte zijn erectie alsof het een versnellingspook was en zakte op hem neer, waarbij de eerste golven van genot al over me heen sloegen.

Zaterdag 25 oktober, 13.25
Belde Bridie en vertelde haar dat ze tegen oom Tom moest zeggen dat het aantal vestjes in zijn huis verdubbeld was.

'Zal ik doen, maar het kan hem vast niks schelen. Ben je al met die surfer naar bed geweest?'

14.01
Begraafplaats van Knockavoy
'Mam, wat moet ik met die surfer beginnen?'

Dankzij die verdraaide Bridie haalde ik me weer van alles in mijn hoofd!

Soms kreeg ik helemaal geen antwoord als ik mam iets vroeg, maar dit keer hoorde ik haar stem meteen: 'Maak maar een beetje plezier, Lola. Neem het allemaal niet zo serieus.'

'Waarom moet ik het niet serieus nemen? Denk jij soms ook dat hij veel te knap voor me is?'

'Helemaal niet!' Sputterend. 'Je bent een beeldschone meid en je kunt elke vent krijgen die je wilt.'

'Bedankt, mam, maar aangezien je mijn moeder bent, zul je wel niet onpartijdig zijn.'

'Maak maar een beetje plezier, Lola,' herhaalde haar stem.

'Mag ik je nog iets vragen, mam?' Over iets waar ik me af en toe zorgen over maakte. 'Ik zit hier toch niet in mijn eentje op een begraafplaats als een idioot in mezelf te kletsen? Ben je er wel echt?'

'Ja, natuurlijk ben ik er echt! Ik ben je mam. Ik ben altijd in de buurt, om op je te passen.'

15.30
Supermarkt
'Ik heb een echte uitdaging voor je, Brandon. Ik ben op zoek naar een film vol wraak en beeldschone kleren.'

15.33
Telefoontje van Bridie.
'Oom Tom zegt dat je kunt doen en laten wat je wilt, als je maar zorgt dat het broodrooster heel blijft.'
Het zij zo.

15.39
Internetcafé
Vond fantastische site met make-upartikelen speciaal voor mannen. Heleboel spullen besteld, wat mogelijk was dankzij bedrag dat Blanche te veel had betaald. Ze garandeerden levering binnen achtenveertig uur, zelfs in Knockavoy! Eerlijk gezegd ging ik helemaal uit mijn dak bij idee dat ik Blanche van een geitenwollen sok in een zijden kous zou kunnen veranderen!

Maandag 27 oktober, 09.45
Aankomst van SarahJane Hutchinson uit Dublin in gigantisch lange Jaguar.

Vermoeiende dag met het passen van jurken, schoenen en accessoires en pogingen om uit alle aanwezige spullen vier passende outfits voor haar samen te stellen. Uiteindelijk toch gelukt. Gaf aan welke kapsels en kleuren make-up gebruikt moesten worden, schreef alles op en verzekerde haar dat ze me op de avond in kwestie gewoon mocht bellen.

Heb er echt van genoten. Mis mijn werk ontzettend.

Ze gaf me een gigantische cheque – om de kleren te betalen – en vervolgens een enorm pak bankbiljetten voor mezelf. 'Ons geheimpje. Wat de belasting niet weet, deert ze ook niet.'

Zit ruim in de slappe was!

19.07
Butterly's
Rossa Considine en Frettenkop zaten aan de bar en lieten zich vol-

lopen. Het is weer 'aan' volgens Boss, Moss en de Meester. Wenste dat ze op zouden rotten.

'Dat liedje zit me nog steeds in mijn kop, Lola,' zei Considine.

'Welk liedje?' Ineens wist ik het weer. 'Nee, niet zeggen!'

Te laat. *'Achy Breaky Heart.'*

'Bedankt,' zei ik somber. 'Nu zit het een week lang in mijn kop.'

Dinsdag 28 oktober, 11.39
Niall van DHL komt restant kleren halen die teruggestuurd moeten worden naar die lieve Marilyn Holt in Dublin.

Woensdag 29 oktober, 11.15
Mannenmake-up afgeleverd door DHL!

Donderdag 30 oktober, 11.22
Blanches dameskleren en Noels nieuwe negligés afgeleverd door DHL!

22.35
Lag op de bank vochtige thriller te lezen en hoorde ineens raar gekletter. Had wel iets weg van hagelstenen, maar het hagelde helemaal niet.

Toen ik het geluid weer hoorde, stond ik op, deed de voordeur open en tuurde in het donker naar buiten. Daar was iemand! Een man. Jake. Mijn ogen waren net op tijd aan het donker gewend om te zien dat hij een handvol grint oppakte en tegen een van de bovenramen gooide.

'Waarom sta jij stenen tegen mijn raam te gooien?'

Reageerde verrast. 'Om binnengelaten te worden.' Op zijn karakteristieke fluistertoon, zodat ik geen woorden kon onderscheiden maar uit de cadans van de zin moest opmaken wat hij zei.

'Je had ook gewoon aan kunnen kloppen.'

Hij kwam in het licht staan en grinnikte naar me. 'Dit is veel romantischer. Mag ik binnenkomen?'

Stapte opzij. Ik stond midden in de kamer en opnieuw kwam hij vlak voor me staan, alsof we samen opgesloten zaten in een ijzeren maagd. 'Ik heb nachtenlang zitten wachten,' zei hij met een glimlach. 'Maar je bent niet teruggekomen om me op te zoeken.'

'Nee.'

'Waarom niet?'

'Weet ik niet.' Niet overdreven bedeesd. Wist het echt niet.

'Ben je blij dat ik er ben?'

Moest er even over nadenken. 'Ja.'

'Zullen we verdergaan waar we de vorige keer zijn gebleven?'

Weer even nadenken. 'Ja.'

Die kus, die kus, die duizelingwekkende kus. Langzaam naar boven, naar de slaapkamer terwijl onze kleren slordig op de grond en op de trap achterbleven en ten slotte in bed.

Bleef ondanks mezelf vergelijken. Heel ander lijf dan dat van Paddy. Gebruinder, leniger, minder behaard. In tegenstelling tot Paddy die altijd fris en helder was, rook Jake een beetje bedompt. Niet vervelend. Een wat dierlijk luchtje dat meteen aan seks deed denken.

Hij was dol op verschillende standjes en deed het met me terwijl ik op mijn buik lag of op mijn zij, op zijn schoot zat met het gezicht naar hem toe of met mijn rug naar hem toe. Met zijn armen stijf om mijn middel geklemd ging hij, met mij op schoot, voorzichtig rechtop zitten en zorgde ervoor dat hij niet uit me glipte. Zo zaten we samen op de rand van het bed terwijl hij over mijn schouder in de spiegel naar ons keek. Met zijn handen stijf om mijn heupen bleef hij langzaam in me op en neer bewegen.

'Je bent echt verrukkelijk,' mompelde hij tegen mijn spiegelbeeld.

Ik trok me los. Al die onzin hing me de keel uit. Spiegels en rare streken. Kan er ook nog gewoon geneukt worden?

Maar daar gingen we weer, standje zus en standje zo, en toen hij op de een of andere manier gewoon boven op me terechtkwam, leek hij verbaasd. Ik moest onmiddellijk overeind gehesen worden in het zoveelste standje, maar ik weigerde. 'Blijf liggen.'

Ik wilde het gewicht van een man boven op me voelen. Dus pakte ik hem bij zijn billen zodat hij niet weg kon en zei: 'Dit vind ik fijn.'

00.12

Toen we lekker in elkaars armen lagen na te soezen, vroeg Jake: 'Denk je wel eens na over het universum?'

'Nee.'

'Over al die mensen daarin en over al die dingen die er gebeurd moeten zijn voordat onze wegen elkaar kruisten?'

'Nee.' Ik gaapte.

Wat lief. Hij deed echt zijn best voor het naspel.

'Het is wel goed,' zei ik. 'Een tien met een griffel omdat je je niet meteen hebt omgedraaid en in slaap bent gevallen. Je bent fantastisch. Maar je hoeft niet tegen me te praten.'

Vrijdag 31 oktober, 07.38
Weer lekker nasoezen.

'Goh,' zei ik. 'Over zes onmogelijke standjes voor het ontbijt gesproken.'

Jake sprong uit bed. 'Woeste seks en het is nog niet eens acht uur.' Hij wierp een blik door het kleine slaapkamerraam. 'De vloed komt op. Ik moet ervandoor.'

'Doei,' zei ik slaperig.

Hij ging weg. Lag in bed en dacht na. Ik had voor het eerst na Paddy weer geneukt. Zevende hemel? Nee, doffe ellende. Als ik nu al met surfers naar bed ging, was het eind echt zoek. Plengde een stortvloed van tranen in kussen.

Maar toch opluchting om te weten dat alles nog steeds werkte, in emotionele zin dan. En in andere zin ook.

10.20
Belde Bridie. 'Ben met Jake naar bed geweest.'

Stilte. Toen jankend geluidje. 'Ik ben zo jaloers!' jammerde ze. 'Ik ben er kapot van. Hoe was 't?'

'Hij is helemaal gek van standjes.'

'O!' gilde ze het uit. 'Nou zit je me gewoon te pesten!'

Rest van de dag
Werd continu gefeliciteerd door iedereen die het wist van Jake en mij.

16.12
Supermarkt
Haalde lekkere dingen voor avond met vestjes. Partybroodjes en zo.

Moest Kelly en Brandon iets vragen, want had de vrouw met het gebroken hart al een tijdje niet meer over het strand zien banjeren.

'Waar is ze?' vroeg ik.

'Jennifer? Weer opgeknapt,' zei Kelly. 'Terug naar huis. Met achterlating van al haar scheve pottenbaksels.'

'Ze heeft een beurt van Frankie Kiloorie gehad,' zei Brandon. 'Daardoor zag ze ineens de zonzijde weer.'

'Wie is dat?'

'Hij woont aan de Miltown Malbay Road. Een timmerman. Twee rechterhanden.' Vulgair grinnikje.

'Jennifer zou hem in Dublin geen tweede blik waardig keuren, want hij heeft al sinds 2001 geen nieuwe kleren meer gekocht, maar hij heeft het toch voor elkaar gekregen!'

Onbeschofte schaterlach van zowel Brandon als Kelly, maar kikkerde er toch van op. Victorie voor één is victorie voor allen.

'Altijd hetzelfde met iedereen hier,' zei Brandon luchtig. 'Huilen, over het strand banjeren, kunstzinnige neigingen. Maar ze komen weer met beide voetjes op aarde terug als ze een keer flink gepakt worden door een man van het land die weet waar hij ze moet raken.'

'Of een man van de zee,' deed Kelly ook een duit in het zakje terwijl ze haar veel te dun geplukte wenkbrauwen naar me optrok.

'Of een man van de golven!' Brandon stootte me zelfs aan!

Bleef hooghartig toekijken terwijl zij omvielen van het lachen. In dit dorp was geen geheim veilig.

Ik schraapte mijn keel en begon over iets anders. 'Hebben jullie die wraak-dvd vol mooie kleren al voor me?'

Brandon beheerste zich en legde een doosje op de toonbank.

'*Funny Face?*' zei ik. 'Sinds wanneer gaat *Funny Face* over wraak? Is een film van Audrey Hepburn!'

Brandon zei niets, maar legde nog een andere dvd op de toonbank. *Unforgiven.* 'Twee hoofdfilms,' zei hij. '*Funny Face* en *Unforgiven.* Meer kan ik niet voor je doen, Lola. Er bestaat geen film vol wraak en mooie kleren.'

18.59

Daar kwamen ze aan. Punctuele types, die vestjes.

Ze doken rechtstreeks de keuken in, waar de nieuwe aankopen al klaarlagen.

'Blanche,' riep ik door de gesloten deur, 'roep me alsjeblieft als je moeite hebt met je nieuwe ondergoed.'

Stond niet echt te trappelen van verlangen om Blanches edele delen te temmen, maar is nu eenmaal mijn beroep.

'En laat die make-up maar zitten. Heb voor jullie allebei nieuw spul.'

Eerlijk gezegd werd het een onverwacht gezellige avond. Blanche bereid om al mijn suggesties te accepteren. Liet toe dat ik haar hielp met het aantrekken van haar mooie nieuwe kleren, haar nagels lakte, liet zien hoe je een discrete maquillage aan moest brengen en vertelde hoe ze zich moest gedragen.

Blanche was een andere vrouw geworden tegen de tijd dat ik klaar was. In feite had ze best voor een grof gebouwde, wat mannelijke vrouw door kunnen gaan. (Bij een lampje van dertig watt.)

We deelden een fles wijn, aten samen één partybroodje op en waren lyrisch over Audrey Hepburn.

Af en toe sprong Noel op om een rondedansje te maken in zijn ordinaire feestkleren om vervolgens kribbig op te merken dat hij wou dat hij naar een disco kon. Ieder zijn meug.

22.20

Vestjes verdwenen. Had zo'n kick gekregen van eigen goedheid dat ik besloot om naar The Oak te gaan en nog snel iets te drinken. Toen ik binnenkwam, stond Brandon achter de bar. Even volledig van slag. Was ik per abuis supermarkt in gelopen?

'Ja, je zit goed,' riep Brandon. 'Je bent echt in de kroeg.'

'Waar is...' Jemig, hoe heette Pruimenoog ook alweer? 'Ibrahim?'

'Osama? Avondje vrij. Heeft tweeënnegentig dagen achter elkaar doorgewerkt.'

'Tweeënnegentig dagen! En hij is altijd zo opgewekt.'

'Dus waarom zou je hem die paar uurtjes in Ennis in de bioscoop misgunnen?'

'Ik misgun hem niets, Brandon. Ben gewoon verbaasd.'

23.37
Thuis

Klop op de deur. Jake. Keek ik echt van op, want had echt niet verwacht hem weer te zien. Hij zag er ontzettend sexy uit. Die ogen, dat haar, die mond, dat lijf.

'Wat kom jij doen?' vroeg ik. 'Moet je nu alweer bijtanken?'

Diep beledigd. 'Is niet bijtanken. Ben verdomme stapelgek op je.'

'Je speelt het spelletje wel goed, meneer.'

Opnieuw beledigd. 'Geen spelletje. Zal je wel eens laten zien hoe echt ik het meen.'

Begon me meteen te kussen. Mond op mond achteruit naar binnen, kleren vlogen al in het rond. Brandend van verlangen. Heerlijk.

Maar seks was frustrerend. Net als ik er lekker in begon te komen werd ik weer opgepakt en als de staf van een majorette rondgezwierd voor totaal ander standje.

'Ben je soms van plan om elk standje uit de Kamasutra binnen twee dagen af te werken, Jake?' wilde ik ten slotte weten.

Weer beledigd. 'Wil je gewoon plezier geven.' Oprechte blik in verbijsterend zilveren ogen. Geroerd. Paddy was heel anders geweest, vooral aan het eind. Was vergeten hoe het voelde als een man lief voor me wilde zijn.

Sloten ten slotte compromis: niet meer dan vier verschillende standjes per keer. Iedereen blij.

Zaterdag 1 november, 07.32

Ochtendbeurt, daarna Jake weg om 'een paar golven te pakken'.

08.14

Telefoontje van Bridie. 'Heb je nog iets van hem gehoord?'

'Ja. Kwam gisteravond weer langs, op zoek naar seks.'

Ze begon zo luid te jammeren dat mijn oren ervan tuitten.

13.15

The Oak

Feliciteerde Pruimenoog met zijn eerste vrije avond in tweeënnegentig dagen.

'Ben naar de bioscoop in Ennis geweest. Dubbelprogramma Wim Wenders. Echt fantastisch.'

'Goed zo!'

Plotselinge verandering van houding. Keelgeschraap. Keek neer op tapkast, vervolgens weer op, met gezicht in formele plooi. 'Eh. Ahem! Zou jij me misschien komende vrijdagavond gezelschap willen houden, Lola? Dan begint het Ingmar Bergman-seizoen.'

'Vrijdagavond? O, Ibrahim, dan kan ik niet. Elke andere dag in de week geen probleem, maar vrijdag niet.'

'Vrijdag is de enige dag dat ik vrij kan krijgen. Volgende week dan?'

'Alle vrijdagen bezet, Ibrahim.' Vreselijke stilte. Had het gevoel dat ik iets moest zeggen. Voelde mee met zijn eenzaamheid, het feit dat hij een Egyptenaar was, ver van huis in vreemd, niet-Islamitisch land met raar weer en vastgeroeste drinkgewoonten.

Maar wat moest ik zeggen? Ik kan niet mee want dan heb ik travestieten op bezoek?

Voorstel: 'Waarom ruil je je vrije dag niet om naar donderdag? Of zaterdag? Elke dag is goed, behalve vrijdag.'

Hij schudde zijn hoofd, met droevige pruimenogen. 'Kan alleen op vrijdag vervangen worden door Brandon. Want dat is de enige avond dat Kelly's moeder kan helpen in supermarkt.'

15.15

Naar de supermarkt om dvd's terug te brengen. Nog niet binnen of werd door Brandon in nekvel gegrepen. 'Heb gehoord dat jij niet met arme Osama naar bioscoop wilt. Ben je soms racistisch?'

Moest slikken. 'Helemaal niet. Mag Osama juist heel graag, maar vrijdagavonds bezet.'

'Waarmee? Kijken naar dvd's over kleren en wraak?'

Geen sprake van privacy in dit dorp.

'Waarom ga je dan niet samen met Osama dvd's kijken? Hij is dol op films.'

'Sorry, maar zal niet gaan.'

'Waarom niet?'

Jemig.

16.03

The Dungeon

Niet eens binnen. Kwam alleen maar langs en Boss schreeuwde me toe: 'Heb gehoord dat je die arme Osama een blauwtje hebt laten lopen. Had nooit gedacht dat jij racistisch was, Lola.'

19.48

Met fles wijn in de hand naar surfers huis. Jake doet deur open, maar laat me niet binnen. Brengt me in plaats daarvan naar het strand waar een tafel met twee stoelen in het zand staat, met wit tafellaken dat wappert in de wind. Kandelaar, bloemen, klein kampvuur, wijn in koeler, avondhemel vol sterren. Eindje verderop stond Cecile met haar tortelduifje.

'Wat doen ze daar?'

'Zijn vanavond onze kelners.'

Slappe lach. Zei: 'Dit gaat te ver. Je bent echt om te gillen. Lijkt wel een sprookjesman.'

Kille avond, maar kon me warmen aan kampvuur, wollen deken om schouders en gloed vanbinnen.

'Eten is zalig,' zei ik.

'Met hulp van Cecile. Nou ja...' – licht beschaamd gezicht – 'eigenlijk heeft Cecile alles gekookt. Kan voor geen meter koken.'

'Goddank. Dus je bent niet helemaal perfect.' Weer de slappe lach.

Uiteindelijk naar magische slaapkamer in toverhuis – even magisch en adembenemend als voorgesteld – en echt genoten van neuken-met-maximum-van-vier-standjes.

Zondag 2 november
Hele dag in magische bed.

Maandag 3 november
Idem.

Dinsdag 4 november
Idem.

Woensdag 5 november, 16.17
Moest opstaan en naar huis. Had verantwoordelijkheden, zoals het in ontvangst nemen van vestjeskleding. Had me er de laatste paar dagen geen bal van aangetrokken dat Niall, de DHL-man, misschien wel voor de deur zou staan met dozen vol beha-vullingen en glitter-sandalen maat vijfenveertig. Had me zo wild en zorgeloos geamuseerd dat ik me nergens iets van aantrok.

Jake sloeg armen en benen stijf om me heen en wilde me niet laten gaan. Lekker gevoel om zo stijf tegen dat harde gespierde lijf aan gedrukt te worden.

'Moet weg,' zei ik, 'echt waar. Maar kunnen weer voor vanavond afspreken.'

Lichte aarzeling. Armen en benen minder dwingend. 'Lola, laten we elkaar een paar dagen geven om op adem te komen.'

Keek hem strak aan. Kreeg ik de bons? Zilveren ogen ondoorgrondelijk, keken nietszeggend in de mijne. Even raar gevoel in maag, maar dat verdween meteen weer. Fantastische bijwerking van doffe ellende vanwege Paddy: andere mannen konden me geen pijn meer doen.

'Op adem komen?' zei ik. 'Ja, prima.'

Ging snel naar huis. Wilde niet aan Jake denken. Andere zorgen. Stel je voor dat Niall pakjes buiten had neergezet en alle vestjeskleren half waren opgevreten door de koeien?

Geen dozen voor het huis, maar briefje van Rossa Considine: had afgelopen drie dagen pakjes voor me in ontvangst genomen.

Snelle blik. Ecomobiel voor de deur. Thuis.

17.29
Considine tegen gewoonte in heel aardig. Hielp me dozen met vestjeskleding naar huis dragen. (Vertelde hem natuurlijk niet wat erin zat en hij vroeg niets.)

'Ik ben je een drankje schuldig,' zei ik.

19.29

Butterly's

Kreeg sneller dan verwacht kans om drankje voor Considine te kopen. Zat aan de tap bij mevrouw Butterly achter pilsje. Frettenkop in geen velden of wegen te bekennen.

Mevrouw Butterly maakte een boterham met ham voor me, wenkte me dichterbij en vroeg luid fluisterend: 'Is het waar dat je bereid was om met Osama van The Oak te trouwen, maar daarop terugkwam omdat hij een moslim is?'

'Wat?' Jemig nog aan toe, deed dat verhaal nog steeds de ronde? 'Welnee! Hij vroeg me alleen maar – gewoon als vriend – of ik mee naar de bioscoop wilde, maar heb op vrijdagavond een andere vaste afspraak. Dat is alles!'

'Ik wist wel dat het niet waar kon zijn! Je bent een lieve meid, Lola, en dat heb ik ook tegen ze gezegd.'

'Tegen wie?'

'O, niemand. Gewoon nieuwsgierige aagjes die hun neus altijd in andermans zaken steken.'

Ik keek naar Rossa Considine, die in zijn bier zat te staren.

Toen hij opkeek, zag hij eruit als de vermoorde onschuld. 'Wat is er?'

'Heb jij mevrouw Butterly verteld over mij en Osama?'

Hij haalde zijn schouders op. 'Tuurlijk niet.' En voegde er – volkomen onnodig volgens mij – aan toe: 'Wat jij doet, is jouw zaak.'

Verward. Waar had hij het over? Jake? Keek hem met samengeknepen ogen aan.

'Om eerlijk te zijn,' mompelde mevrouw Butterly, 'was hij het niet.'

Rossa Considine dronk zijn pils op en gleed van zijn kruk. 'Ik ga ervandoor.'

'Ach, blijf toch zitten,' drong mevrouw Butterly aan. 'Niet met een kwaaie kop weglopen.'

'Ben niet kwaad. Heb een afspraak met Gillian.'

'O. Nou ja, fijne avond dan.'

01.01

Taal noch teken van Jake.

Donderdag 6 november, 11.15

Telefoontje van Bridie. 'Heeft de halfgod je al de bons gegeven?'

'Ja.'

'Wat?'

'Hij heeft me de bons gegeven.'

'Het was eigenlijk een grapje. Maar wat naar voor je, Lola. Zat er trouwens dik in. Was veel te...'

'Ja, ik weet het. Veel te knap voor mij.'

'Ben je overstuur?'

Ik zuchtte. 'Wat is het leven anders dan voorbijgaande momenten van geluk, samengeregen tot een keten van wanhoop?'

'Ben je nou overstuur of niet?'

'...moeilijk te zeggen. Ik heb er spijt van dat ik iets met hem ben begonnen. Ik viel eigenlijk niet eens op hem. Nu voel ik me... weet ik veel... belazerd. Maar dat voelde ik me toch al, dus zou je kunnen zeggen dat er niet veel veranderd is.'

12.11

Zenuwachtig telefoontje van SarahJane Hutchinson. 'Lola, heb nieuwe man leren kennen...'

'Gefeliciteerd.'

'...en we gaan samen voor de kerst en nieuwjaar naar Sandy Lane en ik heb niets om aan te trekken. De winkels hangen vol met rode glitterjurken!'

'Rustig nou maar. Vakantie-outfit.'

'Vakantie-outfit?'

'Ja. Iedere ontwerper die ook maar een knip voor de neus waard is, maakt rond deze tijd van het jaar een speciale collectie voor dat soort gelegenheden. Dat noemen we vakantie-outfits of ook wel eens de Cruise Collectie. Maar maak je geen zorgen, je hoeft niet per se een cruise te maken om er een aan te schaffen.'

Pakte de zaak grondig aan en belde Dublin, Londen en zelfs een contactpersoon in Milaan.

17.57

The Dungeon

Boss en zijn maten hadden net de Baby Guinness ontdekt (borrelglaasje Kahlua aangevuld met Baileys) en die beviel uitmuntend. Bestelden een onwaarschijnlijk aantal voor me. Misselijkmakend maar sterk.

Liep bijna op de terugweg langs Jakes huis. Kon mezelf nog net inhouden.

Ondanks al die zoete drankjes heel bitter gevoel.

Vrijdag 7 november, 10.23
Weer past precies bij stemming. Blauwe lucht eindelijk verdwenen. Grijs, nevelig, druilerig en koud. Oom Toms hut voorzien van centrale verwarming. Goddank. Kolen scheppen niets voor mij.

14.22
Supermarkt
Brandon in staat van opwinding. 'Heb film vol wraak en kleren! *Legally Blonde*. Massa's kleren en bovendien zet ze de mensen van alles betaald.'

Had *Legally Blonde* al gezien en wist dat het meer film was over iemand die verdiende loon krijgt dan film over wraak, maar prees Brandon uitgebreid. Is verstandig om mensen te prijzen die zich hebben uitgesloofd.

'Heb het niet zelf ontdekt,' bekende Brandon. 'Was in feite Osama.'

'O. Nou eh... bedank hem dan ook maar.'

'Waarom nodig je hem niet uit om vanavond bij je te komen? Hij is eenzaam en gek op films. Zijn de dingen die jij vrijdagsavonds doet zo ontaard dat hij er niet bij mag zijn?'

Kon niets zeggen. Helemaal verscheurd door conflict. Vreselijk schuldgevoel over Osama, maar niet alleen bang om Blanches geheim te verraden maar ook dat Noel uitkering stopzet...

19.02
Vestjes arriveerden. Ik wachtte tot ze zich verkleed hadden voordat ik ze het geval Osama voorlegde.

'Kunnen we misschien een andere avond dan vrijdag kiezen?' stelde ik voor. 'Maakt niet uit welke.'

Grimmig hoofdschudden. Noel moest huiswerk maken met de kinderen en Blanche mompelde dat hij iedere dag behalve zaterdag heel vroeg op moest staan. Begreep er eigenlijk niets van... of zouden koeien zaterdags uitslapen? Boerenbedrijf één groot raadsel.

'In dat geval zullen we Osama toestemming moeten geven zich bij ons aan te sluiten.'

'Geen denken aan,' zei Noel met samengeknepen lippen.

'Heel Knockavoy vindt mij racistisch! Niemand begrijpt waarom ik zo halsstarrig ben. Verstandiger om toe te geven. Anders vestigen we alleen maar de aandacht op ons.'

'Dan laat ik je uitkering stopzetten.'

'Je gaat je gang maar,' zei ik moe. De teleurstelling van Jakes afwezigheid werd me ineens te machtig. 'Misschien is het tijd om naar Dublin terug te keren. Doodziek van alles.'

Blanche diep geschokt. Begon te huilen.

Noel ook behoorlijk geschokt bij het idee dat zijn 'onderduikadres' zou verdwijnen. Ik voelde – tot mijn grote genoegen – even intense tevredenheid.

Stilte. Alleen snikken van Blanche hoorbaar. Toen zei Noel: 'Kan hij zijn mond houden? Die Osama?'

'Weet ik echt niet. Hij lijkt me een fatsoenlijke vent, maar het blijft een risico dat we gewoon moeten nemen.'

Na veel heen-en-weer-gepraat kwamen Noel en Blanche eindelijk tot een besluit. 'Oké,' zei Noel tegen mij. 'Nodig hem maar uit. Maar hij mag pas binnen komen als wij ons verkleed hebben. Onze identiteit moet geheim blijven.'

22.56
Taal noch teken van Jake.

Zaterdag 8 november, 12.30
The Oak

'Ibrahim, we moeten eens even rustig met elkaar praten.'

Hij keek me nerveus aan. 'Heb nooit gezegd dat jij racist was, Lola.'

'Dat dacht ik ook helemaal niet. Maar zoals je waarschijnlijk wel van Brandon hebt gehoord organiseer ik iedere vrijdagavond een... eh... club bij mij thuis.'

'De wraakfilmclub!'

'Eh... ja.' In zekere zin. 'Als je wilt, mag je ook lid worden. De enige voorwaarde is – en daar mag je echt met niémand over praten, nu niet en nooit niet – dat je je als vrouw verkleedt.'

Lange stilte. Uiteindelijk deed Ibrahim zijn mond open. 'Moet ik me als vrouw verkleden om lid te worden van jouw filmclub?'

'En dat bovendien geheimhouden.'

Hij moest er even over nadenken. 'Best.'

'Best?'

'Best.'

'Goed...'

00.16
Taal noch teken van Jake.

Zondag 9 november, hele dag
Taal noch teken van Jake.

Maandag 10 november, 11.17
Vakantie-outfit van SarahJane gearriveerd. Zwempakken, strand-jurkjes, vliesdunne kaftans, zonnebril, sandaaltjes, allemaal verblin-dend felle kleuren, heerlijk tegengif voor treurige grauwe winter-stemming.

Niall van DHL haat me nu officieel omdat hij zo vaak van Enni-stymon naar Knockavoy moet rijden dat hij er zelfs over droomt.

Nog steeds taal noch teken van Jake.

Dinsdag 11 november, 19.07
Zenuwachtig gebons op voordeur. Jake!

Nee. Considine.

'Gauw, gauw!' Zenuwachtig. 'Zet de tv aan!'

'Heb geen tv.'

Wees naar het toestel achter mij. 'Dat lijkt op een tv.'

'Nee, is een magnetron.' Te ingewikkeld om uit te leggen.

'Kom dan mee naar mijn huis. Gauw. Trek je schoenen aan!'

'Waarom?'

'Colin Farrell is op de buis. Filmpje waarin hij aan volksdansen doet!'

Schoot Chinese zijden muiltjes aan. Niet bepaald geschikt voor ruig terrein, maar kon me niets schelen. Zat bij Considine op het randje van de bank gefascineerd naar programma over Colin Farrell te kijken, maar niets over volksdansen. Alleen maar gezwets over alle meisjes met wie hij naar bed was geweest. Duurde verschrikke-lijk lang.

Toen het afgelopen was, zei Rossa Considine verdedigend: 'Het ging wel over volksdansen.'

'Ja vast.' Snaaks. 'Je wilde me gewoon hiernaartoe lokken.' Moest toen ineens denken aan meisje in trouwjapon dat misschien wel ge-vangen gehouden werd in slaapkamer. Heel even echt bang. Snaakse gevoel verdwenen. 'Ik ga er maar weer vandoor.'

'Hoe hou je het uit zonder tv?' vroeg hij.

'O, ik lees en doe andere dingen. Heb het nog helemaal niet ge-mist.' Luchtig. Verwaand. 'In geval van nood, als ik een documen-taire wil zien of zo, kan ik bij vrienden aankloppen.'

'Dat is waar ook. Herinner me ineens dat mevrouw Butterly heeft verteld dat je iedere avond bij haar soaps komt kijken.'

Woensdag 12 november, 09.45
SarahJane Hutchinson gearriveerd.

Heerlijke dag. Helemaal opgekikkerd door al die magnifieke kleren. Allebei in topvorm. Alles klopte.

Maakte gedetailleerde lijst van wat SarahJane iedere dag moest aantrekken: bij het ontbijt, bij het zwembad, bij het diner en bij het grote feest op oudejaarsavond. Ze probeerde eronderuit te komen, maar hield voet bij stuk. Mocht niet naar eigen inzicht combineren, anders zou ze voor schut staan.

Meer hoefde ik niet te zeggen. SarahJane wil absoluut niet voor schut staan. Heeft daar meer dan genoeg van na echtgenoot die er met Filippijnse bediende vandoor is gegaan.

Donderdag 13 november
Taal noch teken van Jake. Viel me eigenlijk helemaal niet op.

Vrijdag 14 november, 10.14
Samen met Boss en Moss naar Ennistymon om te tekenen voor uitkering. Wilde eigenlijk niet, want kreeg meer dan genoeg zwart van Blanche en SarahJane, maar Boss was niet te vermurwen. 'Je hebt er recht op, Lola,' herhaalde hij steeds.

Marktdag. Stad vol vieze vrachtwagens, loeiend langzaam sjokkend vee dat midden op straat scheet, boeren in antieke driedelige pakken en met geruite hoedjes op die in hun handen spuugden en handjeklap handel dreven. Walgelijk. Bijzonder zwierige boerse vent kwam me overdreven zwierig tegemoet. Contact tussen gewone ogen en zwierige ogen. Waarom zou zwierig boers type oogcontact met mij zoeken? Ineens wist ik het! Het was Blanche! Zwierige boer was Blanche!

12.23
Boss en Moss brachten me thuis in goor busje.

'Je hebt bezoek,' zei Boss.

Keek. Adembenemend knappe man zat op de stoep voor mijn huis.

Jake.

Net nu ik had besloten dat ik geen bal om hem gaf. Als dat verdomme niet typerend is.

Ik stapte uit en Moss en Boss scheurden meteen weg.

Jake kwam overeind. 'Mag ik binnenkomen?'

'Nee.'

'O. Kunnen we dan hier even praten?'

'Als je opschiet. Het is behoorlijk koud.'

'O... Waar ben je geweest?' vroeg hij. 'Je bent niet langsgekomen, je hebt Cecile niet gevraagd hoe het met me was...'

'Je wilde een adempauze.'

'Ja, maar ik dacht dat jij wel...' Diepe, gefrustreerde zucht.

Ineens begreep ik het. Jake was eraan gewend dat vrouwen die hij 'een adempauze' had gegeven hem geen moment met rust lieten en in tranen voor zijn huis rondhingen, precies zoals ik bij Paddy had gedaan.

'Ik wachtte tot ik iets van jou zou horen,' zei hij.

'Je had toch ook naar mij toe kunnen komen.'

Bijzonder akelig brandend gevoel. Jake is een verwende aap, veel te sexy voor zijn eigen bestwil.

'Laten we het maar weer goedmaken,' zei hij.

'Waarom?'

'Waarom?' Duidelijk ondersteboven van die vraag. Bijzonder bevredigend. 'Omdat ik gek ben op je. Heb veel vriendinnetjes gehad, maar jij bent anders.'

'Alleen maar omdat ik je niet voor de voeten bleef lopen.'

'Nee! Heeft er niets mee te maken. Omdat je zo lief bent. Schattig. Net jong poesje. Grillig. Wist vanaf het begin dat jij anders zou zijn. Heb alleen maar om een adempauze gevraagd omdat gevoelens voor jou me bang maakten. Veel te sterk, veel te snel.'

Twee mogelijkheden: hij had het handboek over vrouwen versieren uit zijn hoofd geleerd of hij meende het echt.

'Geef me alsjeblieft nog een kans,' zei hij.

'Nee.' Maar begon alweer week te worden. Was heel vleiend dat hij zo gekweld deed.

'Alsjeblieft.'

'Nee.'

'Zou je er niet een tijdje over na willen denken?'

Liet hem lang wachten op mijn antwoord. 'Oké. Zal erover nadenken.'

19.01
Noel en Blanche gearriveerd. Meteen de keuken in om zich te verkleden.

19.47
Werd op de deur geklopt.

'Zal Osama wel zijn,' zei ik.

Maar was Osama niet. Was een vrouw van top tot teen in een zwarte doek gewikkeld. Kon zelfs haar gezicht niet zien.

'Hallo,' zei ik en dacht: Krijgen we nou? Halloween allang voorbij!

'Ik ben het, Lola,' zei vrouw. 'Ibrahim!'

'Ibrahim! Wat heb je in vredesnaam aan? O, ik snap het al! Een burka!'

'Is enige dameskleding die ik heb. Eigenlijk niet eens kleding, maar beschermlakens van toen kroeg geschilderd werd.'

'Kom binnen.'

Hij stapte naar binnen in zijn fladderende zwarte tent. Knikte naar de opgedofte vestjes, sloeg Noels aanbod voor 'borreltje' af en keek naar tv, kennelijk trappelend van verlangen om film te zien.

20.13

Klop op de deur.

We verstarden. Angst bijna voelbaar. Als we dieren waren geweest, hadden onze nekharen rechtop gestaan.

'Naar boven,' siste ik tegen de drie mannen. 'En hou je mond.'

Toen ze verdwenen waren, vermande ik mezelf en deed de deur open. Er stond een beeldschone vrouw op de stoep.

'Is dit feestje alleen voor genodigden?' vroeg ze met een hese, sexy stem. 'Of zijn alle meisjes welkom?'

Ik kon geen woord uitbrengen. Als een robot deed ik de deur uitnodigend wijd open. Dit was echt een adembenemend schepsel. Lang, elegant, glanzend donker haar, zwart satijnen cocktailjurkje, lange avondhandschoenen, een taffeta stola en een choker van Svarovski-achtige steentjes.

Ik weet niet precies wanneer het tot me doordrong dat het een man was. Misschien lag het aan de licht onhandige manier van lopen op strakke, hooggehakte pumps. Maar dat besef werd gewoon overspoeld door alle andere betoverende punten.

'Ik ben Chloe,' zei ze met een onweerstaanbare glimlach en sprankelende donkerblauwe ogen. Haar eyeliner was perfect! Zelfs beter dan ik bij mezelf voor elkaar kreeg! Ze wierp een snelle blik op de tv. 'Wist wel dat dat geen magnetron was!'

Pardon?

'Ik hoop niet dat je het erg vindt dat ik zomaar kom binnenvallen.'

'Nee, nee, hoe meer zielen hoe meer vreugd.' Meende ik niet echt. Ditmaal was Noel te ver gegaan. 'Ik zal de anderen even roepen. Kom maar naar beneden, meiden!'

Naast Chloe vielen de anderen in het niet. Vergeleken bij haar verzorgde schoonheid leken ze een stel bouwvakkers met scheve pruiken.

'Ik ben Chloe.' Chloe stak elegante hand uit.

'Natasha,' bromde Noel verlegen.

'Blanche.' Arme Blanche durfde haar niet eens aan te kijken.

Osama trok burka strakker om zich heen en hield zich afzijdig.

'Lola, heb je even?' Noel pakte mijn arm, trok me mee en zei met zachte boze stem zonder kaken te bewegen: 'Je hebt niet gezegd dat er vanavond nog een dame zou komen.'

'Hè? Waar heb je het over? Ik heb haar niet uitgenodigd. Bedoel je dat jullie haar ook niet kennen?'

Hoofdschudden. Werd ineens ontzettend bang. Hoe was die Chloe hier terechtgekomen? Waar kwam ze vandaan? Ligt de hut van oom Tom soms midden in travestietennetwerk? Zouden er nu iedere vrijdag meer en meer vestjes opduiken, aangetrokken door een kracht waar ze geen weerstand aan konden bieden? Waar moest ik ze allemaal laten?

'Laat het me alsjeblieft even uitleggen,' zei Chloe.

'Ja, zou ik bijzonder op prijs stellen!'

'Zag hoe de meiden zich in de keuken verkleedden. Al een paar weken lang. Wilde zeker van mijn zaak zijn voordat ik hierheen kwam.'

'Maar hoe kon je dat nou zien? De keuken is aan de achterkant!'

'Vandaaruit.' Ze knikte met haar elegante hoofd in de richting van het huis van Rossa Considine.

'Ken je Rossa Considine?'

Lange stilte.

'Lola,' klonk het heel lief en vriendelijk, 'ik bén Rossa Considine.'

20.27
Ontzettende schok. Moest het een paar keer in mezelf herhalen voordat ik het begreep.

Staarde naar beeldschone vrouw en toen ik eenmaal wist waarnaar ik moest kijken, kon ik inderdaad trekken van Rossa Considine ontwaren.

'O god, dus jij was dat meisje in de bruidsjurk van Vera Wang!'

'Geen echte Vera Wang, imitatie, maar ja! Ik dacht dat je allang wist dat ik travestiet was!'

'Waarom? Hoe kon ik dat nou weten?'

'Als ik je zie, doe je altijd heel sarcastisch.'

Echt waar? Nee, ben helemaal niet sarcastisch. Alleen moest ik wel toegeven dat iets aan Rossa Considine sarcastische neigingen opriep...

'En je betrapte me bij het verbranden van kleren.'

'Waarom heb je dat dan gedaan?'

'Schoon schip maken.'

Noel en Blanche knikten en herhaalden: 'Schoon schip maken.' Treurige lachjes.

'Wat bedoel je daar in vredesnaam mee?' vroeg ik.

'Het moment waarop je besluit om voorgoed te stoppen met travestie en alle damesspullen gaat verbranden.'

'Komt dat vaak voor?'

'O ja!' Gelach alom. 'En krijg er altijd spijt van!' Meer gelach. 'Maar kan er niets aan doen. Besluit telkens opnieuw er nooit meer aan te beginnen, maar hou me er nooit aan. Moet trouwens excuses aanbieden. Had moeten wachten tot officiële uitnodiging in plaats van jullie te overvallen. Kon me niet inhouden.'

'Maar je hebt een vriendin,' zei ik beschuldigend.

Ze lachte. 'Ja.'

'En je doet aan bergbeklimmen en grottenonderzoek. Heb je zelf gezien met allemaal touwen en zo.'

'Ik ben een man.' Weer glimlach. 'En af en toe vind ik het leuk om mannelijke dingen te doen.'

'Ooooookéééé.' Er ging een wereld voor me open.

'En soms vind ik het leuk om mooie dingen te dragen.'

'Geef eens een voorbeeld.'

'Hou je van Alexander McQueen?'

'Ja!'

Verhit gesprek. Kwam tot de ontdekking dat ik ontzettend veel gemeen had met Chloe. Van Alexander McQueen tot Thais eten, notenbomen en *Law and Order*.

'Ik ben dól op *Law and Order*,' zei ik. 'Maar ik heb het al sinds september niet meer gezien. Wat is er allemaal gebeurd?'

'Waarom kijk je dan niet meer? Hoe zit dat nou precies met die magnetron-tv van je?'

'Kan alleen dvd's kijken.'

'Maar dan moet je gewoon naar mij toe komen. Een echte fan mag geen enkele aflevering missen! Donderdagavond, tien uur. Afgesproken?'

'Met jou, Chloe... of met jou, Rossa Considine?'

Stilte. 'Met mij, Rossa Considine. Ben door de week meestal niet Chloe. Te veel werk.'

'Hmmm.'

'Is er iets mis?'

Kon het net zo goed toegeven. Ze had het zelf ook al gezegd. 'Als je Rossa bent, is het net alsof we elkaar...' Hoe moest ik dat formuleren? '... constant tegen de haren in strijken.'

Daar moest Chloe even over nadenken. Ze ontkende het niet. Had bewondering voor haar eerlijke en volwassen houding. 'Laten we het dan maar een experiment noemen. Als het niet werkt, kunnen beide partijen er een eind aan maken.'

'Goed. Afgesproken. Donderdagavond tien uur.'

Andere vestjes eisten Chloe op en wilden haar verhaal horen, dus liet haar aan hun over.

Zal ik je eens iets vertellen? Het werd een fantastische avond. Enthousiaste discussies over kleren. Enige wat uit de toon viel, was dat Osama zich kennelijk niet amuseerde. Hij deed echt zijn best om film te verstaan – zat constant sssst! te roepen – terwijl wij zaten te joelen.

22.13
Napeinzend

Vestjes verdwenen. Zat vooral na te denken over feit dat Rossa Considine travestiet was. Zou je écht nooit denken als je hem zag. Lijkt nota bene niet eens zijn haren te kammen als hij een man is.

22.23
Nog steeds peinzend

Jake. Dat was toch niet te geloven? Gaat het niet altijd zo? Op het moment dat je besluit dat je geen bal meer om een vent geeft, staat hij ineens met de pet in de hand op de stoep. Besloot bij wijze van experiment dat ik ook geen bal meer om Paddy gaf.

Stelde me voor hoe ik ergens in de toekomst met onzichtbare persoon zat te praten. 'O ja, stapelgek op Jake. Ja, halfgod. Natuurlijk zal ik altijd met genegenheid aan Paddy terugdenken. Maar moet toegeven, zou nooit echt van een man kunnen houden met zulk opvallend geföhnd haar.'

Plezierig. Echte opkikker.

Telefoon rinkelde en rukte me uit mijn dagdromen.

Keek ernaar. Herkende het nummer. Bleef turen. Vroeg me af of mijn verstand nu eindelijk echt op de loop was.

Nam aan met bloedeloze lippen. 'Lola Daly.'

'Lola? Met Paddy.'

Gebons in de oren. Hoop. Nooit zo'n enorme opwelling van hoop gevoeld. 'Ik…' Gesmoorde stem. '…ik mis je zo.'

'Je bent een stomme, nutteloze trut en dit is je eigen verrekte schuld.' Hij torende hijgend van inspanning boven haar uit, terwijl zij opgerold op de vloer lag. 'Zeg het maar na. Je bent een stomme, nutteloze trut en dit is je eigen verrekte schuld.'

Hij stond op het punt om haar opnieuw te schoppen. Nee. Ze wist zeker dat ze dat niet zou overleven. De punt van zijn laars trapte haar maag tegen haar ruggengraat. Ze kokhalsde en bleef kokhalzen, maar er was niets meer om over te geven.

'Zeg het!'

'Ik ben een stomme, nutteloze trut,' fluisterde ze terwijl de tranen over haar wangen stroomden, 'en dit is mijn eigen schuld.'

'Je eigen verrekte schuld. Kun je dan nooit iets goed doen?'

Grace

'O, daar is Paddy,' zei Dee Rossini. 'Ik moet even snel iets met hem bespreken. Ik heb hem verteld dat we hier zouden zijn.'

Heel even dacht ik dat ze een grapje maakte. Ik keek met een angstig voorgevoel op en christus, daar stond hij echt, in de deuropening van de kroeg.

Paniek. Ik moest weg, maar ik zat in de val. Er was maar één deur en hij stond op de drempel. Ik keek snel om me heen. Het damestoilet... misschien was daar een raam waar ik uit kon klimmen. In ieder geval kon ik me daar verstoppen tot hij weg was. 'Dee, ik moet ervandoor...'

Maar ze zat te zwaaien en te roepen: 'Hier Paddy!' en hoorde me niet.

Paddy keek de kroeg rond met die blauwe zoeklichten van hem en zag eerst Dee en toen mij. Hij verstarde als een konijn dat 's nachts door een stel koplampen gevangen wordt. Hij bleef even naar me kijken voordat hij besloot zijn verpletterende glimlach op me los te laten.

Er was opnieuw heisa over Dee Rossini ontstaan, maar dit keer was het veel erger dan al die andere schandaaltjes. Haar vriend – ja, ze had al die tijd in het geheim een vriend gehad, dat had ik kunnen weten, wat was ik nou voor journaliste? – had zijn verhaal aan de *Sunday Globe* verkocht, waarschijnlijk het vulgairste roddelblad dat er was. En het stond vol met de meest huiveringwekkende bijzonderheden over hun liefdesleven. Volgens hem (hij heette Christopher Holland en hij beweerde dat hij zijn verhaal alleen maar verpatst had omdat hij genoeg had van 'een leven vol leugens') lustte Dee er wel pap van. En ze vond het volgens hem het leukst om het 'op z'n hondjes' te doen, zei hij.

Het voorpaginaverhaal bleef haar hardnekkig 'Maffe Dee' noemen, maar om te vermijden dat ze per ongeluk over zou komen als een ondeugende sekspoes waren er nog andere, veel ergere bijzonderheden aan toegevoegd: ze onthaarde haar benen hooguit één keer per veertien dagen, haar onderbroekje en beha pasten zelden bij elkaar, haar voetzolen waren zo hard en geel dat ze brand kon stichten door ze tegen elkaar te wrijven en ze had cellulitis op haar maag. Kortom, ze was een normale vrouw van in de veertig.

Ik kwam er pas achter toen ik zondagochtend in de boekwinkel die schreeuwende kop zag: MAFFE DEE EN IK. Ik greep meteen een krant en zag al met één oogopslag dat er ontzettend veel details in stonden. Ze moesten die Christopher Holland een fortuin hebben betaald om zo van leer te trekken. Ik had meteen medelijden met Dee en schaamde me dood dat ik journalist was. En daar kwam nog bij dat ik de journalist kende, want dat was Scott Holmes, de Kiwi die mijn vriendje was geweest in de tijd dat ik probeerde niet verliefd te zijn op Damien.

Ik werd al misselijk bij het idee dat er een dergelijk onthullend verhaal over míj zou worden gepubliceerd. Er is toch niemand die alle bijzonderheden – en dan heb ik het over de smerige, normale, dagelijkse bijzonderheden en geen opgepoetste mooie praatjes – over zijn of haar liefdesleven op de voorpagina van een zondagskrant wil zien staan? Dan zou je er toch ter plekke in blijven?

Ik stond nog steeds in de winkel toen ik de krant opensloeg en letterlijk achteruit deinsde. Over de volle lengte van pagina drie stond een foto waarbij ze Dee's hoofd op een foto van een dikkige vrouw met een stoppelige bikinilijn en niet bij elkaar passend ondergoed hadden geplakt. Het maakte alles nog duizend keer erger. Als mensen van nu af aan aan de leider van NewIreland zouden denken, zou dat het beeld zijn wat ze door het hoofd schoot.

De schade die dit zou veroorzaken, was onvoorstelbaar. Het was veel erger dan die verhalen over zogenaamde corruptie, want ook al was Dee een ongetrouwde vrouw die naar bed mocht gaan met wie ze wilde, dan was toch niet te vermijden dat je je, als je haar weer eens op tv de hand zag schudden van een of andere beroemdheid, zou afvragen of haar onderbroek wel bij haar beha paste.

Ik las verder, met stomheid geslagen over mededelingen als zou Dee op de dag dat ze minister van onderwijs werd vier keer seks hebben 'geëist', dat ze het heerlijk vond om gedomineerd te worden en dat ze niet van orale seks hield, omdat ze dat kennelijk 'saai' vond.

Het zou haar niet meevallen om dit het hoofd te bieden. Ze had altijd een sterke, onafhankelijke en beheerste indruk gemaakt. Nu leek ze ineens heel gewoon en met de nodige fouten, want hoe had ze een vriend uit kunnen zoeken die haar zo liet vallen?

Sinds ik haar had geïnterviewd waren we min of meer bevriend geraakt, omdat we elkaar maar tegen bleven komen bij het winkelen en we waren zelfs een paar keer samen bij Kenny's naar binnen gewipt om iets te drinken. Nog geen week geleden had ze Damien en mij zelfs te eten gevraagd en ons op haar speciale, dure pasta getrakteerd. (Volgens mij smaakte het precies zo als de gewone troep, maar ik vond het toch lief van haar dat ze die moeite had genomen.)

Ik liep de boekwinkel uit en bleef op de stoep staan om haar te bellen, ook al was het stervenskoud voor november. 'Dee, ik weet dat je je telefoontjes afluistert, maar je spreekt met Grace Gildee en ik wilde je alleen vertellen...'

Ze nam op. 'Met mij, Grace.'

'Alles oké?'

'Een beetje bibberig,' zei ze. Haar stem trilde. 'Maar ik heb wel ergere dingen meegemaakt.'

'De klootzakken,' zei ik uit het diepst van mijn hart. 'Wist je dat dit eraankwam?'

'Geen flauw idee,' zei ze. 'Ze hebben het strikt geheimgehouden. Ik was vrijdagavond nog bij Christopher en hij heeft niets gezegd. Uiteraard niet,' voegde ze er met een bitter lachje aan toe.

'Je kunt in alle opzichten op mij rekenen.' Ik bedoelde zowel persoonlijk als professioneel.

'Bedankt, Grace. Vind je het dan niet erg dat ik cellulitis op mijn maag heb?'

'Nee,' zei ik dapper. (Eén leugentje om bestwil meer of minder...) 'Iedere vrouw heeft cellulitis. Ze zullen alleen maar opgelucht zijn dat iemand die zo fantastisch is als Dee Rossini daar ook last van heeft.'

'Ja, maar op mijn maag, Grace. Dat is anders dan op je dijbenen, daar heeft iedereen het. Op je maag is net zo erg als op... op... je oogleden. Kun je het daar trouwens krijgen?'

'Dee, je hebt afgerekend met huiselijk geweld, je hebt honderden andere vrouwen geholpen, je hebt een politieke partij opgericht en je bent iemand geworden met wie rekening moet worden gehouden. Laat een beetje cellulitis op je maag niet belangrijker worden dan al die andere prestaties.'

'Oké, je hebt gelijk.' Ze haalde diep adem om tot rust te komen. 'Nou ja, het is ook eigenlijk nauwelijks te zien. Alleen maar als je de huid bij elkaar knijpt.'

'Wil je dat ik naar je toekom?' vroeg ik. De consequenties waren duidelijk: ik bood me niet alleen aan als vriendin, maar ook als haar tamme journalist. En de kans om haar kant van het verhaal te vertellen.

'Ik wil je dolgraag zien,' zei ze. 'Maar je hoeft niet hier te komen. We gaan gewoon naar Kenny's. Ik heb niets misdaan.'

'Weet je dat zeker?' Ze was toch wel een taaie, hoor. Fantastisch. 'Dan zie ik je daar over vijf minuten.'

Ik belde Damien.

'Waar blijf je nou?' vroeg hij.

'Ik ben bezig met een verhaal.'

'Wat? Je zou alleen snoep gaan halen.'

Ik bracht hem in het kort op de hoogte. Eigenlijk was ik verbaasd dat hij het nog niet wist. Damien was verslaafd aan nieuwsgaring, hij hield constant een oogje op internet voor het geval er iets gebeurde. 'Net als ik toevallig een keertje uitslaap...' mopperde hij.

We waren van plan geweest om een dagje lekker in bed te blijven liggen, omdat we allebei uitgeteld waren. Nou ja, misschien was het ook wel gewoon een kater.

'Ik heb met Dee in Kenny's afgesproken,' zei ik. 'Daarna moet ik rechtstreeks naar de redactie.'

Damien kreunde. 'Wat belazerd! En ik dan? Hoe zit het met mijn zure matjes?'

'Daar kun je voorlopig naar fluiten. Sorry.'

Terwijl ik met Damien belde, had Jacinta een voicemailbericht achtergelaten. Ik belde terug. Jacinta had vanaf het begin lopen zeuren over mijn vriendschap met Dee, maar vandaag, nu het er echt om ging en iedere krant in het land zich de benen uit het lijf liep om met Dee Rossini te kunnen praten, was mijn bedje al gespreid.

'Probeer zoveel mogelijk uit haar los te krijgen,' zei ze. Op de achtergrond klonk het geschreeuw en gekrijs van een stel kinderen. 'Dan zal ik tegelijkertijd proberen of de Grote Baas er een voorpagina voor over heeft.'

Een kwaliteitskrant, zelfs een middelmatige als de *Spokesman*, zou normaliter de voorpagina niet opofferen voor wat in feite alleen maar een frivool verhaaltje over het privéleven van een politicus was, maar dit konden we niet negeren.

'Kom jij ook naar de redactie, Jacinta?'

'Ik?' Ze klonk geschokt. 'Grace, jij bent Onze Belangrijkste Redacteur.' Ze legde nadruk op de hoofdletters. 'Ik kan niet eeuwig je hand blijven vasthouden.'

'O, mij best.'

Luie trut.

Dee's aankomst in Kenny's veroorzaakte een zacht geroezemoes. Er zaten niet veel klanten, alleen een paar kerels met een drankprobleem.

'...op z'n hondjes...'

'...met een hónd?'

'...nee, net áls een hond...'

'...blafte ze?...'

'Hè ja, en ze kauwde ook op schoenen en apporteerde stokken. Wat haal jij je nou in je kop, stomme...'

Dee zag er goed uit: donkere spijkerbroek, frisse witte blouse, een chic vest met een sjaalkraag en zachtrode lipstick. En als ze die opmerkingen had gehoord, verkoos ze er niet op te reageren. Ze was een echte kanjer.

Ze bestelde koffie. 'Ik kan me niet veroorloven om een borrel te pakken, ook al ben ik daar best aan toe. Oké, ik zal je precies vertellen hoe het zit.'

Ze had overleg gepleegd met Sidney Brolly, de persman van New-Ireland, die had beslist dat ze maar één interview zou doen. Met mij. En ja, ik was gevleid. Ik zou niemand toewensen wat Dee was overkomen, maar het was nu eenmaal gebeurd en ik kon helpen om de schade te beperken. De cellulitis en de harde voetzolen zouden niet weerlegd worden en Christopher Holland zou koninklijk genegeerd worden. Waardigheid en alles wat positief was aan Dee Rossini was aan de orde van de dag.

'Morgen zal in de Dáil wel geëist worden dat ik ontslag neem,' zei ze somber.

'Waarom? Omdat je haar op je benen hebt?'

Ze kneep haar ogen dicht. 'Omdat ik het vertrouwen van het publiek geschokt heb. Omdat ik me heb gedragen op een manier die niet past bij een gekozen ambtenaar. In feite omdat ik met een vent naar bed ben geweest.'

'Maar je bent niet getrouwd. En ik neem aan dat hetzelfde voor die Christopher geldt? Wat heb je dan fout gedaan?'

'Niets... in theorie. Maar in de praktijk...' Ze bleef even stil en riep toen uit: 'O Grace, ik wil helemaal niet ophouden. Er zijn zo weinig vrouwen in de politiek. En je zou ons nieuwe partijprogramma eens moeten zien. We hebben briljante vrouwvriendelijke plannen die echt heel ver gaan: langer zwangerschapsverlof, een gigantisch programma voor de kinderbescherming...'

'Wat zou er gebeuren als je gedwongen werd ontslag te nemen?'

'In het ergste geval kan de hele NewIreland-partij door mijn seksleven zo in diskrediet worden gebracht dat de Nappies zich gedwongen zien om de coalitie met ons op te zeggen. Maar de Nappies hebben niet genoeg TD's om aan de macht te blijven, dus dan moet de regering opstappen en zouden er dit jaar verkiezingen moeten komen in plaats van volgend jaar. Waar het in feite op neerkomt, is dat de cellulitis op mijn maag de regering ten val kan brengen.'

'Wat een gelul! Je moet geen ontslag nemen. Laat de storm maar gewoon voorbijtrekken en prent jezelf in dat je niets hebt misdaan.'

Haar mobiele telefoon ging over. Ze keek naar het nummer. 'Dat is Sidney. Laat ik maar opnemen.'

Ze luisterde zwijgend toe met een gezicht dat steeds donkerder werd. 'Alleen als het echt noodzakelijk is,' zei ze ten slotte en klapte haar telefoon dicht. 'Sidney wil dat ik een fotosessie doe,' zei ze boos. 'Waarin ik helemaal word opgetut voor de weekendbijlages. Hij denkt dat het noodzakelijk is vanwege die verrekte fotomontage op pagina drie.'

'Hij heeft gelijk.' Ik vroeg me heel even af of ze me zou aanvliegen.

Maar ze klonk eerder verdrietig dan boos toen ze zei: 'Ik zit niet in een meidengroep, ik ben een politicus. Het mag eigenlijk niets uitmaken al heb ik drie hoofden, stuk voor stuk vol cellulitis, zolang ik mijn werk maar goed doe.'

'Dit zou een man nooit overkomen.'

Dat was het moment waarop ze zei: 'O, daar is Paddy.'

Normaal gesproken ging Damien 's zondags altijd snoep en kranten halen. Vandaag was het alleen maar mijn beurt geweest, omdat hij de avond ervoor zijn knie had verdraaid bij een potje voetbal en ik had niet eens de moeite genomen mijn haar te kammen. Ik voelde mezelf in elkaar krimpen toen Paddy tussen de mannen met een drankprobleem door laveerde en de alcohollucht verdreef met een golf aftershave. Eigenlijk kon ik niet uitstaan dat ik me druk maakte over wat hij zou denken. Het was helemaal niet nodig dat hij me aantrekkelijk vond, maar tegelijkertijd wilde ik me niet kwetsbaar opstellen.

'Dee,' zei hij en omhelsde haar kort. Hij was zo'n zinderende persoonlijkheid, het leek net alsof hij twee keer de hoeveelheid leven had van een normaal mens.

'Bedankt dat je bent gekomen,' zei ze. Ze wees naar mij. 'Kennen jullie elkaar?'

'Ja, natuurlijk,' zei Paddy luchtig. 'Hallo, Grace, wat leuk je weer te zien.'

Hij bukte zich om een beleefde kus op mijn wang te drukken. Ik hield mijn adem in, omdat ik hem niet wilde ruiken.

Toen hij zijn lippen op mijn wang drukte, voelde ik ineens dat hij er zacht over blies... of was dat verbeelding? Zou hij echt het lef hebben?

Zijn ogen lachten.

Zijn aanraking bleef op mijn gezicht plakken als een onverdraaglijke jeukbult, die ik het liefst met een dikke klodder spuug weg zou willen poetsen.

'Het ziet er niet best uit, Paddy,' zei Dee die meteen ter zake kwam.

Hij schudde zijn hoofd. 'Het is een compliment. Ze zijn bang voor je, dus nemen ze je serieus.'

'Maar wie zijn "zij"? Christopher zou nooit het benul hebben om dit uit zichzelf te doen. Wie heeft hem op het idee gebracht? Het is tijd om dat eens grondig te onderzoeken.'

Ik leunde met mijn hoofd op mijn hand en probeerde mijn mouw bij mijn gezicht te krijgen, zodat ik het stiekem kon afvegen.

Paddy keek toe en zijn ogen gingen van mijn wang naar mijn mouw. Hij wist het.

Dee moest naar het toilet, waardoor Paddy en ik alleen achterbleven. Hij leek veel te groot voor dat kleine krukje. We deden geen van beiden onze mond open. Hij keek even snel over zijn schouder om er zeker van te zijn dat Dee ons niet kon verstaan en zei toen zacht en dringend: 'Grace, ik...'

'Hoe is het met je trouwplannen?' viel ik hem in de rede.

'Grace, kunnen we niet...'

'Nee,' zei ik veel te luid, zodat een paar dronken hoofden met een ruk opkeken. 'Geef maar gewoon antwoord.'

Hij keek strak naar mijn mond. 'Je belt nooit terug.'

Dat was echt iets voor hem. Het was weken geleden dat hij me gebeld had.

'Waarom wil je niet met me praten?' vroeg hij. De manier waarop hij naar mijn mond staarde, gaf me een onbehaaglijk gevoel.

Plotseling zei hij: 'Ik kan je ruiken, Grace. En weet je waar je naar ruikt?'

Ik wist wat hij zou gaan zeggen.

'Je ruikt naar seks.'

Onder mijn joggingpak sloeg een hete golf door me heen en mijn tepels gingen meteen rechtop staan. 'Hou je bek,' zei ik rustig.

'Zoals je wilt,' antwoordde hij luchtig. 'Ik doe alles wat je wilt.'

'Je zou het ook hebben gezegd als ik naar terpentine of naar gekruid lamsvlees had geroken.'

Hij haalde zijn schouders op.

Toen ik mezelf weer in bedwang had, zei ik: 'Vertel op, Paddy. Hoe gaat het met je huwelijksplannen?'

'Prima, alles in orde. Maar daar gaat Alicia in feite over.'

'Hoe is het met die lieve *Alicia?*'

'Uitstekend. Maar je hebt haar in dat artikel wel een beetje vreemd neergezet, Grace. Ze was teleurgesteld dat je niet... vriendelijker was geweest.'

Ik trakteerde hem op een honend lachje. 'Nou, *Alicia* wilde per se dat ik haar zou interviewen, dus wat had *Alicia* dan verwacht?'

'Een professionele houding. En ik ook.'

Ik keek hem minachtend aan. 'Ik heb het professioneel aangepakt.'

'We hadden verwacht dat je je persoonlijke gevoelens erbuiten zou laten.'

'Dat heb ik gedaan.' Ik had haar niet willen interviewen, maar toen ik ertoe gedwongen werd, had ik besloten dat de beste aanpak was om net te doen alsof ik haar nooit had gekend. Maar zij had het niet kunnen opbrengen om haar triomfantelijke gevoelens in toom te houden en ik denk dat ik als gevolg daarvan vrij bitter was geweest. Hoewel ik niet echt vreselijke dingen had geschreven, ik was gewoon niet aardig geweest.

Nadat ik – uiteindelijk – mijn verhaal over Dee had ingeleverd, ging ik naar de bioscoop om snoep te kopen, want daar hebben ze de meeste keus. Ik kocht een grote zak gemengde snoepjes, plus nog een fikse hoeveelheid colaflesjes, winegummies en aardbeienspekkies, bij wijze van troost voor het feit dat ik hem een hele zondag alleen had gelaten, terwijl hij met een pijnlijke knie zat, zonder sigaretten en zonder snoepjes om de afkickverschijnselen tegen te gaan.

Hij zat op de bank met een chagrijnig gezicht en een stoel onder zijn pijnlijke knie naar het Tweede Wereldoorlogkanaal te kijken. Zo heet het niet echt, maar het was net alsof die zender vierentwintig uur per dag documentaires over nazi-Duitsland en het bombardement van Dresden uitzond.

Hij keek op van de korrelige beelden van de landingen in Normandië. 'Ik heb geprobeerd je te bellen!'

'Sorry, maar ik heb mijn telefoon uitgezet om me te concentreren.'

'Heb je iets voor me meegebracht?'

Ik dumpte de zak op zijn schoot. 'Allemaal voor jou.'

'Echt waar?' zei hij en lachte verbaasd. 'Het was maar een grapje. Je brengt nooit iets voor me mee.'

'Geen wonder als je zo ondankbaar reageert.'

Hij inspecteerde de inhoud van de zak. 'Klasse, Grace. Zure biggetjes! Dat is echt een traktatie, want die zijn bijna niet meer te krijgen.'

'Hoe is het met je knie?'

'Doet hartstikke zeer,' zei hij met een mond vol biggetjes. 'Hebben we ijs om erop te leggen? Vangen!' Hij gooide me een spekkie toe uit zijn zak en ik slaagde erin om het tussen mijn tanden te vangen.

'Christus,' zei hij, diep onder de indruk. 'Ik neem alles terug wat ik gezegd heb.'

Hij bekeek me van top tot teen en ineens was er iets veranderd. Hij keek naar me zoals hij waarschijnlijk al een tijdje niet meer naar me had gekeken: alsof hij zin had om met me te neuken. In een emotionele achtbaan maakte mijn akelige gevoel plaats voor opluchting.

'Kom hier,' zei hij met ogen die niets aan duidelijkheid te wensen overlieten en in plaats van hem, zoals gewoonlijk, te vertellen dat hij me niet moest commanderen ging ik naar hem toe.

Hij klopte op de bank. 'Kom naast me zitten en neem ook een paar colaflesjes. We hebben twee soorten in de aanbieding: met en zonder prik. En als je genoeg zoete en ongezonde dingen hebt gegeten, zou je dan misschien trek hebben in een seksueel getint toetje?'

Hij kuste me. Hij smaakte naar kunstmatig aardbeiensap. En daarna smaakte hij naar hem. Er ging een tinteling door me heen. Plotseling snakte ik letterlijk naar hem en ik voelde dat hij er even erg aan toe was.

Hij hield op en keek in mijn ogen. Ik zag dat zijn ogen mijn geile verlangens weerspiegelden. 'Sjongejonge,' zei hij. 'Wat is er in vredesnaam gebeurd?'

Hij kuste me opnieuw en we zaten als een stel tieners met elkaar te vrijen, grabbelend en graaiend en rukkend aan kledingstukken zonder echt te weten wat het eerst uit moest.

Hij maakte zijn riem los en haalde zijn inmiddels al stijve pik uit zijn broek. Ik gooide mijn sweatshirt uit en maakte mijn beha los.

Toen hij probeerde mijn tepels te pakken zei hij: 'Jezus, mijn knie!'

'Blijf maar stilzitten.' Wat zou de beste manier zijn? Want dit ging echt door, al kwam de onderste steen boven. 'Ik ga wel op je schoot zitten.'

'Hoe neuken mensen die in het gips zitten?' hijgde hij.

'Er schijnen mensen te zijn die dat juist lekker vinden.' Ik stond op en trok mijn joggingbroek en mijn slip uit. 'Dat ze een heel gipscorset aangemeten krijgen, bedoel ik. Daar heb ik een keer een verhaal over geschreven, weet je nog wel?'

Ik wist niet waarom ik daarover begon, het liet me eigenlijk koud. Hij legde zijn handen om mijn heupen om me omlaag te trekken. 'Zullen wij ook iets nemen wat we extra lekker vinden?'

'Nu meteen?' Ik drukte mijn knieën tegen zijn dijen aan. Snakkend naar adem. 'Wat een moment om daarover te beginnen!'

'Nee, niet meteen. Later.'

'Ja hoor. Heb je al iets in je hoofd?' Ik kon het puntje van zijn pik voelen.

'Eigenlijk niet, nee.' Hij kwam omhoog, ik zakte omlaag. Net genoeg weerstand om ervoor te zorgen dat ik me gezwollen en strak voelde. Hij kreunde en vulde me, erin, eruit en erin. 'Begin er dan nog maar eens over als je iets goeds weet.'

'Waar ga je naartoe?' vroeg Damien toen ik op mijn tenen de slaapkamer uit sloop. 'Waarom slaap je nog niet?'

'Even een nicotinepleister pakken.'

In de donkere woonkamer rommelde ik in mijn tas en zette mijn telefoon aan. Ik wist dat hij me zou bellen. Daarom had ik mijn mobiel de hele dag uit gehad.

Er waren drie voicemails. Ik drukte de telefoon tegen mijn oor en luisterde. Twee waren van Damien, die zich afvroeg waar ik bleef.

Daarna hoorde ik zijn stem. Kort en bondig. 'Bel me. Alsjeblieft.'

In zekere zin waren de dagen met de groene handtas de ergste. Zwart (alles in het negatieve, met een neiging tot wanhoop) was weliswaar ook erg, net als rood trouwens (ongebreidelde woede), maar daarmee wist je ten minste waar je aan toe was. En beige was ook niet echt plezierig. Het mocht dan een vriendelijk kleurtje zijn, bij haar resulteerde het in overdreven luchtig en wijsneuzerig.

Maar groen – groen betekende onzekerheid. Groen waarschuwde ons dat we op alles voorbereid moesten zijn. Op dagen met een groene handtas kon ze je de hemel in prijzen en het nog menen ook. Of ze kon je prijzen en meteen daarna krijsen: 'En als je dat echt gelooft, dan geloof je ook in kaboutertjes!' Dat was niet zo erg als ze het tegen mij of TC had – wij konden ertegen – maar we voelden ons allesbehalve op ons gemak toen ze op dezelfde manier tekeerging tegen Oscar, haar vijfjarige zoontje dat ze bij zich had op de 'Neem je kinderen mee naar het werk'-dag.

Maandagochtend stond mijn naam bij het artikel op de voorpagina, weliswaar samen met die van Jonno Fido van de nieuwsredactie, maar dat mocht de pret niet drukken. Om je naam op de voorpagina te zien was net zoiets als het krijgen van een gouden plaat, want dat overkwam mij, als schrijfster van redactionele artikelen niet al te vaak.

Bovendien had ik op pagina twee en drie een diepte-interview met Dee. En als klap op de vuurpijl stond er op pagina vijf nog een pittig commentaar van mijn hand onder de kop: 'Dit Zou Een Man Nooit Overkomen'.

TC keek me aan toen ik naar mijn plek liep. 'De *Spokesman*, door Grace Gildee,' zei hij.

'Je bent echt het snoepje van de dag,' merkte Lorraine op. 'Jacinta zal het geweldig voor je vinden.'

Dat leverde een algemeen gesnuif op, maar die dag kon niets me deren. Ik vond het allemaal even geweldig.

'Welke kleur handtas zal het zijn?' vroeg TC.

'Zetten we daar geld op, of is het alleen maar voor de lol?' wilde Lorraine weten.

'Voor de lol.'

'Groen,' zei Lorraine.

'Groen,' beaamde Tara.

'Niet geel?' Grapje van mijn kant. Geel betekende ijsjes voor iedereen en soms zelfs een rondje cola.

'Zwart,' zei Clare.

'Welnee,' zei TC. 'Ze is hoofd van de afdeling redactionele bijdragen. Dat Grace het zo goed heeft gedaan is alleen maar goed voor haar imperium.'

'Maar ze blijft erin als ze moet erkennen dat iemand anders een prestatie heeft geleverd, zelfs als dat een van haar medewerkers is,' zei Clare. 'Ik zeg niet dat ze niet deugt...'

'Nee, nu niet,' zei Tara, 'maar je moet jezelf vrijdagavond in Dinnegans eens horen, als je drie wodka-tonics achter de knopen hebt.'

'Ik gok op groen,' zei Lorraine.

'Ik ook,' zei Tara.

'En ik,' zei TC.

'En ik ook,' zei ik.

'Ik hou het op zwart,' zei Clare.

'Ik vind dat jullie je aanstellen,' zei Joanne. 'Het is maar een handtas.'

Joanne heeft er nooit echt bijgehoord.

Madonna's publiciteitsfirma had al om voorbeelden van mijn werk gevraagd. Daarna hadden ze er nog meer willen hebben. Vervolgens had ik een essay moeten schrijven over de reden waarom ik van Madonna hield. Als ze nu al de oplagecijfers wilden weten, had ik het kennelijk goed gedaan. Goeie genade! Ik werd overspoeld door een mengeling van extase en ontzetting. Stel je voor dat het er echt van zou komen? Dan zou ik Madonna ontmoeten. Ik bedoel maar, Madonna!

'Daar is Jacinta,' fluisterde TC.

'Ik kan haar tas niet zien, ze staat net achter het fotokopieerapparaat.'

'En haar jas hangt erover.'

'Volgens mij is het de groene.'

'Nee, de zwarte.'

Het was de groene.

'Prima verslag van die heisa over Dee Rossini,' zei Jacinta kortaf.

Ik wachtte zwijgend op de trap na.

'Heb je je tong ingeslikt?' vroeg ze.

'Nee.'

'Wat is er dan mis met "dank je wel"?'

'Dank je wel.'

Ik liep achter haar aan haar kantoor binnen.

'Je hoeft niet te denken dat je vandaag op je lauweren kunt gaan rusten, hoor. Je bent net zo goed als je volgende artikel. Wat heb je voor me?'

'Romances op kantoorkerstfeestj...'

'Het is pas zeventien november!'

'Het gemiddelde bedrag dat wordt uitgegeven aan kerstcad...'

'Nee!'

'Daklozen tijdens de kerst.'

'Word je daar vrolijk van?'

'Nee. Het zijn daklozen.'

'En het is nog steeds pas de zeventiende november. Nee! Ik bedoel maar…' mopperde ze. Toen gleed haar blik langs me heen en wat ze achter me zag, maakte dat ze veranderde in een soort zoutpilaar.

Ik keek om. Het was Casey Kaplan, in zijn strakke zwarte spijkerbroek en met verwarde haren.

'Wat spook jij hier verdomme uit?' Jacinta trilde van onderdrukte emoties.

'Ik werk hier.' Hij lachte zelfbewust.

'Ik dacht dat je allergisch was voor daglicht. We hebben nooit eerder op dit uur in de ochtend het genoegen van je aanwezigheid mogen smaken.'

Om Casey hing een soort aura van sigaretten, kroegen en gezelligheid. Hij was kennelijk rechtstreeks van een feestje of uit de kroeg hierheen gekomen.

De lucht die hij verspreidde, walmde door het kantoor en toen de stank Jacinta bereikte, sprong ze op. 'Ga weg!' Ze wapperde met haar armen. 'Je stinkt!'

'Je bent vanmorgen wel erg gespannen, Jacinta.' Casey lachte en liep weg.

'Bedankt, Casey,' hoorde ik TC mompelen. 'Dat zal haar echt kalmeren.'

Vanaf de andere kant van de redactie hoorde ik Casey zeggen: 'Morgen, Rose. Is Coleman er?'

'Ja,' zei Rose zenuwachtig. Ze was de spreekbuis van de Grote Baas en zijn schildwacht. 'Maar hij mag niet gestoord worden.'

'Nu wel. Hij heeft me een sms'je gestuurd en zit op me te wachten.'

Mijn telefoon ging. Het nummer van mijn ouders. Ik wist niet hoe ze het klaarspeelden, maar iedere keer als ze me belden, klonk de ringtoon dringender dan anders.

'Het gaat om Bingo,' zei mijn vader.

'Lieve hemel nog aan toe.'

'Hij zit in Wales.'

'In Wales? Bedoel je het land Wales? Aan de andere kant van de zee?'

'Hij heeft de veerpont genomen.'

'Hoe?'

'We gaan ervan uit dat hij gewoon met alle andere passagiers aan boord en samen met hen ook weer aan land is gegaan. Een inwoner van Wales met gemeenschapszin, een man, trof hem aan op de weg naar Caernarvon en belde het nummer op zijn halsband.'

'Heeft hij dan geen kaartje moeten laten zien toen hij aan boord ging?'

'We nemen aan dat hij zich heeft voorgedaan als lid van een gezin met kinderen en zo aan boord is geglipt.'

Ik was met stomheid geslagen. Je moest toch bewondering hebben voor die hond. Ze hadden hem eigenlijk Marco Polo moeten noemen.

'De snelle pont vertrekt om vier uur uit Dun Laoghaire,' zei pa. 'En die doet er maar negenennegentig minuten over naar Holyhead. Dat zeggen ze tenminste. Maar dat zijn, denk ik, alleen maar publiciteitspraatjes. In werkelijkheid zal het wel langer duren.'

'Nou, goede reis dan maar,' zei ik.

'Wie?'

'Jij. Ma. Bid. Wie hem ook gaat halen.'

'Maar wil jij niet...'

'Ik. Werk. Jij. Bent. Gepensioneerd. Het. Is. Jouw. Hond.'

'Jij. Bent. Onze. Dochter. Wij. Zijn. Oud. En. Arm.'

'Ik. Betaal. De. Overtocht. Wel. Tot. Ziens.'

De telefoon ging. Weer pa.

'Wat nu weer?' vroeg ik.

'Hoeveel?'

'Hoeveel wat?'

'Voor hoeveel personen ben je bereid te betalen? Alleen voor mij of voor ons alle drie?'

'Voor jullie alle drie, natuurlijk.'

Hij legde zijn hand over de hoorn en riep opgewonden: 'We kunnen met ons allen!'

Hoge gilletjes van opwinding op de achtergrond van ma en Bid. Arme stakkers. Je kon ze zo gemakkelijk een plezier doen. Zeker nu Bid zo ziek was.

Toen de telefoon opnieuw ging, nam ik per ongeluk op. Ik had verwacht dat het opnieuw pa zou zijn, met de vraag of ik ook bereid was de consumpties aan boord te betalen.

'Mag ik Grace Gildee, alstublieft?'

Nee! Fatale fout! Nooit de telefoon opnemen als je niet weet wie het is! Nu zou ik een lang en klef gesprek moeten hebben met een of andere publiciteitsbureau, dat me probeerde over te halen iets te doen aan het boek, het laatste snufje, of de liefdadigheidsorganisatie waarvoor ze werkten.

'Met wie spreek ik?'

'Met Susan Singer.'

'Waar gaat het over?'

'Mijn mam. Ik en mijn zusje Nicola, en onze mam, mevrouw Singer, weet je nog wel? Je bent in september bij ons geweest om met haar over haar biopsie te praten. Je hebt ons nog een foto gestuurd waar we met ons drieën opstaan.'

'Ja, natuurlijk!'

'Ze is overleden. Gisteravond.'

'O god, wat erg! Dat vind ik echt verschrikkelijk.'

'Ik dacht dat je... het wel zou willen weten. Je was zo aardig toen je bij ons was, en je hebt ook die foto gestuurd. Die heeft ze ingelijst. Morgenochtend wordt ze begraven.'

'Ik zal er zijn. Bedankt dat je me gebeld hebt.'

Toen ik op weg was naar buiten om een broodje te gaan halen (ik hield het echt niet meer uit) sprong Casey Kaplan ook in de lift vlak voordat de deuren dichtschoven.

'Zeg eens,' zei hij. 'Heeft Jacinta gelijk? Stink ik echt?'

'Ja.'

'Waarnaar dan?'

Ik snoof en dacht even na. 'Ontucht.'

Dat scheen hem te bevallen. 'Je hebt Dee Rossini goed neergezet, Grace, dat was echt een prima artikel.'

De liftdeuren gingen open en we stapten uit. 'Maar hoe zit het met Chris? Wie had dat verwacht? En ik dacht nog wel dat het zo'n fijne vent was,' voegde hij er nadenkend aan toe.

'Chris?'

'Christopher Holland. De vriend van Dee.'

'Ken jij die?' Mijn stem klonk hoog en gekweld.

Hij haalde achteloos zijn schouders op. 'Ja.'

'Wist je dat hij haar vriend was?' Er was geen hond die zelfs maar had geweten dat ze een vriend hád.

'Ja. En ik dacht altijd dat het zo'n toffe kerel was. Maar,' zei hij met een treurige zucht, 'die lui van de *Globe* hadden er natuurlijk een vermogen voor over en ik vermoed dat hij daar, met al die speelschulden, geen weerstand aan heeft kunnen bieden. Per slot van rekening zegt geld meer dan...'

Ik had genoeg gehoord en geen zin meer om naar zijn geleuter te luisteren. Dus liet ik hem gewoon staan en liep de deur uit, onder gegiechel van Yusuf en mevrouw Farrell.

Het journaal stond er bol van.

Die ochtend had de leider van de Christelijke Progressieven, Brian 'Bangers' Brady (Ierse politici waren voorstanders van bijnamen, omdat ze dachten dat ze dan echt een 'man van het volk' waren) in de Dáil, het Ierse parlement, omstandig en vol leedvermaak een roze ladyshave aan minister Rossini aangeboden.

'Het was ronduit walgelijk.' Damien was er zelf bij geweest, op de perstribune. 'Stelletje puisterige pestkoppen.'

De leider van de Labour Party had niet voor de CP onder willen doen en was met een tube voetencrème op de proppen gekomen. En zelfs de Groenen hadden Dee een fles lavendelolie voor haar cellulitis gegeven.

Dee's ogen glansden verdacht, maar ze hield haar hoofd hoog en slikte alles. Ze slaagde er zelfs in om te lachen en dus was de regering niet gevallen.

'Maar ze loopt wel op haar laatste benen,' zei Damien. 'Nog één drama en ze is gezien. En als zij weg moet, dan geldt dat voor de hele coalitiepartner van de Nappies. En dan valt de regering. Hoeveel paar sokken moet ik meenemen?'

'Hoeveel nachten blijf je weg?'

'Drie.'

'Hoeveel paar sokken heb je dan nodig?'

'Drie.'

'Grote jongen. Vangen.' Ik gooide drie paar opgerolde sokken naar hem toe die hij met één hand opving en in zijn koffer mikte.

'Arme Dee,' zei Damien.

'Wie doet haar dat aan?' vroeg ik.

'Volgens mij de Chrisps. Dat zijn de enigen die er profijt van hebben.'

'Maar kun je geen namen noemen? Ik bedoel maar, is het Bangers bijvoorbeeld? Komt het van hogerhand of uit de gelederen?'

'Weet ik niet.'

'En als je het wel wist, zou je me dat toch niet vertellen.'

'Dat zou ik niet kunnen doen.' Hij moest zijn bronnen beschermen.

'Waarom hebben ze het speciaal op Dee gemunt?'

'Omdat ze al geprobeerd hebben de Nappies rechtstreeks te pakken met die "leningen" van Teddy.'

De leider van de Nationalistische Partij Ierland was betrapt op het accepteren van persoonlijke 'leningen' voor een bedrag van ettelijke tienduizenden euro's, 'leningen' die al meer dan tien jaar open stonden en waarop geen enkele aflossing betaald was. Maar hij had gewoon stug volgehouden en geweigerd ontslag te nemen.

'De Nappies en Teddy zijn voorzien van een laag teflon. De enige manier waarop de oppositie hen kan pakken, is door zich op hun coalitiepartner te concentreren. En in tegenstelling tot de rest heeft Dee wél eergevoel. Als ze haar het vuur maar genoeg aan de schenen leggen, neemt ze zeker ontslag. Denk je dat het koud is in Hongarije?'

'Wie denk je dat ik ben? De weerman?'

Hij schudde zijn hoofd en keek me bijna trots aan. 'Doe niet zo pissig.'

Daar moesten we allebei om lachen. 'Dat heb ik van jou geleerd,' zei ik. 'Het is november. Je kunt je korte broek wel thuis laten.'

Later stopte ik nog een noodvoorraadje snoep in zijn koffer en overwoog heel even om er een briefje met 'ik hou van je' bij te doen. Maar dat was zo onkarakteristiek voor mij, dat hij zich waarschijnlijk dood zou schrikken.

'Liefdadigheid.'

'Nee!' Dat was tegenwoordig Jacinta's automatische antwoord op alles wat ik voorstelde. 'Je bent zo... *weldoenerig* geworden, met die misbruikte vrouwen van je en die daklozen en nu weer liefdadigheid.'

'Drie of vier invalshoeken op het verschijnsel liefdadigheid,' vervolgde ik gewoon alsof ze razend enthousiast had gereageerd. 'De societydame die naar alle inzamelingsfeesten en -partijen gaat, de administrateur die een oogje houdt op het geld dat voor ontwikkelingslanden wordt ingezameld en de enthousiaste eenling die haar baan zes maanden lang opgeeft om de hongerende medemens te voeden.'

Dat beviel haar wel. Het toverwoordje was 'societydame' geweest.

'Hé, Declan, wie is momenteel de grootste liefdadigheidskoningin?' riep ze.

Declan O'Dowd keek ons met samengeknepen ogen aan. 'Rosalind Croft. De vrouw van Maxwell Croft.'

'Ik wist het!' siste Jacinta triomfantelijk. 'Ik zal haar een dag lang op de voet volgen om te zien wat ze precies uitspookt. Ik heb gehoord dat ze nogal goedgeefs is. Misschien hou ik er wel een handtas aan over. Regel het maar, Grace.'

'Dus ik mag alle suffe dingen doen?'

'Ja, ja, jij zult je vast kostelijk amuseren met dat weldoenstertje dat naar Afrika gaat. Dan kunnen jullie gezellig samen gaan zitten afgeven op de globalisering... dat vind je vast leuk! Zorg dat je iemand vindt die er niet al te stom uitziet op de foto.'

'En die administrateur?'

'Daar mag je TC wel op afsturen. Of doe het zelf. Maar hij moet er wel goed uitzien. Waar ga je naartoe?'

'Naar een begrafenis.'

De sombere kerk zat tot de nok toe vol. De beide dochters, Susan en Nicola, keurig in donkere jassen en nette schoenen, zaten op de eerste rij naast een man met een bleek gezicht, waarschijnlijk hun vader. Ik had hoofdpijn van de ingehouden tranen.

Meneer Singer hield een teder toespraakje over zijn vrouw. Daarna waren Susan en Nicola aan de beurt om formeel afscheid te nemen van hun moeder en dat was echt ontzettend triest. Het was schandalig dat het interview met mevrouw Singer nooit gepubliceerd was. Dat zou haar niet beter hebben gemaakt en de afloop zou hetzelfde zijn geweest, maar dan hadden de meisjes zich misschien een tikje beter gevoeld.

'Nu moeten we opstaan,' fluisterde de oude man naast me. Hij had het op zich genomen mij te vertellen wat er moest gebeuren, omdat ik niet wist wanneer je tijdens een mis moest zitten, opstaan of knielen.

Het geluid van schuifelende voeten op de houten vloer klonk door de kerk en in een kortstondige opening tussen de bewegende lichamen zag ik een paar rijen voor me onmiskenbaar zijn schouders. Maar dat kon niet, waarom zou hij hier in vredesnaam zijn?

Een muur van ruggen rees voor me op en ik zag verder niets meer tot de oude man fluisterde: 'Nu moeten we knielen.'

De gemeente knielde neer en ik bleef net lang genoeg staan om me ervan te overtuigen dat het inderdaad Paddy was.

'Knielen!' zei de oude man.

Ik viel op mijn knieën voordat hij erin bleef.

Wat had Paddy hier bij de Singers te zoeken? Waar kende hij hen van? Toen drong ineens tot me door dat dit zijn verkiezingsdistrict was. Politici kwamen altijd opdagen op de begrafenis van iemand uit hun district om hun kiezers wijs te maken dat ze ook mensen waren.

Buiten de kerk sloeg ik hem gade toen hij, overlopend van charisma, in zijn overjas en met gebogen hoofd de meisjes condoleerde. Ik herinnerde me dat mevrouw Singer me had verteld dat ze veertien en vijftien waren, ongeveer even oud als Paddy was geweest toen zijn moeder stierf.

Je kon zien dat ze het ondanks de dood van hun moeder toch heel opwindend vonden dat de beroemde Paddy de Courcy naar haar begrafenis was gekomen.

Arme kleine meisjes, die het op zo'n kwetsbare leeftijd zonder hun moeder zouden moeten stellen. Maar in ieder geval leken ze een lieve vader te hebben. In tegenstelling tot Paddy.

'O mijn god...' Marnie bleef staan alsof ze tegen een onzichtbare muur was gelopen.

Het was een stralende juni-avond midden in onze eindexamen-periode en ma en pa hadden ons gedwongen om een wandeling te maken naar de pier van Dun Laoghaire, in de hoop dat de frisse lucht de volgende dag bij het geschiedenisexamen een gunstige uit-werking zou hebben.

Het was druk op de pier, zoals altijd op een zonnige avond, en veel ouders hadden hetzelfde idee gehad als ma en pa.

'Het Marshallplan was vermomd als hulp, maar in werkelijkheid was het een verraderlijke poging om...' Pa was ons aan het 'overho-ren'. Hij bleef staan en keek om naar Marnie. 'Waarom loop je niet door, Marnie? Is er iets?'

'Nee.' Haar gezicht was plotseling doodsbleek.

'Wat is er? Je ziet eruit alsof je ieder moment kunt flauwvallen.'

'Niet kijken,' mompelde ze. 'En niets zeggen, maar daar heb je Paddy's vader.'

'Waar?' Ma en pa keken gelijktijdig naar de zuiplappen op de bankjes die van de laatste zonnestralen genoten.

'Daarginds, maar kijk alsjeblieft niet!' Marnie wees naar een lange, kaarsrechte man met kortgeknipt grijs borstelhaar, een keurig gestreken bruin overhemd en een bijpassende broek. Hij zag eruit als een legerofficier.

'Híj?' Dat toonbeeld van militair ogende netheid was niet wat ma en pa verwacht hadden. Ze hadden uit Paddy's verarmde, hongerige uiterlijk kunnen opmaken dat meneer De Courcy als vader min of meer in gebreke bleef, maar aangezien Paddy nooit in bijzonderhe-den trad, waren ze tot de niet zo vreemde conclusie gekomen dat de oorzaak drank was.

Marnie ging achter mij staan. 'Ik wil niet dat hij me ziet.'

'Hij ziet er anders vriendelijk genoeg uit,' zei ma.

'Je bedoelt schoon,' zei Marnie.

'Helemaal niet!' Ma was gekwetst. 'Sinds wanneer hou ik alleen van schone mensen?'

'Hij ziet eruit alsof hij in het leger zit. Is dat ook zo?' informeerde pa.

Marnie schudde haar hoofd.

Tevreden dat hij zich niet met fascisten hoefde op te houden, pakte pa de arm van ma. 'We moeten onszelf eigenlijk voorstellen.'

'Nee, alsjeblieft niet!' zei Marnie, terwijl ze hen achteruit trok.

'Waarom niet? Zijn zoon en onze dochter hebben al een jaar lang "verkering". Het is gewoon een kwestie van beleefdheid.'

'Jullie snappen er niets van. Wacht nou even.' Ze dreef ons letterlijk in een hoek. 'Niet kijken! Laat hem niet merken dat jullie naar hem kijken!'

'Wat is er nou?' vroeg pa. 'Ik zie dat hij een microfoon bij zich heeft. Zingt hij?'

Marnie slikte en zei: 'Ja, soms wel, geloof ik.'

'Dus hij is zanger,' zei ma. Ze hield van zangers, muzikanten en mensen met een kunstzinnig beroep, in feite van iedereen die geen vast inkomen had. 'Dat heeft Paddy nooit verteld.'

'Hij is ook geen zanger.'

Marnie had mij alles over meneer De Courcy verteld, maar tegelijkertijd gedreigd dat zij, als ik daar ooit iets over los zou laten, aan iedereen zou vertellen dat ik nog steeds maagd was. (Om je dood te schamen als je al achttien was.)

Ik begreep waarom zij Paddy zo in bescherming nam. Marnie en ik schaamden ons ontzettend voor onze ouders: pa met zijn neus en zijn communistische ideeën en ma met haar blauwkousen-chic en haar weldoenstersneigingen. Maar Paddy's vader was stukken erger.

Zelf vond ik het heel opwindend om de man te zien over wie ik al zoveel had gehoord. Hij had ontzettend brede kaken, die maar bleven bewegen, alsof hij constant op rauwe aardappels liep te kauwen. Zijn huid zag er een beetje ruw uit, alsof hij er net drie of vier laagjes extra van afgeschoren had, alleen maar om zijn gezicht mores te leren. Zijn ogen waren even blauw als die van Paddy, maar ze stonden glazig en starend.

'Die doet hij iedere avond uit om ze op te poetsen,' zei Marnie alsof ze mijn gedachten kon lezen. 'Zullen we nu teruggaan? We hebben ver genoeg gelopen.'

'Laten we nou maar gewoon naar hem toe gaan en hallo zeggen.'

'Nee, ma. Je vindt hem vast niet aardig.'

'Dat kun jij niet weten,' zei pa.

'Wij vinden iedereen aardig,' hield ma vol. 'Kijk, hij zet zijn microfoon aan. Hij staat kennelijk op het punt aan zijn optreden te beginnen.'

'Hij is geen straatmuzikant,' zei Marnie een beetje wanhopig.

'Sst, laten we nu maar even naar de man luisteren,' zei pa terwijl hij vol verwachting naar meneer De Courcy keek. Wat zou pa verwacht hebben? Grappen en grollen? Volksliedjes? Sinatra-covers?

Hij kreeg iets waar hij absoluut niet op gerekend had.

Meneer De Courcy zette zijn kiezen nog negen of tien keer op elkaar, bracht de microfoon die hij zo vastklemde dat zijn vingers wit wegtrokken voor zijn mond en blafte: 'Nou moeten jullie eens goed luisteren! God hield zoveel van de wereld dat hij zijn enige zoon zond om ons te redden. Zijn enige zoon. Om ons, ellendige zondaars, te redden. Ja, u, die mevrouw daar in dat blauwe jack, en u, meneer daarginds. En zijn wij daar dankbaar voor? U soms?' vroeg hij aan een verbijsterde jogger. 'Nee, dat bent u helemaal niet. Hoe vergoeden wij dit grote offer? Door te zondigen. Met zonden van het vlees! Lust! Hebzucht, vraatzucht, boosheid en jaloezie, maar vooral lust!'

De scheldkanonnade bereikte iedereen: mannen die hun hond uitlieten, jonge moeders achter de kinderwagen en gezinnetjes die van het laatste uurtje daglicht genoten. Ze keken afwisselend verbaasd, geschrokken en af en toe beledigd. Dat soort freelance godsverontreiniging was heel zeldzaam. Ierland had officiële kanalen voor dit soort dingen: een heel leger priesters die geen inmenging van buitenaf duldden.

Ma en pa bleven als aan de grond genageld staan. De schok stond zo duidelijk op hun gezicht te lezen dat ze eruitzagen als een stel bekeerlingen.

'Gaan we nou weg?' smeekte Marnie terwijl ze ma's arm schudde. 'Straks ziet hij me nog en dan gaat hij weer over lust schreeuwen.'

'Ja, ja, natuurlijk.' Beschermend dreven ma en pa ons richting huis en uiteindelijk konden we de stem van meneer De Courcy niet meer horen. Maar misschien lag het aan de wind, want toen we bijna aan het eind van de pier waren, fluisterde Marnie: 'Nu staat hij te zingen.'

We spitsten onze oren en hoorden heel duidelijk – gedragen door de wind – *'She's just a devil woman, with evil on her mind'*. Hij zong het op een lome, gedragen manier, waardoor alle speelsheid uit het liedje verdween. 'Kijk uit voor dat duivelse wijf, ander pakt ze je van ááchteren!'

Pa staarde in de richting van het geluid. 'Het is gewoon één groot drama,' zei hij.

'Ik moet bekennen dat ik had verwacht dat hij een zuipende nietsnut was,' zei ma. 'Was het maar waar.'

'Maar hij is wel degelijk een nietsnut,' zei Marnie. 'Hij werd ontslagen en heeft geen enkele moeite gedaan om een nieuwe baan te krijgen. Hij verdient geen geld. Dit is het enige wat hij doet.'

'Arme Paddy. En zijn moeder is dood. Hij heeft niemand om voor hem te zorgen.'

'Arme Paddy.'

'Arme Paddy.'

'Arme Paddy.'

Een week later ging de telefoon om twee minuten voor zeven.

Ik was al wakker, en kennelijk was er iets heel belangrijks gebeurd. Weer een tsunami? Als er sprake was van een dergelijke ramp werden we meteen allemaal opgetrommeld.

'Ik ben op weg naar het ziekenhuis!' Dat was Jacinta. 'Oscar heeft een geperforeerde blindedarm!'

'...O.'

'Een natuurramp?' vroeg Damien slaperig.

'Rustig aan, Jacinta,' zei ik.

'Jacinta,' mompelde hij. 'Ik had het kunnen weten.'

'Mensen gaan niet meer dood aan een geperforeerde blindedarm,' zei ik. 'Hij wordt wel weer beter.'

'Je begrijpt er niets van! Vandaag is de dag dat ik Rosalind Croft zou interviewen en in plaats daarvan zit ik met die verrekte Oscar opgescheept! Hij had geen beroerdere dag uit kunnen kiezen! Neem nooit kinderen, Grace, dat zijn de meest egoïstische kleine kr...'

'Het artikel staat pas voor vrijdag gepland. Doe het interview dan morgen of donderdag.'

'Nee, nee! Rosalind is zo drukbezet, dat het vandaag echt moet gebeuren. Vandaag! Dus jij moet in mijn plaats gaan.'

'Oké.'

'Oké? Is dat alles wat je kunt zeggen? Ben je niet blij?'

'Eh...'

'Als je iets van haar krijgt, een sjaal of weet ik wat... dan geef je dat rechtstreeks aan mij!'

Er stond een bediende te wachten om mijn auto weg te zetten. Bij een wóónhuis!

Een of andere in driedelig pak gehulde pr-figuur bracht me naar een kleedkamer waar mijn hele huis in paste en waar ze bezig waren het haar van mevrouw Croft te föhnen. Ze was al volledig opgemaakt. Het was moeilijk om haar leeftijd te schatten... een jaar of vijfenveertig?

Ik had verwacht dat ik haar een vervelend mens zou vinden. Ik had allerlei vooroordelen tegen vrouwen die zich met liefdadigheid bezighielden, omdat ik ze ervan verdacht dat het gewoon een voorwendsel was om een heleboel japonnen te kopen. Maar ze drukte me de hand en lachte met een vriendelijkheid die oprecht aandeed.

'Dus jij moet me vandaag schaduwen, Grace? Ik hoop dat je je niet verveelt.'

Dat waagde ik te betwijfelen. Ik mocht dan mijn bedenkingen hebben tegen extreem rijke mensen, maar schandalig genoeg vond ik hun manier van leven toch buitengewoon fascinerend.

Er liepen continu mensen de kamer in en uit, om te vertellen wie gebeld had en waarover, of met menu's die goedgekeurd en papieren die getekend moesten worden. Rijk zijn bleek een veeleisende baan. Mevrouw Croft maakte met iedereen een praatje en bleef vriendelijk. Maar dat was misschien alleen omdat ik erbij was.

Een adembenemend knap Nigeriaans meisje dat Nkechi heette, fladderde rond en legde kleren klaar, rommelde tussen kleerhangers en snauwde een ander Nigeriaans meisje dat Abibi heette op een hondse manier af. 'MaxMara heb ik gezegd, MaxMara. Waarom geef je me dan Ralph Lauren?'

'Omdat je het over een crèmekleurige broek had.'

'Ik had het over een crèmekleurige MaxMara-broek, tut hola. Dat is een wereld van verschil!'

'Ik moet vanmorgen een vergadering van een comité voorzitten,' zei mevrouw Croft, terwijl Nkechi haar in een aaibaar zacht crème vest hielp. Ik wist niet veel van wol, maar waar dit kledingstuk ook van gemaakt was, het was duidelijk ontzéttend duur. In gedachten verzamelde ik zinnetjes om later aan Damien door te geven. Dit keer was het: 'Een vest gebreid van de haartjes van pasgeboren baby's.'

'Wat voor soort comité? Liefdadigheid?'

'Zijn er dan ook andere?' Haar ogen twinkelden. 'Dank je, Nkechi.' Nkechi ritste de crèmekleurige MaxMara-broek dicht die alle heisa had veroorzaakt. 'Suikerbaby's. Baby's met suikerziekte. Daarna een lunch.'

'Wat voor lunch?'

'Je raadt het nooit. Weer een liefdadig doel.' Leunend op Nkechi stapte ze in een paar bruin met crème lakschoenen met lage hakken. 'Dank je, Nkechi.'

'Hetzelfde doel?'

'Nee, een ander. De Stichting Gebroken Hartjes, voor kinderen met hartafwijkingen. Dank je, Nkechi.'

Nkechi schikte een sjaal met hoefijzers en stijgbeugels om de hals van mevrouw Croft. 'Oké, het lijkt erop dat we er vandoor kunnen gaan.'

Het werd een hele optocht. Voorop liepen mevrouw Croft en ik, gevolgd door de pr-figuur, de kapper, Nkechi, Abibi, twee chauffeurs en een enorm aantal Louis-Vuittonkoffers.

Mevrouw Croft, de pr-figuur en ik werden in een Maybach ('de duurste auto in Ierland') geholpen, terwijl Nkechi, Abibi en de koffers zich 'moesten behelpen' met de S-klasse Mercedes die achter ons aan reed.

De andere dames van het comité waren precies wat ik had verwacht: keurige, versgeföhnde hoofden, onpraktische lichte kleren en stemmen als slijpstenen. Het leek alsof ze allemaal in elkaars comités zaten en altijd op elkaars bals verschenen.

Er werd levendig gediscussieerd over een thema voor het Suikerbaby-bal, dat wil zeggen over een thema dat de afgelopen zes maanden niet was gebruikt voor een ander bal. Voorstellen werden gesteund of afgewezen, afhankelijk van de persoonlijke vetes die meespeelden. Mevrouw Croft wist het allemaal zonder stemverheffing in de hand te houden en uiteindelijk werd gekozen voor een Marie Antoinette-thema. (Super!)

Het volgende agendapunt was het menu.

'Alsof dat er ook maar iets toe doet,' verzuchtte mevrouw Croft.

'Pardon?' zei een van de slijpstenen.

'Alsof iemand tijdens dit soort gelegenheden ook maar een hap eten naar binnen werkt.'

De slijpstenen keken haar met grote ogen aan. 'Dat doet er toch niet toe, Rosalind. We moeten in ieder geval voor een vernieuwend menu zorgen.'

'Uiteraard, Arlene, je hebt volkomen gelijk. Wat zou je zeggen van patrijs?'

'Hebben we al gehad. Pas vorige week.'

'Kuiken?'

'Hebben we al gehad.'

'Houtsnip?'

'Hebben we al gehad.'

'Eend?'

'Hebben we al gehad.'

'Fazant?'

'Hebben we al gehad.'

'Kip?'

'Hebben we al gehad.'

'Korhoen?'

'Hebben we al gehad.'

'Waarom heeft nog niemand een nieuwe vogel uitgevonden?' jammerde een van de slijpstenen. 'Het komt door dit ellendige land, wat ik je zeg.'

In een suite in het hotel hielp Nkechi Rosalind uit haar comitékleren en in haar lunch-outfit. De kapper gaf haar snel een ander kapsel en daarna moesten we meteen naar de balzaal voor de lunch.

Doffe ellende. Honderdvijftig klonen van de vrouwen die de comitévergadering hadden bijgewoond. Het leek op een natuurprogramma over een kolonie broedende zeemeeuwen. De hérrie!

Zodra de vrouwen aan weerskanten van me ontdekten dat ik niets te zeggen had over de vreselijke verkeerstoestanden in Marbella of het steeds slechter wordende niveau van privéscholen draaiden ze me allebei de rug toe. Dat kon me geen moer schelen, ik droomde weg en fantaseerde over een warenhuis vol sigaretten. Planken vol, zodat je ze alleen kon bekijken met behulp van zo'n mechanisch platformgeval. Een universum vol sigaretten. Miljoenen en miljoenen sigaretten. Terwijl ik al blij zou zijn geweest met één sigaret.

Om precies halfdrie gaf de pr-figuur Rosalind een zetje en Rosalind kwam als een robot overeind en de optocht vertrok weer. Eerlijk gezegd was ik volkomen kapot, zonder te begrijpen waarom. Ik had de hele ochtend niets anders gedaan dan in gedachten venijnige opmerkingen maken.

Onze volgende halte was een yogales van een man die vaak op tv te zien was. Daarna werd er weer omgekleed en was het op naar het passen van jurken bij Brown Thomas. Vervolgens terug naar het huis in Killiney voor haar amatsules, gevolgd door een korte pauze voor thee met iets lekkers. Rijstcrackers voor haar en handgemaakte biscuitjes, die griezelig veel leken op de koekjes die je in dure hotels krijgt, voor mij.

'Neem een biscuitje,' zei ik, terwijl ik zag hoe ze haar tanden in zo'n plastic rijstschijf zette. 'Die dingen smaken nergens naar.'

'Dank je, lieve kind, maar ik sta op een dieet van twaalfhonderd calorieën per dag. Al negen jaar, vanaf de dag dat het succes Maxwell toelachte. Als ik niet langer in baljurken maat achtendertig pas, kan ik het wel vergeten. Eet jij ze maar lekker op.'

Ze sloeg een enorme bureau-agenda open. 'Wil je mijn agenda voor de volgende week zien? Kijk maar even.'

Het was echt ontzagwekkend: acupuntuur, comitévergaderingen, bezoeken aan verpleeg- en ziekenhuizen, fysiotherapie, fotosessies, darmspoelingen, Pilates, tanden bleken, het kopen van kerstcadeautjes voor haar legertje bedienden, lunches, theevisities, zakenlunches...

'...en altijd maar weer die eeuwige bals,' zei ze. Haar stem klonk ineens onverwacht bitter. 'Sorry,' zei ze rustig.

'Geeft niet, hoor,' zei ik. 'Het zal echt niet altijd leuk zijn.'

Wat mij betrof, zou het nooit leuk zijn. Als ik door een of andere bizarre speling van het lot ineens een societyvrouw zou worden, sprong ik in de gracht.

Daarna gebeurde er iets, wat wist ik niet, maar ze kneep ineens haar handen zo stijf in elkaar dat de knokkels wit werden. 'Maxwell is thuis. Mijn man.' Ze wierp een blik op haar horloge en zei: 'Hij is vroeg.'

Ik had niets gehoord.

Alsof haar knop ineens was omgezet van normale snelheid naar supersnel pakte ze de papieren van haar bureau op en stampte ze op het bureau tot een keurig stapeltje. 'Hier zullen we het voor vandaag bij moeten laten, Grace.'

'Maar...' Ik had opdracht om haar te schaduwen tot ze naar bed ging.

'Rosalind, Rosalind!' riep een mannenstem in de hal.

'Hier ben ik!' Ze rende naar de deur, maar voor ze die open kon doen stormde er al iemand naar binnen. Een kribbig uitziende kerel. Maxwell Croft.

'Wat spook je hier uit?' vroeg hij aan Rosalind.

'Ik had je pas over een uur thuis verwacht...'

Hij keek langs haar heen en wierp mij een kille blik toe.

'Grace Gildee,' zei Rosalind. 'Ze schrijft een artikel voor de *Spokesman* over liefdadigheidsbals.' Ze sprak snel en struikelde bijna over haar woorden.

'Maxwell Croft. Aangenaam.' Hij keek me nog even aan. 'Rosalind zal je auto laten komen.'

Ik had op het punt gestaan te protesteren, maar de woorden bleven in mijn keel steken. Tegen hem kon ik niet op.

'Wat heeft ze je gegeven?'

'Niets. Hoe gaat het met Oscar?'

'Prima. Heeft ze je helemaal niets gegeven?'

'Nee.'

'Waarschijnlijk heeft ze gedacht dat het toch geen zin had. Waarom zou ze jou een Hermès-tas geven? Daar zou de rest van jou toch bij in het niet vallen.'

'Jacinta, zou je dat soort beledigende opmerkingen alsjeblieft voor je...'

'Maar het is nog niet te laat. Misschien stuurt ze iets als het artikel verschijnt. Goed, ik neem aan dat je het contract gezien hebt?'

'Ja.'

Jacinta had het echtpaar Croft beloofd dat ze de kopij van tevoren mochten inzien, iets wat we eigenlijk nooit doen, zelfs niet bij Tom Cruise. Het betekende dat mijn artikel over mevrouw Croft haar de hemel in zou prijzen.

Maar goed dat ik haar zo aardig vond.

Ik was degene die hen aan elkaar voorstelde, Paddy en Marnie. Het was in de zomer dat we allebei zeventien werden en ik een vakantiebaantje had in de Boatman, waar Paddy als barkeeper werkte. Marnie kwam me na mijn dienst samen met Leechy ophalen, omdat we van plan waren onze verjaardag te vieren op de enige manier die we kenden: door ons te bezatten.

'Kom op, dan zal ik jullie aan Paddy voorstellen,' zei ik trots.

Paddy was cool. Hij had de middelbare school al afgemaakt, een jaar in Londen in de bouw gewerkt en zou in september naar de universiteit gaan om rechten te studeren.

'Paddy,' riep ik. Hij stond glazen in de vaatwasser te zetten. 'Dit is mijn vriendin Leechy. En dit is mijn tweelingzusje Marnie.'

Hij zei hallo tegen Leechy en vervolgens verwachtte ik de gebruikelijke verbaasde reactie op Marnie: je twéélingzusje? Jullie lijken geen bal op elkaar!

Maar hij zei niets en heel even vroeg ik me af of er iets mis was. Toen keek ik hem aan en zag dat hij met open mond naar Marnie stond te staren, die hem op precies dezelfde stomme manier stond aan te gapen. Er was iets aan de hand, dat kon je gewoon voelen.

Paddy en Marnie pasten onmiddellijk hun leven helemaal aan elkaar aan. Binnen een dag had Marnie haar baantje in het pizzarestaurant waar ze samen met Leechy werkte opgezegd en kwam in de Boatman werken, waar ze de manager zover kreeg dat hij haar diensten aan die van Paddy aanpaste. Elke kerel behandelde haar altijd met liefde en genegenheid, dat was de uitwerking die Marnie op mannen had. Bovendien was ze een beschermeling van Paddy en iedereen was dol op Paddy.

Marnie kon me niet genoeg bedanken. 'Jij hebt hem voor me gevonden.'

Ik had haar nog nooit zo blij gezien en dat was een hele opluchting voor mij, want ik sloeg helemaal dicht als Marnie ongelukkig was.

Maar ineens was ik het vijfde wiel aan de wagen. We hadden allebei wel eerder een vriendje gehad, maar dit was anders. Niet dat ik helemaal alleen achterbleef. Leechy leek bijna een zusje van ons, ze woonde maar vijf huizen verder en was altijd bij ons over de vloer. En dan was er nog Sheridan, die al sinds de kleuterschool Paddy's beste vriend was geweest. Het was alsof ze elkaar op vierjarige leeftijd hadden uitgekozen omdat ze wisten dat ze, als ze volwassen waren, leuk samen vrouwen konden versieren: ze waren ongeveer even lang en hadden dezelfde bouw (wat erg belangrijk is als je samen op de versiertoer gaat, want niemand kan je serieus nemen als de een vijftien centimeter kleiner is dan de ander) en ze zagen er allebei goed uit.

Maar eerlijk gezegd had Paddy iets extra's wat hem onderscheidde van Sheridan met zijn pure, Scandinavische uitstraling. Sheridan werd aan Leechy en mij toegewezen, compleet met een toespraakje van Paddy dat Sheridan min of meer zijn broer was en dat we lief voor hem moesten zijn. Met ons drietjes vormden we een onbehaaglijk groepje muurbloempjes.

Het vreemde was dat ik bijna evenveel contact had met Paddy als wanneer hij míjn vriendje was geweest. Ik zag hem constant op mijn werk en als ik thuiskwam, was hij daar ook altijd. Je kreeg het gevoel dat je geen kamer binnen kon komen zonder dat je hem daar aantrof, stijf tegen Marnie aan, met zijn hand onder haar T-shirt.

Ma en pa hadden ons altijd aangemoedigd om onze vriendjes mee naar huis te brengen, maar hun beroemde tolerantie moest al binnen een paar dagen het loodje leggen.

'Ik loop gewoon de trap af naar beneden om een plakje cake te halen,' foeterde pa, 'en daar zijn zij... en ze doen het gewoon.'

'Deden ze het écht?' vroeg ma bezorgd. Ze mocht dan vrijdenkend zijn, dit nieuws ging haar te ver.

'Nou nee, niet in die zin. Maar kussen. Elkaar aflebberen. Vrijen, of welke onsmakelijke uitdrukking ze daarvoor tegenwoordig ook hebben. En als hij de moeite neemt om naar huis te gaan, hangt zij de halve avond met hem aan de telefoon. Waar hebben ze het in vredesnaam over? Ik vind hem een griezel.'

'Een griezel! Waarom?'

'Hij doet een beetje al te veel zijn best om aardig te zijn.'

'Helemaal niet!' Ma en ik in koor.

'Hij is nog maar een knulletje!' zei ma. 'Je kunt niet zo cynisch oordelen over iemand die nog maar een knulletje is.'

'Hij is negentien. En veel te oud voor haar.'

'Ze schelen maar twee jaar.'

'Twee jaar is een heleboel op die leeftijd. En ze zitten constant op elkaars lip. Het is niet gezond meer.'

Maar ma kon de verleiding niet weerstaan om Paddy onder haar hoede te nemen. Ze had altijd al iets met wezen en verschoppelingen en Paddy was het volmaakte voorbeeld: zijn moeder was dood, zijn vader was zelden thuis en er was nooit iets te eten bij hem thuis. Het minste wat ze kon doen was de arme stakker te eten geven.

'Dus jij denkt dat het nu al erg is,' zei Bid tegen pa.

'Ja, dat klopt, dat denk ik inderdaad,' zei pa.

'Wacht dan maar tot hij in september gaat studeren. Dan zullen we echt de poppen aan het dansen hebben. Dan zal hij geen tijd meer hebben voor onze kleine Marnie,' voorspelde Bid.

'Onze kleine Marnie' had kennelijk hetzelfde idee als Bid, want toen het september werd, kregen we te maken met een paar emotionele uitbarstingen die de toon voor de drie jaar daarna zetten.

Uitbarsting 1

'Alles valt in duigen!' hoorden we Marnie door de muur heen schreeuwen. 'Afgelopen zomer is de fijnste tijd van mijn leven geweest. Nu moet ik weer naar school en jij moet naar de universiteit! Ga alsjeblieft niet studeren!'

Ma trok een gezicht en mopperde: 'Dat had ze niet mogen zeggen.'

Ma, pa, Bid, Leechy, Sheridan en ik zaten in de keuken terwijl de heisa zich in de kamer ernaast afspeelde. Het was onmogelijk om hen te negeren. Aanvankelijk hadden we nog ons best gedaan om een gesprek gaande te houden, maar na een poosje gaven we het gewoon op en luisterden mee.

'Maar ik moet gaan studeren,' riep Paddy uit. 'Het gaat om mijn toekomst, mijn leven.'

'Ik dacht dat ik je leven was.'

'Dat ben je ook! Maar ik moet een opleiding hebben, zodat ik later geld kan verdienen. Hoe moet ik anders voor je zorgen?'

'Maar dat wil je dan vast niet meer. Je zult allemaal andere... méiden ontmoeten! En op ze vallen, zodat je mij zult vergeten.'

'Ze heeft gelijk,' zei Bid. 'Ik heb altijd gedacht dat ze een tikje dom was, maar ze heeft gelijk.'

'Helemaal niet!' riep Paddy. 'Ik hou van je, ik hou alleen van jou en ik zal nooit van iemand anders houden.'

'Ach, ach, als ik eens een pond zou krijgen voor iedere keer dat een man dat tegen mij heeft gezegd...' mompelde Bid.

Uitbarsting 2

'Ssst, ik versta er niets van,' zei Bid.

'Waar gaat het dit keer om?' vroeg pa.

'Weet ik niet zeker.'

'"Weet je wat, we maken tot zes uur ruzie en daarna gaan we eten",' zei pa. 'Tweedledum tegen Tweedledee. *Alice in Wonderland*, bladzijde vierentachtig.'

'Ssst!'

'Paddy, wat is eraan de hand?' zei Marnie smekend.

'Als je dat nog moet vragen,' antwoordde hij beschuldigend, 'dan heeft het geen zin om erover te beginnen!'

Hij was kil, hooghartig en ontzettend boos binnen gekomen en een zenuwachtige Marnie had hem haastig meegetroond naar de woonkamer.

'Ik heb geprobeerd je gisteravond te bellen... maar het nummer was in gesprek... en je had beloofd om de lijn vrij te houden tussen acht en twaalf uur!'

'Maar Paddy, er wonen nog andere mensen in dit huis die ook af en toe willen bellen.'

'Maar het was niet iemand van de anderen, hè? Jij was het. Hoor eens, ik weet alles, Marnie, dus je hoeft niet langer te liegen.'

'Ik lieg helemaal niet!'

'Ik wéét met wie je belde!'

'Met wie dan?' vroeg ma.

'Graham Higgins,' zei Leechy. 'Zijn moeder heeft hem opgestookt om Marnie te bellen en te vragen of ze hem de gedichten van Yeats wilde uitleggen, omdat ze bang is dat hij voor Engels zal zakken.'

'Die lange vent? Die aan rugby doet?' zei Bid. 'Hoe weet Paddy dat ze met hem praatte?'

'Dat heeft Leechy me zelf verteld!' schreeuwde Paddy. 'Ik weet alles!'

Geschrokken keken ma, pa, Bid, Sheridan en ik Leechy met een ruk aan.

'Ik wist niet dat hij dat niet wist,' jammerde Leechy. 'Hij belde me op en verzon een smoesje om erachter te komen!'

'Wat voor smoesje?'

'Stil! Ik kan niets verstaan!'

'Maar Graham is helemaal niemand, ik heb niets met hem,' ver-klaarde Marnie.

'Hij valt op je.'

'Nietes.'

'En jij valt kennelijk op hem. Je hebt minstens zeventien minuten met hem gesproken, terwijl ik daar in de kou naast een telefooncel stond en probeerde het meisje van wie ik hou te bellen, dat niet eens de moeite nam om... Ach verrek, ik ga ervandoor!'

'O Paddy, nee! Niet weggaan!'

'God, wat romantisch,' zei Leechy zacht.

'Je bent een sukkel, meid,' zei Bid.

'Staat Paddy nou te húílen?' vroeg pa.

'Volgens mij huilen ze allebei,' zei ma. Zo eindigden hun ruzies meestal. Of een van beiden stormde het huis uit, maar wie van de twee het ook was, ze kwamen nooit ver. Binnen een paar minuten hingen ze alweer aan de bel en dan moest een van ons naar de voor-deur om ze weer binnen te laten, zodat ze verder konden ruziën.

Het gesnik hield na een poosje op en het werd stil. Dat betekende dat ze het weer met veel gevrij en gevoos aan het goedmaken waren.

'Dat hebben we weer gehad, mensen,' zei pa, terwijl hij opstond.

'Af en toe is het nog mooier dan een soap,' zei Bid. 'En nu ik het daar toch over heb... mijn programma begint zo, dus ik hoop maar dat ze er netjes bij zitten, want ik ga gewoon naar binnen.'

Uitbarsting 3

'Het is uit,' zei Marnie. 'Tussen mij en Paddy. Dit keer is het heel an-ders.' Het was inderdaad heel anders. Ze was kalm in plaats van zich de haren uit het hoofd te rukken.

'Maar jullie houden toch van elkaar!' protesteerde Leechy.

Marnie schudde haar hoofd. 'We houden veel te veel van elkaar. We maken elkaar kapot.' Ze was zo rustig dat we haar echt begon-nen te geloven.

'Misschien heb je wel gelijk,' zei Leechy. 'Hij houdt echt van je, maar jullie brengen het slechtste in elkaar boven. Al die jaloezie... Misschien heb jij wel een ander soort man nodig en hij een ander soort meisje.' We hadden destijds nog geen flauw idee dat ze zelf naar die positie hengelde.

'Hou op.' Marnie sloeg dubbel, met haar handen tegen haar maag gedrukt. 'De gedachte dat hij met iemand anders is...'

'Maar jij zult ook vast iemand anders tegenkomen,' voorspelde Leechy.

Marnie schudde haar hoofd en haalde een grote groene fles te-voorschijn waaruit ze een flinke slok nam. De absint van pa. Hij zou gék worden.

'Vast niet.'

'Jawel hoor, heus wel!'

'Dat wil ik niet eens. Ik heb het gehad. Paddy was de enige man voor mij. Ik ga zelfmoord plegen.'

'Doe niet zo idioot,' zei Leechy geschrokken.

'Er zijn nu eenmaal mensen die dat doen. En ik ben er een van.'

'Ik heb altijd geweten dat ik jong zou sterven,' verklaarde Marnie, terwijl ze zich oprolde op haar bed.

'Ze heeft weer met haar neus in die Brontës gezeten,' fluisterde pa boos. 'En is dat mijn absint die ze daar drinkt?'

'Ik wil jullie niet beledigen,' zei Marnie tegen ma en pa, 'maar ik wou echt dat ik niet geboren was. Ik word constant verscheurd door allerlei gevoelens en dat vind ik vreselijk. Ik wil echt dood.'

'Hoe wil je dan zelfmoord plegen?' vroeg ma om haar, conform de raad die in de adviesfolder voor ouders van suïcidale tieners werd gegeven, voor een voldongen feit te zetten.

'Mijn polsen doorsnijden.'

'Waarmee?'

'Hiermee.' Marnie viste een scalpel uit de zak van haar spijkerbroek.

'Geef onmiddellijk hier!'

Ze deed pruilend afstand van het mesje. 'Maar ma, er liggen ge-noeg scheermesjes in de badkamer, de keukenla ligt vol messen en ik heb nog meer scalpels in mijn tekentas. Als je die allemaal weghaalt, klim ik op het dak en spring naar beneden. Of ik ga naar de pier en spring in zee.'

Ma en pa staken de koppen bij elkaar om een plan te bedenken.

'Laten we haar maar eerst de nacht door zien te krijgen,' zei ma. 'Zelfs als dat inhoudt dat we constant bij haar moeten blijven zitten. Dan kunnen we morgenochtend meteen op zoek gaan naar een goede psychiater.'

'Ik wou dat we jongens hadden gekregen,' zei pa. 'Dan hadden we dit soort moeilijkheden nooit gehad.'

Ondanks het feit dat absint de reputatie had dat het mensen sta-pelgek kon maken, leek Marnie angstaanjagend nuchter. Ze zat rus-tig op haar bed uit te leggen dat zij niet in staat was om gevoelens te verwerken waarmee andere mensen wel om konden gaan. 'Ik kan het verdriet niet aan om zonder Paddy verder te moeten,' zei ze.

'Maar we hebben allemaal wel eens een gebroken hart gehad,' zei ma. 'Dat hoort bij het leven. Ik weet nog goed dat ik op mijn vijftiende dacht dat ik nooit meer gelukkig zou worden.'

'Sommige mensen kunnen het leven gewoon niet aan. Waarom denk je dat er mensen zijn die zelfmoord plegen?'

'Ja, maar...'

'Ik mis iets wat Grace wel heeft meegekregen. Een knop waarmee je gevoelens uit kunt schakelen. Met Grace heb je een compleet kind gekregen, maar ik ben een misbaksel.'

'Nee Marnie, dat is niet waar!'

Samen met ma en pa deed ik mijn uiterste best, maar wat we ook zeiden, ze begon er steeds opnieuw over dat ze maar beter dood zou kunnen zijn. Uiteindelijk wisten we niet meer wat we moesten zeggen en luisterden wanhopig naar de geluiden op straat en naar het getik van de regen op het dak. Pa begon in slaap te sukkelen toen we buiten iemand hoorden schreeuwen.

'Wat was dat?' vroeg ma.

'Ik weet het niet,' zei ik.

We verstarden terwijl we met gespitste oren bleven luisteren.

Toen hoorden we het duidelijk: 'Maaar-nie.'

We renden alle vier naar het raam. Buiten voor het huis, midden op straat, stond Paddy in de stromende regen, in zijn Russische legerjas, een wit overhemd waar geen knoop meer aan zat en zijn oude zwarte barkeepersbroek met een scheur in de knie.

'Maaar-nie.' Hij spreidde zijn armen waardoor zijn blote borst zichtbaar werd. 'Ik hou van je!'

Marnie vloog als een schicht de trap af en door de voordeur naar buiten, recht op hem af. Hij pakte haar op, zwierde haar rond, zette haar weer op haar voeten en drukte zijn gezicht tegen het hare. Met de mond op elkaar zakten ze op hun knieën terwijl de regen hun tranen wegspoelde.

'Ik veronderstel dat we nu wel naar bed kunnen,' zei pa.

'Zoiets romantisch had ik nog nooit gezien,' zei Leechy de volgende dag. 'Het was net *De Woeste Hoogte*.'

'Gothische lulkoek,' zei pa minachtend. 'Is iedereen dan vergeten dat Heathcliff gewoon een psychopaat was? Hij heeft Isabels hond vermoord.'

Marnie en Paddy lagen nog vredig in elkaars armen in Marnies bed te slapen, als een stel kinderen dat net een vreselijke ervaring had gehad. De rest van ons was kapot van de zenuwen en bekaf, afgemat van die emotionele achtbaan.

'Vergeef me als ik erg burgerlijk overkom,' zei ma. 'Maar dat gedoe van gisteravond... is dat normaal?'

'Nee,' zei pa. 'Je hoeft van Grace nooit dat soort kuren te verwachten.'

'Dat komt alleen maar doordat ik geen vriend heb,' zei ik ter verdediging van Marnie.

'Waarom niet?' vroeg Bid. 'Is er iets mis met je?'

'Niet dat...'

'Je bent gewoon te kieskeurig. Ben je nog steeds maagd?'

'Bid! Hou op!'

'Dat zal wel ja betekenen. Hoe zit het dan met Sheridan? Dat is een lekker dier al is het niet zo'n stuk als Paddy,' zei Bid. 'Wil je geen verkering met hem?'

'Nee.' Sheridan was geestig, droog en ja, knap om te zien, maar ik viel niet op hem. En hij viel ook niet op mij. Hij viel op Marnie, dat wist ik zeker.

'Zelfs al zou Grace een vriendje hebben, dan zouden we toch niet zo'n heisa krijgen,' zei Bid. 'Grace is altijd een beetje saai geweest. Als je op drama zit te wachten, moet je bij Marnie zijn.'

'Heb je die foto in de *Indo* gezien van Kaplan die met Zara Kaletsky zit te vozen?' vroeg TC.

'Met wie? O, dat model?'

'Actrice, alsjeblieft. Ik vond haar fantastisch in *Liffey Lives*. Tot ze uit Ierland wegtrok op zoek naar het grote succes.'

'En is ze nu weer terug?'

'Alleen maar voor vakantie.'

'Dan zal dat met Kaplan ook wel niets te betekenen hebben. Wat bedoel je met "vozen"?'

'Hij heeft zijn hand op haar kont, ook al is het nog zo'n kleintje. God, wat is ze toch mooi.' TC zuchtte. 'Wat zou ze in die klojo zien?'

Aan: HYPERLINK "mailto:gracegildee@spokesman.ie"
gracegildee@spokesman.ie
Van: HYPERLINK "mailto:pattilavezzo@oraclepr.com"
pattilavezzo@oraclepr.com
Onderwerp: interview met Madonna

Bedankt voor uw belangstelling voor Madonna. Helaas is besloten met een andere journalist in zee te gaan.

Vast weer met die verrekte *Irish Times*. Door de teleurstelling zakte ik in elkaar tot ik bijna letterlijk in de put zat. Ik legde mijn voorhoofd in mijn handen.

Het was echt ontzettend frustrerend. Ik zou het veel beter doen dan de *Times*. Ik was gewoon dól op Madonna. Ik was met haar opgegroeid, ik voelde haar helemaal áán.

Zo bleef ik een tijdje zitten broeden, maar toen ik overmand bleef door teleurstelling kreeg ik ineens een ingeving: ik moest Patti Lavezzo gewoon bellen in een uiterste poging haar van gedachten te doen veranderen! We waren inmiddels in het stadium aanbeland dat ik niets meer te verliezen had en als ik maar overtuigend genoeg was, bedacht ze zich misschien wel.

'Patti Lavezzo.' Ze nam altijd de telefoon op alsof er iemand met een stopwatch achter haar stond.

'Hoi Patti, met Grace Gildee van de *Spokesman* in Ierland. Zou je misschien nog eens over je besluit na willen denken?' Ik praatte zo snel dat ze de kans niet kreeg om me in de rede te vallen. 'We zouden echt een geweldig artikel brengen over Madonna. Wij zijn de grootste kwaliteitskrant van Ierland en niet alleen dat, we zijn ook integer en staan garant voor een intelligent diepte-interview, terwijl we daarnaast een gezond respect hebben voor de commerciële aspecten...'

'Hé! Wacht nou eens even! Waar bel je vandaan?'

'Van de *Spokesman*.'

'Ja, maar... we hebben het interview toegewezen aan de *Spokesman*.'

Een gevoel van hoop welde in me op en gaf me het gevoel dat ik overspoeld werd door warm, verblindend zonlicht. 'Echt waar? Maar ik kreeg net een e-mail...'

'Momentje alsjeblieft, dan roep ik jullie even op. Ja, daar staat het. Ierland, de *Spokesman*, Casey Kaplan. Ben jij dat?'

Ik ging naar het toilet waar ik echt een potje heb zitten janken. Daarna belde ik Damien en begon opnieuw te huilen.

'Ik zit vast in de *Dáil*,' zei hij. 'Maar over een uurtje kan ik wel weg.'

'Nee, nee, nee, doe jij nou maar gewoon je werk. Ik ga wel even kijken of ik iemand kan vinden die mee wil naar de kroeg. Ik moet een borrel hebben of een sigaret en volgens mij is het verstandiger om het op een zuipen te zetten.'

'Hoor eens, ik kom naar je toe. Misschien kan ik er zelfs wel binnen een uur zijn...'

'Nee, niet doen, Damien.' Ik was echt geroerd door zijn bereidwilligheid. 'Ik red me wel hoor.'

Ik hoefde inderdaad niet lang te zoeken voor ik iemand vond die wel mee wilde naar de kroeg. Ook al was het pas drie uur 's middags, Dickie McGuinness was best bereid om alles uit zijn handen te laten vallen en me te vergezellen naar Dinnegans.

'Waarom heb je gehuild?' vroeg hij terwijl hij een gin-tonic voor me neerzette.

'Wie zegt dat ik heb gehuild?'

'Mevrouw Farrell heeft iedereen gebeld om het te vertellen.'

Normaal gesproken zou ik het hebben ontkend, maar daar was ik te verdrietig voor. 'Kaplan heeft me een loer gedraaid. Hij heeft mijn Madonna-interview ingepikt, terwijl hij heel goed wist hoe graag ik dat wilde doen.'

'Is dat zo?'

'Dat wist iedereen! Het was erg genoeg geweest als het naar een andere krant was gegaan, Dickie, maar naar een van je collega's... dat gaat te ver. Ik haat hem.'

'Iedereen heeft de pest aan hem. We hebben uitgevist hoeveel hij vangt.'

Ik was even stil. Ik wist niet zeker of ik dat wel wilde weten. 'Hoeveel krijgt hij dan?'

'Wil je het echt weten?'

Ik zuchtte. 'Vertel het nou maar.'

'Drie keer zoveel als jij krijgt.'

Ik liet dat even bezinken. 'Hoe weet jij hoeveel ik verdien?'

Hij tikte tegen zijn neus. 'Je kent me toch, Grace. Ik weet een heleboel.'

Ik zuchtte opnieuw. Wat kon ik eraan doen? Niets. Het was een oneerlijke wereld. Niets nieuws onder de zon.

'...Hij slaagde er steeds weer in haar te vinden. Waar ze ook naartoe ging, hij wist haar telkens op te sporen. Haar huis leek op een fort. Ze had allerlei veiligheidsmaatregelen getroffen. Alarminstallaties, paniekknoppen en zelfs een vluchtkamer. Maar er zat een kattenluik in de achterdeur.'

Ik was op het kantoor van Vrouwenhulp, voor een gesprek met hun directeur, Laura Venn. Jacinta had er met frisse tegenzin in toegestemd dat ik een stuk over huiselijk geweld zou schrijven. Niet dat ze me garandeerde dat het ook echt gepubliceerd zou worden, ze zei dat we het op de plank konden houden voor een dag met weinig nieuws.

'Wat was er dan met dat kattenluik?' vroeg ik, omdat ik me zorgen maakte over die onbekende vrouw.

'Daar zat geen alarm op, het was de enige plek van het huis waar je ongemerkt naar binnen kon.'

'Maar dat zal toch wel te klein zijn geweest om een man door te laten?'

'Ja. Maar toen zij een weekendje wegging met de kinderen, is hij daar met zijn gereedschapskist naartoe gegaan en heeft het luik groter gemaakt. Groot genoeg om er zelf net door te kunnen kruipen en binnen te komen, maar niet zo groot dat meteen opviel dat ermee was geknoeid.'

'En wat is er toen gebeurd?'

'Hij ging naar binnen en verstopte zich op de zolder.'

'En toen?'

'O, hij heeft haar vermoord.'

'Was ze echt dood?'

Laura moest bijna lachen.

'Sorry,' zei ik. 'Dat was een stomme opmerking.' Maar ik had zitten wachten op een soort bevrijding op het nippertje, alsof het leven een aflevering van *Happy Days* was.

'Toen ze bij hem wegging, had hij gezworen dat hij haar zou vinden en haar zou vermoorden en dat heeft hij gedaan. Voor de ogen van hun kinderen.'

'En dat was het eind van het verhaal? Dat zij dood was?'

'Zij was dood.'

Ik voelde een soort adembenemende leegte vanbinnen. 'En haar kinderen hadden geen moeder meer? En geen vader, want ik neem aan dat hij de gevangenis indraaide.'

'Hij ging niet naar de gevangenis. De rechter had medelijden met hem. Hij is er vanaf gekomen met een voorlopige straf.'

'Nee!'

'Dat gebeurt heel vaak.'

'Maar waarom gaat een vrouw samenleven met dat soort psychopaten?' riep ik in een opwelling van ergernis. Natuurlijk kende ik het antwoord allang, in theorie tenminste, maar de werkelijkheid maakte me kwaad.

'Omdat die mannen niet te koop lopen met het feit dat ze psychopaten zijn.' Laura lachte triest. 'Het zijn vaak heel charmante mannen. En het is een heel geleidelijk proces. Aanvankelijk lijkt het feit dat zij alles willen regelen heel romantisch. Je weet wel wat ik bedoel: "Laten we gezellig thuis blijven, wij met ons tweetjes. Ik hou

322

zoveel van je dat ik je met niemand wil delen." En dan komt de vrouw op een dag tot de ontdekking dat ze volkomen vervreemd is van haar vrienden en haar familie en in een isolement terecht is gekomen.'

'Maar waarom belt ze dan de politie niet?'

Opnieuw kende ik het antwoord al, maar ik moest de vraag stellen.

'Omdat hij haar iedere keer opnieuw belooft dat hij zal veranderen,' zei Laura. 'Dat hij het nooit weer zal doen. Gemiddeld wordt een vrouw bij vijfendertig gelegenheden geslagen voordat ze de politie waarschuwt.'

'Vijfendertig keer? Dat kan niet waar zijn.'

'Ja. Vijfendertig keer.'

'Grace, baby, het spijt me echt ontzettend.'

Casey Kaplan stond voor mijn bureau. Ik hoefde niet op te kijken om te weten dat hij het was, omdat de omgeving van mijn bureau ineens rook alsof ik in een nachtclub zat. 'Wat spijt je?' Ik bleef gewoon doortikken.

'Dat van jouw Madonna-interview. Ik heb er echt niet om gevraagd, het werd me aangeboden. Ik wist niet dat jij ook een verzoek had ingediend.'

'Maakt niet uit.' Ik keek nog steeds niet op. Het enige wat ik van hem zag, was het kruis van zijn spijkerbroek en een grote, stompzinnige zilveren gesp in de vorm van een adelaar.

'Ik wist niet eens dat jij er ook op uit was.' Hij haalde hulpeloos zijn schouders op. Dat wist ik omdat zijn handen ineens binnen mijn gezichtsveld kwamen en een moment later weer verdwenen. Ondertussen had ik wel al zijn ringen gezien. Grote, stomme zilveren ringen om een heleboel vingers. 'Grace, ik sta bij je in het krijt. Als er iets is wat ik kan doen om het goed te maken, laat me dat dan weten, baby.'

'Prima.' Ik beet hem het woord toe. 'O, nog één ding, Kaplan.' Ik hield op met tikken en keek hem recht in de ogen. 'Noem me geen baby.'

'Een vogeltje heeft me iets in mijn oor gefluisterd,' zei Dickie McGuinness vanuit zijn mondhoek. 'Iets voor jou.'

'Wat?'

'Iets wat jij wilt weten.'

'O, hou alsjeblieft op, Dickie!' zei ik. 'Praat normaal. Als je me iets te vertellen hebt, doe dat dan.'

'Oké,' zei hij, terwijl hij een stoel bij mijn bureau trok. 'Ik weet wie afgelopen september jouw auto in brand hebben gestoken.'

Ik keek hem alleen maar aan.

'Lemmy O'Malley en Eric Zouche.'

De namen zeiden me niets.

'En weet je waarom ze dat hebben gedaan?'

'Nou?'

'Omdat ze ervoor betaald werden, Grace. Driehonderd euro de man.'

'Werden ze ervoor betááld?' Ik dacht dat het gewoon toeval was geweest, een van die dingen die je overkomen als je in een grote stad woont.

'Ja, Grace. Ze werden ervoor betaald. Het was opzet. Je was hun doelwit.'

Door de manier waarop hij dat zei, sloeg de schrik me om het hart.

'Wie heeft ze dan betaald?' Op een fluistertoontje.

'Dat weet ik niet.'

'Waarom heb je ze dat niet gevraagd?'

'Omdat ik niet rechtstreeks met ze te maken heb gehad. Het was informatie die toevallig aan het licht kwam tijdens een ander...' Hij zweeg even, op zoek naar het juiste woord. '...onderzoek. Wie heeft het op je gemunt, Grace?'

'Dat weet ik niet, Dickie.' Inmiddels stierf ik duizend doden.

'Kop op, Grace. Denken doe je daarmee...' Hij wees op zijn hoofd. '...en daarmee dans je.' Hij wees op zijn voeten.

'Dickie, ik zweer je...'

Mijn telefoon ging. Automatisch controleerde ik de nummerweergave: Marnie. Ik voelde een ander soort angst opkomen en zei tegen Dickie: 'Ik moet dit gesprek aannemen. Maar ga niet weg.' Ik griste de hoorn op. 'Marnie?'

'Ik ben het. Nick.'

'Nick?' Nee. Dit was echt slecht nieuws.

Ik merkte nauwelijks dat Dickie op zijn tenen wegsloop, met een onverstaanbare geluidloze mededeling en wijzend op zijn horloge.

'Is het... weer gebeurd?' vroeg ik aan Nick.

'Ja,' zei hij.

Nee. O nee nee nee. 'Na de laatste keer dacht ik echt... Hoe erg is het?'

'Heel erg, Grace. Ze ligt in het ziekenhuis...'

'Jezus, nee.'

'...met drie gebroken ribben, een hersenschudding en inwendige bloedingen.'

'Jezus christus. En de laatste keer was pas... hoe lang ook alweer... Pas zes weken geleden.'

Toen had ik meteen naar Londen moeten gaan. Ik voelde me verschrikkelijk schuldig.

'De tussenpozen worden steeds korter en de verwondingen steeds erger,' zei Nick. 'Daar hebben ze me ook voor gewaarschuwd. Dat heb ik je verteld, Grace.'

'Je moet iets doen, Nick. Je moet hulp zoeken. Professionele hulp.'

'Dat heb ik gedaan!'

'Maar zo kan het niet doorgaan!'

'Dat weet ik, Grace. Ik heb echt geprobeerd hulp te krijgen, ik doe wat ik kan...'

We konden het niet eens worden over wat ons te doen stond en uiteindelijk verbrak ik de verbinding en bleef ineengedoken zitten, met mijn handen tussen mijn knieën.

Moest ik het ma en pa vertellen?

Nee. Die hadden genoeg zorgen aan hun hoofd met Bid, die chemokuur eiste zoveel van haar en van hen allemaal. Ik moest gewoon naar Londen om zelf een oplossing te vinden.

Hij pakte haar koffer uit de auto en hielp haar attent naar binnen. 'Wat zou je graag willen doen?' vroeg hij.

'Ik wil gewoon naar bed.'

'Oké.' Hij grinnikte. 'Zal ik dan maar gezellig meegaan?'

'Eh...' Misschien begreep ze hem verkeerd. 'Ik ga meteen slapen.'

'Hè toe nou, je kunt toch nog wel twintig minuutjes wakker blijven.' Hij trok haar mee naar de slaapkamer waar hij zijn spijkerbroek openritste. Het was duidelijk wat hij van plan was. 'Trek je broek maar uit.'

'Maar... Nee! Ik heb net een abortus gehad.'

'Smoesjes, alleen maar smoesjes.' Hij duwde haar op het bed en hield haar met zijn knie in bedwang terwijl hij haar panty en slipje afstroopte.

'Niet doen, hou alsjeblieft op. Straks hou ik er nog een infectie aan over. Ik mag drie weken lang geen gemeenschap hebben.'

'Hou je bek.' Hij ging op haar liggen en wurmde zich in haar, in het bloed en de restanten en schuurde haar rauw met zijn heftigheid. Daarna drukte hij zich op zijn handen op en gaf haar een harde klap in haar gezicht. 'Godverdomme nog aan toe, probeer er eens een beetje enthousiaster uit te zien.'

Marnie

Grace kwam naar hen toe.

'Morgenochtend is ze hier.' Nick stond in de deur van de slaapka-mer. De mededeling had kil geklonken, maar daarna leek hij zich iets te ontspannen. 'Heb je iets nodig?'

Ze wilde weten of Grace erg boos was, maar ze kon de vraag niet over haar lippen krijgen. Zonder hem aan te kijken schudde ze haar hoofd.

Nick liet haar alleen met haar onverdraaglijke schaamte. Zodra hij de deur achter zich dichttrok, leek alles in de kamer in een wapen te veranderen: ze kon de spiegel kapotslaan en met een scherf een van haar slagaders doorsnijden, ze kon het bleekwater uit de badkamer drinken, ze kon uit het raam springen...

Maar zelfmoord plegen was geen optie meer. Ze had iedereen – haar onschuldige dochtertjes, die arme Nick – al schandalig genoeg behandeld. Haar straf was dat ze in leven moest blijven.

Ik zal nooit meer drinken. Ik zal nooit meer drinken. Ik zal nooit meer drinken.

Toen ze bijkwam, had ze het gevoel gehad dat ze midden in de hel zat. Dit keer was ze in een ziekenhuis terechtgekomen waar ruwe handen haar betastten en een smerig smakend koolstofdrankje in haar keel was gegoten. 'Om je weer nuchter te maken,' had de ver-pleegkundige gezegd.

'Waar ben ik?'

'Het Royal Free. Met drie gebroken ribben, een hersenschudding en inwendige bloedingen. Gezellig avondje uit gehad?'

In het ziekenhuis. Jezus christus, nee. Ze moest hier weg voordat iemand – Nick – ontdekte waar ze was.

Maar Nick was al onderweg geweest en nu wenste ze dat ze nog steeds daar was, want als je verwondingen zwaar genoeg waren voor een verblijf in het ziekenhuis, ook al was het allemaal je eigen schuld, dan hadden mensen daar toch in zekere zin ontzag voor.

Nick in ieder geval wel. Dan zou hij – in ieder geval voorlopig – niet meer zo boos zijn geweest en misschien zou het wel dezelfde wonderbaarlijke uitwerking op Grace hebben gehad.

Maar de brancard in het ziekenhuis was nodig geweest voor mensen die écht ziek waren, niet voor iemand die zoveel wodka achterover had geslagen dat ze het een goed idee had gevonden om nog snel even over te steken toen de stoplichten al op groen stonden en prompt was overreden door een motor. Ze was al na zes uur ontslagen en zodra ze thuis was, in haar eigen bed, was de bescherming van het ziekenhuis verdwenen en werd ze geacht voldoende hersteld te zijn om te worden geconfronteerd met Nicks kille, stille woede.

De dokter had zijn diagnose afgezwakt. Marnie had niet eens een hersenschudding, zoals hij oorspronkelijk had gedacht. Ze had alleen niet geweten welke dag van de week het was, omdat ze nog steeds 'versuft was van de drank'. Dat was wat ze tegen Nick hadden gezegd en dat zinnetje was in haar hoofd blijven hangen.

Versuft van de drank.

Versuft van de drank.

Het rare was dat ze helemaal niet van plan was geweest om dronken te worden. Het was voor de verandering helemaal niet zo'n vervelende dag geweest op het werk en toen Rico had voorgesteld om er nog snel een te gaan pakken in de plaatselijke kroeg had ze dat geweigerd. Iedere keer als ze met Rico nog snel iets ging drinken, liep het uit de hand.

'We hebben een slechte invloed op elkaar,' zei ze. Het klonk als een versiertruc uit een B-film.

'Ze begrijpen ons gewoon niet.' Rico was haar strak aan blijven kijken, alsof hij de held uit dezelfde film was. Ze had ineens de kriebels gekregen van zijn trouwe hondenogen.

'Eén borreltje maar, Marnie. Het is bijna Kerstmis.'

'Het is pas de eerste december.'

'Dat kan toch geen kwaad?' had hij geflikflooid.

Dat kan toch geen kwaad?

Ze was verlamd door besluiteloosheid. Eigenlijk moest ze sterk zijn, maar het zou zo gemakkelijk zijn om gewoon maar...

'Eentje dan,' had ze gezegd.

Misschien twee. In ieder geval niet meer dan drie.

Tegen de tijd dat ze aan de vierde toe waren, had het niets meer uitgemaakt. Ze had vrolijk zitten babbelen, de beste maatjes met de hele wereld, geen wolkje aan de lucht. Nick zou des duivels zijn als hij erachter kwam dat ze weer aan het drinken was geslagen – en nog erger, samen met Rico – maar dat gaf helemaal niks. Guy zou zich ook voor zijn kop slaan, maar ook dat maakte niets uit.

Zij en Rico waren in gesprek geraakt met mensen die aan het tafeltje naast hen zaten: een man in een blauw trainingspak en drie opgedofte vrouwen. Maar het konden er ook twee zijn geweest, dat wist ze nog steeds niet zeker. Ze had het idee dat ze aan een van de vrouwen had gevraagd waar haar zus was gebleven en dat die had gezegd: 'Nee, meid, dat was gewoon de barjuffrouw. Lieve hemel, je bent zelfs nog zatter dan wij.' Maar misschien had ze dat alleen maar gedroomd.

De vrouwen waren donkerbruin verbrand geweest en behangen met sieraden. Een tikje té modieus, maar hartstikke gezellig. En toen een van hen Marnie met haar spitse slangenleren schoen tegen de schenen had getikt en zei: 'We gaan naar een club', had Marnie besloten om mee te gaan. Rico had haar tegen willen houden. Ze hadden ruziegemaakt, maar dat was niet echt hoog opgelopen, want daarvoor waren ze gewoon te dronken geweest.

'Het zijn MISdadigers,' had Rico steeds maar gezegd. 'Het zijn MISdadigers. Ze lijken hartstikke leuk, maar het zijn MISdadigers.'

Dat was het laatste wat ze zich kon herinneren, de rest van de film was verdwenen. Ze was acht uur van haar leven kwijt. Was ze naar die club gegaan? Of was ze bij Rico in de kroeg gebleven? Ze wist het niet. De ambulance had haar opgepikt in Cricklewood, helemaal aan de andere kant van Londen. Wat had ze daar uitgespookt? Ineens werd ze duizelig van angst.

Niet aan denken.

Ze keek naar haar mobiel. Ze kon Rico een sms'je sturen om uit te vissen wat er precies was gebeurd, maar dat idee stuitte haar tegen de borst. Als ze contact met hem opnam, zou dat betekenen dat het allemaal echt gebeurd was: de dronkenschap, de ruzie in de kroeg. En wat betreft de dingen die ze niet meer wist... nou, die wilde ze niet eens weten.

Want eigenlijk was alles best oké zo. Ja, alles was oké. Wat er ook was gebeurd, ze was weer veilig thuis. Weliswaar een tikje gehavend, maar iedereen kon een rib breken, ze wist zeker dat ze wel eens gehoord had dat het iemand tijdens yoga was overkomen, doordat hij iets te enthousiast diep adem had gehaald.

Alles was oké.

En toen herinnerde ze zich weer dat Grace onderweg was vanuit Dublin. Grace zou alleen op een vliegtuig stappen om naar Londen te komen als er iets ergs aan de hand was.

De angst welde weer op, zo erg dat ze bijna stikte. Hoe boos was Grace? Ze zou haar kunnen bellen om daar achter te komen, maar ook dit wilde ze liever niet weten. Tot Grace was gearriveerd kon ze zich maar beter afsluiten en niets meer horen, niets meer denken en niets meer voelen.

Haar hoofd voelde of het steeds aan en uit, aan en uit knipperde, als een lamp, en losse zinnetjes bleven er in rondtollen.

Versuft van de drank.

Drie gebroken ribben.

Had haar dood kunnen zijn.

Opnieuw sloeg de schrik haar om het hart en ineens was ze ontzet over de ernst van haar verwondingen, alsof dat nu pas tot haar doordrong. Gebroken botten! Niet alleen maar builen en blauwe plekken, maar echt gebroken botten. Dat was ernstig. Heel ernstig.

In ieder geval was het nu zo klaar als een klontje dat ze nooit meer kon drinken. Ze zou ook geen druppel meer aanraken. Dat stond zo vast als een huis. Ze was met haar gedrag en de gevolgen ervan zover over de schreef gegaan dat ze van schrik één ding heel zeker wist. Geen drank meer. Nooit meer.

Rond etenstijd kwamen de meisjes op hun tenen de slaapkamer binnen en brachten haar vol trots een schaaltje met vanille-ijs. Marnie nam er drie hapjes van voordat ze abrupt op moest houden: ze kon niet eten, dat had ze nooit gekund na zo'n uitspatting.

Die nacht sliep ze alleen. Nick weigerde om het bed met haar te delen en haar hoofd kwam maar niet tot rust. Aan en uit, aan en uit, de godganse nacht.

Versuft van de drank.

Grace is onderweg.

Drie gebroken ribben.

Af en toe viel ze in een bezweet, verward hazenslaapje, tot ze weer met zo'n verschrikkelijke klap op het matras terechtkwam dat ze uiteindelijk besloot dat ze beter wakker kon blijven.

'Marnie!' Grace kwam de kamer binnenrennen, maar bleef als aan de grond genageld staan bij de aanblik van al dat verband en die blauwe plekken. Marnie zag dat ze tranen in haar ogen had, dus ze was niet boos.

Goddank goddank goddank.

De angst die als een steen op haar borst had gelegen verdween als sneeuw voor de zon en ineens voelde Marnie zich lichter en vrijer en idioot genoeg bijna vrolijk. De donkere wolken die boven haar hoofd hadden gehangen sinds ze uit het ziekenhuis kwam, begonnen op te lossen.

'Mag ik je knuffelen?' vroeg Grace. 'Of doet dat te veel pijn?'

Als Grace boos was geweest had ze zich wel laten knuffelen, maar nu kon ze zich veroorloven om eerlijk te zijn. 'Dat doet te veel pijn.'

Grace ging op het bed zitten. 'Wat is er in vredesnaam gebeurd?'

'Je weet hoe ik ben. Altijd iets anders en zelden iets goeds.'

'...Nee... Ik bedoel... Je was weer totaal laveloos. Waarom?'

Waarom?

Dat wist ze niet. Het was helemaal niet de bedoeling geweest.

'Heb je niet gehoord dat Nick opnieuw geen bonus heeft gekregen? Hij heeft dit verrekte grote huis voor ons gekocht en nu kan hij de hypotheek niet meer opbrengen.'

Marnie vond het huis en het geld helemaal niet belangrijk. Maar ze had een reden nodig. Voor Grace.

'Maar dat weet je al tijden.' Grace snapte er niets van. 'Ik dacht dat er iets verschrikkelijks was gebeurd. Ik bedoel, na de vorige keer dat je zo ontzettend dronken bent geweest... Hoe lang is dat nou geleden, een week of zes? Toen heb je gezworen dat je nooit meer zou drinken, weet je nog? Je had jezelf zo lelijk bezeerd toen je bij Rico van de trap was gevallen...'

'Dief en diefjesmaat,' zei Nick.

'Dus nou ben ik ineens een dief.'

Marnie kon zich vrijwel niets herinneren van het voorval waar Grace en Nick het over hadden. Ze kon zich de gebeurtenissen ervoor nog wel herinneren, net als wat zich daarna had afgespeeld, maar daartussen zat een brok tijd waarvan ze niets meer afwist.

Het was ongeveer zes weken geleden, na die afschuwelijke dag met Wen-Yi en de ontdekking dat meneer Lee in Shanghai zat. Ze had zich zo geschaamd over haar slordigheid en – nog erger – oneerlijkheid, dat de blijdschap toen Rico haar had gevraagd om mee te gaan naar de kroeg overweldigend was geweest. Ze had er geen weerstand aan kunnen bieden. De behoefte aan drank had zich al dagen en weken opgehoopt en hoewel ze zich ertegen had verzet was haar weerstand uiteindelijk gebroken. Ze had Melodie beloofd dat ze om kwart over zes thuis zou zijn, maar toen had ze al geweten dat ze dat nooit zou redden en het had haar geen bal kunnen schelen.

Ze was samen met Rico naar een nieuwe bar in Fulham gegaan die net was geopend en daar hadden ze wodkatini's gedronken en over

Wen-Yi zitten klagen. Ze wist dat ze daar een hele tijd waren gebleven en ze kon zich ook nog vaag herinneren dat ze uit de kroeg waren vertrokken en dat Rico een fles wodka uit zijn handen had laten vallen die op de straatstenen in een flits van zilverkleurig licht uit elkaar was gespat. Daarna kwam het besef van gebouwen die langs hen heen flitsten – ze zouden wel in een taxi hebben gezeten – en het beeld van Larry King die Bill Clinton interviewde. Maar was dat echt? Had ze tv zitten kijken in Rico's appartement? Of had ze dat gewoon verzonnen?

Daarna was er niets meer, één grote leegte, tot ze uiteindelijk wakker werd in haar eigen slaapkamer, die ze aanvankelijk niet eens herkend had.

Later kreeg ze van Nick te horen dat ze anderhalve dag lang spoorloos was geweest. Ze had Melodie op maandagavond gebeld en het was woensdagochtend voordat Nick haar vond.

Nick, die intuïtief had begrepen dat dit heel vervelend zou kunnen worden, was naar Basildon gereden en had Daisy en Verity bij zijn moeder achtergelaten. Daarna had hij Guy gebeld en Rico's adres gevraagd.

Toen hij haar dat vertelde, had Marnie van schaamte kunnen sterven. Hij moest het verschrikkelijk hebben gevonden om zich zo te vernederen.

In Rico's flatgebouw had Nick Marnie plat op haar gezicht en met gespreide armen en benen bewusteloos in de entreehal gevonden.

Wat deed ik daar?

Was ze misschien op weg naar huis geweest?

De voorkant van haar lichaam was bont en blauw geweest omdat ze volgens Nick waarschijnlijk van de houten trap naar Rico's flat op de eerste verdieping was gevallen. Hij had geen gehoor gekregen toen hij daar aanklopte want – had Marnie ontdekt toen ze een week later weer was gaan werken – Rico was ook laveloos geweest.

Nick had haar mee naar huis genomen, haar een katoenen nachtpon aangetrokken en in bed gestopt.

Toen ze die keer weer bij kennis was gekomen, was ze onbeschrijflijk geschrokken. Builen en snijwonden waren iets heel normaals geworden en als ze na zo'n uitspatting weer met de realiteit werd geconfronteerd, begon ze altijd meteen de schade op te nemen. Maar zo erg als die keer was het nog nooit geweest. Een van haar tanden voelde los aan en om de een of andere reden had dat haar de doodschrik op het lijf gejaagd.

Maar nog erger dan het fysieke ongemak was het brandende

schuldgevoel over wat ze Daisy, Verity en Nick had aangedaan. Ze had letterlijk het gevoel gehad dat ze zichzelf beter van kant kon maken en ze had Nick – en zichzelf – bezworen dat ze nooit meer zou drinken.

Maar ze kon zich niets herinneren van wat er gebeurd was en daarom was ze in staat geweest om net te doen alsof er niets aan de hand was. Ze had het weggestopt in een hoekje van haar brein waar ze alles waar ze zich ontzettend voor schaamde had opgeslagen.

En nu was het weer gebeurd. Precies hetzelfde, alleen nog erger, want dit keer was ze in het ziekenhuis beland. Met gebroken ribben.

En Grace was hiernaartoe gekomen.

'Ze is losgeslagen. Ze moet opgenomen worden.' Nick stond nog steeds op de drempel.

Marnie keek hem met grote ogen aan en was van schrik niet in staat om ook maar een woord uit te brengen. Het was de eerste keer dat hij met die suggestie kwam. Meende hij dat echt? Of probeerde hij haar alleen maar bang te maken?

'Wat bedoel je?' Grace maakte een onzekere en zelfs een beetje angstige indruk.

'Ze moet afkicken, naar een kliniek,' zei Nick. 'Hoe je het ook wilt noemen.'

'Is dat niet een beetje...' begon Grace.

'Een beetje wat?'

'Drastisch?'

'Grace, ze is een alcoholist!'

Tot haar opluchting zag Marnie het gezicht van Grace betrekken. Kennelijk geloofde ze er niets van.

Nick keek Marnie aan. 'Geef het nou maar toe, je bent een alcoholist.'

'Helemaal niet,' zei ze bezorgd. 'Ik zal wel stoppen. Ik kan...'

'Er is een kliniek in Wiltshire,' zei hij, 'die er plezierig uitziet. Daar mogen kinderen in de weekends op bezoek komen, dus de meisjes kunnen je dan nog steeds zien.'

Jezus, hij... hij meende het echt!

'Nick, wacht even.' Ze struikelde over haar woorden. 'Geef me nog één kans...'

'Ja, loop nou niet zo hard van stapel, Nick,' zei Grace. 'We moeten niet overdrijven. Ze heeft twee slechte ervaringen gehad.'

'Twee!' Nick sloeg zich voor zijn hoofd. 'Goeie genade, Grace, tweehonderd komt meer in de buurt! Ik geef toe dat ze niet allemaal zo erg waren als deze keer, maar de tussenpozen worden korter en de verwondingen erger. Precies waar ze me voor gewaarschuwd hebben. Dat heb ik je toch verteld?'

Verward sloeg Marnie het gesprek tussen Grace en Nick gaande. 'Wie zijn "ze"?' vroeg ze met een groeiend gevoel van angst.

'De hulpverlening voor mensen met alcoholproblemen.'

'Welke hulpverlening?' Marnie had geen gevoel meer in haar lippen. 'Hoe komt het dat jij dat wel weet en ik niet?'

'Omdat Nick met mij over jou praat.' Grace klonk verbaasd.

O ja?

'En dat doet hij al een paar maanden.'

Marnie was verbijsterd. 'Dus jij zit met Nick achter mijn rug om over mij te praten?'

Grace keek haar met grote ogen aan. 'Ik doe niets achter jouw rug om! De eerste keer dat hij belde, heb ik meteen jou gebeld om hem te verlinken!'

O ja?

'En we hebben uren aan de telefoon gezeten, jij en ik. Weet je dat dan niet meer?' Grace klonk alsof ze in paniek raakte.

Nee. En het was niet de eerste keer dat ze een leegte aantrof in plaats van iets wat ze zich zou moeten herinneren.

'Ik dacht al dat je toen dronken was. Ik heb het je ook nog gevraagd,' zei Grace bezorgd. 'Maar je zei dat het niet zo was.'

'Dat was ook niet zo! Nu weet ik het weer.' Toen drong er ineens iets tot Marnie door. 'Dus daarom heb je me de laatste tijd zo vaak gebeld? Uit bezorgdheid?'

'Ik ben ontzettend bezorgd geweest.'

'Waarom? Ik heb altijd gedronken. Hoe vaak heb ik je niet verteld dat de wereld alleen normaal leek als ik twee borrels op had?'

Ze zag dat Grace er moeite mee had. Ze zag dat Grace zichzelf afvroeg of ze wel het recht had om Marnie die twee borrels te ontzeggen.

'Luister eens, ik kan best ophouden,' zei ze geruststellend. 'Ik kan het wekenlang zonder drank uithouden.'

Maar Grace draaide zich om en keek Nick aan. 'Is dat waar?'

'Het zou kunnen,' zei hij met tegenzin. 'Hoewel het ook voorkomt dat ze zegt dat ze niets gedronken heeft, terwijl haar adem toch naar drank stinkt. Ik heb flessen wodka in haar handtas gevonden.'

Grace keek geschrokken. 'Is dat waar?' zei ze tegen Marnie. 'Je hebt me nooit verteld...'

'Eén keer. Eén keertje maar! Dat was alleen maar omdat ze bij de slijter geen draagtassen meer hadden.' Ze keek Grace recht in de ogen. 'Ik kan wél wekenlang zonder drank. Ik kan wél ophouden.'

'En dan verdwijn je ineens!' zei Nick. 'Dan blijf je een paar dagen weg...'

'Niet "een paar dagen" !' riep Marnie uit. 'Nick, zoals jij het zegt, klinkt het alsof... Grace, je moet niet naar hem luisteren. Het zijn zelfs nooit twee dagen geweest, hooguit vierentwintig uur.'

'Vierentwintig uur is een hele tijd,' zei Nick. 'Vooral voor een klein meisje.'

'Hè ja, zadel me maar op met een schuldgevoel! Alsof ik me niet al ellendig genoeg voel!'

Plotseling stroomden de tranen uit haar ogen. Nick klakte ongeduldig met zijn tong en deelde mee dat hij naar zijn werk ging, maar tot Marnies opluchting was Grace één en al sympathie.

'Marnie, alsjeblieft. Dit is echt ernstig. Je valt. Je doet jezelf pijn. Je zou zelfs verkracht kunnen worden. Je hebt gewoon geluk dat je nog niet voor rijden onder invloed bent opgepakt. En dat je nog niemand doodgereden hebt.'

'Ik weet het. Ik weet het.' De tranen stroomden over haar wangen en beten in de schrammen. 'Maar je weet niet hoe het voelt om zo te zijn als ik.'

Ze zag het medelijden dat in Graces ogen opwelde en dat maakte het nog erger.

'Het spijt me. Het spijt me echt, maar ik voel me altijd verdrietig,' snikte ze, ineens weer gebukt onder het volle gewicht van haar eeuwige last. 'Als ik drink, houdt dat gevoel op. Het is het enige wat helpt.'

'Maar het maakt alles alleen maar erger,' zei Grace hulpeloos. 'Je bent nu toch ook veel verdrietiger dan voordat je aan het drinken sloeg?'

'Ja. Ik zal stoppen. Het zal niet meevallen, maar ik zal stoppen.'

'Je hoeft niet helemaal te stoppen. Je moet alleen niet zo overdrijven. Slik je nog steeds antidepressiva?'

'Die helpen helemaal niet.'

'Kun je geen sterkere pillen krijgen?'

'Ik geloof dat ik de sterkste al krijg, maar ik zal het vragen. Grace, alsjeblieft, zorg dat hij me niet naar een ontwenningskliniek stuurt.'

'Oké.' Grace kwam iets dichter naast haar zitten en vroeg rustig: 'En hoe zit het met die Rico?'

'Rico?' Ze wreef met haar hand haar gezicht droog. 'Hij is alleen maar een vriend.'

'Hebben jullie iets samen?'

Een flits van lijven, naakte ledematen, Rico die boven op haar lag, zijn hijgende ademhaling in haar oor.

Dat is niet echt gebeurd.

'Nee, nee, hij is gewoon alleen maar lief voor me.'

'Maar jullie gaan wel samen aan de drank?'

'Je doet net alsof we... twee landlopers zijn. Soms gaan we samen iets drinken.'

Grace kwam bij haar op bed liggen en om te voorkomen dat ze opnieuw aan een verhoor onderworpen zou worden zette Marnie de tv aan. Ze keken samen naar een talkshow en toen het programma was afgelopen zei Grace: 'Ik zou eigenlijk niet naar dit soort rotzooi moeten kijken, maar ik kan er niets aan doen, het is een afwijking die ik niet kan onderdrukken.'

Dan weet je precies hoe ik me voel.

'Zeg Marnie,' zei Grace ineens. 'Heb jij ooit gehoord van een vent die Lemmy O'Malley heet?'

'Nee.'

'Of van Eric Zouche?'

'Nee. Hoezo?'

'Niets.' Grace sprong van het bed. 'Vooruit, het is tijd dat je je weer een beetje normaal gaat gedragen. Kleed je aan, al is het maar voor een paar uur. Waar zijn je kleren?'

'In die kast.'

Grace trok de deuren open. 'Wat heb je toch veel kleren. En al die schoenen!' De vloer van de klerenkast stond vol schoenen en laarzen. 'Moet je die rijlaarzen zien!' Grace bukte zich om ze beter te bekijken.

Nee, wacht. Niet aankomen.

'Ze zien er een beetje mal uit, hè?' Grace was half in de kast gekropen en haar stem klonk gedempt. 'Zo stijf dat het leer gewoon op plastic lijkt.'

'Dat komt omdat ik ze nog nooit aangehad heb...'

'God wat ben je toch een pietlut, je hebt er zelfs laarzensteunen in om ze rechtop te houden.'

Niet aankomen. Blijf eraf.

'Nee, Grace, laat ze...'

Maar Grace had haar hand al in de laars gestoken en haar gezicht veranderde toen ze iets tevoorschijn haalde. Ze keek Marnie aan met een uitdrukking die ze nog nooit had gezien en vroeg kalm en zacht, met een stem die helemaal niet als die van Grace klonk: 'Waarom zou jij een fles wodka in een rijlaars verstopt hebben?'

337

'Grace, ik... niet doen!'

Maar Grace had haar hand al in de tweede rijlaars gestoken en daar bleek ook een fles wodka in te zitten, al was die leeg. Ze keek Marnie opnieuw met die vreemde uitdrukking op haar gezicht aan, een soort mengeling van schrik en begrip, en draaide zich toen met een ruk weer om naar de klerenkast en begon alles er in een nood-tempo uit te halen.

'Grace, niet doen!'

'Val dood!'

Op de rand van haar bed kon Marnie alleen toekijken hoe de ramp zich ontvouwde. Grace zat woest in schoenendozen, laarzen en handtassen te graaien, die ze ondersteboven hield, zodat de flessen er rinkelend uitvielen en over de slaapkamervloer rolden.

Dit kan niet waar zijn dit kan niet waar zijn dit kan niet waar zijn.

Toen Grace klaar was, zette ze de flessen stuk voor stuk met een klap op de rand van de toilettafel. Het waren er negen in totaal, li-terflessen, halveliterflessen en kwartliterflessen. Marnie kon nauwe-lijks geloven dat het er zoveel waren. Ze wist wel dat er nog een of twee in de kast lagen te wachten tot ze de kans kreeg om ze weg te gooien, maar négen? Het waren allemaal wodkaflessen en ze waren allemaal leeg, met uitzondering van de eerste.

Grace haalde diep adem en keek Marnie aan alsof ze haar nooit eerder had gezien.

'Heb je gedronken nadat je uit het ziekenhuis kwam?'

'Nee, echt niet!'

Ze sprak de waarheid. Ze had wel willen drinken – vooral nadat ze had gehoord dat Grace onderweg was – maar dat had ze nooit binnen kunnen houden. Ze kende haar lichaam goed genoeg om te weten dat zelfs de kleinste hoeveelheid alcohol een orgie van braken zou veroorzaken die dagen kon aanhouden.

Daarna zag Marnie dat er een ander idee door Graces hoofd schoot – aan de blik in haar ogen kon ze precies zien op welk moment dat gebeurde – en meteen daarna holde Grace vastberaden de slaapka-mer uit.

Marnie besefte meteen waar ze naartoe ging. 'Nee, Grace, alsje-blieft!' Ze stond haastig op van haar bed en negeerde de felle pijnscheut die door haar ribben schoot – dit keer moest ze haar echt tegenhouden – en liep achter Grace aan naar de roze slaapkamer van Daisy.

Maar Grace had er al een gevonden en stond met de lege fles naar haar te zwaaien. 'In de klerenkast van je dochter! Fraai hoor, Marnie!'

'Die had ze nooit gevonden.'

'Ik had hem anders binnen de kortste keren te pakken.'

Daarna liep Grace naar Verity's kamer en haalde drie lege flessen onder het bed vandaan.

'Zeg het alsjeblieft niet tegen Nick,' smeekte Marnie. 'Alsjeblieft niet.'

'Hoe durf je me dat te vragen?' zei Grace. 'Hoe kun je zo egoïstisch zijn?'

Daarna rende ze naar de badkamer om over te geven.

'Ik snap er geen bal van,' zei Grace zwak. Ze leek er kapot van te zijn. Marnie had haar nog nooit zo gezien. 'De laatste keer dat je in Dublin was, kon je ook van de drank afblijven. Toen je bezig was met die antibioticakuur.'

Ze had helemaal geen antibiotica gebruikt, maar dit was niet het moment om dat te vertellen.

'Ik heb niet gelogen, Grace. Ik kan ophouden wanneer ik wil.'

'"Ik kan ophouden wanneer ik wil",' bauwde Grace haar boos na. 'Weet je wel hoe je nou klinkt?'

'Hè?'

'Als een echte alcoholist.'

'Maar...'

De waarheid was dat ze in Dublin niet gedronken had omdat het om de een of andere onverklaarbare reden gemakkelijker was om niet te drinken dan om het bij twee glaasjes te laten. Daarom had ze net gedaan alsof ze antibiotica slikte. In het jaar daarvoor – of misschien nog wel eerder – was het tot haar doorgedrongen dat ze al na één glaasje de waanzinnige behoefte had om zichzelf laveloos te drinken en met een noodgang richting vergetelheid te scheuren. Ze kon niet voorspellen wat er zou gebeuren als ze begon te drinken, dan kon ze overal terechtkomen, en dat risico kon ze niet nemen als ze niet thuis was.

'Het spijt me dat ik je niet alles heb verteld,' zei Marnie. Dit was onverdraaglijk. Grace was boos op haar. Nee erger. Grace was teleurgesteld. 'En dat ik geheimen voor je heb gehad.'

'Het gaat helemaal niet om mij! Het gaat om het feit dat jij een... alcoholist bent.' Grace moest even slikken toen het woord eruit was.

'Nee dat ben ik niet, ik ben alleen maar...'

'Marnie!' Grace hapte naar adem als een vis op het droge en wees naar de toilettafel. 'Kijk daar dan eens naar.'

'Het is niet zo erg als het lijkt. Ik kan alles uitleggen. Ze lagen al tijden in die kast...'

Ineens zei Grace: 'Zo is het mooi geweest! Jij gaat naar de AA.'

...Naar de wat? De Anonieme Alcoholisten? Helemaal niet.

'Ik bel ze meteen op. Waar is jullie telefoonboek?'

'Dat hebben we niet.'

Graces stem klonk verdacht zacht toen ze zei: 'Hou op met me te belazeren.'

'In de gangkast.'

Grace liep de slaapkamer uit en toen ze terugkwam, zei ze: 'Er is om één uur een bijeenkomst in een buurthuis in Wimbledon.'

'Grace, dit is belachelijk,' zei Marnie smekend. 'Ik hou op met drinken, dat beloof ik. Maar neem me niet mee naar de AA, zo erg is het echt niet met me! Ik moet mezelf alleen inprenten dat ik niet meer moet drinken, dat is alles.'

Ze zag Grace aarzelen.

'Bovendien kan ik daar zo niet naartoe.' Ze wees naar haar schrammen en het verband.

Grace bleef even aarzelen, maar toen zei ze onthutsend vastbera-den: 'Daar trekken ze zich niets van aan. Ze zullen er heus wel aan gewend zijn.'

'En als een van mijn collega's me ziet?'

'Die weten misschien al lang wat er mis is met je. Eigenlijk durf ik dat wel te zweren. Waarschijnlijk zijn ze alleen maar blij dat je ein-delijk iets aan je drankprobleem gaat doen.'

Drankprobleem.

Onder het toeziend oog van Grace kleedde ze zich aan. Bij iedere beweging deed ze net alsof ze ontzettend veel pijn had, maar het tril-len van haar handen was niet gespeeld. Ze kon de knoop van haar spijkerbroek niet dichtkrijgen. Dat was nog nooit eerder gebeurd.

Onwillekeurig keek ze even naar de klerenkast, waar nog zeker één fles in lag die Grace niet had gevonden. Eén slokje zou haar weer tot rust brengen... of misschien twee. Maar zelfs al zou Grace haar drie se-conden alleen laten, dan kon ze vandaag dat risico toch niet nemen. Af-gezien van het feit dat ze waarschijnlijk zou gaan kotsen, kon ze erop rekenen dat ze dan nog voor etenstijd in een ontwenningskliniek zat.

Grace reed. Marnie had gehoopt dat ze verward zou raken in al die straten met eenrichtingsverkeer zodat ze te laat zouden komen, maar ze was vergeten hoe handig Grace was.

'We zijn er,' zei Grace. 'Kijk, daar is het.'

Wonder boven wonder reed er net iemand weg, dus ze konden nog voor de deur parkeren ook.

'Stap uit,' beval Grace.

Marnie maakte haar gordel los en gehoorzaamde. Haar benen voelden aan alsof ze van iemand anders waren. 'Grace, ik heb het gevoel dat ik flauw ga vallen.'

'Diep ademhalen,' zei Grace. 'En leun maar op mij.'

'Nee... ik voel me echt...'

'Marnie, je gaat naar die bijeenkomst van de AA toe, ook al val je hier ter plekke dood neer.'

Marnie had zich al ellendig gevoeld, maar het werd nog erger toen ze zag dat het dezelfde plek was waar ze al eerder was geweest.

In de kamer stonden een stuk of twintig stoelen in een kring. Mensen zaten met elkaar te kletsen en te lachen en op een tafeltje werden kopjes thee en biscuitjes klaargezet.

Grace liep samen met haar naar een vrouw die eruitzag alsof ze de leiding had. 'Dit is Marnie,' zei ze. 'Ze is hier voor het eerst.'

Eerlijk gezegd was het helemaal niet voor het eerst, het was de tweede keer, maar ze was niet van plan om dat tegen Grace te zeggen want dan zou ze écht denken dat ze een alcoholist was. Ze keek behoedzaam om zich heen in de hoop dat de vrouw die Jules heette en die ze in de bioscoop was tegengekomen er niet bij was. Want als zij kwam opdagen en haar begroette, zou ze door de mand vallen.

De mensen – de *alcoholisten* – waren heel vriendelijk, dat kon ze zich nog van de vorige keer herinneren. Ze maakten haar niet verlegen door over haar verwondingen te beginnen en ze bleven haar maar vriendelijk toelachen. Alsof ze niets liever wilden dan dat ze ook lid van de club zou worden.

'Een kopje thee?'

Marnie nam het aanbod aan. De warmte zou lekker zijn, ze was zo koud. Maar ze schrok toch – al was het niet zo erg als Grace – toen ze niet in staat bleek het bekertje vast te houden. De hete vloeistof trilde en klotste over de rand waardoor ze haar vingers brandde. De man die haar het bekertje had gegeven pakte het haar zonder omhaal af en zette het terug.

Het verlies van controle had haar zo overvallen dat Marnie gewoon besloot dat het niet was gebeurd.

'Dat hebben we allemaal meegemaakt,' zei de man vriendelijk.

Nou, jij misschien, dronken sukkel, maar ik niet.

'Biscuitje?' bood de man aan.

'Graag.' Haar maag hunkerde naar voedsel maar het leek alsof die signalen van honderden kilometers ver kwamen. Ze nam een klein hapje van het biscuitje, maar het was zo lang geleden dat ze vast voedsel had gegeten, dat het heel raar aanvoelde. Ze slikte de kruimels met moeite door en haar maag sprong op van blijdschap.

'Laten we maar gaan zitten,' zei Grace.

Dit kan niet waar zijn dit kan niet waar zijn dit kan niet waar zijn.

Ze brak kleine stukjes van het biscuitje die ze in haar mond liet smelten en ving af en toe flarden op van de verhalen die de alcoholisten vertelden. 'Delen' noemden ze dat, wat een slijmerig woord. Dat zou Grace toch ook vreselijk vinden? Zij zou toch ook niets moeten hebben van een organisatie die dat soort woorden gebruikte?

'...Drinken was een dagtaak voor me. Ik moest eerst de drank het huis binnensmokkelen, dan de flessen verbergen en vervolgens met de hond uit, zodat ik de lege flessen in de afvalcontainers van mijn buren kon gooien. Maar toen het afval niet langer gratis werd opgehaald werd ik betrapt...'

'...Als ik een etentje gaf, zette ik altijd een fles in een van de keukenkastjes, zodat ik aan mijn trekken kon komen als ik de vuile borden terugbracht en zo...'

'...Ik verdoofde mezelf. Ik dacht dat ik dronk omdat ik van drinken hield, maar ik dronk om mijn gevoelens te onderdrukken...'

'Ik had overal flessen verborgen. Zelfs in mijn klerenkast.'

Helaas was die opmerking voor Grace aanleiding om Marnie aan te stoten. Zie je wel, zei dat gebaar, *je bent precies zoals zij, je hoort hier thuis.*

'Ik verstopte flessen in de zakken van mijn wintermantels,' ging de vrouw verder en Marnie voelde hoe Grace plotseling verstrakte.

Verdomme verdomme verdomme.

'...Ik kon best stoppen, dat was het probleem niet. Ik kon het wel een week of tien dagen zonder drank uithouden. Het moeilijkst was om er voorgoed af te blijven. Dat kon ik niet...'

'...Ik ben door de drank alles kwijtgeraakt, mijn baan, mijn gezin, mijn huis, mijn zelfrespect, en het kon me allemaal niets schelen. Ik wilde alleen maar drinken...'

'...Marnie...' mompelde Grace.

'Hè?' Marnie schudde haar lethargie van zich af en ontdekte dat iedereen naar haar zat te kijken. De vrouw die de leiding had, glimlachte vriendelijk.

'Zou jij ook iets willen zeggen, Marnie?'

'Wat? Wie, ik?' Ze keek naar haar voeten. 'O nee...'

'Vooruit,' fluisterde Grace haar toe.

'...Ik heet Marnie...'

'Hallo, Marnie,' zei iedereen in koor.

God, wat voelde ze zich stóm.

'...En... Nou ja, hier ben ik dan.'

'Zeg dat je een alcoholist bent,' fluisterde Grace.

Maar dat verdomde ze. Omdat het niet waar was.

'Ik wil je nog even iets vertellen,' zei Grace met een strakke mond toen ze naar huis reden. 'Je hoeft niet iedere dag te drinken om een alcoholist te zijn. Die mevrouw zei dat heel veel mensen vaak langere tijd niet drinken, precies zoals jij.'

Niet luisteren niet luisteren niet luisteren.

'Wat vond je van die mensen?' vroeg Grace nadat ze een tijdje stil waren geweest.

'Aardig.' Een stel mafkezen.

'Ga je terug?'

'Mmm... volgende week.'

'Wat zou je zeggen van morgen?'

'Mórgen? Is dat niet een beetje... overdreven?'

Grace gaf geen antwoord, maar toen ze thuiskwamen, liep ze regelrecht naar boven, naar Marnies slaapkamer, waar ze de klerenkast opentrok en ergens achterin begon te rommelen. Binnen de kortste keren had ze een halve fles wodka opgediept die ze haar met een zwaai voorhield, als een goochelaar die een wit konijn uit een hoge hoed tovert. Meteen daarna zocht ze weer verder en toen er nog vier flessen tevoorschijn waren gekomen, zei ze: 'Overdreven? Nee, het is verdomme allesbehalve overdreven.' Ze viel op haar knieën, sloeg haar handen voor haar gezicht en krabbelde weer overeind.

'Grace... waar ga je naartoe?'

'Naar de badkamer. Ik moet weer overgeven.' Ze bleef op de drempel staan, draaide zich met een ruk om en zei: 'Lollig hè?'

Marnie deinsde achteruit omdat het zo agressief klonk.

'Jij zuipt jezelf buiten westen,' riep Grace uit, 'en ik moet kotsen!'

Toen Grace weer naast haar op het bed lag, vroeg ze plotseling: 'Wat spookte je uit in Cricklewood?'

'Hè?'

'Volgens Nick ben je daar door de ambulance opgepikt.'

'...Ja, dat weet ik.' Maar ik weet niet wat ik daar deed.

'Wat is er die avond gebeurd?'

'Niets. Ik ben gewoon na het werk met Rico de kroeg in gegaan.'

'In Cricklewood?'

'Nee, in Wimbledon. Vlak bij het werk.'

'Ik vrees dat ik Londen niet zo goed ken.' Was Grace nu sarcastisch? 'Ligt Wimbledon in de buurt van Cricklewood?'

Welnee, helemaal aan de andere kant van de stad. 'Nee.'

'Maar...'

'Na de kroeg ben ik met een paar andere mensen naar een club gegaan.'

'Waar? In Cricklewood?'

Hou alsjeblieft op over Cricklewood. 'In Peckham.' *Peckham?* Ze was niet goed wijs geweest. Peckham was een achterbuurt.

'Ligt dat in de buurt van Cricklewood?'

'Nee. En als je nog een keer Cricklewood zegt, ga ik rechtstreeks naar de slijter.'

'Cricklewood, Cricklewood, Cricklewood. Welke slijter? Die in je klerenkast?' Grace sloeg haar been over die van Marnie om te voorkomen dat ze opstond. 'Vergeet het maar.'

'Het was een grapje.'

'Ik weet het. Ik lig dubbel.'

Er viel een sombere stilte tot Grace zei: 'Vind je het zelf ook niet een beetje...'

'Wat?'

'Je lag daar langs de kant van de weg, gewond, met een alcoholvergiftiging, in een deel van Londen waar je niet bekend bent, zonder te weten hoe je daar bent gekomen of wat je daar hebt gedaan.'

Voordat Grace vijf woorden had gesproken hield Marnie al op met luisteren en bereidde haar antwoord voor. Toen ze zag dat Grace uitgesproken was, zei ze: 'Het zal niet weer gebeuren.'

'Maar...'

'Ik ben het met je eens dat het niet fraai klinkt als je het zo formuleert. Maar het was een ongeluk, een incident, en het zal niet weer gebeuren.'

'Het is drie uur.' Grace rolde van het bed. 'Ik ga de meisjes van school halen. Over twintig minuten ben ik terug.'

'Dank je, Grace.' Melodie had eindelijk ontslag genomen, dus ze hadden momenteel geen kindermeisje. Als Grace er niet was geweest, wist Marnie niet hoe de meisjes naar huis hadden moeten komen. Misschien dat een van de andere moeders...

Nadat ze hoorde hoe de voordeur dichtsloeg en de auto startte, nestelde ze zich in de kussens. Ze was slaperig geworden. Maar net toen ze op het punt stond in slaap te vallen, hoorde ze de opmerking van Grace weer. 'Je lag daar langs de kant van de weg, gewond, met een alcoholvergiftiging, in een deel van Londen waar je niet bekend bent, zonder te weten hoe je daar bent gekomen of wat je daar hebt gedaan.'

O.

Er ging een luikje open, dat haar een glimp schonk van de enorme hoeveelheid ellende die op haar lag te wachten. Marnie krabbelde overeind, snakkend naar adem en met een bonzend hart. Ze was nog nooit van haar leven zo bang geweest.

Alleen langs de kant van de weg, met drie gebroken ribben, om vijf uur 's ochtends.

Dat was zij geweest.

Ze had altijd van een borreltje gehouden – daar had ze nooit omheen gedraaid – maar in feite was ze altijd heel matig geweest. Toen ze nog de hele dag thuis was, had ze overdag nooit een druppel aangeraakt. Dat vond ze niet juist. De regel was dat er voor zes uur 's middags geen alcohol werd gedronken. Ze had de hele dag voor haar beide kinderen gezorgd, maar zodra de wijzers van de klok loodrecht op elkaar stonden, had ze voor zichzelf een wodka-tonic gemaakt. Daar verheugde ze zich altijd op, dat zou ze niet ontkennen, en sinds wanneer was dat verboden?

Misschien had ze wel eerder kunnen beginnen, er zouden vast wel moeders zijn die dat deden, maar regels waren regels. Geen drank voor zes uur 's avonds.

Behalve op die dag in oktober, twee jaar geleden. Of was het drie jaar? De klok was teruggezet en om vijf uur leek het net alsof het zes uur was. Buiten was het donker, ze had een lange dag achter de rug en het leek niet nodig om te wachten, vooral omdat Nick niets aan de klok had gedaan. De wijzers stonden op zes uur en als het gisteren was geweest, was het nu ook inderdaad zes uur geweest. Dus op die dag vond ze dat vijf uur best door de beugel kon. En – misschien omdat de wereld niet was vergaan toen ze haar eigen regel doorbroken had – leek het een paar dagen later ook niet zo erg dat het halfvijf werd. Later die maand gold hetzelfde voor kwart over twee. Vervolgens voor één uur. En de eerste keer dat ze al 's morgens vroeg een glas nam, voelde ze zich duizelig van alle vrijheid en stomverbaasd dat ze zich al die jaren had laten weerhouden door kunstmatige barrières. Tijd was gewoon een begrip... Wat maakte het nu uit wanneer ze een borrel nam, zolang ze haar taak als moeder correct vervulde?

Desondanks had ze het vage vermoeden dat Nick het er niet mee eens zou zijn dat het leven een stuk draaglijker werd als je al overdag aan de drank zat. En nadat hij zich hardop begon af te vragen waarom hun wodka altijd zo snel op was, begon ze haar eigen flessen te kopen en op speciale geheime plekjes te verbergen. Het was nooit de bedoeling om een voorraad alcohol in haar klerenkast te hebben, maar ze moest in staat zijn om een borrel te pakken wanneer ze wilde.

Ze paste goed op dat ze nooit te ver heen was als Daisy en Verity thuis waren. Maar soms kostte dat te veel moeite en dus begon ze hen om halfvijf hun eten voor te zetten en hen in bed te stoppen als het nog licht was, zonder zich iets van hun verbaasde protesten aan te trekken.

Ze wende zich aan om tegen de tijd dat Nick thuiskwam een fles wijn open te trekken en dan bescheiden aan het eerste glaasje te nippen. Dat had twee voordelen: het verklaarde waarom ze naar drank rook en ze hoefde zich niets van haar dronkenschap aan te trekken, want per slot van rekening zat ze te drinken.

Af en toe was hij wel verbaasd over het feit dat ze al zo snel behoorlijk dronken werd. 'Je hebt pas twee glaasjes op,' zei hij dan. 'Je hebt geen spat weerstand meer.'

'Lekker goedkoop als we uitgaan,' zei ze dan, blij dat het bedrog werkte.

Maar waar ze echt naar verlangde, waar ze echt voor leefde, waren de avonden dat de meisjes in bed lagen en Nick pas heel laat thuis zou komen omdat hij voor zijn werk op stap was. Pas dan kon ze zich helemaal overgeven aan de drank en het ene na het andere glas achteroverslaan, tot haar slaapkamer om haar heen begon te draaien en haar meesleepte naar de vergetelheid.

En toen kwam de eerste keer dat ze werd betrapt. Ze snapte niet hoe ze dat had kunnen laten gebeuren. Nick zou om halfzeven thuiskomen, het was niet een van die avonden waarop ze zich kon laten gaan, en hoewel ze om één minuut over elf haar eerste borrel had genomen, had ze de hele dag goed opgelet. Ze was in ieder geval om vier uur nuchter genoeg geweest om de meisjes van de kleuterschool te halen. Daarna waren ze met hun drietjes op de grote bank gaan zitten om naar een dvd te kijken. Zij had aan een glas zitten nippen om even bij te komen en er was nog meer dan genoeg tijd geweest om alle bewijzen op te ruimen voordat Nick thuiskwam.

Maar ze was kennelijk in slaap gevallen en toen ze wakker schrok, bonsde haar hart zo dat het uit haar keel leek te springen en Nick stond over haar heengebogen. Ze kon zijn gezicht nauwelijks onderscheiden. Om haar heen heerste chaos. Er hing een verschrikkelijke stank, ze hoorde een afschuwelijk krijsend geluid en dikke zwarte rookwolken kwamen uit de keuken. Ondanks haar verwarring wist ze dat ze maar beter snel een smoes kon bedenken.

'Wat is er aan de hand? Ben je ziek?'

Ze knikte.

'Wat is er dan?'

Ze probeerde iets te zeggen, maar haar tong sloeg dubbel.

Zijn gezicht betrok. 'Marnie, je bent bezopen!'

'Nee, ik...'

'Wel waar, je bent dronken.' Hij was duidelijk geschrokken en helemaal in de war. 'Ben je buiten de deur gaan lunchen?'

Maar hij wist heel goed dat dat niet waar was, want hij had haar halverwege de dag nog thuis gebeld. En wanneer ging zij trouwens ooit buiten de deur lunchen?

Hij verdween naar de hal en even later hield het krijsende geluid abrupt op. Het rookalarm. Hij had er kennelijk de batterijen uitgehaald.

Toen was hij weer terug. Hij wees naar de keuken. 'Ze stonden op stoelen achter het fornuis en probeerden spaghetti te bakken in een koekenpan.'

Dus daar kwam die rook vandaan.

'Hoe hebben ze het gas aan gekregen?' wilde hij weten. 'Wat is er aan de hand, Marnie? Heb je zitten drinken?'

Het had geen zin dat te ontkennen.

'In je eentje! Waarom?'

Waarom? Omdat ze het lekker vond. Dat was het enige wat ze kon bedenken, maar ze wist dat ze dat niet kon zeggen.

'Ik was... overstuur.'

Ze zag dat hij vertederd was. 'Waarvan, honnepon?'

'Ik zat aan je vader te denken.' Die had een paar maanden daarvoor te horen gekregen dat hij prostaatkanker had. Maar wel van een soort die nauwelijks uitzaaide. Hij zou nog jaren kunnen leven.

Nick staarde haar met open mond aan. 'Maar dat weten we al tijden!'

'Ik denk dat het nu pas tot me is doorgedrongen. Die arme man!' Plotseling kwamen de waterlanders tevoorschijn en ze begon te snikken.

Nick streelde haar haar en was de rest van de avond heel lief voor haar. Maar ze wist dat haar excuus geen hout had gesneden. Ze had iets in Nick wakker geschud, een argwaan, een zekere oplettendheid.

Al een paar dagen later volgde het 'Fiona Fife-incident'.

Daisy en Verity speelden thuis bij Alannah Fife en Marnie had de hele middag voor zichzelf. De prijs die ze daarvoor binnenkort zou moeten betalen, was dat zij op haar beurt een paar uur lang opgescheept zou worden met de vierjarige Alannah. Maar daar dacht ze niet aan. Ze zat heerlijk een beetje weg te dromen en toen de telefoon ging, besloot ze het antwoordapparaat op te laten nemen.

'Marnie?' Dat was Fiona, de moeder van Alannah. 'Ben je thuis?' Ze griste de telefoon naar zich toe. 'Sorry, ik ben er al.'

'Ik heb slecht nieuws. Mijn auto start niet.'

'Wat vervelend voor je.'

'Dus ik kan Daisy en Verity niet naar huis brengen. Kun jij ze komen halen? Ze kunnen dat eind niet lopen.'

'O god, ja natuurlijk. Sorry dat ik zo afwezig ben. Ik ben over tien minuten bij je.'

Marnie rommelde in haar handtas om haar autosleutels te pakken en vroeg zich heel even af of ze wel achter het stuur moest kruipen. Maar ze had zich ingehouden en er was niets mis met haar reactievermogen, ook al had ze waarschijnlijk wel te veel op.

Ze moest gewoon extra voorzichtig rijden.

Maar voor het huis reed ze op de een of andere manier de plek waar ze had willen parkeren voorbij. Toen ze remde, produceerden de banden een oorverdovend gepiep.

Bijna onmiddellijk vloog de voordeur open en Fiona keek toe hoe Marnie zich uit de auto liet glijden en naar haar toe kwam lopen. Aan haar duidelijk geschokte gezicht was te zien dat Marnie niet zo nuchter was als ze dacht.

'Marnie, voel je je wel goed?'

'Prima!' Veel te hard. 'Prima.' Dat was beter.

'Ben je...' vroeg Fiona. 'Heb je gedronken?'

'IK? Is dat een grapje? Ik drink nooit voor zes uur 's avonds.' Het was niet haar bedoeling geweest om zo heftig te reageren en het was verstandiger geweest als ze niet had gelogen, maar dat besefte ze pas achteraf. Ze had net moeten doen alsof ze met iemand was wezen lunchen en had woorden moeten gebruiken als 'een tikje aangeschoten', dan was er niets aan de hand geweest.

Fiona was naar Marnie toe gestapt en vlak voor haar blijven staan. En hoewel van wodka altijd gezegd werd dat je het niet kon ruiken, begon ze meteen fanatiek met haar hand voor haar gezicht te wapperen alsof ze omviel van de walm. 'Ik vond al dat je zo raar klonk aan de telefoon,' zei ze beschuldigend.

'Hoi, mam.' Daisy en Verity kwamen de deur uit tuimelen, compleet met rugzakjes en jassen die aangehesen werden.

'Dit is niet de eerste keer dat het me is opgevallen,' zei Fiona rustig.

Marnie draaide zich om. 'Kom op, meiden.' Haar stem trilde. 'Hebben jullie alles?'

'Kan ik je wel achter het stuur laten zitten?' vroeg Fiona.

Marnie wist niet hoe ze daarop moest reageren. Verdedigend? Verontschuldigend?

Die nacht werd ze in de kleine uurtjes wakker en dacht koud, ontnuchterd en doodsbang terug aan het voorval. En ze hoorde haar eigen stem, die gesmoord en dronken volhield: 'Ik drink nooit voor zes uur 's avonds.'

Ik drink nooit voor zes uur 's avonds.

Wat stom om dat te zeggen, terwijl Fiona duidelijk doorhad dat ze dronken was.

En die schuldgevoelens over de meisjes! Ze waren haar kostbaarste bezit en ze had hun veiligheid in gevaar gebracht door met hen in de auto te stappen terwijl ze... nou ja, niet dronken, zo erg was het niet, maar toch ook niet nuchter was. Als er iets was gebeurd...

Maar ze had het niet welbewust gedaan. Als ze had geweten dat ze moest rijden, had ze niets gedronken, in ieder geval niet veel. Schuldgevoelens maakten snel plaats voor zelfmedelijden: waarom wilde Fiona's auto nou juist op die dag niet starten? Normaal was ze halverwege de middag altijd nuchter.

Het is al weken geleden dat ik tot zes uur heb gewacht.

Echt weken.

Heel even leek het alsof haar hart ophield met kloppen en dat was de eerste keer dat ze had gedacht: ik moet stoppen.

'Waarom zou Fiona Fife me hebben gevraagd of alles in orde is met je?' vroeg Nick.

Verdomme.

Ze keek hem recht aan. 'Geen flauw idee.'

'Wat is er gebeurd?'

'Ik weet niet waar je het over hebt.'

Ze was goed geworden in het ophangen van leugens, maar dit keer trapte hij er niet in.

Hij wist het.

Zij wist dat hij het wist.

En hij wist dat zij dat wist.

Hij zei niets.

Maar vanaf dat moment bleef hij haar scherp in het oog houden.

349

'Hoe zit het met je werk?' vroeg Grace.

'Precies. Hoe kan ik nu naar een ontwenningskliniek? Ik heb een baan. En we hebben het geld hard nodig.'

'Ik bedoel, vinden ze het daar niet erg dat je zo vaak afwezig bent?'

'Zo vaak is het niet...'

'Ach, hou op, wel waar. Waarom ben je niet ontslagen?'

'Mijn baas...'

'Guy?'

'Ja. Ik geloof... dat hij me aardig vindt.'

'Hoe bedoel je? Valt hij op je?'

'Nee. Meer als... een broer.'

Grace snoof.

Vorig jaar rond deze tijd was ze nog zo blij geweest dat ze weer aan het werk kon. Nick had geen bonus gekregen en dat was misschien wel een ramp geweest, maar destijds beschouwde ze het zelf als haar redding. Plotseling had ze weer een doel in haar leven en dan zou ze niet meer de behoefte hebben om te drinken. Voor haar werk moest ze vaak op stap met belangrijke klanten en dat hield met veel drank besproeide zakenlunches in en nabesprekingen in de kroeg met haar collega's. Voor het eerst in tijden had ze weer plezier in het leven.

Maar de tijd verstreek zonder dat ze nieuwe opdrachten aanbracht en één keer was ze tijdens een zakenlunch zo dronken geworden dat ze zich de volgende dag ziek had moeten melden. En toen ze na twee dagen weer op kwam dagen, wist iedereen precies wat er was gebeurd omdat de bedrijfsleider van het restaurant naar Guy had gebeld, aangezien zij zo dronken was geweest dat ze zich haar pincode niet meer kon herinneren. Daar moest op gedronken worden, natuurlijk, dus dook ze nog diezelfde avond weer de kroeg in met de anderen. Rico was degene die haar had geholpen om in de taxi te stappen.

En het aantal dagen dat ze pas 's avonds laat, wankelend en zo dronken als een tor thuiskwam, nam hand over hand toe.

Aanvankelijk reageerde Nick woedend, maar op een zondagmiddag ging hij samen met haar aan de eettafel zitten en zei onheilspellend: 'We moeten eens praten.' Toen hij zei dat hij zich 'ontzettend veel zorgen' maakte over de hoeveelheid die ze dronk, had ze haar antwoord al klaar: het hoorde bij haar wérk. Maar ze was best bereid om zich op zijn verzoek te matigen. Voortaan zou ze het bij drie glaasjes houden.

Maar al na twee weken moest Nick haar opnieuw tot de orde roepen en hoewel ze hem bezwoer dat ze weer met een schone lei zou beginnen, was het een week later alweer raak. Ze snapte er niets van dat het haar maar niet lukte en dus beloofde ze opnieuw dat ze haar uiterste best zou doen.

'Zo gaat het niet langer,' zei Guy.

Het had zo lang geduurd voordat hij eindelijk de waarheid onder ogen wilde zien, dat ze al half-en-half overtuigd was geweest dat het nooit zou gebeuren.

'Je bent inmiddels alweer vier maanden aan het werk,' zei hij. 'En je hebt nog niet één nieuwe klant aangebracht.'

'Sorry,' fluisterde ze.

'Denk je dat je minder zou gaan drinken als je niet zo onder druk zou staan?'

Ze deinsde achteruit alsof hij haar een klap in het gezicht had gegeven.

'Bea gaat weg. Daardoor hebben we nu een vacature voor officemanager. Voel je er iets voor?'

Ze was tot alles bereid om zijn goedkeuring te herwinnen. 'Als jij dat wilt,' mompelde ze, 'zal ik het proberen.'

'Je kunt die baan met twee ogen dicht aan. Maar er is nog iets. Ik wil dat je naar een bijeenkomst van de AA gaat. De Anonieme Alcoholisten.'

Ze keek op en vond plotseling haar stem terug. 'Maar mijn god, Guy, zo erg is het niet met me.'

'Dat is de voorwaarde. Als jij hier wilt blijven werken, ga je naar zo'n bijeenkomst.'

'Nee Guy...'

'Ja Marnie.'

Dus ging ze naar de bijeenkomst, want Guy had haar geen enkele keus gelaten. Zoals ze had verwacht was het een rare en vreselijke toestand. De mensen waren ontzettend opdringerig en verstikten haar bijna met hun vriendelijkheid. Een van de vrouwen, een zekere Jules, was echt griezelig aardig. Ze had Marnie haar telefoonnummer gegeven en haar gesmeekt te bellen als ze weer de neiging kreeg om te gaan drinken.

Maar het was van het grootste belang dat Nick er niet achter zou komen dat ze daar was geweest. Ze wilde het risico niet lopen dat ze hem op ideeën zou brengen.

Guy wilde precies weten hoe de bijeenkomst was geweest.

'Het was... Sorry, Guy, ik weet niet eens hoe ik het moet zeggen, want het was zo...' Ze moest even zoeken naar het juiste woord. 'Zo onfatsóénlijk dat ik erbij was. Het zijn alcoholisten. Het was fout dat ik daar was om ze te bespioneren.'

'Je moet nog maar naar een paar van die bijeenkomsten toe,' zei Guy. 'Zodat je begrijpt wat er precies gebeurt.'

Marnie vond dat gewoon onbegrijpelijk. 'Hoor eens, Guy,' zei ze, 'misschien heb ik een tijdje inderdaad vrij stevig gedronken, maar nu ik een baan krijg waar minder druk op staat, zal alles wel weer beter worden.'

'Nog één bijeenkomst dan,' zei hij. 'Probeer het nou maar.'

Hij hield hardnekkig vol, maar zij was minstens even koppig. Ze wist gewoon absoluut zeker dat zij gelijk had en hij niet.

Meer dan een halfuur zaten ze te ruziën, tot Guy eindelijk toegaf en mompelde: 'Laten we het maar een paar maanden aankijken.' Hij zag er doodmoe uit.

Daarna vertelde ze het nieuws van haar nieuwe, onbelangrijke kantoorbaantje aan Nick en die sloeg zijn handen voor zijn gezicht en wiegde heen en weer. 'Goddank, goddank, goddank,' kreunde hij.

Marnie staarde hem zwijgend en stomverbaasd aan. Ze had verwacht dat hij teleurgesteld zou zijn over haar lage salaris, ook al had ze tot dan toe geen enkele commissie verdiend. Maar toch was er altijd de hoop geweest dat als het een keer zou gebeuren, het om een aanzienlijk bedrag zou gaan.

'Ik ben zo bezorgd geweest over dat drinken van jou,' zei Nick. 'Maar nu kun je daar meteen een eind aan maken.'

Die opmerking kwam hard aan. Nick had gelijk. Haar nieuwe werktijden waren van negen tot zes, zonder dat ze met klanten op stap zou moeten. Ze kon precies om zes uur weg en er was geen enkele reden waarom ze dan niet twintig minuten later thuis zou zijn.

Guy zou haar op het werk in de gaten houden en thuis zou Nick hetzelfde doen. Ze zat in de val.

Er kwam heel wat planning aan te pas: wanneer ze het kon kopen, wanneer ze het op kon drinken, waar ze het moest verstoppen, hoe ze de lucht kon verbergen, hoe ze de uitwerking kon verhullen en hoe ze zich van de lege flessen moest ontdoen.

Haar leven werd nog beperkter toen Nick hun fulltime kindermeisje ontsloeg en een parttimer in dienst nam, waardoor Marnie iedere dag uiterlijk om zeven uur thuis moest zijn.

Het probleem was Rico. Hij probeerde haar bijna dagelijks mee te lokken naar de kroeg en soms liet ze zich overhalen – hooguit een keer per drie weken, of een keer per twee weken, of een keer per week – en hoewel ze nooit van plan was om meer dan twee glaasjes te nemen kwam ze keer op keer pas thuis als ze straalbezopen was.

Ze haatte zichzelf. Ze hield van Nick. Ze hield van de meisjes. Waarom deed ze hen dit aan?

Nick raasde en tierde en ze beloofde hem dat het niet weer zou gebeuren, maar Rico bleef haar maar uitnodigen en ze was niet altijd in staat om nee tegen hem te zeggen.

Onvermijdelijk kwam de avond dat Rico haar probeerde te pakken. Ontzet hield ze hem tegen. 'Rico, ik ben getrouwd.'

Maar hij liet zich niet uit het veld slaan en probeerde het opnieuw. En nog eens. En nog eens. En uiteindelijk – waarom wist ze niet eens – gaf ze hem zijn zin. Het was een gore, onhandige vrijpartij, met slobberende tongen en allebei te dronken om er echt iets van te maken.

De volgende morgen was ze in het kille daglicht misselijk van zichzelf. Een kus werd al als bedrog beschouwd en hoewel Nick en zij een moeilijke tijd doormaakten, hield ze toch van hem. Hij verdiende het dat ze hem trouw bleef.

Maar de volgende keer dat Rico haar uitnodigde om iets met hem te gaan drinken, nam ze die uitnodiging toch aan. Het was raar, want hoewel hij best knap was, vond ze hem soms – vaak zelfs – eigenlijk een griezel.

Toch moest ze hem aardig vinden. Je kon niet samen met iemand die je niet mocht de kroeg induiken, want wat voor soort mens was je dan?

En toen kwam de ochtend dat ze tot haar grote ontzetting naakt wakker werd in Rico's bed. Ze wist niet eens of er iets gebeurd was en ze schaamde zich zo voor haar falende geheugen dat ze het hem niet durfde te vragen.

Ze kon alleen maar aan Nick denken. Nu was ze veel te ver gegaan en dit keer zou ze hem echt kwijt kunnen raken. Met een verlammende angst besefte ze plotseling weer hoeveel ze van hem hield en rende halsoverkop naar huis.

Toen ze naar binnen liep, was Nick des duivels. Hij had de hele nacht op haar zitten wachten, maar ze had gelogen tot ze scheel zag en was met een onzinnig verhaal aangekomen over een avondje stappen met Lindka (ze kende Lindka nauwelijks, maar later die ochtend slaagde ze er toch in om haar de belofte te ontfutselen dat ze – desgevraagd – tegen Nick zou zeggen dat Marnie die nacht bij haar had geslapen), telefoons die het niet deden, lege mobieltjes en geen taxi te bekennen.

Ze moest er gewoon voor zorgen dat Nick haar geloofde. Ze wilde hem niet kwijt. Eerlijk gezegd had ze nooit verwacht dat hij haar zou geloven, maar hij kon niet tegen haar op. Ze verzon telkens weer een ander belachelijk excuus als hij haar verzinsels doorprikte en uiteindelijk werd hij zo moe van haar dat hij het erbij liet zitten.

Later die dag keek ze op kantoor naar Rico en haar maag kromp samen.

Ik was dronken en je hebt misbruik van me gemaakt.

Maar toen zei een ander inwendig stemmetje: *Niemand heeft me gedwongen om die borrels op te drinken...*

Een ding was echter zeker, door met Rico te slapen had ze de grootste fout van haar leven gemaakt. Alleen maar omdat ze teveel had gedronken, had ze haar huwelijk op het spel gezet. Het zou haar nóóit meer overkomen.

Drie weken later gebeurde het opnieuw, bijna tot in de kleinste bijzonderheden.

En opnieuw.

Het zoveelste kindermeisje nam ontslag en Marnies schuldgevoelens lagen als een steen op haar maag. Ze koesterde alleen maar minachting voor zichzelf en de feilloze manier waarop ze alles wat ze aanraakte kapotmaakte.

Maar terwijl ze steeds verder verstrikt raakte in het web van alcohol, deed ze wel haar best om eraan te ontsnappen. Ze bad tot een god waarin ze niet geloofde om de kracht voorgoed met drinken te stoppen en ze stroopte regelmatig het hele huis af op zoek naar de flessen die ze verborgen had om de inhoud in de gootsteen te gieten.

Laat me alsjeblieft ophouden laat me alsjeblieft ophouden laat me alsjeblieft ophouden.

Op aandringen van Nick probeerde ze of ze met acupunctuur van haar verslaving af kon komen, ze deed aan meditatie om rustiger te worden, ze schreef zichzelf tryptofaan en chroom voor, ze zeurde bij haar dokter om betere antidepressiva en ze probeerde zichzelf op een natuurlijke manier op te peppen door regelmatig te gaan hardlopen.

Maar ze hield van alcohol. Wodka was het enige waar ze echt naar verlangde en dat eerste slokje was met niets te vergelijken. Die frisse smaak, dat heerlijke gevoel als er een slok door haar keel naar beneden gleed, haar hele borstkas verwarmde en korte metten maakte met al haar angst en bezorgdheid. Het was alsof ze van top tot teen bezaaid werd met sterretjes en ze was ineens alert en toch kalm, hoopvol en toch berustend. Daarna duizelingwekkend vrij en opgelucht.

'Ik moet terug naar Dublin,' zei Grace. 'Ik heb weekenddienst omdat ik deze week een paar dagen heb gemist.'

'Ik snap het. Het was lief van je om te komen, heel lief.'

'Luister eens even, voordat ik ga, moet ik je nog iets op het hart drukken. Ik wil je niet bang maken, maar Nick pikt dit niet veel langer meer. Hij is echt een fijne vent.'

'Dat weet ik wel,' mompelde Marnie.

'Ik mocht hem altijd al wel, maar... Nou ja, ik vond hem nogal een lichtgewicht. Ik denk dat ik hem op zijn kleren beoordeelde. Maar goed, dat is voorbij. Hij is echt fantastisch. O en je hebt me ook niet verteld dat hij geen bonus heeft gekregen omdat hij door jouw schuld zoveel vrije tijd moest opnemen.'

Marnie verstopte van schaamte haar gezicht in het kussen.

'Hij moest ook steeds vroeg van zijn werk naar huis omdat jullie kindermeisje naar haar volgende klus moest, hè? Omdat jij vrijwel nooit op tijd thuis kwam. En hij kon 's morgens pas later beginnen omdat hij eerst de meisjes naar school moest brengen als jij weer eens een kater had. En ja, Marnie, ik weet wel dat de verantwoordelijkheid door beide ouders gedeeld moet worden, maar eerlijk is eerlijk, Nick verdient vijftien keer zoveel als jij.'

Dat wist Marnie best.

'Luister eens goed, Marnie, want dit is echt belangrijk. Als puntje bij paaltje komt, zullen de kinderen aan Nick toegewezen worden.'

Nick zal bij je weggaan.

Je krijgt geen zeggenschap over je kinderen.

Ik wil een borrel.

'Je drinkt zoveel dat er geen rechtbank in het land... Hè? Is dat de bel?' Grace draafde de trap af en kwam even later weer naar boven denderen. 'Het is je baas.'

'Guy?'

'Een lange, chique vent? Ja.'

'Wat? Híér?'

'In de zitkamer. Trek je ochtendjas aan en haal een borstel door je haar.'

'Ik wil je een voorstel doen,' zei Guy.

Marnies hartslag versnelde en ineens leek het veel te warm in de kamer.

'Ik geef erg veel om je, Marnie.'

Ze keek hem zonder iets te zeggen aan. Was dit echt waar? Wat zou de prijs zijn die ze moest betalen om haar baan te houden? Eén enkele wip? Of een vaste afspraak voor drie keer per week?

Hoe dan ook, dat kon hij schudden.

'Hoewel je af en toe gewoon een regelrechte nachtmerrie bent,' zei hij.

Ze knikte. Dat wist ze best. Maar toch was ze niet van plan om met hem naar bed te gaan.

'Ik heb dit nooit op het werk verteld,' zei hij, 'maar... mijn moeder was net als jij.'

'...Wat bedoel je?' Oedipus met sluik haar. Jezus, dat kon ze er nog net bij hebben.

'Een dronkenlap.'

Een *dronkenlap*. Het woord riep een beeld op van nauwelijks menselijke figuren die zich rond een komfoor verdrongen en ruzie maakten om een fles.

'Wat is er?' vroeg Guy. 'Bevalt dat woord je niet?'

'Het klinkt nogal... ruig.'

'Ruig?' Guy keek veelbetekenend naar haar gebroken ribben. 'Oké, mijn moeder was net als jij alcoholist. Bevalt dat beter?'

'Alsjeblieft.' Ze werd er zo verschrikkelijk moe van. 'Het spijt me, Guy. Ik schaam me echt ontzettend en ik beloof je dat het nooit weer zal gebeuren.'

'Mag ik een paar dingen tegen je zeggen? Dingen die echt waar zijn?'

Ze slaakte een diepe zucht – waarom moest alles zo cru en zo pijnlijk gebeuren? 'Ga je gang, Guy, als dat je een beter gevoel geeft.' Hij had het recht om zijn zegje te doen.

Hij zat haar aan te kijken en ze kon zien dat hij aarzelde of hij haar wel alles onder de neus wilde wrijven.

'Je wast je niet vaak genoeg,' zei hij.

Ze voelde niets. Helemaal niets. Ergens heel ver weg gloeide een andere Marnie van schaamte, maar deze voelde helemaal niets.

'Dat is niet waar,' zei ze.

Maar het was wel waar, ze ging niet iedere dag onder de douche, niet meer. Op sommige dagen kostte het haar zoveel wilskracht om alleen al uit bed te stappen en kleren aan te trekken, dat ze de moed niet meer kon opbrengen om haar intens koude lichaam door het water te laten ranselen.

'Maar dat hoort allemaal bij een drankverslaving,' zei hij op bijna vriendelijke toon.

Haar gezicht vertrok.

'Ik heb het bij mijn moeder zien gebeuren,' zei hij. 'De depressies, de leugens, het zelfmedelijden...'

'Zelfmedelijden?'

'Je wentelt jezelf erin. En er is nog iets, Marnie. De persoon die je heeft verteld dat wodka niet ruikt, heeft je voor de gek gehouden. En ten slotte: blijf bij Rico uit de buurt. Anders kunnen jullie allebei op zoek naar een andere baan.'

'Hé, wacht even, Guy, ik ben een volwassen vrouw. Wat ik met Rico heb, gaat jou niets aan.'

Hij schudde zijn hoofd. 'Ik ben je baas. Het gaat me wel aan.'

'Nietwaar...'

Guy zuchtte. 'Je had toch inmiddels wel begrepen dat Rico ook een alcoholist is?'

Waarom wist Marnie niet, maar dat joeg haar de stuipen op het lijf. Rico was geen alcoholist, hij dronk alleen graag. Net als zij. Precies zoals zij.

Verontwaardigd zei ze: 'Zelfs als dat waar zou zijn – en dat is het niet – waarom neem jij dan alleen maar alcoholisten in dienst?'

'Dat weet ik niet,' erkende hij. 'Het is niet opzettelijk gebeurd. Een deskundige zou waarschijnlijk zeggen dat ik me gedwongen voel jullie te helpen, precies zoals ik mijn moeder moest helpen.'

God, dacht ze, iedereen is tegenwoordig verdomme psychotherapeut. Zelfs chique kerels.

'Het is een soortgelijke drang,' vervolgde hij, 'die alcoholisten zoals jij en Rico ertoe drijft elkaar op te zoeken. Waarschijnlijk omdat jullie normale drinkers bang maken, zodat jullie alleen nog maar met elkaar kunnen drinken.'

Nee. Het kwam gewoon doordat Rico op haar viel en haar dronken wilde voeren, zodat ze...

'Desalniettemin zal Rico je niet langer lastig vallen. Ik heb al met hem gesproken. En van de anderen zul je geen last hebben. Die willen toch niet met je naar de kroeg, omdat ze zich voor je schamen.'

De vlammen sloegen haar uit. Het was haar al opgevallen dat ze nooit bleven.

'En dat brengt me bij mijn voorstel. Je hebt nog steeds een baan, op voorwaarde dat je naar de bijeenkomsten van de AA gaat en niet meer drinkt.'

'Marnie, ik geef je nog één kans,' zei Nick. 'Als je weigert om naar een ontwenningskliniek te gaan...'

'Dat is echt niet nodig, Nick.'

'Dan zul je een andere manier moeten vinden om te stoppen. Ik zal doen wat ik kan om je te helpen. Wat het ook is, Marnie, dat maakt niet uit. Maar als je weer gaat drinken, moet ik wel bij je weg en dan neem ik de meisjes mee.'

'Mam?' Daisy kwam op haar tenen de slaapkamer binnen, met een verbazend schichtige blik.

'Ja lieverd?'

'Mam.' Daisy klom op het bed en fluisterde: 'Er is iets verschrikkelijks gebeurd.'

'Wat dan?'

Toen Daisy begon te huilen schoot Marnie met een ruk overeind. Daisy was er trots op dat ze nóóit huilde.

'Het geeft niet, lieverd, wat het ook is, zo erg kan het niet zijn.'

'Mam, ik...' Ze zat zo te snikken dat ze nauwelijks verstaanbaar was. Maar ze slaagde er toch in één zinnetje uit te brengen. 'Ik heb in bed geplast!'

Ze voelde zich overduidelijk zo schuldig dat Marnies maag zich omdraaide.

'Ik ben bijna zeven,' stamelde Daisy terwijl de tranen over haar snoezige gezichtje biggelden. 'En ik heb in bed geplast!'

Marnie staarde Daisy als door de bliksem getroffen aan. Dit was het moment. Het was eindelijk aangebroken. Het moment waarop ze begreep, waarop ze ineens met een haast mythische zekerheid weer wist dat ze absoluut moest stoppen.

Ze had omgang gehad met misdadigers, ze had haar eigen botten gebroken en ze was gedwongen om bijeenkomsten van de AA bij te wonen, maar dit was precies wat ze nodig had om haar gezond verstand terug te vinden.

Ze hield zoveel van haar dochtertjes dat het bijna pijn deed. En zij leden eronder dat zij zoveel dronk, terwijl zij niet eens in staat was om op te houden. Het schuldgevoel was ondraaglijk.

Ik hou meer van hen dan van drank. Zo simpel was het.

Ze besefte dat ze er waarschijnlijk jaren over had gedaan om dit punt te bereiken, maar de beslissing was in een onderdeel van een seconde genomen. Ze was kalm, helder en vastbesloten.

Ik drink geen druppel meer.

Maandag. Ze liep met opgeheven hoofd het kantoor in. Ze was een nieuw mens dat aan een nieuw leven begon en ze voelde zich goed.

Ze was schoon en keurig, een toegewijde moeder en een liefhebbende vrouw, een vlijtige medewerkster.

Craig zei hallo, Wen-Yi knikte haar toe en Lindka riep: 'Goede morgen!' Niemand begon over haar blauwe plekken of over het feit dat ze bijna een week weg was geweest en dat betekende dat iedereen precies wist wat er gebeurd was. Guy zou wel tegen hen gezegd hebben dat ze net moesten doen alsof er niets aan de hand was. Het bezorgde haar een onbehaaglijk gevoel, maar in ieder geval was het de laatste keer dat·ze op deze manier ontvangen werd.

Rico was er ook. Hij grinnikte schaapachtig tegen haar en een gevoel van walging welde op. Hij had haar ontelbare sms'jes gestuurd toen ze thuis was, maar daar had ze slechts één keer op gereageerd met een paar korte woordjes, om hem te laten weten dat ze nog in leven was.

Het zit er dik in dat ik met hem heb geneukt.

Was dat ook ontrouw als je je er niets van kon herinneren?

Om kwart over twaalf dook Guy naast haar bureau op. 'Tijd voor je bijeenkomst.'

De AA-bijeenkomst. De hele ochtend had ze zich afgevraagd of hij er echt op zou staan dat ze ging.

'Maar dat is niet meer nodig, Guy,' zei ze rustig. 'Echt niet. Ik ben vastbesloten om niet meer te drinken. Vanwege mijn dochtertjes. Ik begreep ineens dat ik hun schade toebracht...'

'Prima. De bijeenkomsten zullen je helpen om je aan dat besluit te houden.'

'Maar als ik de drank opgegeven heb en geen alcoholist ben, waarom moet ik dan...'

'Ga maar gauw.' Hij gaf geen duimbreed toe. 'En je hoeft je niet te haasten, je kunt het hele uur blijven.'

Donderdag. Ze stond tussen de hangertjes te zoeken naar een maatje zesendertig toen ze voelde dat er iemand naar haar stond te kijken. Lindka, met een vijandige blik. Shit.

'Word jij niet geacht bij een AA-bijeenkomst te zijn?'

'Pardon?' Bemoeide de hele wereld zich dan met haar zaken?

'Guy heeft je al de hele week een halfuur extra lunchtijd gegeven om je in staat te stellen naar die bijeenkomst te gaan.'

'Hoor eens...' Ze voelde zich al een hele tijd niet meer op haar gemak bij Lindka, vanaf die keer dat ze haar gevraagd had om tegen

Nick te zeggen dat ze een nacht bij haar had geslapen. 'Ik stond net op het punt ernaartoe te gaan.'

'Het is tien voor halftwee. En die bijeenkomst begint om één uur.'

Hoe wist Lindka dat nou? Wist iedereen op kantoor dan alles van haar af?

'Heb je wel één van die bijeenkomsten bijgewoond?' vroeg Lindka beschuldigend.

Toevallig niet, nee. Ze had elke lunchpauze lekker gewinkeld. Waarom moest zij naar een bijeenkomst met drankorgels terwijl ze zeker wist dat ze nooit meer een druppel zou drinken? Ze had een heerlijke week achter de rug, een fijne week. De sfeer thuis was gezellig, ze had pret gehad met Nick en de meisjes, ze had voor het eerst sinds tijden weer eens gekookt en ze had geen moment naar drank verlangd. Ze was ongelooflijk dankbaar dat ze haar gezin nog had en dat Nick zoveel geduld met haar had.

'Ga maar mee,' zei Lindka, 'dan breng ik je er wel naartoe.'

Lieve hemel. Maar ze was te bang voor Lindka om te protesteren.

Ze liepen zwijgend door de kille straat en toen ze bij het buurtcentrum waren, zei Marnie: 'Hier is het.'

'Welke kamer?' Lindka liep zelfs mee naar binnen.

Marnie zei niets. Lindka behandelde haar als een kind.

'Welke kamer?' Lindka's stem klonk harder.

'Die.' Marnie wees naar een gesloten deur. Lindka deed open, stak haar hoofd naar binnen, keek om zich heen en scheen tevreden gesteld.

'Naar binnen, Marnie, en als je weer op het werk komt, kun je aan Guy vertellen waar ik je gevonden heb.'

'Alsjeblieft, Lindka…'

'Als jij het hem niet vertelt, doe ik het.'

Marnie glipte de kamer binnen en nam een stoel. Een heleboel mensen glimlachten en groetten haar zonder geluid te maken. Het gezeur was in volle gang.

'…Ik heb geprobeerd in mijn eentje te stoppen, maar dat ging niet. Het enige wat hielp, waren deze bijeenkomsten…'

'…Ik kon niet met mijn gevoelens overweg. Ik was altijd boos, jaloers, gedeprimeerd of bang en daarom dronk ik…'

'…Ik had een beeldschone vriendin. Ik was echt dol op haar. Ze smeekte me om te stoppen en dat heb ik voor haar geprobeerd, maar het lukte niet. Toen ging ze bij me weg en ik stierf bijna van verdriet, maar toch bleef ik gewoon doordrinken. De waarheid was dat ik meer van alcohol hield dan van haar…'

'…Ik gaf iedereen de schuld van mijn drankgebruik: mijn vrouw omdat ze me constant aan de kop zeurde, mijn baas omdat ik veel te hard moest werken, mijn ouders omdat ze niet genoeg van me hadden gehouden. Maar ik dronk alleen omdat ik een alcoholist ben en daarvoor ben ik zelf verantwoordelijk…'

Nu ze toch hier was, zou ze best een kopje thee en een biscuitje lusten, misschien dat de tijd dan ook sneller voorbijging. Ze keek om zich heen om te zien waar de thee stond en haar blik kruiste per ongeluk die van de man die aan het hoofdtafeltje zat. 'Fijn om je te zien,' zei hij. 'Wil je ook iets zeggen?'

Ze schudde haar hoofd.

'Hoe heet je?'

In vredesnaam! 'Marnie.'

'Hallo, Marnie.'

Er viel een stilte vol verwachting. Nu moest ze eigenlijk zeggen: 'En ik ben een alcoholist.'

Maar dat was ze niet, dus dat deed ze niet.

Om vijf voor twee glipte ze naar buiten. Het gezeur hield nog steeds aan, maar ze had er genoeg van. Ze rende zelfs door de gang naar de buitendeur om zo snel mogelijk te ontsnappen.

'Marnie?'

Wat nu weer? Ze draaide zich om. Een gracieuze vrouw was achter haar aan de kamer uitgelopen. Roze sweatshirt met capuchon, zwierige paardenstaart, brede glimlach. 'Weet je nog wie ik ben? Jules. We hebben elkaar één keer eerder ontmoet.'

'…O, ja…'

'Hoe gaat het ermee?'

'Goed, ja hoor, geweldig.' Het daglicht wenkte door de smalle raampjes in de houten voordeur. Ze was zo dichtbij geweest…

'Hier heb je mijn nummer.' Jules gaf haar een kaartje. 'Als je aan drank gaat denken, mag je me elk moment bellen, dag en nacht. Dat meen ik echt.' Met een hartelijke glimlach. 'En zou ik jouw nummer ook mogen hebben?'

Marnie wist niet hoe ze dat kon weigeren zonder onbeleefd te lijken en gaf met tegenzin haar nummer, dat Jules meteen in haar mobiele telefoon toetste.

Mag ik nu weg?

'Guy, ik moet je iets bekennen.'

De schrik stond op zijn gezicht te lezen. 'Heb je gedronken?'

'Nee!'

'Ben je niet naar de bijeenkomst geweest?'

'Ja, maar niet vanaf het begin. Ik ben eerst gaan winkelen.'

'Maar dat geeft toch niets.' Hij was zo opgelucht dat hij zijn hand over zijn hart streek. Toen zag hij dat Lindka naar hen zat te kijken. 'Wat heeft Lindka hiermee te maken?'

'...Ze zag me in de winkel.'

Het duurde even voordat hij het begreep. 'Bedoel je dat je niet was gegaan als ze je niet betrapt had?'

'Later, misschien.'

Het was duidelijk dat hij haar niet geloofde en geërgerd viel ze uit: 'Het leek gewoon onzin, omdat ik weet dat ik nooit meer zal drinken. Dit keer is het anders. Ik wil niet eens drinken.'

Hij leek in elkaar te krimpen. 'Dus je bent bij geen van die bijeenkomsten geweest?'

Ze overwoog even om te liegen. Maar hier moest een eind aan komen. Ze kon niet zolang ze nog werkte iedere lunchpauze in warenhuizen rondhangen. 'Nee, Guy.' Ze klonk redelijk. 'Dat was niet nodig.'

Hij slaakte een diepe zucht. 'Oké.'

'Wat bedoel je?'

'Oké, dan ga je niet. Ik bedoel dat je niet net hoeft te doen alsof je wel gaat.'

Dat had haar eigenlijk een goed gevoel moeten geven. Maar terwijl ze naar haar bureau liep, voelde ze zich misselijk. Hij had het goed bedoeld en ze vond het vervelend dat ze hem gekwetst had. Plotseling werd ze kwaad op hem omdat hij haar een schuldgevoel bezorgde. Ze was kwaad op Lindka omdat die zich ermee bemoeid had. En ze was kwaad op Nick. En op Rico. Ze konden doodvallen. Allemaal. Wie dachten ze verdomme wel dat ze waren? Wie gaf hun het recht om haar leven te bepalen? En haar als een kind te behandelen. Te vernederen.

Ze was een volwassen vrouw. Ze kon best drinken als zij dat wilde. En dat zou ze doen ook.

Ja, drinken.

Ze had er geen behoefte meer aan gehad sinds die zielige bekentenis van Daisy. Ze was vrij geweest. Trots op haar besluit en met een minachtend gevoel dat iedereen er zoveel heisa over maakte.

Drank.

Nu.

Nu nu nu nu nu nu.

Haar lichaam zinderde van verlangen... waar kwam dat ineens

vandaan? Ze was nat van het zweet, haar bloed gierde door haar aderen en door haar hoofd schoot: ga naar de slijter, koop een fles, drink die in het damestoilet leeg, vollopen troost genezing.

Ik heb het nodig ik heb het nodig ik heb het nu nodig.

Daisy en Verity? Hoezo Daisy en Verity?

Maar ze zette hen uit haar hoofd. Ze wist nauwelijks wie ze waren.

Ze sprong op, greep haar tas en riep: 'Toiletteren' toen iedereen opkeek.

Toen was ze al buiten, rennend en zonder jas met een vage indruk van winkels en kantoren die in een waas voorbijgleden en de koude wind die venijnig in haar gezicht sneed. De slijter was aan het eind van de straat, maar ineens zag ze een kroeg. Recht voor haar neus, als een presentje uit de hemel. Naar binnen, naar de tap.

'Wodka-tonic.' Ze kon nauwelijks praten. 'Een dubbele.'

Nat van het zweet. Trillend. IJsblokjes in een beslagen metalen bak. Ze zag ze uit de tang vallen. Vallen en oppakken, vallen en oppakken. De wereld teruggebracht tot ijsblokjes. Een kwam er rinkelend in het glas terecht. Gelukt. De tang probeerde er nog een te pakken.

'Nee! Lamaar.' Ze klonk nu al alsof ze dronken was.

'Hè?'

'IJs. Lamaarzitten.'

'Wil je geen ijs?' De barkeeper hield het glas schuin om het ene ijsblokje eruit te gooien.

'Sgoedzo. Smeerdangenoeg!'

De wodka, de wodka, de wodka, geef me die verdomde wodka nou maar.

Alsof hij haar met opzet stond te pesten liep hij naar een bordje met schijfjes citroen.

'Geencitroen!'

'Geen citroen?'

'Neenee.' Jezus. 'Alleenmaar...'

Ze knikte met haar hoofd naar de wodka. Ze keek ademloos toe hoe het vloeibare kristal in het glas vloeide.

'Zei je dat je een dubbele wilde?'

Haar hart stond stil. Zou ze die enkele nu nemen? Of nog twee seconden wachten op een dubbele?

'Enkelsgoed.'

'Had je geen dubbele besteld?'

'Goeddoedanmaardubbel!'

Langzaam begon de wodka weer te vloeien. Daarna bukte de barkeeper zich en zette het glas net buiten haar bereik. Wat nu weer?

'Light of gewoon?' De tonic. Ze kon nog net een gekreun binnen-houden.

'Gwoon.'

'Ik zie dat we geen gewone meer hebben. Ik zal even naar beneden moeten.'

Ze was bang dat ze zou gaan gillen. 'Geefnie,' zei ze wanhopig. 'Doemaarlight.'

'Het is een kleine moeite, hoor. Ik moet toch naar beneden.'

'Nee, alsjeblieft! Geef nou maar...' Ze stak haar hand uit naar het glas.

En toen had ze het ineens in haar hand en het vloeide door haar keel. Ze voelde de warmte in haar maag en ze voelde zich omhuld door sterretjes, opgewonden door de toverkracht die als het ware een gordijn opentrok om een betere, schonere en sprankelender ver-sie van alles te onthullen.

Het glas kwam met een klap op de houten tap terecht. 'Nogeen.'

Ze dronk het tweede ook staande aan de tapkast leeg en ging zit-ten om het derde glas naar binnen te slaan. Toen kon ze weer adem-halen en overwegen wat haar te doen stond.

Ze kon teruggaan naar haar werk, per slot van rekening was ze hooguit een paar minuten weg geweest, maar na even wikken en wegen besloot ze dat niet te doen. De kolkende behoefte was afge-nomen, ze voelde zich lekker, heel goed zelfs, maar ze vond het hier prettig, ze bleef liever doordrinken. En waarom ook niet? Over twee weken was het alweer Kerstmis.

Ze slikte nog een mondvol vloeibare glitters door en voelde hoe de warmte verder optrok.

Ze was nog nooit zomaar halverwege de middag van haar werk weggelopen.

Nou ja, een keer moest de eerste zijn.

Heel even speelde haar geweten op. Die documenten die vandaag nog op de post moesten? Als ze zo belangrijk waren, zou iemand anders dat wel doen.

En Daisy en Verity? Daar ging het prima mee. Alles was prima, prima, geweldig en prima.

'Nog een.' Ze zwaaide met haar glas naar de onbewogen bar-keeper.

Alles was heerlijk, alleen wilde ze dat er iemand was met wie ze kon praten. En wie anders dan Rico? Hij had haar de hele week met rust gelaten, precies zoals Guy had voorspeld, maar eígenlijk was ze dol op Rico, ontzéttend dol en ze wilde hem ineens zien.

Ze viste haar mobieltje op. 'Hoe heet deze tent?' vroeg ze. 'De Wellington.'

In de Wellington. KJOMF?

Ze hield de telefoon in haar hand, wachtend op antwoord. Schiet op, drong ze aan, schiet op.

BNR in 5!

Over vijf minuten! Geweldig! Ze bestelde vast een drankje voor hem en zat net te bedenken hoe geweldig alles was, toen Rico al binnenkwam! Met een brede grijns. 'Ik mag eigenlijk niet met je praten.'

Ze schoot onwillekeurig in de lach. 'Ik ook niet met jou. Hier is je drankje.'

Hij sloeg het in één teug achterover en ze begonnen allebei als een idioot te lachen.

'Moest jij ook van hem naar bijeenkomsten van de AA?' vroeg ze.

'Ja, maar ik moest 's avonds omdat ik niet tegelijk met jou mocht gaan. Maf hè, dat hele gedoe? Guy is niet goed wijs.' Hij knikte naar de barkeeper. 'Twee keer hetzelfde.'

Ze was vergeten hoe goed Rico er eigenlijk uitzag en drukte haar neus in zijn hals. 'Ik heb je gemist.'

'Ik jou ook.' Hij drukte zijn mond op de hare en duwde zijn tong in haar mond. Lekker. Sexy. Min of meer.

Het begon drukker te worden in de kroeg.

'Hoe laat is 't, Rico?'

'Tien over vijf. Je laat me toch niet in de steek?'

Ze moest eigenlijk naar huis. Maar ze had een man en een kindermeisje, die konden de kinderen net zo goed opvangen.

'Nee hoor, ik ga nergens naartoe.'

Toch plaagde haar geweten haar enigszins. Waarom belde ze niet even? Het was niet eerlijk als ze zich zorgen zouden gaan maken, maar ze hadden haar alleen maar last bezorgd en ze voelde zich zo gelukkig nu en ze was maar zo zelden echt gelukkig...

Ze nam nog een flinke slok, waarbij de ijsblokjes tegen haar tanden tikten en toen ze haar glas weer neerzette, stond Guy ineens voor haar. Hoewel ze al flink duf was, schrok ze toch.

'...Guy, ik...' Ze zocht een excuus, maar kon niets bedenken.

Hij torende boven hen uit, lang en hautain, terwijl zij en Rico eruitzagen als een stel betrapte scholieren.

'Marnie.' Hij gaf haar een witte envelop. 'En voor jou heb ik er ook een,' zei hij tegen Rico.

Meteen daarna vertrok hij, terwijl zij elkaar met grote ogen aan zaten te kijken. 'Hoe wist hij waar we zaten?'

'God.' Ze barstte in lachen uit. 'We zijn ontslagen! Hij heeft ons allebei ontslagen!'

Ze scheurde de envelop open en samen bestudeerden ze de inhoud. De woorden die meteen in het oog sprongen, waren 'dronken'... 'geduld'... 'gewaarschuwd'... 'op staande voet ontslagen'...

'Hij heeft me echt ontslagen.' Ze had nog steeds de slappe lach. Met een somber gezicht scheurde Rico zijn envelop open en las de brief vluchtig door. 'Ik geloof verdomme mijn ogen niet. Hij heeft mij ook de laan uit gestuurd.'

'Dat zei ik toch!'

'Ik had nooit gedacht...'

'Waarom zou hij mij ontslaan en jou niet?'

'Omdat ik verdomme een genie ben. En als hij niet zo gek op jou was geweest, had het hem geen bal kunnen schelen wat ik met je uitspookte.'

'Hoor eens, hij meent het toch niet.' Ze liet haar hand over Rico's dij glijden tot bijna aan zijn kruis. 'We zijn helemaal niet ontslagen, hij wil ons alleen laten schrikken.'

'Hoe weet je dat?'

'Dat zit er dik in!' Logisch toch?

'Weet je dat zeker?'

'Heel zeker. Zeg, zit ik hier soms mijn tijd te verdoen?' Ze trommelde met haar vingers op zijn been en begon discreet over de stof te strelen om hem aan te moedigen en voelde al snel zijn erectie. Hij begon haar opnieuw te kussen en liet zijn hand achter in haar rok glijden, in haar panty en haar slipje, tot zijn vingers zich om haar bil sloten.

Toen de barkeeper naar hun tafeltje toekwam, dacht ze aanvankelijk dat hij de lege glazen kwam ophalen. Maar hij zei rustig: 'We zouden het op prijs stellen als u vertrekt.'

Wát?

Ze voelde zich zo vernederd dat de vlammen haar uitsloegen.

'Zeg luister eens even...' begon Rico op dreigende toon, maar zij zei: 'Laat nou maar. Kom op, we gaan gewoon weg.'

Ze vielen letterlijk met de deur Rico's appartement binnen en zij kwam op de grond terecht en trok hem mee, waardoor hij hard zijn elleboog stootte.

'Jezus! Godallemachtig, Marnie, dat deed echt verrekt zeer!'

'Hou je bek, slapjanus, ik heb DRIE GEBROKEN RIBBEN! Ik weet ALLES van pijn!'

'Hou nou eens op met lachen. Sta op en trek je kleren uit.' Hij duwde haar naar de slaapkamer, friemelend aan haar rok.

'Ik wil een borrel!' Ze liet zich op zijn bed vallen en riep vrolijk: 'IK WIL EEN BORREL!'

'Ik heb niets in huis.' Hij had zijn ogen halfdicht en zijn mond was slap. Dronkenschap maakte hem er niet mooier op. 'Ik zal de deur uit moeten om iets te gaan halen.'

'Echt niet?' riep ze. 'Waarom niet?'

'Ik heb alles opgedronken.'

'Ha! Dronkenlap!'

'Marnie, als je nou niet ophoudt met lachen, kun je een dreun van me verwachten.' Hij drukte zich hard tegen haar aan, waarbij zijn erectie pijnlijk tegen haar schaambeen drukte. Meteen daarna begon hij tegen haar aan te schuren en duwde zijn tong bijna in haar keel. Dat beviel haar totaal niet, zonder dat ze wist waarom.

Ze was niet dronken genoeg. Dat was het probleem. Ze waren te snel de kroeg uitgezet.

'Hou op.' Ze duwde zijn gezicht opzij en probeerde onder hem weg te rollen.

'Waarom? Wat is er?'

Waarom?

'Ik ben getrouwd.'

Hij deinsde verbijsterd achteruit. 'Dat heeft je hiervoor ook niet tegengehouden.'

Dus ze was inderdáád met hem naar bed geweest. O nee. O nee nee nee. Maar ze kon nu niet doen alsof dat nieuws voor haar was.

'Dat had het wel moeten doen.' Ze wilde weg, want ze walgde gewoon van hem. 'Ik hou van mijn man.'

'Wat?' reageerde hij geschokt.

Ik hou van Nick en ik hou van mijn kinderen en ik weet niet wat ik hier doe. 'Rico, ik wil naar huis.'

'Dan moet je vooral gaan.'

Buiten op straat kreeg ze geen taxi te pakken, want zodra de chauffeurs doorhadden dat ze dronken was, reden ze door. Vandaar dat ze helemaal terug naar kantoor moest lopen om haar auto op te halen. Het was niet echt ver, hooguit anderhalve kilometer, maar ze deed er wel lang over, want het wemelde op straat van de mensen, die allemaal al min of meer in kerststemming waren.

Bij het parkeerterrein aangekomen vroeg ze zich even af of ze wel nuchter genoeg was om te rijden, maar besloot vervolgens dat het best ging. Zo'n wandeling zou zelfs George Best ontnuchterd hebben. En hoewel ze een paaltje raakte toen ze uitparkeerde, kwam dat eigenlijk goed van pas, want het waarschuwde haar dat ze extra voorzichtig moest zijn.

Het was een drukte van belang en iedereen reed als een idioot, terwijl voetgangers languit op straat vielen en bijna onder haar wielen terechtkwamen. Het leek wel een hindernisrace. Meteen daarna kwam ze voor een politieauto terecht met een blauw zwaailicht en een gillende sirene. Pas toen ze bij een bushalte was gestopt om ze voorbij te laten en de auto achter de hare tot stilstand kwam, besefte ze dat ze het op haar voorzien hadden. Haar maag draaide zich om.

Ze waren met hun tweeën, allebei kerels. Ze draaide het raampje open.

'Wilt u even uitstappen, mevrouw?' De beide agenten wisselden een blik. 'Hebt u gedronken?'

Ze werd thuisgebracht in een politieauto. Ze was door rood licht gereden en aangehouden wegens rijden onder invloed. Inmiddels was het elf uur 's avonds. Nick zou des duivels zijn.

Goddank was het licht uit. Ze lagen al in bed. Misschien zou het toch met een sisser aflopen. Ze liep op haar tenen naar binnen en ging rechtstreeks naar de keuken, waar ze een paar maanden geleden een fles Smirnoff overgegoten had in een lege bleekwaterfles, bij wijze van noodvoorraad. Ze had ook nog wel iets boven in haar klerenkast, een fles die Grace over het hoofd had gezien, maar als ze die ging halen, zou ze Nick misschien wakker maken.

Ze had de envelop die tegen de pepermolen stond wel gezien, maar ze pakte hem pas op toen ze met haar drankje aan tafel ging zitten. Geen adres, alleen maar haar naam in zwarte typeletters.

Nog een brief van Guy? Om het ontslag in te trekken?

De herinnering aan hoe ze door hem in de kroeg betrapt was, leek op een wolk die voor de zon langs gleed. En dat ze vervolgens ook nog de tent uit werden gezet...

God.

Ze maakte de envelop open. Een getypte brief op zwaar crèmekleurig papier en niet van Guy. Van een advocatenkantoor; Dewey, Screed en Hathaway, Juristen.

Waar ging dit over?

Niet over haar baan.

Het had iets met Nick te maken.

Ze slaagde er met moeite in om de woorden te ontcijferen.

Nick was bij haar weg. Hij had de kinderen meegenomen. Het huis stond te koop.

Ze had al het idee gehad dat er een vreemde sfeer in huis hing, maar nu begreep ze wat er aan de hand was: er was niemand aanwezig.

Ze holde de trap op, regelrecht naar Verity's kamer, en rukte de klerenkast open waardoor de lege hangertjes tegen elkaar kletterden. Daarna stoof ze naar de kamer van Daisy, waar het bed keurig opgemaakt en leeg was. Naar haar eigen kamer, op een stoel geklommen om het hoogste kastdeurtje open te trekken: dit zou het bewijs leveren. Wat ze zag, deed haar letterlijk naar adem snakken: alle kerstcadeautjes voor de meisjes waren verdwenen. Hoe raar het ook klonk, de lege ruimte leek te pulseren.

Hij was bij haar weggegaan, de klootzak, en hij had de meisjes meegenomen.

Ze ging boven aan de trap zitten en bleef maar slikken om haar droge mond te bevochtigen.

Ze zouden vast wel weer terugkomen, ze probeerden haar gewoon bang te maken. Maar dit was echt een rotstreek. Een rotstreek.

Ze hoorde zelf hoe ze gilde en sprong meteen op, terwijl ze haar hand uit de zijne rukte, zonder te weten waarom.

Een sigaret. Hij had een sigaret uitgedrukt in de palm van haar hand. Hij had haar hand zo stevig vastgepakt dat de botten kraakten en had toen zijn sigaret er middenin uitgedrukt.

Ze kreeg een rood waas voor haar ogen en kon niets meer zien.

Hij staarde naar haar handpalm, naar de ronde brandplek, waar nog vlokjes as omheen zaten. Ze rook een rare lucht en een pluimpje rook steeg van de wond op.

'Waarom... Waarom deed je dat?' Haar tanden klapperden.

'Per ongeluk.' Hij klonk verbijsterd. 'Ik dacht dat het een asbak was.'

'Hoe kan dat nou?'

De pijn was zo erg dat ze niet stil kon blijven liggen. 'De koude kraan.' Ze stond op en al het bloed trok weg uit haar hoofd.

'Ik heb wel goed verband,' zei hij. 'En een ontsmettingsmiddel. Je moet zorgen dat het niet gaat smetten.'

Hij verbond haar wond, hij gaf haar codeïne en hij bracht haar eten op bed dat hij haar hapje voor hapje voerde.

Hij was nog nooit zo teder geweest.

Lola

Donderdag 11 december, 21.55
Ik trok voorzichtig de voordeur open, liep op mijn tenen naar buiten en keek argwanend om me heen. Jake de halfgod was in geen velden of wegen te zien, ook al kon hij zich best in de buurt schuilhouden om me te overvallen met zijn surfersstandjes.

21.56
Kroop op handen en voeten onder de afzetting door en klopte op de voordeur van Rossa Considine.

'Precies op tijd,' zei hij. 'Kom binnen.'

Terwijl we met een biertje zaten te wachten tot *Law and Order* zou beginnen, leek hij een beetje chagrijnig. Ik was inmiddels al drie donderdagavonden bij hem geweest om tv te kijken en dat was goed gegaan, ook al was het een beetje rare situatie. Per slot van rekening kwam de uitnodiging van de aanbiddelijke Chloe, maar de deur werd opengedaan door de slonzige Rossa. Raar hoor. Maar daar wilde ik niet te lang over nadenken. Had andere dingen aan mijn hoofd (kom ik nog wel op terug, reken maar!).

'Blijf je nou de hele avond chagrijnig, Rossa Considine?' vroeg ik.

'Waarom zou ik chagrijnig zijn, Lola Daly?'

'Omdat je dat meestal bent.' Bedacht me. 'Als man tenminste. Als vrouw ben je de charme in eigen persoon. Misschien kun je beter constant vrouw zijn.'

'Kan moeilijk op hoge hakken aan grottenonderzoek doen.'

23.01
Law and Order afgelopen.

Prima aflevering, waren we het roerend over eens. Duister, gruizig, boeiend.

Ik stond op. Veegde de tortillakruimels van mijn rok en zag hoe ze op het vloerkleed terechtkwamen. Korte blik op Rossa Considine bewees dat hij het ook zag.

'Nu moet ik dat weer opruimen,' zei hij.

Ik wist het, ik wist gewoon dat hij chagrijnig zou reageren! 'Sorry. Geef me maar gauw een stoffer en blik, dan doe ik dat wel.'

'Nee hoor, dat hoeft niet, je bent hier te gast.'

'Maar toch lijk je geïrriteerd.'

'Ik ben niet geïrriteerd.'

'Chagrijnig dan?'

'Hou je mond, Lola Daly.'

'Bedankt dat ik je tv weer mocht delen,' zei ik. 'Het spijt me van je vloerkleed. Zie ik je morgen als vestje?'

'Als travestiet. Je hoeft niet op stel en sprong weg, Lola Daly.'

'O jawel, dat lijkt me toch beter,' zei ik. 'Laten we maar geen risico nemen.'

23.04
Veilig terug in eigen huis, zonder door Jake de halfgod in de kraag te zijn gegrepen

Terwijl ik met een reinigingsmelk mijn gezicht afnam, ging de telefoon en elke zenuw in mijn lichaam stond ineens strakgespannen. Inmiddels waren die arme stakkers al bekaf van al dat overwerk.

Controleerde nummerweergave. Niet Paddy. Meer hoefde ik niet te weten.

Vanaf het moment dat hij zo onverwacht had gebeld, bijna vier weken geleden, was ik één brok zenuwen geweest, bijna net zo erg als toen ik net te horen had gekregen dat hij zou gaan trouwen.

Toen ik de telefoon oppakte en hoorde dat hij het was, zwerend dat hij me zo ontzettend miste, kon ik mijn oren niet geloven.

'Het spijt me, het spijt me echt ontzettend,' had hij gezegd terwijl ik verbijsterd luisterde. 'Lieve kleine Lola, ik heb je zo schandalig behandeld. De manier waarop jij te horen kreeg dat ik met Alicia ging trouwen... het spijt me verschrikkelijk. De pers kreeg het gerucht te horen en voordat ik de kans kreeg om jou erop voor te bereiden sloeg de vlam al in de pan.'

Het waren precies de woorden die hij in mijn fantasie ook tegen me had gezegd.

'Zelfs Alicia wist niet dat ze ging trouwen totdat ze het bij het nieuws hoorde.'

Ik was niet echt geïnteresseerd in Alicia.

'Ik mis je zo ontzettend,' zei hij. 'In al die maanden heb ik constant aan je moeten denken.'

Is dit waar? Is dit echt waar?

'Kunnen we elkaar ontmoeten?' vroeg hij. 'Alsjeblieft Lola. Mag ik John naar je toe sturen?'

'Ga je nog steeds trouwen?' vroeg ik, niet langer de kneedbare mafkees die ik vroeger was.

'O Lola.' Diepe zucht. 'Dat weet je best. Ik moet wel. Zij is de juiste vrouw voor mijn werk.' Hij klonk zo somber dat ik heel even echt meeleefde met zijn dilemma. 'Maar jij bent de vrouw die ik echt wil, Lola. Het is echt een onmogelijke situatie. Raak er door verscheurd. Maar als ik eerlijk ben, is dit het enige wat ik je kan bieden.'

Ik moest dat even laten bezinken. In ieder geval was hij eerlijk.

'Mag ik John sturen?' vroeg hij.

'Ik ben niet in Dublin.'

'O?' En op een andere toon: 'Waar ben je dan?'

'County Clare.'

'Juist. Maar dan kun je toch wel naar Dublin komen rijden? Hoe lang doe je daarover?'

'Drie uur. Misschien drieëneenhalf.'

'Zo lang? Zelfs met die nieuwe rondweg bij Kildare?'

Mensen lijken die nieuwe rondweg bij Kildare als een magisch gat in de hyperruimte te beschouwen. Wat kun je toch rare dingen denken als je een schok hebt gehad. Maar dacht ook nog iets anders. Bedacht dat het inmiddels halfelf was. Kon niet eerder dan één uur 's nachts in Dublin zijn, zelfs al reed ik alsof de duivel me op de hielen zat, met het risico van bekeuringen, aantekeningen op mijn rijbewijs, voorkomen voor de politierechter en mijn naam in de krant. Veel te laat. Kon niet.

'Paddy.' Moest er diep voor graven, maar slaagde er toch in om uit het laatje met zelden gebruikte emoties mijn zelfrespect op te vissen en in ere te herstellen. 'Het is al halfelf. Bel me morgenochtend maar, dan kunnen we een afspraak maken voor een geschiktere tijd.'

'O… juist. Ik begrijp het.' Klonk verrast.

Gaf mezelf schouderklopje.

'Valt Grace Gildee je nog steeds lastig?' vroeg hij.

'… Eh…' Plotselinge verandering van onderwerp. 'Nee. Al heel lang niet meer.'

'Mooi. Vertel eens, Lola, haat je me?'

Af en toe wel. Opwellingen van akelige brandende haat. Maar nu hij me had gebeld en zo bezorgd klonk, waren alle akelige brandende gevoelens verdwenen. 'Nee, Paddy.'

'Goed. Fijn. Dan zal ik je nu met rust laten.'

Ik wilde veel liever met hem blijven praten en dit kostelijke, kostbare moment voor eeuwig vasthouden. Maar wist dat je beter los kon laten als je iets vast wilde houden. (Paradox.) 'Ja. Ik spreek je morgenochtend weer, Paddy.'

'Ja, tot morgenochtend.'

Meteen daarna belde ik Bridie, me wentelend in glorie. Ze liet me het hele gesprek woord voor woord herhalen en luisterde zonder iets te zeggen. Toen ik klaar was, zei ik: 'Wat denk je?'

'Wat ik denk?' zei Bridie. 'Ik denk dat hij je morgenochtend niet belt. Dat hij je nooit meer zal bellen.'

'Je hoeft toch niet zo cru te zijn, Bridie!' riep ik uit.

'Zachte heelmeesters maken stinkende wonden.'

'Je bent helemaal geen heelmeester!'

'Later zul je me hier dankbaar voor zijn.'

'Ik wil alleen maar geruststellende woorden horen, Bridie.'

'Lola! Hij belde je alleen maar omdat hij wilde NEUKEN! Dat is toch zo KLAAR ALS EEN KLONTJE!'

'Hij zei dat hij me miste.'

'Hij mist iemand die hij met handboeien aan een van de posten van het bed vast kan leggen, om zijn verkrachtingsfantasieën te bevredigen. Je denkt toch niet dat die paardenkop hem dat zal laten doen?'

'Die paardenkop zit vol complexen. Ik ben seksueel volwassen.'

'Zo zou je het ook kunnen zeggen, ja.'

'Nu heb ik spijt dat ik je gebeld heb om het goede nieuws door te geven. Vaarwel, Bridie.'

Ik verbrak de verbinding en ging op de bank liggen om wat lekkere snacks op te peuzelen en na te denken over hoe raar het kon lopen. Het ene moment was ik nog aan de kant gezet door twee mannen – Jake en Paddy – en even later lagen ze allebei voor me op hun knieën en smeekten om vergiffenis. De wereld is een eigenzinnige diva.

De volgende ochtend werd ik om zes uur wakker en wachtte tot Paddy zou bellen. Ik wist zeker dat hij dat zou doen, want ik was koppig geweest en had hem afgehouden. Hij wilde altijd alles wat hij niet kon krijgen.

Toen de telefoon om 09.16 uur overging, glimlachte ik bij mezelf, ook al stonden mijn nekharen rechtovereind. Het offer van gisteravond loonde de moeite.

Maar nee! Het offer van gisteravond loonde de moeite helemaal niet! Het was Bridie maar.

'Hoi,' zei ze. 'Laat me eens raden. Je hart bonst, je bloed giert door je lijf, je hebt een droge mond. Als je eens wist wat dat allemaal met dat arme centrale zenuwstelsel van je doet. Ik heb er gewoon medelijden mee.'

'Wat wil je eigenlijk, Bridie?' Klonk beslist koel.

'Controleren of alles in orde is met je.'

'Niks controleren. Je lacht me uit.'

'Nietwaar. Maar ik maak me wel zorgen, Lola. Ernstige zorgen. Dus hij heeft nog niet gebeld?'

'Hoe kan hij nou bellen als jij constant die verrekte lijn bezet houdt?'

Plotseling stond er iemand op de voordeur te bonzen.

'Bridie, er is iemand aan de deur! Waarschijnlijk Paddy!'

'Hoe weet hij dan waar je bent?'

'Hij is een machtig man. Kan dat soort dingen uitvissen. Tot ziens, Bridie.'

Rende naar de deur en deed die wijd open, in de overtuiging dat Paddy tegen de deurpost geleund zou staan. Maar niet Paddy. Jake. Verwarde haren, gebruinde huid, zilveren ogen, volle lippen.

Verpletterende teleurstelling. Bleef maar staren. Kon mijn ogen niet geloven dat het echt de verkeerde man was.

'Mag ik binnenkomen?' vroeg hij met een schorre stem.

Hij ging op de bank zitten, met zijn handen tussen zijn knieën, een toonbeeld van ellende. 'Heb je nog nagedacht over de mogelijkheid dat wij weer bij elkaar komen?'

Keek hem aan en dacht: o jemig.

Ik zag hem al helemaal niet meer zitten, met zijn verzoek om 'een adempauze' en zijn verontwaardigde reactie op het feit dat ik niet als een hondje achter hem aan was gelopen, maar nu mijn gevoelens voor Paddy weer de kop op hadden gestoken was ook het laatste restje zin in Jake als sneeuw voor de zon verdwenen.

De rillingen liepen me over de rug. Ik vond hem absoluut niet meer de knapste man ter wereld. Eerlijk gezegd vond ik – vreselijk om zoiets over een medemens te moeten zeggen – hem een beetje misvormd. Die mond. Helemaal niet sexy. Integendeel. Zag eruit alsof er bij de toewijzing van de monden iets mis was gegaan. Pruilend en opgezwollen alsof door een wesp in de onderlip gestoken. Merkte trouwens ook tegelijkertijd dat zijn geur me niet meer beviel. Eerder had dat natuurlijke, ongewassen luchtje authentiek, eigenzinnig en ja... mannelijk geleken. Maar nu hing een vage studentikoze walm van ongewassen sokken als een wolk om hem heen.

Hij trok me naar zich toe en zei: 'Alsjeblieft, Lola' en liet tegelijktijd zijn hand in mijn pyjamabroek glijden. Deinsde achteruit! Kreeg kippenvel op mijn kont van zijn aanraking en vooruitzicht van neuken met een veelvoud aan standjes was allesbehalve aantrekkelijk.

Jake drukte zijn stijve jongeheer tegen me aan, door de dunne stof van mijn pyjama, en fluisterde: 'Zie je nou hoe ik naar je verlang?'

Jasses! Ja! Jasses! Ik was zelf ook verbaasd dat het zo erg was. Hij pakte mijn hand om die tegen zijn fluit te drukken, maar ik stapte opzij en haalde ook die plotseling walgelijk opdringerige hand van mijn kont. Hij zag er stomverbaasd uit. Ik keek in zijn zilveren ogen en dacht: wat een rare kleur. Wat is er mis met bruin of lichtbruin?

'Wil je niet dat ik je aanraak, Lola?' vroeg hij.

Zag de verwarde jongen in het lichaam van een man en besefte dat ik strikt eerlijk tegen hem moest zijn. Anders zou ik straks nog uit vriendelijkheid met hem het bed in duiken en de rillingen liepen over mijn rug en mijn ziel bij de gedachte daaraan.

'Jake,' zei ik, 'spijt me zeer, maar het wordt niets tussen jou en mij. Het was leuk zolang het duurde, maar laten we het daar nou bij houden.'

'Ben inderdaad stomme klootzak geweest,' zei hij. 'Maar heb mijn verontschuldigingen aangeboden en zal mijn best doen te veranderen.'

'Hoeft niet,' zei ik. 'Heeft toch geen zin. Er is iemand anders. Een andere man.'

'Heb je nú al iemand anders ontmoet?'

'Nee, nee. Er was al die tijd al een ander.'

'Leuk dat je me dat nou vertelt!'

'Maar het was toch alleen voor de lol, jij en ik! Dat vond je zelf ook!'

'Ja, maar wist niet dat ik verliefd op je zou worden.'

Geërgerd. 'Dat is mijn schuld niet.'

'Heel volwassen, Lola!' Deed ineens spottend. 'Toonbeeld van verantwoordelijkheid.'

'Maar als ik verliefd op jou was geworden en jij niet op mij, dan zou jij tegen mij zeggen: Het was alleen maar voor de lol, jammer dat je verliefd op me bent geworden en pak nou je biezen maar.' Dat was echt waar. Het was me vaak genoeg overkomen met andere mannen.

Was er inmiddels doodmoe van. 'Kijk, Jake! De vloed komt op! Je moet gaan surfen.'

Hij keek uit het raam. Goddank liet hij zich gemakkelijk afleiden.

'Oké, ik ga al,' zei hij. 'Maar je verandert nog wel van gedachten.'

Zodra ik Jake de deur uit had gebonjourd ging ik op wacht zitten bij de telefoon. Om klokslag tien uur ging het toestel over. Maar nog steeds geen Paddy! Dit keer was het Treese, die behoorlijk boos klonk.

'Ik heb gehoord dat De Courcy je midden in de nacht gebeld heeft. Nou moet je eens goed naar me luisteren, Lola. Zorg jij nou maar als de bliksem dat het weer aan komt met die surfer.'

'Te laat, Treese. Heb hem net de deur uitgezet.' Opgewekt.

Ze kreunde. Leek verdacht veel op wanhoop. 'Paddy de Courcy verpest alles voor je.'

'Wat verpest hij dan?' Was echt nieuwsgierig.

'Afgezien van je carrière en je gezond verstand? Hij heeft bijna je vriendschap met mij, Bridie en Jem voorgoed verstierd.'

'... Wat bedoel je?... Hoe dan?' Geschrokken. Hoe kwam ze daar nou bij?

Treese zuchtte. 'We zagen je nooit meer. Je ging nooit meer met ons uit. Je was altijd bij hem. Of nog erger: je zat op hem te wachten.'

O ja, dit was bekend terrein. Had het allemaal al eerder gehoord. 'Ja maar, Treese...'

'Ik weet het, Lola, hij werkte lang en maakte onregelmatige uren. Als ik een latrine had voor iedere keer dat je me dat verteld hebt, was ieder huis in Malawi inmiddels voorzien. Maar je zag hem niet iedere avond, hè?'

'... Nee, niet echt.'

'Maar je zorgde er wel voor dat je iedere avond beschikbaar was?'

Een beetje ongemakkelijk zei ik: 'Je weet toch hoe dat gaat als je verliefd bent.'

'Ja, dat weet ik.' (Ze had het over Vincent. Jasses.) 'Maar ik ga nog steeds om met mijn vrienden.'

'Maar Treese, Paddy is een políticus. Een sessie in de Dáil kan tot sintjuttemis duren!'

'Des te meer reden voor jou om zelf plannen te maken voor avonden dat hij niet kan.'

'Nee, des te meer reden om naar hem toe te gaan na zo'n lange dag vol stress.'

'Je bent gehersenspoeld.'

Ik vond dat ze wel erg cru was en dat zei ik ook.

'Lola, we zijn zo ontzettend bezorgd over je geweest. Dat je van hem verlost bent, is het beste wat je kon overkomen.'

Was helemaal overstuur na vijandige telefoontje van Treese. Zat opnieuw naar de telefoon te staren, hopend dat hij zou bellen.

Maar ochtend verstreek zonder telefoontje van Paddy. Natuurlijk belde Jem wel.

'Ik vorm de achterhoede,' zei hij. 'Op verzoek van Bridie, om je op je hart te drukken dat je je gezond verstand moet gebruiken.'

Om 13.17 begon ik me af te vragen of ik de afspraak met Paddy verkeerd had begrepen. Misschien hadden we afgesproken dat ik hem zou bellen, niet hij mij. (Tuurlijk wist ik wel hoe het zat. Ben niet stom. Had alleen last van waanvoorstellingen.) Probeerde zijn huisnummer, zijn werknummer, zijn mobiel.

Voicemail, voicemail, voicemail.

Het kwam me allemaal afschuwelijk bekend voor.

Paddy belde die dag niet terug. De volgende dag ook niet. De dag daarna ook niet. En de dag daarna evenmin. Ik gaf mijn pogingen om hem te bereiken op.

Erkende de onverteerbare waarheid. Bridie had gelijk gehad. Hij had alleen willen neuken. Deed mijn best, maar slaagde er niet in om opnieuw dat magische gevoel op te roepen dat aanleiding had gegeven tot dat telefoontje... Paddy zou mij alleen bellen als ik me niets meer van hem aantrok. Maar zo lang ik wilde dat hij me zou bellen, gaf ik nog om hem, en dan zou hij dus niet bellen. Het universum kan je echt voor raadsels zetten.

En het had nog meer trucjes in petto. Als om te bewijzen hoe vervelend ongewenste liefde is, begon Jake zich steeds meer uit te sloven om me terug te krijgen. Hij bleef maar langskomen om aan te dringen dat we het 'weer moesten proberen'.

'Jake, doe niet zo belachelijk,' zei ik dan steeds. 'Je was eigenlijk helemaal niet zo gek op me. Waarom wil je me dan?'

'Omdat ik je wil.'

Hij zag er in zijn gekwelde toestand nog steeds adembenemend uit, maar dat liet me koud. Jake was verwend, onvolwassen, had nog nooit problemen gehad en wilde me alleen omdat hij me niet kon krijgen. Een beetje teleurstelling zou hem goed doen. En hem karakter geven. Kijk maar naar mij, één en al karakter.

Ik had wel medelijden met hem, maar ik was er ook van overtuigd dat als ik ineens uitriep dat ik me toch vergist had, hij binnen drie dagen weer humeurig zou worden en moest bekennen dat 'het toch niet helemaal lekker zat, Lola'.

Vond het niet leuk om hem verdriet te doen. Maar als ik moest kiezen tussen hem en mezelf, vreesde ik toch dat de surfer het heen en weer kon krijgen.

Donderdag 11 december, 23.04
Was weer even terug in de tijd

Telefoon rinkelde nog steeds.

SarahJane Hutchinson. Waarom belde ze zo laat?

'Heb geweldig nieuws, Lola. Heb fantastische slag geslagen. Zara Kaletsky zal toespraak houden voor mijn liefdadigheidsinstelling. Nou denk jij natuurlijk dat Zara Kaletsky geen moer te betekenen heeft.'

Klopte. Zara bijzonder aardig meisje, maar had als beroemdheid weinig in de melk te brokken.

'Maar ik heb voorkennis. Zara Kaletsky heeft net een rol gekregen in nieuwe film van Steven Spielberg. Hoofdrol. Jermond' – het nieuwe vriendje van SarahJane – 'is betrokken bij de financiering. Ik heb Zara al gestrikt voordat de persberichten uitkomen. Heb net met haar in LA gesproken. Ze is het neusje van de zalm en al die andere krengen zullen moeten erkennen dat ik ze te snel af was!'

Was blij. Blij voor SarahJane en ook voor Zara.

'Woont ze nu in LA? Ik dacht dat ze naar Zuid-Afrika verhuisd was.'

'O god, nee hoor! In Bel Air! Nu moet jij ervoor zorgen dat we er allebei bij die lunch supergeweldig uitzien. Heb iets heel bijzonders nodig. Is al over tien weken. Begin maar vast na te denken!'

Vrijdag 12 december, 07.04

Werd wakker van driftig gebons op voordeur. Probeerde net te doen alsof ik droomde, maar moest opgeven. Wie kwam er al zo vroeg langs?

Waarschijnlijk Jake om te vertellen hoeveel hij van me hield. Was meestal het geval. Belachelijk.

Liep naar beneden en ja hoor, Jake. 'Ben gisteren met Jaz naar bed geweest,' verklaarde hij, met vlokjes schuim op de mond. 'En wat zeg je nou?'

'Gefeliciteerd. Fantastisch.'

'Ben je blij?'

'Dolblij. Fijn om te zien dat je je leven weer oppakt.'

Hij draaide zich om, een toonbeeld van ellende.

Ik had de deur al bijna dichtgegooid toen hij zich omdraaide en riep: 'Je bent een stomme trut.'

O, dus nu gingen we nog schelden ook?

Een teken dat hij er overheen begon te komen. Zoiets als een wondje dat begint te jeuken.

12.19
The Oak

'Morgen, Lola,' zei Osama. 'Alles goed?'

'Prima ja, en met jou?'

'Geweldig!'

We glimlachten stralend naar elkaar.

Eerlijk gezegd was de verhouding met Pruimenoog een beetje gespannen geweest sinds hij op de travestieavond bij ons was geweest. Hij kwam maar een keer en was niet te bewegen nog eens langs te komen, volgens hem wegens kwaliteit van de films. Inmiddels ging hij weer in zijn eentje op vrijdagavond naar de film in Ennis. Ondertussen nog steeds een schat van een barkeeper.

Ik keek om me heen of er nog een plaatsje vrij was. Enige andere bezoekers in de kroeg waren Considine en de fret. Ongebruikelijk, want Considine werkte meestal op vrijdag. Hij en de fret verwikkeld in wat heftig gesprek leek. Toen hij me zag, riep hij: 'Kom bij ons zitten, Lola.'

Eigenlijk geen zin in. Beetje verlegen als Considine in de buurt is en was nooit aan Gillian de fret voorgesteld.

Maar kon niet anders dan gaan zitten en handje schudden met Gillian die sprekend leek op een fretje uit een stripboek. Striptekenaars toch wel erg knap. Kunnen allerlei beesten – dingo's, stieren, fretten – menselijke trekjes geven en ze toch aardig maken. Gillian echt erg aantrekkelijk. Maar ja, ontegenzeggelijk sprekend een fret.

'Hoe is het ermee, Lola?' vroeg Considine.

'Toppiejoppie.' Weet niet precies wat dat is, maar voelde altijd neiging tot sarcasme als ik hem zag. 'En met jou?'

'Ook toppiejoppie.' Ja, even sarcastisch.

'Rossa wilde je iets vragen, Lola,' zei Gillian.

O hemeltjelief, wat nu weer?

'Mag ik je ontstopper lenen, Lola?'

'Ontstopper?'

Bleek dat Gillian problemen had met afvoer.

'Bij jou in het keukenkastje ligt een ontstopper,' zei Rossa. 'Heb ik al eerder van Tom Twoomey geleend.'

Gaf hem mijn huissleutel. 'Ga dat ding maar ophalen en leg het alsjeblieft weer terug als je klaar bent.'

Hij ging er spoorslags vandoor en liet mij met Gillian achter.

'Hij had vandaag eigenlijk moeten werken,' zei ze. 'Maar hij heeft vrij genomen om mij te helpen.'

'Lief van hem.'

Stilte. Toen zei ze: 'Is echt fantastisch wat je doet.'

Wist niet zeker waar ze het over had. De vrijdagavonden of de ontstopper?

'Is fijne uitlaatklep voor Rossa. Of moet ik Chloe zeggen?'

'Eh... ja. Vind jij dat niet vervelend?'

'Zijn wel ergere dingen.'

Heel verstandig meisje. Koelbloedig ook. 'Het is alleen jammer,' zei ze, 'dat hij aan mij in dat opzicht niets heeft. Ik loop altijd in een spijkerbroek en ik gebruik geen spat make-up.'

Ja, haar fretachtige kop ontbeerde alle kunstmatige opsmuk.

'Grappig, hè?' zei ik. 'Als vrouw is hij oneindig veel knapper dan als man.'

'O ja?' Glimlach verdween. Zag er tikje verontwaardigd uit. 'Vind je Rossa dan geen aantrekkelijke man?'

Jemig! Had net haar vriendje beledigd!

'Tuurlijk is hij wel aantrekkelijk. Bedoelde gewoon dat hij als vrouw chiquer is. Maar moet ervandoor. Heb dringende afspraak in Galway.'

Gelukkig had ik echt een dringende afspraak in Galway, anders had ik die honderd kilometer naar Eye Square (centrum van Galway) voor niets moeten rijden om mezelf uit lastig parket te redden.

14.30
Grote, glimmende Amerikaanse bank, Galway

Kreeg hier en daar steeds meer stylingwerk te doen. Deze opdracht kwam van onverwachte kant: Nkechi. Ze wilde niet helemaal uit Dublin komen rijden en ik was toch in de buurt. Kwam ons allebei goed uit.

Vrouwelijke president-directeur moest op de foto voor bedrijfs-prospectus. Portret. Opdracht was om ervoor te zorgen dat ze er vriendelijk, efficiënt, keihard, vrouwelijk, gemakkelijk te benaderen, vol humor en dodelijk uit zou zien.

Makkie.

(Kwestie van accessoires.)

18.39
Verkeer één grote chaos. Vrijdagavond-exodus uit Galway. Bang dat ik te laat zou zijn voor de vestjes

Toen ik eindelijk thuis was en uit de auto sprong, kwam ik tot de ontdekking dat ik geen huissleutel had. Kroop weer onder de afzetting door naar Rossa Considine.

'Sleutel.' Hij hield hem voor mijn neus. 'Heb de ontstopper weer in je keukenkastje gelegd. Bedankt.'

'Hé, Considine!' Herrie bij het hek aan de voorkant! Iemand stond vanuit het donker achter het huis te roepen. 'Hoor eens, kerel, je kunt je die moeite sparen, hoor. Ze is alleen maar een treitertrut.'

Verbijsterd tuurden Rossa en ik naar de plek waar de stem vandaan was gekomen. Jake dook op in het licht dat uit de voordeur viel, alsof het om de clou in een slechte thriller ging. Hij keek me aan en zei spottend: 'Dat heeft je niet al te veel tijd gekost. Het zal niet lang meer duren voordat je met iedere vent in Knockavoy naar bed bent geweest.'

'Laat haar met rust,' zei Rossa rustig. 'Ik heb alleen maar haar ontstopper geleend.'

'Ja,' zei Jake met een vals lachje. 'Die heb ik ook een tijdje mogen lenen.'

'Nou moet jij eens goed...' zei Rossa.

'Hou op,' kwam ik tussenbeide. 'Laat maar zitten.'

Het was gewoon ronduit fascinerend... een college in wat te doen om iemand voorgoed tegen je in het harnas te jagen. Als er ook nog maar een sprankje liefde voor Jake in mijn hart was achtergebleven, dan was dat door deze onzin wel voorgoed gedoofd.

'Zal ik even met je naar huis lopen?' vroeg Rossa.

'Welnee, het is maar een paar meter. En je moet je nog klaar maken voor vanavond.'

'Maar die kerel van je... daar schijnt een steekje aan los te zitten.'

'Hij kan geen kwaad.'

'Toch loop ik liever even met je mee.'

'Dan zal hij ons van alles naar het hoofd slingeren.'

'Schelden doet geen pijn.'

'Oké.'

19.27

De laatste weken was me iets opgevallen. De avonden begonnen pas echt gezellig te worden als Chloe was gearriveerd. Natasha, Blanche en Sue, het nieuwe meisje, stonden zich om te kleden in de keuken, maar ik had het gevoel dat ze alleen maar een beetje rondhingen om de tijd te doden.

Sue was vrijgezel en had een boerderijtje verderop aan de weg (wat kennelijk voldoende was als adres) en hij heette eigenlijk Spuds Corlon, een iel mannetje met kromme benen en een gebit vol gaten. We moesten echt op hem inpraten om hem zover te krijgen dat hij zijn pet afzette. Hij deed me denken aan een krielkip.

'Waar is Chloe?' schreeuwde Noel vanuit de keuken. 'Ze moet mijn nagels doen.'

'Ze kan ieder moment binnenkomen...'

En daar was Chloe, compleet met stralende ogen, glimlachende mond, vriendelijke opmerkingen en bereidheid om de anderen te helpen. Een ontzettend lieve meid. Als ze echt een vrouw was geweest, zou je haar tot je beste vriendinnen rekenen.

'Je haar zit beeldig, Chloe.'

Lange donkere pruik, die ze meestal droeg, maar iets tegengekamd en opgestoken. In tegenstelling tot mijn andere vestjes die een bepaalde stijl hadden uitgekozen en zich daaraan hielden (Natasha met haar luipaardprint en Blanche met haar keurige klassieke pakjes en zo), zag Chloe er iedere week weer anders uit. Deze week waren het zwarte leggings, glanzende donkergrijze flatjes en in dezelfde grijze kleur een schitterende jurk van metalic jersey die één schouder bloot liet.

Ze kon waarschijnlijk gemakkelijk voor een vrouw doorgaan. Ze was lang, ja, en bepaald niet mager, maar ze was zeker geen blok beton (zoals die arme Blanche bijvoorbeeld).

Mooie benen – misschien een beetje te gespierd – en een ronduit beeldig gezicht. Prachtige donkere ogen, deskundig aangezet met make-up en dikke donkere wimpers.

In de keuken brak rumoer uit. 'Is Chloe daar? Chloe is er! Chloe, kom eens hier, je moet me helpen met mijn wenkbrauwen...'

Chloe fladderde van de een naar de ander. Ze was een bron van informatie, omdat ze een jaar lang in Seattle had gezeten, een stad met 'behoorlijk veel' travestieten. Ze wist alles van vloeibare 'mannenmake-up', een dikke smurrie die allerlei gaten opvulde, elk spoor van baardgroei op het gezicht verdoezelde en uiteindelijk een natuurlijke, aantrekkelijke huid opleverde. Ze wist hoe je het best borsten kon ontharen, de rug van je handen moest scheren, kunstnagels vastplakken en ga zo maar door.

Maar ondanks het feit dat ze gul was met raadgevingen, zag zij er uit als een prinses en konden de anderen hooguit de vergelijking doorstaan met de stiefzusters van Assepoester.

19.57

'Iedereen klaar voor de film?' Met de afstandsbediening in de hand.

'Nog even een glaasje inschenken...'

'Mijn bril zit nog in mijn tas...'

'Even mijn lipstick bijwerken...'

Uiteindelijk stierf het meisjesachtige gebabbel weg. Ik drukte op de knop, de muziek begon... en toen werd er vier keer langzaam op de deur geklopt.

Jake? En als hij het niet was, wie dan? Toch niet weer zo'n verrekt vestje?

'Meiden, heeft een van jullie iemand uitgenodigd zonder mij dat te vertellen?'

Angstige hoofden die nee schudden.

'Zeker weten? Want als ik die deur opendoe en er staat weer een vestje dat onderdak zoekt, word ik pissig.'

'Nee, echt niet.'

'Nou maak dan maar dat jullie weg komen,' zei ik. 'Allemaal.'

Ze schoten naar boven en ik deed de deur open. Op de stoep stond een grote, indrukwekkend uitziende politieman, in een donkerblauw wollen uniform met koperen knopen.

Gemengde gevoelens. Beslist opluchting dat er een eind kwam aan de vrijdagavonden, de verantwoordelijkheid begon erg zwaar te worden. Maar ook een beetje verdrietig vanwege de vestjes. Was bang dat ze moeilijkheden zouden krijgen, dat ze met naam en toenaam in de Clare Champion terecht zouden komen en dat ze in het hele district uitgelachen zouden worden.

'Ik ben agent Lyons, mag ik binnenkomen?' dreunde een diepe stem onder de politiepet.

'Waarom?'

'Ben overtuigd dat hier vrijdagsavonds travestiebijeenkomsten worden gehouden.' Werd bijna verblind door de glans van zijn enorme, blinkend gepoetste laarzen.

'Is niet onwettig.' Stem een beetje trillerig. 'Doen niets wat niet mag. Tom Twoomey is op de hoogte en vindt het best.'

(Had steeds contact opgenomen met Tom Twoomey als weer een nieuw meisje kwam opdagen. Antwoord bleef steeds hetzelfde. Alles best, zolang we maar van het broodrooster afbleven.)

'Niemand heeft het over iets onwettigs. Mag ik binnenkomen?'

'Nee.' Plotseling vastberaden. 'Zitten travestieten binnen. Nogal zenuwachtige types. Hun identiteit moet geheim blijven.'

'Hoor eens.' Stem ineens decibel zachter. 'Wil graag meedoen.'

Lieve hemel nog aan toe! Ik geloofde mijn oren niet. Wie had durven denken dat er zoveel vestjes in County Clare waren? Of in Ierland, nu we het er toch over hadden?

'Bent u travestiet, agent Lyons?'

'Niet homo. Maar ja, vind het wel leuk om vrouwenkleren te dragen.'

Hart zonk in mijn schoenen. 'Kom dan maar binnen.'

20.03

Rende naar boven. Vestjes op een hoopje in mijn slaapkamer, allemaal angstige gezichten.

'Er staat een politieman voor de deur.'

'Nee!' Noel begon te kreunen. 'Nee, nee, nee, nee, nee, nee! Het is voorbij, ik ben gezien, geruïneerd, een...'

'Hou op! Hij is een van ons. Van jullie. Hij is ook vestje.'

Lipstickmonden zakten open. Bepleisterde kaken trilden van verbijstering.

Ze kletterden op hun hoge hakken naar beneden en draaiden argwanend om agent Lyons heen, als een roedel zwaar opgemaakte hyena's. Ik stelde iedereen voor.

'Hoe ben je achter onze bijeenkomsten gekomen?' vroeg Noel een tikje uitdagend.

'Toeval, Natasha, puur toeval.'

Agent Lyons sprak langzaam en omstandig, alsof hij een getuigenverklaring aflegde.

'Vertel op.' Noel klonk absoluut vinnig.

Agent Lyons schraapte zijn keel en stond op. 'Op de ochtend van de tweede december nam een huisvrouw die hierna aangeduid zal worden als mevrouw X, met als domicilie Kilfenora in het noorden van Clare, per ongeluk een postpakketje aan.'

'Ga maar zitten,' mompelde ik. 'U staat niet in de rechtszaal. En gaan jullie nou ook allemaal maar zitten, en neem er een drankje bij. Gaat u verder, agent Lyons.'

'Mevrouw X, die haar handen vol heeft als moeder van drie kinderen onder de vier jaar, merkte niet dat het vermelde pakketje niet aan haar was geadresseerd maar aan een zekere Lola Daly in Knockavoy...'

'Nieuwsgierig secreet,' zei Noel.

'...en had het al geopend – ik citeer – "voordat ze wist wat ze deed".'

'Nieuwsgierig secreet.'

'Toen ze de doos van de verpakking had ontdaan, ontdekte de huisvrouw daarin in totaal vier stuks vreemd ondergoed. "Pervers" was het woord waarmee ze de kledingstukken omschreef. Geheel overstuur liet ze de pastoor komen, die de kledingstukken met wijwater zegende en haar adviseerde ze bij de plaatselijke agent af te geven. Toevallig was dat mijn persoontje.'

(Vaag opgemerkt dat zending van ondergoed niet was aangekomen. Maar ontving vrijwel dagelijks zoveel kleren dat ik nog geen tijd had gehad om me op ontbrekende order te concentreren.)

'Gezien mijn speciale interesse voor een en ander,' vervolgde agent Lyons, 'herkende ik de kledingstukken als zijnde niet meer dan verstevigde onderbroeken. Totaal niet pervers, maar heb dit niet aan de vrouw voorgelegd. Gewoon de spullen en de doos geadresseerd aan mevrouw Daly in beslag genomen en mevrouw X onder ede laten verklaren dat zij haar mond zou houden...'

'Hoe dan?' wilde Noel weten. 'Hoe weet je dat ze haar mond zal houden?'

'Omdat ik het een en ander van haar afweet. Iedereen heeft geheimen, Natasha. Mevrouw X zal heus haar mond wel houden.'

'O. Nou ja, oké dan.'

'Vervolgens inlichtingen ingewonnen over mevrouw Lola Daly en ontdekt dat in haar huis in Knockavoy iedere vrijdagavond om zeven uur bijeenkomsten werden gehouden. Ik heb twee en twee bij elkaar opgeteld en kwam tot de conclusie dat er verband bestond tussen de vrijdagse bijeenkomsten en de verstevigde onderbroeken. Ik bleek gelijk te hebben.'

'Het is gewoon verbazingwekkend!' Noel sloeg inmiddels een heel andere toon aan. 'Dat zijn er drie die puur toevallig bij jou terecht zijn gekomen, Lola. Ik, Chloe en nu...?'

'Dolores,' zei agent Lyons. 'Mijn naam is Dolores.'

'Welkom, Dolores! Van harte welkom.'

'Alles goed en wel,' zei ik. 'Maar hoe zit het met die zending van verstevigde onderbroeken?'

'In beslag genomen. Schrijf ze maar af. Vergissing van de posterijen.'

20.32

Dolores Lyons ontzettend lang. Bijna twee meter. Grofgebouwd en veel te zwaar, maar gewicht goed verdeeld. Onthulde ontdaan van blauwe politiejas een enorme maag opgehangen aan gigantische ribbenkast en ik dacht: Dit is de grootste uitdaging die ik tot op heden heb gehad.

22.07

Iedereen weg, behalve Chloe die hielp opruimen.

'En toen waren we ineens met z'n vijven,' zei Chloe terwijl ze de wijnglazen rinkelend in de gootsteen zette. 'Kennelijk heb je een roeping, Lola.'

'Ik hoef geen verrekte roeping.'

'Maar dat is juist het probleem met een roeping, die kies jij niet, die kiest jou.' Chloe vond mijn benarde positie wel grappig. 'Kijk maar naar Moeder Teresa. Toen ze bij carrièreplanning op school moest vertellen wat ze wilde worden, heeft ze misschien wel "stewardess" gezegd. Het lijkt me tenminste hoogst onwaarschijnlijk dat ze te kennen heeft gegeven dat ze graag vriendschap wilde sluiten met lepralijders. Lijkt jou dat ook niet onwaarschijnlijk, Lola?'

'Ik ben blij dat je het zo grappig vindt.'

'Misschien hield Moeder Teresa wel helemaal niet van lepralijders. Misschien had ze iets tegen lepralijders, maar die trokken zich daar niets van aan en kwamen toch in groten getale naar haar toe.'

Chloe amuseerde zich kostelijk. Ik zette de lege wijnflessen bij de deur, zodat ik ze bij de hand had als ik weer met Rossa Considine naar de afvalverwerking ging.

'...precies zoals de vestjes op jou afkomen, Lola.'

...naar de afvalverwerking met Rossa Considine...

'Sint Lola, beschermheilige van travestieten.'

Chloe is Rossa Considine...

Waarom is het leven zo verrekte maf?

Zaterdag 13 december, 11.22

Telefoontje van Bridie.

'Ik heb een houten kop van jewelste,' zei ze hees. 'Gisteravond kerstfeestje gehad. Je hebt mazzel dat je zelfstandig bent...'

'Werkloos...'

'...en niet allerlei kerstparty's hoeft af te lopen. O, god, mijn hoofd. Zeg, ik heb nog eens zitten nadenken. Over Paddy de Courcy. Zo'n vent als hij kan iedereen wel optrommelen om met hem te neuken.'

'Wat wil je daarmee zeggen, houten kop?'

'Dat hij je niet daarvoor belde.'

'Waarvoor dan?' Was argwanend. Verwachtte niet dat Bridie zou zeggen: 'Omdat hij nog steeds van je houdt.'

'Kwestie van stroop smeren. Om je aan het lijntje te houden.'

'Waarom zou Paddy dat willen?'

'Je weet heel wat van hem. Een paar weken geleden stonden de kranten vol over die Dee Rossini en haar liefdesleven. Scheelde een haar of ze had ontslag moeten nemen. Jij zou je hart wel eens kunnen luchten tegenover een of andere krant over al die rare seksspelletjes die je met Paddy moest doen. Dat zou een enorme heisa veroorzaken.'

'Waren geen rare seksspelletjes.'

'Wel waar, Lola. Ik moet je bekennen dat ik me destijds vergeleken met jou echt een seksuele onbenul voelde. Maar bij nader inzien was er nauwelijks sprake van liefde in het soort seks dat jij met Paddy de Courcy had. En ik durf te wedden dat je me nog niet de helft hebt verteld van wat zich allemaal heeft afgespeeld.'

Verbijsterd. Had Bridie lessen gedachten lezen genomen?

'Hij zei dat hij me miste.' Klampte me vast aan strohalm.

'Tuurlijk miste hij jou! Alicia paardenkop zal vast niet toegeven aan zijn neiging tot perverse seksspelletjes.'

'Niet pervers. Erotisch.'

'Pervers. Pervers, pervers, pervers.'

Bridie is de eigenzinnigste persoon die ik ooit heb ontmoet.

12.04

Internetcafé

Even aangewipt om met Cecile te praten. Was aanvankelijk bang dat Cecile het me kwalijk zou nemen dat ik het uitgemaakt had met Jake, aangezien zij ons min of meer aan elkaar had gekoppeld. Maar tegendeel was waar. Ze vertelde me vrolijk dat Jake zo chagrijnig was als de pest en dat het 'hoog tijd' was dat die 'scharrelaar' 'zijn verdiende loon' had gekregen.

'Die kleine slijmbal besefte niet eens dat hij een lot uit de loterij had getroffen,' zei ze. 'Maar hij is mooi van een kouwe kermis thuisgekomen.'

Fascinerend (maar verbijsterend) gebruik van alledaagse uitdrukkingen.

15.27

Terug uit het dorp

Rossa Considine voor zijn huis, sleutelend aan zijn auto.

'Hé,' riep ik naar hem.

'En van 't zelfde.'

'Hoe komt het dat je je niet aan het uitsloven bent in grotten?'

'Ik ga morgen.'

'O. Hoor eens. Ik heb lopen denken.'

'Waarover?' Hij stond op en kwam naar me toe lopen.

'Binnenkort Kerstmis. We moeten een kerstfeestje organiseren. Met het hele vrijdagavondstel.'

'Hoe kom je daar ineens op? Ik dacht dat je met tegenzin deelnam aan dat travestie – sorry, vestjesgedoe.'

'Is ook zo. Maar heb net mijn vriendin Bridie gesproken. Is gisteravond naar kerstparty geweest. Bleef maar roepen dat ze een houten kop had. Vond dat wel een grappige uitdrukking.'

'Je kunt ook gewoon op een doordeweekse dag dronken worden.'

'Nee, moet een excuus hebben. Als ik zonder excuus begin te drinken, kan ik misschien niet meer ophouden.'

'Waar dacht je dan aan?'

'Niet komende dinsdag maar de dinsdag daarna? Dat is twee dagen voor Kerstmis.'

'Wat doe jij met de kerst?'

'Ga vier dagen naar Birmingham. Daar woont mijn vader. Dan naar Edinburgh met mijn vriendinnen Bridie en Treese om nieuwjaar te vieren. Ben pas de vierde januari weer terug in Knockavoy, dus het lijkt me het beste om op dinsdag 23 december een feestje te geven. Daarna is het te laat. Ik kan wel voor de gebruikelijke hapjes en glühwein zorgen.'

'Maar dat geeft je alleen maar extra werk. Ik zal het wel met de anderen bespreken.'

De vestjes hadden een soort informeel netwerk opgezet, zodat ze doordeweeks per e-mail contact met elkaar konden houden. Ik maakte er geen deel van uit. Goddank.

'OPPERVLAKKIG KRENG!'

Dat was Jake. Hij was uit het niets opgedoken en kwam voorbij op een fiets. Wist niet zeker waardoor ik het meest van mijn stuk was, door zijn plotselinge verschijning of door die fiets. (Zag er helemaal niet sexy uit op een fiets. Geldt voor de meeste mensen.)

'Wel oppervlakkig, maar geen kreng!' riep ik hem na. Toen besefte ik dat hij me al niet meer kon horen, maar had toch behoefte om mezelf te verdedigen dus keek Rossa Considine aan. 'Ik ben geen kreng,' zei ik. 'Komt omdat ik hem de bons heb gegeven.'

'Waarom zeg je dat je oppervlakkig bent?'

'Vanwege mijn werk. Iedereen zegt dat stylistes oppervlakkige minkukels zijn. Heb een keer een prachtige uitdrukking gehoord: God gebruikt cocaïne om je te vertellen dat je teveel geld hebt. Doorredenerend zou je kunnen zeggen dat een land waarin alle stylistes genoeg werk hebben om hun hoofd boven water te houden misschien gewoon te welvarend is.'

'Dus je hebt momenteel meer dan genoeg werk?'

'O, nee, maar dat is mijn eigen schuld. Heb een geweldige cliënt, SarahJane Hutchinson, en die heeft een nieuwe cliënt naar mij doorverwezen, maar kon niet naar Dublin, dus dag nieuwe cliënt.'

'Waarom kon je niet naar Dublin? Afgezien van het feit dat het een takkestad is?'

'Omdat ex-vriend daar woont. Laatste keer dat ik er was, zag ik hem met de paardenkop met wie hij verloofd is. Ik stond bijna op straat te kotsen en dat was nog het minste van wat er allemaal misging.'

'Dan werk je toch gewoon vanuit County Clare.'

Schudde mijn hoofd. 'Gaat niet. Meeste rijke vrouwen wonen in Dublin. Meeste goeie winkels zijn in Dublin. Ja, kan spullen wel op laten sturen, maar is veel prijziger dan wanneer ik gewoon rond kan rennen in de dure winkels in Dublin om allerlei spulletjes op de kop te tikken.'

'Ik snap het.'

'Styling is op zijn zachtst gezegd een angstaanjagend beroep, Rossa Considine. Echt waar. Ik zie aan je gezicht dat je me niet gelooft en natuurlijk is het ook lang niet zo belangrijk als jouw milieubaan, maar voor de mensen die ik help, is het heel belangrijk.'

'Hé, dat hoef je mij toch niet te vertellen? Ik weet dat je iets waardevols doet, Lola.'

Keek hem strak aan. 'Sarcasme, Rossa Considine?'

Hij zuchtte diep. 'Geen sarcasme. Vertel me eens iets meer over de angstaanjagende kant van je werk.'

'Nou... als ik voor een afspraak kom opdagen en ontdek dat ik de wensen van mijn cliënt verkeerd heb geïnterpreteerd of dat ze heeft gejokt over haar maat – gebeurt constant, zeggen dat ze maat achtendertig hebben omdat ze niet toe durven te geven dat het tweeënveertig is – kan ik geen kant op. In Dublin zou ik gewoon de stad in gaan om andere kleren te halen, maar hier krijg ik de kans niet om vergissingen recht te zetten. Dan zitten we opgescheept met verkeerde kleren en wordt het een ramp.'

'Ik snap het.' Nadenkend, geïnteresseerd gezicht. Ongebruikelijke reactie. Maar ja, hij is natuurlijk een vestje.

'Jemig, Rossa, ik ga naar huis, mijn voeten vallen er bijna af.'

We hadden een eeuwigheid in de kou gestaan.

'Heb je zin om even binnen te komen voor een kopje thee of zo?'

'O, nee hoor.' Ineens verlegen.

Maandag 15 december, 19.29
Bij mevrouw Butterly

Hartverwarmend nieuws, via mevrouw Butterly! Osama is niet meer alleen. Op vrijdagavond gaat hij voortaan vergezeld van Fret Kilbert naar de bioscoop in Ennis. Zij heeft een auto en hij kan met haar meerijden in plaats van de bus te nemen. Bovendien heeft zij dan iets te doen als haar vriendje op hoge hakken rondbanjert.

(Hoewel mevrouw Butterly daar niets over zei. Dat was eigen gedachte.)

Typisch voorbeeld van gemeenschapszin.

Dinsdag 16 december, 11.22
In bed, zomaar een beetje te peinzen
Als ik een man was, zou ik op Chloe vallen.

Vrijdag 19 december
Operatie Houten Kop van de baan. Schuld van Natasha.

'Wil niet blijven plakken voor ons kerstfeestje,' zei ze met een uitdagende blik. 'Wil gaan dansen.'

'Doe even normaal, Natasha!' riep ik uit. 'Jullie worden gelyncht in de Baccarat!' (Is plaatselijke disco.)

'Nee.' Natasha schudde haar hoofd. 'Weet een tent die "sympathiek" staat ten opzichte van onze behoeften. In Limerick.'

'Wat is dan het probleem?'

'We hebben een personenbusje nodig. En iemand moet als bob fungeren.'

'Dat doe ik wel,' zei Chloe. (Deze week adembenemend modieus in halterjurk. Uit warenhuis! Gewone damesjurk, maat zesenveertig.)

'Nee, jij rijdt helemaal niet,' snauwde Natashja, 'is ons kerstfeestje, van ons meiden, en als Lola niet rijdt, zal Lola problemen krijgen met haar uitkering.'

'Dat is chantage!' Chloe was ontzet. 'Natasha, Lola is nota bene als eerste begonnen over een kerstfeestje!'

Maar Natasha had de andere vestjes het hoofd op hol gebracht met haar gepraat over een disco waar ze vrijuit met hun eigen soort konden dansen.

'Alsjeblieft, Lola?' zei Blanche. 'Zou dolgraag willen gaan.'

'Ja, ik ook,' zei Sue.

'Ja, alsjeblieft, Lola,' bedelde agent Dolores Lyons met zielige hondenogen.

'Al goed,' zei ik chagrijnig. Verrekte vestjes...

'Nee, Lola,' protesteerde Chloe.

'Geeft niet,' zei ik tegen haar. 'Is mijn roeping. Doe het wel.'

'Was een grapje toen ik over roeping begon.'

'Maar het schijnt toch waar te zijn. Sint Lola van de Vestjes.'

'Travestieten,' snauwde Natasha.

'Vestjes, vestjes, vestjes, vestjes, vestjes.' Had geen zin in onzin. 'Hou je mond, anders rijd ik niet.'

'Pardon?'

'Misschien weet ik wel een oplossing,' zei Chloe terwijl ze ons probeerde te kalmeren. 'Zullen wij dan gewoon een andere keer uitgaan, Lola? Hier in het dorp, zodat we geen chauffeur nodig hebben. Na de kerst? Als je terug bent uit Birmingham. Dan gieten we je zo vol drank dat je er een houten kop aan overhoudt. Hoeft niet per se met aanwezige dames. Kan ook met andere vrienden uit Knockavoy.'

'Zoals?'

'Die surfer? Jake heet hij toch?' Twinkeltje in Chloes ogen.

'Ja, we zouden Jake mee kunnen nemen.' Voelde lachbui kriebelen.

'Dan kan hij aan de andere kant van de kroeg gaan staan...'

'... en tegen ons schreeuwen.'

Lag dubbel van het lachen terwijl Natasha koel toekeek.

22.13
Iedereen weg, behalve Chloe.

Was inmiddels gewoonte geworden dat Chloe bleef om te helpen met opruimen.

'Denk je dat Noels vrouw echt gelooft dat hij iedere avond met de jongens gaat stappen?' vroeg ik terwijl ik de onaangeroerde zoutjes in de vuilnisbak gooide.

'Zou het niet weten. Misschien gemakkelijker voor haar als ze net doet alsof ze het gelooft.'

'Jij hebt geluk,' zei ik. 'Gillian maakt zich er helemaal niet druk over.'

'Echt mazzel,' beaamde Chloe terwijl ze achter me aan liep naar de keuken. 'Gillian opvallend laconiek. Ze zegt dat als ze mocht kiezen, ze liever had dat ik zou ophouden met grottenonderzoek. Veel te gevaarlijk volgens haar.' Chloe spoot wat afwasmiddel op de vuile glazen en vroeg toen ineens zonder aanleiding: 'Heb jij wel eens vriend gehad die travestiet was?'

Stilte. Lange stilte. Te lang, want antwoord was maar heel kort.

'Nee,' zei ik. 'Maar...'

'Maar...'

'...had een vriend met andere... interesses.'

Chloe draaide de heetwaterkraan dicht. 'Interesses?'

'Je weet wel... in seksueel opzicht.'

Chloe hield gezicht zorgvuldig in bedwang. Geen zichtbare reactie. 'Dat soort dingen is prima,' zei ze, 'als je ervan houdt.'

'Het was wel... interessant. Het is goed om je grenzen te verleggen, hè?'

'Ja... als je dat allebei leuk vindt.'

Volkomen onverwacht schoot me iets te binnen. Die keer dat Paddy me meegenomen had naar Cannes. Privévliegtuig. Onder aan de trap stond limousine te wachten. Gigantische suite in Hotel Martinique. Bij aankomst bed volgeladen met dure boodschappentasjes van chique winkels op de Croissette. Ik was jubelend van de ene naar de andere kamer gerend, tot ik ineens tegenover mooie Russische vrouw in Chanel-pakje stond. Kil gezicht. In de zitkamer.

Wat deed zij hier? Heel even verondersteld dat ze secretaresse was. Misschien moest Paddy tijdens weekend wat werk doen.

Toen zei hij: 'Dit is Alexia. Zij is gedurende ons verblijf in Cannes ons... vriendinnetje.'

Vriendinnetje? Vriendínnetje?

O nee. Maar Paddy zei met gemene grijns: 'O ja.'

Werd misselijk en kreeg kippenvel op mijn armen bij die herinnering.

'Lola, is alles in orde?' vroeg Chloe. Stem klonk bezorgd.

'Ja, ja, prima. Alleen... die vriend over wie ik het net had...'

'... Ja?...'

'... Hij dwong me om het met een prostituee te doen. Een Russische. Daarna pakte hij haar en moest ik toekijken.'

'... Eh... en dat vond je geen probleem?'

'Destijds dacht ik van niet.'

'En nu?'

'Nee.' Gesmoorde stem en trillend over mijn hele lichaam. 'Nu vind ik het ineens stuitend. Walgelijk. Vernederend. Kan niet geloven dat ik het echt gedaan heb. Helemaal niet grensverleggend. Helemaal niet seksueel avontuurlijk. Heb mezelf gewoon laten vernederen.' Stem ging steeds hoger klinken. Snakte naar adem.

'Kom eens even bij me zitten.'

In de zitkamer nam ze me op schoot, als een moeder met een klein kind, en hield me zo stijf vast dat het beven uiteindelijk ophield. Ik hapte naar lucht en dwong die omlaag naar mijn longen, tot ik weer normaal kon ademhalen. Leunde tegen haar aan. Vond ontzettend veel troost in de manier waarop ze me ondersteunde en ik dacht: 'Wat heeft ze heerlijk grote handen.'

'Had ook kunnen weigeren,' zei ik hortend. 'Had ik eigenlijk moeten doen.'

'Maar dat kon je niet. Want als je dat wel had gekund, had je dat ook gedaan.'

'Ja. Ja.' Zo dankbaar dat ze dat begreep. 'Was te bang. Bang dat hij me... bespottelijk zou vinden. Bang dat hij niet van me zou houden. Bang... gewoon bang.'

Er waren meer momenten geweest, waarop ook vreselijke dingen waren gebeurd. Wist niet waarom die bepaalde gebeurtenis zo bizar was dat ik daar spontaan over was begonnen.

00.44
In bed

Kon niet slapen.

Moest denken aan bekentenis aan Chloe. Dat een triootje met een prostituee bijna normaal had geleken.

Maar zo dacht ik er nu niet meer over. Nu leek het ziek en raar.

In feite was het me nu ook duidelijk dat seks met Paddy vanaf het begin ziek en raar was geweest. Hoe kwam ik erbij dat het erotisch was dat hij me bij ons eerste afspraakje meegenomen had naar een sexshop! Begreep nu pas dat het proef op de som was geweest. Hij wilde erachter komen tot hoe ver ik wilde gaan. En hij had besloten dat ik tot alles bereid was.

Ook al had ik in Cannes het spelletje meegespeeld, ik moest toch hebben geweten dat het fout was, want had het nooit aan iemand anders verteld. In het begin had ik opgesneden over alle seksuele ongein die ik met Paddy uithaalde.

Maar op een gegeven moment was ik opgehouden alles aan Bridie en de anderen door te geven. Had gemerkt dat hun houding was veranderd. Ze waren niet langer jaloers en onder de indruk, maar straalden iets anders uit. Bezorgdheid, denk ik.

Zaterdag 20 december, 08.33
Op weg naar stylingklus voor kerstparty in Tipperary

Rossa Considine pakte touwen en meer van dat soort dingen uit de kofferbak van zijn auto.

Hij kwam naar de afrastering en vroeg: 'Gaat het een beetje vandaag?' Gezicht stond bijzonder vriendelijk en heel even vroeg ik me af waarom. Was vergeten dat ik hem had verteld over Paddy en Alexia. Omdat ik dat natuurlijk niet aan hem had verteld, maar aan Chloe.

Werd een beetje boos bij het idee dat hij het ook wist. Omdat Chloe vertrouwen had beschaamd en het aan hem had doorverteld. Alsof Rossa haar tweelingbroer was.

'Prima. Moet er nu vandoor.'

Hij kon de boom in met zijn begrip en zijn vriendelijke ogen en de hele mikmak. Als ik op vriendelijkheid van Rossa Considine zat te wachten, had ik het wel aan Rossa Considine verteld.

Zondag 21 december, 20.47
The Oak

Tjokvol, ondanks zondag. Zou wel aan de tijd van het jaar liggen. Moest tijden wachten op mijn klontloze soep van de dag. Arme Osama liep zich Egyptische benen uit het lijf.

Considine temidden van grote groep macho kerels met grote modderige laarzen, met de gespierde benen wijd uit elkaar en met mannelijke klauwen die halveliters in borrelglaasjes veranderden. De maatjes waarmee hij grotten onderzocht, concludeerde ik. Als die eens wisten wat Considine elke vrijdagavond uitspookte... Maar misschien wisten ze dat allang. Per slot van rekening wist Gillian het ook.

Rivaliserende groep surfers, met inbegrip van Jake. Zette me schrap voor scheldkanonnade, maar hij negeerde me. Te druk met omstandig tongzoenen met Jaz. Jaz was het getatoeëerde meisje dat ik weken geleden op het feestje bij de surfers thuis had gezien. 'Vergeet mijn naam niet,' had ze tegen me gezegd en natuurlijk was ik die prompt vergeten.

Jake keek me spottend aan en begon nog hartstochtelijker te vrijen.

Ik glimlachte toegeeflijk. Hoopte dat ze gelukkig zouden zijn. Schrok me een hoedje toen ik besefte dat ik dat echt meende. Waarom kon het me geen bal schelen dat hij met een ander was? Had hij dan niets voor me betekend? Was ik een gevoelloze, rare, gekwetste mafkees die nooit meer een normale relatie kon hebben? Welnee. Herinnerde mezelf eraan dat ik dol op Jake was geweest tot ik doorkreeg dat hij van plan was me knettergek te maken.

Moest bovendien niet vergeten dat het alleen maar van de weeromstuit was geweest.

Maandag 22 december, 05.05
Kon niet slapen. Lag te wachten tot het licht werd.

Herinneringen aan Paddy zaten me dwars. Was er zelfs wakker van geworden.

Probeerde aan leukere dingen te denken. Operatie Houten Kop begon aardig van de grond te komen. Personenbusje geboekt bij Gregan's in Ennistymon. Geregeld door Chloe.

Maar stemming wilde niet omslaan. In de duisternis van de vroege ochtend voelde ik me ontzettend eenzaam en wenste ik dat ik met

Chloe kon praten. Zij had begrip getoond toen ik haar over Paddy vertelde. Had me niet veroordeeld. Was alleen lief geweest.

Ontzettend rare toestand. Chloe maar één avond per week beschikbaar. Op andere dagen kon ik haar niet bellen of met haar praten.

Sloot mijn ogen en deed poging troosteloosheid te verdrijven en weer in slaap te vallen. Maar kon de nare dingen niet verdrijven. Een nare herinnering aan Paddy bleef door mijn hoofd spelen.

Was ziek geweest. Zware griep of een of andere virusinfectie. Zo ziek dat ik een paar dagen in Paddy's appartement bleef logeren tot ik me weer beter zou voelen. 's Morgens voordat hij naar zijn werk ging, gaf hij me antigrieppillen en een energiedrankje en herhaalde dat recept als hij weer thuis kwam.

Op een van die avonden hoorde ik hem binnenkomen. Hij deed het licht aan en ik schrok zwetend en ijlend wakker uit een droom waarin ik door een enorm huis liep op zoek naar het toilet. Half wakker drong het tot me door dat ik echt moest plassen en nadat ik even wenste dat ik een stoma had, rolde ik van de gloeiend hete lakens en ging op weg naar de badkamer.

Zat op het toilet met mijn voorhoofd tegen de heerlijk koele tegelwand toen ik zag dat Paddy achter me aan naar binnen was gekomen.

Deed er niet toe. Had vanaf het eerste begin erop gestaan dat badkamerdeur altijd open bleef. Was daar nooit echt aan gewend geraakt, maar gezien alles wat we met elkaar uitspookten, leek het vrij zinloos om per se in mijn eentje te willen plassen.

'Hoe voel je je?' vroeg hij.

'Zo ziek als een hond. Hoe was jouw dag?'

'Ach, het gewone gedoe.'

Ik stond op, trok door, hield mijn handen onder het verrukkelijk koude kraanwater en toen ik terug wilde naar de slaapkamer versperde Paddy me de weg.

'Wat wil je?' vroeg ik.

'Jou.' Hij drukte mijn rug tegen de rand van de wasbak.

Hij kon toch niet... in mijn toestand...?

Maar de keiharde erectie onder de stof van zijn broek liet geen twijfel – ja, hij wilde echt neuken.

Ik kon nauwelijks op mijn benen staan.

Zijn handen lagen op mijn schouders en hij kuste me in mijn hals. 'Paddy,' zei ik. 'Niet nu. Daar ben ik niet toe in staat.'

Hij liet zijn handen in mijn pyjamajasje glijden en kneep in mijn tepels om ze stijf te maken. Moest me bedwingen om niet te gaan gillen.

Binnen de kortste keren had hij zijn jongeheer tevoorschijn gehaald en rukte aan mijn pyjamabroek. Mijn nog steeds stijve tepels
wreven tegen de ruwe stof van het jasje, waardoor ik het liefst mijn
eigen huid had opengekrabd.

'Nee,' zei ik, iets luider dit keer. 'Paddy, ik ben ziek...'

Probeerde me los te rukken, maar hij was zoveel sterker dan ik.
'Paddy.' Weer iets luider. 'Ik wil dit niet.' Maar mijn pyjamabroek
werd omlaag gerukt tot op mijn knieën, kippenvel op mijn dijen en
Paddy drong zich bij me binnen ondanks mijn tegenzin. Droog. Pijn.
Korte, heftige stoten, stuk voor stuk vergezeld van geknor.

'Alsjeblieft...'

'Hou. Je. Bek.' Grommend en met de tanden op elkaar.

Ik staakte meteen mijn verzet en liet toe dat hij zich naar binnen
ramde, hoewel de rand van de wastafel pijnlijk tegen mijn rug drukte.

Het geknor werd luider en de stoten begonnen steeds meer op steken te lijken tot hij ineens begon te huiveren en te kreunen. Hij werd
slap en zakte over me heen, zodat mijn gezicht plat tegen zijn borst
werd gedrukt en ik nauwelijks kon ademhalen. Maar ik klaagde niet.
Wachtte gewoon tot hij klaar was. Na een tijdje richtte hij zich op en
glimlachte me teder toe. 'Kom, dan stoppen we je weer in bed,' zei hij.

Ik strompelde naar de slaapkamer en omdat ik niet wist wat ik
moest denken, besloot ik dat ik maar beter niets kon denken. Een
dag of twee later kwam ik tot de slotsom dat zijn gedrag wel verklaarbaar was. Omdat ik altijd had toegegeven bij alle rare spelletjes, had hij kennelijk het idee gehad dat ik even geil was als hij en
dat zelfs een fikse griep daar geen verandering in zou brengen.

Donderdag 23 december, 19.30
Aankomst van Chloe. Knuffelde me even. Sinds ik mijn hart had ge-
lucht over Paddy en de Russische prostituee voelde dat heel natuurlijk aan.

'Ben vroeg,' zei ze. 'Hoop dat je het niet erg vindt. Wilde alleen
zeker weten dat je nog steeds bereid bent om vanavond te rijden.
Weet je precies waar je naartoe moet en zo? Ik kan ook weer naar
huis gaan en om halfnegen terugkomen als de anderen er zijn.'

'Nee, kom alsjeblieft binnen.'

'Hoe voel je je?' vroeg ze. 'Na alles wat je me vrijdag hebt verteld?
Je schaamt je daar toch niet voor, hè? En je hebt er ook geen spijt van?'

'Nee, Chloe. In feite ging ik me ook andere dingen herinneren.'

Daarna vertelde ik haar over de keer dat ik die griepaanval had
gehad. En daarna kwamen andere herinneringen.

Chloe was lief. Zei niet: 'Waarom ben je niet gewoon bij hem weggegaan?' Stelde geen vragen die me bang maakten of waar ik geen antwoord op had. Luisterde alleen maar, hield me stevig vast en liet me huilen.

20.30

Lag op bed met twee watjes gedrenkt in komkommermelk op mijn ogen tegen de sporen van het huilen. Opgewonden kreetjes van beneden terwijl de dames zich in hun feestjurken hesen.

21.15

Operatie Houten Kop officieel van start. Natasha, Blanche, Chloe, Sue en agent Dolores Lyons allemaal in personenbusje, Chloe voorin naast mij. Iedereen helemaal opgedoft (met uitzondering van Dolores die was gekleed als vrouwelijke agent, compleet met gummiknuppel). Voelde me een stuk opgewekter. Gaat niets boven een lekkere huilbui.

22.30
Club HQ, Limerick

Zette het busje op het parkeerterrein. Stapten uit. Spanning voelbaar. Combinatie van prettig voorgevoel en bezorgdheid.

Dit zou voor hen allemaal de eerste keer zijn dat ze zich in het openbaar als vrouw vertoonden (met uitzondering van Chloe die dat in Seattle al vaak genoeg gedaan had). Stel je voor dat de informatie van Natasha niet klopte en dat deze Club HQ een gewone, vestjesvrije disco was? Dan zouden we gekielhaald worden.

Maar gezien het formaat van de andere vrouwen op het parkeerterrein die op weg waren naar de ingang – terwijl ze hun pruiken en hun edele delen op hun plaats duwden en met mannelijk klinkende stemmen 'o shit' zeiden als ze zwikten vanwege hun hoge hakken – concludeerde ik dat we op de juiste plaats waren.

'Kom op.' Chloe en ik gingen vastberaden op pad, de anderen volgden en we werden met veel egards ontvangen.

Een klein, vaag verlicht zaaltje. Discobal. Bewegende kleurtjes op de muren. Luide muziek. Stampvol prachtig ogende vrouwen en gelukkig ogende mannen.

'Hallo, sexy,' zei een van de gelukkig ogende mannen tegen Natasha. 'Ik ben dol op rood haar. Je zult wel behoorlijk wat temperament hebben. Zullen we dansen?'

'Waarom niet?' zei Natasha en ging ervandoor.

We waren nog maar net binnen!

Mannen die op travestieten vallen, worden 'bewonderaars' genoemd en in Club HQ wemelde het ervan. Dolores was de volgende die ten dans werd gevraagd. Haar vent zei: 'Ik ben dol op vrouwen in uniform. Zullen we?' En vervolgens werd Blanche binnen de kortste keren meegesleept.

Sue, Chloe en ik vonden een richeltje waar we onze kleverige roze drankjes op konden zetten en staarden naar de dansvloer. Sommige travestieten zagen eruit als echte vrouwen.

'Dat zijn ze ook,' riep Chloe boven de muziek uit. 'Aanhangsels. Vrouwen en vriendinnen van travestieten, die hen openlijk steunen.'

Ik vond het mateloos boeiend. Ik had eigenlijk verwacht dat iedere vrouw het walgelijk zou vinden als haar man in vrouwenkleren rondliep. Ik denk omdat ik het zelf walgelijk vond. Niet walgelijk op zich, maar walgelijk voor een man met wie ik een relatie had. Hoe zou ik hem ooit weer sexy kunnen vinden als ik hem erop betrapte dat hij een roze broekje met strikjes droeg?

'Komt weer een vent aan,' schreeuwde ik in Chloes oor. 'Zal jou wel vragen.'

Maar dat deed hij niet. Tot mijn stomme verbazing koos hij Sue. Chloe was de enige van mijn meiden die nog niet ten dans was gevraagd en zij was met voorsprong de knapste en de best geklede, in een wijnkleurige wikkeljurk van prachtige, glanzende stof (tegelijkertijd sexy en stijlvol), een panty met een zigzagpatroon en enkellaarsjes met adembenemende hakken.

'Je brengt die kerels op het verkeerde idee,' schreeuwde ik tegen haar. 'Je moet niet zo bij mij blijven plakken. Ga nou maar dansen.'

'Nee, vind dit prima… Jezus!' Chloe keek met open mond naar de dansvloer. 'Is dat Sue?'

Rekte me uit om beter te kunnen zien en mijn mond viel ook open. Kon mijn ogen niet geloven. De verborgen talenten die een mens meedraagt, zijn echt verbazingwekkend. Sue, in het dagelijks leven een zwijgzaam keuterboertje dat eeuwig een pet droeg, bleek fantastisch te kunnen dansen. Ze bewoog als glanzend kwik. Lenig en soepel, een slangenmens. Benen die normaal op dunne kippenpootjes leken, waren strak en gespierd in glanzende panty. Ze veroorzaakte heel wat heisa.

Maar ondanks het feit dat Chloe zo mooi was, kwam niemand haar ten dans vragen en uiteindelijk zei ze: 'Laten wij maar gaan dansen, Lola. Lijkt me beter dan hier als een stel sukkels te blijven staan.'

'Oké.'

Ze kon geweldig dansen, die Chloe. Hartstikke leuk. Had me in tijden niet zo geamuseerd.

Twee bewonderaars kwamen op ons af, maar maakten zich meteen weer uit de voeten toen ze ontdekten dat ik echt een vrouw was.

'En hoe zit het met haar?' wees een van de twee op Chloe.

'Nee, zij is een man.'

Hij bleef Chloe even aarzelend aankijken. 'Ach, hoor eens, we laten jullie gewoon met rust.'

02.07

Met z'n allen weer in het busje. Op weg naar huis. Uitmuntende stemming, echt opgewonden. Gesnater van stemmen terwijl verhalen over bewonderaars uitgewisseld werden plus opmerkingen over hoe leuk het was om in het openbaar als vrouw te verschijnen en over alle complimentjes die ze hadden gehad. Iedereen blij.

Hoewel het al twee uur was, waren er toch nog veel auto's op de weg. Kerstparty's en zo.

Langzaam rijden.

Nog langzamer rijden.

Stilstaan.

Een file alsof we midden in het spitsuur zaten. Verderop was licht te zien.

'Wat is er aan de hand?'

'Politiecontrole,' zei agent Dolores Lyons met een gebaar naar zijn walkie-talkie. 'Operatie Nuchter Kerstmis.'

Politiecontrole! Plotseling waarde de angst door het busje. Niet omdat ik dronken was, want dat was niet zo. Maar reed wel met een bus vol vestjes, waarvan één een politieagent was. En niet alleen dat, maar ook nog in het uniform van een vrouwelijke agent. (Zou hij ervan beschuldigd kunnen worden dat hij zich voordeed als agent?) Wist wat ze dachten: we zouden uit moeten stappen en ons met de handen op het dak van de auto moeten laten fouilleren, waarbij vooral onze edele delen het zouden ontgelden. Familie zou op de hoogte worden gebracht. Namen naar de pers worden gelekt. We waren gezien.

Keek Chloe aan. Grepen tegelijkertijd naar de kaart op de grond.

'Ik draai om,' zei ik, maar dat wist ze al.

'Ik zeg wel hoe je moet rijden,' zei ze.

Ik trapte het gaspedaal in en maakte een keurige U-bocht om vervolgens met een vaartje terug te rijden naar Limerick. Maar Dolores had opnieuw slecht nieuws te melden. 'Andere controle voor ons.'

'Wat bedoel je?'

'Ik bedoel dat er voor ons ook gecontroleerd wordt, verdomme!' Zwaaiend met de walkie-talkie. 'We rijden er recht op af!'

We zaten in de val.

'Nee, nee, nee, nee, nee, nee,' kreunde Natasha.

'Doe normaal!' snauwde Dolores.

'Ik heb zoveel te verliezen!'

'We moeten van de snelweg af,' zei Chloe terwijl ze de kaart bestudeerde.

'Hoezo jij hebt zoveel te verliezen? Ik ben verdorie een wetsdienaar! Hoe denk je dat ik me voel?'

Terwijl ze achterin zaten te bekvechten over wie het meest te verliezen had als ze betrapt werden, was in de verte tegen de hemel het licht van de volgende controlepost zichtbaar. Het verkeer begon vaart te minderen.

'Shit,' zei ik binnensmonds.

'Lola,' zei Chloe, 'er moet hier ergens een afslag naar links zijn... daar! Hier!'

Er waren geen borden die aangaven dat er een weg volgde, zag het eigenlijk net te laat en moest veel te snel stuurwiel omgooien, waardoor ik met piepende banden de zijweg opscheurde en de aandacht trok van de politiemensen die verlicht door sodiumlampen als een soort buitenaardse wezens midden op de weg stonden. Zelfs toen ik de donkere zijweg inreed, zag ik uit mijn ooghoeken hoe ze verstarden en ons nastaarden. We hoorden ze schreeuwen.

'Verdomme! Ze hebben ons gezien!'

'Blijf doorrijden, Lola,' zei Chloe kalm. 'Over een kleine honderd meter is er een afslag naar rechts. Die moet je nemen.'

'Ze komen achter ons aan!' riep Dolores. 'Ik hoor ze op de walkie-talkie!'

'Echt waar?'

'Ja ja! Twee agenten in een patrouillewagen.'

'Gewoon doorrijden, Lola,' zei Chloe terwijl ik met een noodgang over een aardedonkere weg vol gaten reed. 'Luister, dames. Zo meteen stoppen we en dan springen jullie vieren meteen de auto uit. Zo snel mogelijk en verstop je meteen. Lola en ik rijden verder en zij zullen ons wel volgen.' Hopelijk, hoorde ik haar gewoon denken. 'We komen zo gauw mogelijk terug om jullie op te pikken. Hier naar rechts, Lola.'

Mankeerde niets aan mijn reactievermogen. Angst doet wonderen. 'Chloe, jij moet ook uitstappen...'

'Geen denken aan. Laat je niet alleen.'

'O god, is dat een sirene?'

Ja. Even later zag ik zelfs af en toe de koplampen van de smerissen.

'Oké, Lola,' zei Chloe. 'Stop hier.'

Ingang van een of andere toestand. Vestjes tuimelden als stel parachutespringers de auto uit. Meteen weer doorrijden.

'Wat was dat?'

'Ingang van steengroeve.'

'Hoe wist je dat?'

'Van de kaart.'

Van de kaart. 'Jezus, de meeste vrouwen kunnen voor geen meter kaartlezen. Zit die patrouillewagen nog steeds achter ons?' Maar dat wist ik heel goed, want ik hoorde de sirene nog steeds.

'We komen zo bij een dorpje. Zullen we daar stoppen?'

'Oké.'

'Denk erom, we hebben niets misdaan. Oké, blijf hier maar staan.'

Zetten de auto voor een gesloten kroeg. Zenuwachtig. Smerissen achter ons. Stapten allebei uit, met boze gezichten. De vent die het meest geërgerd leek, zei tegen mij: 'Uitstappen.'

Chloe en ik stapten allebei uit. Zo onschuldig mogelijk vroeg ik: 'Wat is het probleem, agent?'

'Waarom probeerde u een controlepost te vermijden?'

'Welke controlepost?'

Keek me veelbetekenend aan. Dacht dat hij me te pakken had voor rijden onder invloed.

'Waarom bent u niet gestopt toen u sirene hoorde?'

'Ben wel gestopt. Op eerste veilige plek.'

Weer zo'n blik.

'Blaas maar in het rietje,' zei de ander die er wat vriendelijker uitzag. Daarna wisselden ze een valse glimlach, alsof ze afspraken dat ik meteen gearresteerd zou worden.

Tot hun grote – en bittere – verrassing doorstond ik de blaasproef en ze konden me nergens anders op pakken. Kentekenbewijs in orde, auto bleek niet gestolen, geen lijken in de kofferbak en geen drugs. Gewoon twee meisjes die na een avondje dansen op weg waren naar huis.

Vijftien minuten later

Smerissen vertrokken met grote tegenzin. Ze wisten dat we iets voor hen verborgen, maar ze wisten niet wat.

Stapten langzaam weer in de patrouillewagen, maar bleven me vuile blikken toewerpen.

'Als ik u was, zou ik maar goed oppassen dat wij elkaar niet nog eens tegenkomen, mevrouw Daly,' zei de kwaadste bij wijze van afscheid.

'Ik wens u ook een prettige kerst, agent.'

Hoorde Chloe naast me grinniken. (Moet toegeven dat ik dat alleen zei om indruk te maken op Chloe. In mijn eentje zou ik veel meer respect hebben getoond.)

De motor ronkte, de lichten gingen aan, rook uit de uitlaat en de patrouillewagen was weg. Bleef kijken tot ze uit het zicht waren en vroeg: 'Zijn ze weg?'

Chloe tuurde de smalle donkere weg af. Rode achterlichten waren verdwenen. Zelfs de motor was niet meer te horen. Doodse stilte.

We hadden het voor elkaar gebokst!

Plotselinge adrenalinestoot, van blijdschap, van opluchting.

'We waren net Thelma en Louise!'

Ik wilde haar een high-five geven, omhelzen, optillen en rond-zwieren.

Uiteindelijk bleef het bij een fikse vrijpartij.

Grace

De stemming op de redactie was explosief. De helft van het personeel had op de eerste januari het roken opgegeven. Acht dagen later kon de zaak ieder moment ontploffen. Omdat ik mijn eerste afkickverschijnselen al in oktober had gehad, viel het voor mij wel mee. Daarmee wil ik niet zeggen dat ik niet naar een sigaret snakte, want dat was wel het geval, maar ik was niet zoals de anderen bereid om alles kort en klein te slaan.

Maar tegelijkertijd werd ik evenmin getroost door het feit dat we allemaal samen het lot trotseerden, omdat ik precies wist wat er zou gebeuren: morgen was het vrijdag en dan ging iedereen na het werk naar Dinnegans en driekwart van degenen die het roken eraan hadden gegeven zouden tussen hun derde en vierde drankje weer een sigaret opsteken. Het andere kwart zou in het weekend overstag gaan en op maandagochtend zou ik weer de enige niet-roker zijn. (Of liever, een niet-rokende roker. Er waren een of twee mensen op de redactie die nooit gerookt hadden, maar daar voelde ik geen verwantschap mee.)

Ik ging met tegenzin weer verder met mijn artikel en toen mijn mobiel overging, kikkerde ik daar gewoon van op. Elke vorm van afleiding was welkom. Ik controleerde het nummer. Kon ik het gesprek veilig aannemen? Dickie McGuinness.

'Met McGuinness.'

De lijn kraakte zo ontzettend dat ik hem nauwelijks kon verstaan. Hij klonk alsof hij van Mars belde. Wat betekende dat hij waarschijnlijk vijftig meter verderop in de straat bij Dinnegans zat.

'Dickie, we missen je!'

Dickie was al sinds het begin van de week 'op een verhaal uit'. Het moest echt geweldig zijn om misdaad te doen. Zo lang je maar een paar keer per jaar met een verhaal over een stel absolute nietsnutten kwam, kon je de rest van de tijd op je lauweren rusten.

'Grace, ik heb iets voor je.' Weer gekraak.

'Ik luister en huiver.' Dickie kon ontzettend vulgair zijn, vooral als hij gezopen had.

'Je wilt toch wel...' Onverstaanbaar vervolg. '... of niet soms?'

'Waar heb je het over?'

'Ja of nee?'

'Ja! Waar gaat het om?'

'De naam van de persoon die dat stel minkukels heeft betaald om je auto in brand te steken.'

Mijn hart kromp samen en ik drukte de telefoon zo hard tegen mijn oor dat het kraakbeen kraakte.

Gealarmeerd door intuïtieve nieuwsgierigheid hield TC op met tikken en keek me aan.

'Luister je?' wilde Dickie weten.

'Ja!'

'Wil je het weten of niet?'

'Ja verdomme, natuurlijk wel!' De halve redactie keek met een ruk op en staarde me aan.

'Jij bent het... *piep... kraak...* zelf, hè?'

'Ja, Dickie, het ligt gewoon aan de lijn. Vertel op.'

'John Crown.'

'Nog eens.'

'John Crown. J-o-h-n-C-r-o-w-n.'

'Nooit van gehoord. Ik ken helemaal geen John Crown.'

Ineens klonk er weer een ontzettend gekraak en de verbinding werd verbroken.

Mijn vingers trilden toen ik hem probeerde terug te bellen, maar ik kreeg een twee-tonig signaal dat ik nog nooit eerder had gehoord. Misschien zat hij echt op Mars. Ik probeerde het nog een keer en kreeg weer hetzelfde geluid. En nog eens. Ik zat met grote ogen naar mijn telefoon te kijken en vroeg me af wat er aan de hand was. Belde ik het verkeerde nummer? Was mijn telefoon kapot? Of was het gewoon het 'Dickie-effect'? Hij deed altijd ontzettend zijn best om zich in een waas van geheimzinnigheid te hullen en eerlijk is eerlijk, af en toe lukte het ook nog.

'Wat is er aan de hand?' vroeg TC.

'Niets.' Ik stuurde snel een sms'je naar Dickie met het verzoek mij te bellen.

'Ik vraag het nog één keer,' zei TC bits. 'Wat is er aan de hand?'

'Niets.' Ik wilde dat hij zijn mond zou houden. Mijn gedachten tolden door mijn hoofd. John Crown? John Crown? Wie was dat? Kende ik hem? Wat had ik hem aangedaan? Had ik iets vervelends over hem geschreven? Ik piekerde me suf en haalde me alles wat ik had gepubliceerd voor de geest, maar ik kon hem niet thuisbrengen.

Mijn benen trilden en ik zette mijn voeten stevig op de tapijttegels om ze op te laten houden. Dat ik nu de naam wist van de persoon die me zo haatte dat hij mijn auto in brand had laten steken was in zekere zin verontrustend. Het gaf me een gevoel dat ik nooit eerder had gehad. In de vijf weken sinds Dickie me had verteld dat het geen ongeluk was geweest had ik nauwelijks kunnen geloven dat hij de waarheid sprak. Het enige moment waarop mijn angst echt de overhand kreeg, was vroeg in de ochtend – zes van de zeven weekdagen schrok ik om halfzes 's ochtends wakker. Maar nu ik de naam van die man had gehoord werd mijn vrees bijna tastbaar. Ik was verstijfd van angst.

'Natuurlijk is er wel iets,' drong TC aan. 'Zie ik er soms zo stom uit?'

'Ja. Vooral als je een sudoku maakt.' Ik keek op van mijn telefoon en sloeg mijn ogen neer. 'Sorry, TC.'

'Wie is John Crown?' vroeg Tara.

'Ja, wie is John Crown?' Behalve het chagrijn was een tweede kenmerk van een naar nicotine hunkerende werkplaats een grote behoefte aan amusement.

'Weet ik niet.'

'Wel waar!'

'Welles!'

'Tuurlijk weet je dat wel!'

Lorraine vroeg niets. Zij had het opgegeven en was al op drie januari weer gaan roken.

Joanne vroeg ook niets. Zij had nooit van haar leven gerookt. (Zoals eerder vermeld, hoorde ze er niet echt bij.)

'Je oor is knalrood,' merkte TC op. 'Dat ziet er heel raar uit.'

Om eerlijk te zijn deed het ook knap zeer. Zou ik mijn oor gebroken hebben? Kon dat?

'Aan het werk!' siste Jacinta. Ze leek wel een gans. 'Ga allemaal weer aan het werk!'

'Zullen we een taart gaan halen?' vroeg Tara.

'O ja. Alsjeblieft, Jacinta, taart!'

'Nee, we gaan verdomme helemaal geen taart halen!'

Ik kon niet werken. De druk werd steeds groter. John Crown? Wie was dat? Waarom zou hij mensen geld geven om mijn auto te stelen? Waarom zou een volslagen vreemde me dat aandoen? Of had hij de verkeerde op het oog gehad? Hoe kon ik daar achter komen?

Zonder iets te zeggen stond ik op en liep naar de brandtrap.

Ik moest even rustig kunnen nadenken. En misschien zou de koude lucht goed zijn voor mijn oor. Ik ging op een metalen tree zitten. Het was steenkoud en mistig en overal om me heen klonken stadsgeluiden, maar in ieder geval werd mijn gehavende oor niet geteisterd door mensen die over koekjes zaten te zeuren.

Ik haalde diep adem en erkende met tegenzin dat Damien misschien wel zou weten wie John Crown was. Ik zou het hem kunnen vragen. Maar iets – wat wist ik niet – weerhield me daarvan. Om dezelfde reden had ik hem ook niet verteld wat ik eerder van Dickie had gehoord: dat mijn auto met opzet in brand was gestoken. Meestal vertelde ik Damien alles. Nou ja, bijna alles. Ik bedoel, hij wist ook niet dat ik iedere maand vlak voordat ik ongesteld werd drie stijve, lange haren bij mijn mond moest wegplukken. Nu was dat niet bepaald een staatsgeheim en als hij ernaar zou hebben gevraagd had ik er niet over gelogen, maar ik zou het hem nooit uit eigen beweging vertellen.

Maar goed, ik wist dus niet waarom ik hem niet had verteld dat iemand het op mij voorzien had.

Misschien omdat ik bang was dat het allemaal echt waar zou worden als hij het ook wist?

Maar het was echt waar.

Ik begon weer te beven, maar dit keer kon ik de kou de schuld geven.

God, wat een leven. En dan werd ik ook nog stapelgek van die hele toestand met Marnie. Vlak nadat ik bij haar was geweest was alles volkomen uit de hand gelopen: ze was haar baan kwijtgeraakt en Nick was bij haar weggegaan. Hij had de meisjes meegenomen en hun prachtige grote huis te koop gezet. Het was alleen nog niet verkocht omdat we midden in de winter zaten, maar het zou niet eeuwig januari blijven.

Kerstmis was een doffe ellende geweest. Bids vierde chemokuur was op de dag voor Kerstmis voltooid, maar over het resultaat viel nog niets te zeggen. Kennelijk was het geen kwestie van geleidelijke genezing, het kon zelfs best dat pas de allerlaatste dosis op de allerlaatste dag succes had. Tot ze na haar laatste kuur in februari weer door de scan moest, kon niemand zeggen of ze wel of niet in leven zou blijven.

Die arme pa en ma begonnen zichtbaar onder de druk te lijden en dat was een trieste gewaarwording omdat pa juist altijd zo opleefde tijdens de kerst. Hij geloofde vast in een samenzweringstheorie waarover hij ieder jaar begin december weer begon. Dan raasde en tierde hij tegen iedereen die het maar wilde horen dat de christelijke kerken een verbond gesloten hadden met de top van de zakenwereld om gezamenlijk de mensen zover te krijgen dat ze zakken vol geld uitgaven aan malle sokken, cranberrysaus en flessen advocaat.

In andere huizen wist je dat Kerstmis eraan kwam als de doos met kerstversiersels van zolder werd gehaald. Bij ons thuis werden de feestdagen ingeluid als pa weer over zijn samenzweringstheorie begon te foeteren.

Maar dit jaar kon hij dat niet opbrengen, afgezien van een halfhartige tirade over de nutteloosheid van potpourri.

Marnie kwam naar Ierland – zonder de kinderen, uiteraard – en liet de feestdagen als een bleke slaapwandelaar aan zich voorbij trekken. Tot op dat moment had ik kunnen voorkomen dat pa en ma erachter kwamen dat ze een drankprobleem had, maar als Marnie besloot om zich aan een uitspatting over te geven, zou ik dat niet voor hen kunnen verbergen. Door de manier waarop zij zich misdroeg, was het best mogelijk dat ze het tv-nieuws zou halen.

Maar vreemd genoeg dronk ze helemaal niet. Overigens at, sliep of sprak ze ook niet.

Toch voelde ik een sprankje hoop. Misschien had ze er eindelijk een eind aan gemaakt. En het was best mogelijk dat het feit dat Nick bij haar weg was gegaan de doorslag had gegeven.

Op aanraden van Damien belde ik Nick om hem te vertellen dat er schot in zat, maar Nick was niet half zo blij als ik. 'Tien dagen zonder drank? Daar schieten we nog niets mee op. Het moet veel langer zijn.'

'Maar Nick, als jij haar daar nou bij wilde helpen...'

'Nee Grace, dat kan ik de meisjes niet aandoen.'

'Maar...'

'Nee.'

Ik vond het niet leuk, maar ik had er begrip voor.

Ik besloot dat ik mee zou gaan als Marnie op 30 december terugging naar Londen om haar door de oudejaarsavond heen te slepen. 'Eerlijk is eerlijk,' zei ik, 'oudejaarsavond zou zelfs van de Dalai Lama een zuipschuit kunnen maken.'

Damien zei dat hij best mee wilde gaan en dat was een verleidelijk aanbod. Ik wilde bij hem zijn – ik had het gevoel dat ik hem al wekenlang nauwelijks had gezien, ook al was dat niet waar, want ik woonde immers met hem samen – maar omdat ik hem ten behoeve van een van mijn familieleden al had gedwongen te stoppen met roken, vond ik het te ver gaan om ook nog van hem te verwachten dat hij voor een ander als babysit zou optreden. En ook nog op oudejaarsavond.

'Ga jij nou maar lekker uit,' drong ik aan. 'Ga pleziermaken. Ik ben over twee dagen terug.'

'Ik heb genoeg zogenaamd plezier gehad voor de rest van mijn leven,' zei hij somber. 'En ik ben die gezellige kerstsfeer ook zat.'

Zijn broers en zussen waren dol op Kerstmis en hadden heel wat feestjes gegeven. Medio december hadden Christine en Richard een chique Wit-Russisch Bal gegeven, waarbij iedereen volgens de uitnodiging geacht werd wit te dragen. 'Of anders?' had Damien tegen het rechthoekige stukje karton gezegd. 'Worden we dan naar Siberië gestuurd?'

Twee dagen voor de kerst kwam er een drieregelig bevel van Deirdre. 'Een familie-etentje,' had ze gezegd. 'Zodat we op de dag zelf allemaal bij ons eigen gezin kunnen zijn.' Ze had haar eetkamer in een kerststal veranderd, compleet met dennennaalden op de vloer en walmende toortsen aan de wand en ze had een compleet traditioneel kerstmaal opgediend voor twaalf volwassenen en tien kinderen zonder dat de glimlach ook maar één keer van haar gezicht verdween.

Op kerstavond voerden de neefjes en nichtjes tussen de negen en de elf een 'kerstrevue' op met marionetten die ze zelf hadden gemaakt. In zekere zin was dit de vervelendste van alle bijeenkomsten geweest, want je kon nauwelijks een mond opendoen, anders was de dialoog onverstaanbaar geweest. In een ander opzicht was het ook nog heel deprimerend. Rare kinderen. Hadden die eigenlijk niet gewoon door de stad moeten zwerven om in warenhuizen lipgloss te jatten?

Er waren ook nog een heel stel 'spontane' bijeenkomsten geweest, van 'aanschuiven en eten wat de pot schaft' tot 'hallo, we zitten vanaf halftien in de Dropping Well, komen jullie ook?'

Damien en ik hadden wel een paar keer ons gezicht moeten laten zien, want we hadden door schade en schande geleerd dat als we dat niet deden, zijn moeder prompt belde en zei dat iedereen zich zorgen over ons maakte.

'Kerstmis is echt een ramp,' peinsde Damien. 'Ik weet wel dat we dat ieder jaar zeggen, maar laten we nou volgend jaar echt weggaan, Grace. Naar Syrië of een ander islamitisch land, waar ze het niet vieren.'

'Prima.' Ik had dit jaar al wel weggewild, als we niet met Bid en Marnie opgescheept hadden gezeten.

'Maar ook al is Kerstmis een verschrikking,' ging hij verder, 'oudejaarsavond is nog veel erger. Daar heb ik echt de pest aan.'

'Wie niet? Maar wat je ook gaat doen, het zal in ieder geval een stuk leuker zijn dan met een appelsapje in dat mausoleum van Marnie te moeten zitten.'

'Juno geeft een feest,' zei hij.

'Goh,' zei ik. 'Waarom kijk ik daar niet van op? Doet ze wel eens iets anders dan feestjes geven?'

'Als jij dat niet leuk vindt, ga ik niet, hoor,' zei Damien. 'Ik heb een hekel aan oudejaarsavond. En aan feestjes!'

Ik moest wel lachen, want anders ging hij misschien nog denken dat ik een jaloers, bezitterig kreng was. Maar toch kon ik me niet inhouden. 'Wat wil Juno toch van je? Waarom moeten we ineens met alle geweld vriendjes zijn? Wat zit daar achter?'

'Niets.'

Het was maar één woordje, dus hoe kon dat zo uitdagend klinken? Maar misschien vergiste ik me wel.

'Nou, waarom wil jíj haar dan per se terugzien?'

'Dat wil ik helemaal niet,' zei Damien.

'Echt niet?'

'Nee, echt niet.'

'Goed, in dat geval heb je mijn zegen.'

Dus vlogen Marnie en ik naar Londen en het eerste wat ik deed, was het huis op de kop zetten waarbij ik uit allerlei hoeken en gaten flessen wodka tevoorschijn haalde. 'Giet ze maar leeg,' zei Marnie. 'Gooi het weg.'

Alsof ik zou voorstellen om ze allemaal leeg te drinken.

Op oudejaarsdag brachten we de middag door met Daisy en Verity. We deden ons best, maar jezus... Dat sprankelende van Daisy was helemaal verdwenen. Ze was zo'n charmant en mooi kind geweest en nu was ze van de ene op de andere dag veranderd in een saai, chagrijnig wezentje. En die arme Verity was één brok zenuwen. Ze bleven maar vragen – onophoudelijk – waarom ze niet meer bij Marnie woonden en wanneer ze weer thuis zouden komen. 'Gauw,' beloofde Marnie telkens opnieuw. 'Heel gauw.'

Toen Nick ze kwam halen, barstten ze allebei in snikken uit en ik had het gevoel dat mijn hoofd uit elkaar barstte.

Maar hun tranen waren nog niets vergeleken bij die van Marnie. Ze bleef zo lang schokken en verkrampen dat ik me zelfs begon af te vragen of ik geen dokter moest bellen.

'Het enige wat ik ooit heb gewild was moeder worden.' De woorden kwamen hortend en stotend over haar lippen. 'Waarom heb ik dit laten gebeuren? Ze hebben me mijn kinderen afgepakt en dat is mijn eigen schuld.'

'Je moet gewoon stoppen met drinken,' zei ik. 'Dan krijg je ze weer terug.'

'Dat weet ik wel, dat weet ik heel goed, Grace, maar o god, zal ik je eens iets verschrikkelijks vertellen? Het enige wat ik nu wil, is een borrel.'

'Nou, die krijg je mooi niet,' zei ik grimmig. 'Neem maar een saucijzenbroodje en verzet je ertegen.'

Toen de klok op oudejaarsavond twaalf uur sloeg, was Marnies huilbui eindelijk voorbij en had ze twee weken niet gedronken.

'Een nieuw jaar, een nieuw begin,' zei ik terwijl we proostten met onze glaasjes appelsap. 'Alles komt weer in orde.'

'Weet ik wel.'

De volgende dag, toen ik in de taxi stapte die me naar het vliegveld zou brengen, zei ze rustig: 'Het komt echt allemaal weer in orde.' Ze glimlachte zo lief tegen me dat ik prompt een stuk geruster was. Ik was gewoon vergeten hoe het voelde om niet tegen de muren op te vliegen. Heerlijk gewoon. Het enige waar ik me nu nog druk over hoefde te maken was dat mijn tante een levensbedreigende vorm van longkanker had. En dat er iemand was die zo'n hekel aan me had dat hij mijn auto in brand had laten steken. En dat de ex-vrouw van mijn vriend steeds weer contact zocht. Geweldig!

Maar een uur later, toen ik al ingecheckt had, besloot ik om Marnie nog gauw even te bellen en ze nam niet op. En ik wist zeker, terwijl ik daar op Terminal 1 stond, tussen al die duwende en voordringende mensen die na de feestdagen terug naar huis gingen, dat ze weer was gaan drinken.

Ik draaide me om – ja, hoe dramatisch dat ook mag klinken – en ging regelrecht terug.

Ik was zo boos dat ik nauwelijks uit mijn ogen kon kijken. 'Wat haal je je verdomme nou weer in je kop? Je maakt alles kapot!'

'Het spijt me, Grace.' De tranen stroomden over haar wangen. 'Zonder de meisjes... dat verdriet is bijna ondraaglijk...'

'En wiens schuld is dat? Je bent gewoon een egoïstisch kreng en je zou zo kunnen ophouden als je maar echt je best deed.'

Ik beet mijn kiezen op elkaar, greep de telefoon en belde zestien ontwenningsklinieken – wie zou ooit hebben verwacht dat het zo'n groeiende bedrijfstak was? – en hoorde tot mijn stomme verbazing dat een groot aantal daarvan volgeboekt zat. 'Het is de drukke tijd van het jaar,' zei een kerel met een treurig lachje. 'Hoogseizoen.' Alsof we het over een vakantie op de Malediven hadden.

Misschien had ik me getroost moeten voelen in de wetenschap dat ik niet alleen was, maar eigenlijk was het gewoon een schok om te ontdekken dat er nog zoveel andere egoïstische krengen op de wereld waren. Zelfs als er plaats was geweest in een van die klinieken, dan zouden ze Marnie toch niet opgenomen hebben tenzij ze toegaf dat ze een alcoholist was, en dat weigerde ze. Voor zo'n fragiele tuinkabouter kon ze zo koppig zijn als een ezel.

'Grace, ik moet alleen door deze moeilijke periode heen. Momenteel kan ik gewoon niet stoppen. Ik heb drank nodig om eroverheen te komen, maar als dit voorbij is...'

'Hoe gaat dit dan voorbij?'

'Als Nick en de meisjes terugkomen, is alles weer in orde en dan hoef ik niet meer zoveel te drinken.'

'Maar Nick en de meisjes kómen niet terug.' Ik kon wel janken van frustratie. 'Ze zijn weggegaan omdat jij zoveel dronk. Waarom zouden ze terugkomen als je nog steeds drinkt?'

'Ik word wel weer sterker en als ik sterker ben, hou ik op. Dan is het verdriet niet meer zo intens. En kan ik minder drinken.'

Maar ik had wel iets opgestoken van mijn gesprekken met de afkickcentra. 'Het wordt alleen maar erger. Je bent een alcoholist, dat is wat er aan de hand is.'

Ze schudde haar hoofd. 'Ik ben alleen maar ongelukkig.'

Mijn grootste angst was het feit dat ze niets meer te verliezen had. Ze was alles kwijt, waarom zou ze dan stoppen?

Ik vloog later die avond toch terug naar huis. Ik kon niet anders, want ik moest de volgende dag werken.

'Maar in het weekend ben ik er weer,' waarschuwde ik Marnie.

'Het is nu al donderdag.'

Inderdaad. Door de feestdagen was ik de tel een beetje kwijtgeraakt. 'Mooi,' zei ik met een grimmig lachje, 'in dat geval ben ik morgenavond terug. En,' vervolgde ik tot mijn eigen verbazing omdat ik dit helemaal niet gepland had, 'voorlopig kom ik ieder weekend hiernaartoe.'

'Waarom?' vroeg ze.

'Om ervoor te zorgen dat jij met je tengels van de drank af blijft. Waarom dacht jij dan?'

Maar de volgende avond – vorige week vrijdag – toen ik haar bij mijn aankomst buiten westen in de keuken aantrof, stinkend naar urine, en ik haar als een klein kind naar boven droeg om haar in bed te stoppen, begreep ik voor het eerst – want christus, wat was ik bang – waarom ik had besloten ieder weekend naar haar toe te gaan. Ik wilde haar niet te lang alleen laten, want ik was bang dat ze dood zou gaan. Er kon van alles gebeuren: ze kon van de trap vallen en haar nek breken, haar lichaam zou de hoeveelheid alcohol niet meer aan kunnen en ze had altijd suïcidale neigingen gehad.

Ik probeerde op haar in te praten, maar het hele weekend bleef ze stug volhouden dat ze wel zou stoppen als alles weer in orde was. Ik werd er stapelgek van. Maar toen ik maandagochtend wegging, viel me iets anders op: angst. Waar zou zij in vredesnaam bang voor zijn, vroeg ik me af. Met haar ging het best, zij dronk zich een ongeluk en voelde zich puik.

Maar zodra ik dat sarcastische inwendige stemmetje het zwijgen had opgelegd, begon ik het vermoeden te krijgen dat Marnie misschien toch niet waanzinnig egoïstisch was. Dat ze misschien gewoon niet kón ophouden met drinken. En dat ze dat zelf ook heel goed wist, ook al beweerde ze nog zo hardnekkig het tegendeel.

Toen mijn kont op de brandtrap bevroren was van de kou, besloot ik om maar weer naar binnen te gaan. Grappig genoeg had de vrieskou niets voor mijn oor gedaan, dat voelde zelfs nog erger aan, alsof het in brand stond.

Terwijl ik naar mijn bureau liep, keek Tara me hoopvol aan. 'Heb je taart gehaald?'

'Eh... nee.'

'We dachten dat je weg was gegaan om iets lekkers te halen.'

'Sorry, nee.'

'Heeft ze geen taart gehaald?' vroeg Clare.

'Heb je geen taart gehaald?' TC keek me beschuldigend aan. 'Waar ben je dan verdomme geweest?'

'Maar ik heb nooit gezegd...'

'Lieve hemel nog aan toe!' Jacinta smeet haar pen op haar bureau. 'Als dat de enige manier is om jullie vanmiddag aan het werk te krijgen, ga ik verdorie wel een taart halen!' Ze greep haar handtas (zwart natuurlijk, het was januari) en stormde naar de klapdeuren.

'Geen sinaasappelsmaak!'

'Ook geen koffie.'

Ze draaide zich om, keek ons aan en schreeuwde ons over de hoofden van een heel stel andere medewerkers toe: 'Ik breng verdomme de smaak mee die ik zelf lekker vind!'

Er was één persoon die vast en zeker wist wie John Crown was. Omdat hij toevallig zo'n verwaande wijsneus was die alles wist.

Maar hem zou ik niets vragen. Ik zou nog liever onwetend het graf ingaan dan hem iets te vragen.

Het was niet mijn bedoeling om hem aan te kijken. Ik had eigenlijk naar mijn stukje taart willen kijken (walnoot met koffie, Jacinta had de smerigste in de hele winkel gevonden), maar mijn ogen pasten zich niet bij de rest van mijn lichaam aan en keken eigengereid in de richting van Casey Kaplan. Hij zat te bellen en toen mijn trouweloze ogen de zijne kruisten, glimlachte hij en knipoogde.

Ik wendde met moeite mijn ogen af en concentreerde me op mijn taart. Als ik de walnoten er nu eens uit zou vissen, dan zou het misschien niet zo akelig smaken...

Daarna pakte ik mijn telefoon en probeerde opnieuw Dickie te bereiken. Nog steeds op Mars.

'Kaplan. Heb je even een momentje?'

Hij zat met zijn voeten op zijn bureau, alsof hij een sheriff in een cowboyfilm was en dat irriteerde me mateloos. Maar hij zette zijn voeten met een zwaai op de grond en schoot overeind. 'Grace Gildee, jij mag vragen wat je wilt. Is het een privékwestie? Kunnen we niet beter naar Dinnegans gaan?'

'Hou je mond. Jij kent toch iedereen?'

'Nou, niet echt ieder...'

'Doe maar niet zo bescheiden, we weten allemaal hoe geweldig je bent. Ik heb je hulp nodig.'

Hij verstarde en toen hij opnieuw zijn mond opendeed, was de badinerende toon verdwenen. 'Zou ik je een raad mogen geven, Grace? Als je iemand om hulp vraagt, wil het wel eens helpen om een beetje vriendelijk te doen.'

Ik bleef hem uitdrukkingsloos aankijken.

'Iets vriendelijker in ieder geval.'

'Jij hebt mijn Madonna-interview gestolen,' zei ik. 'Je bent me iets verschuldigd.'

Hij neeg zijn hoofd. 'Als we dat op deze manier weer recht kunnen zetten...'

'Zegt de naam John Crown je iets?'

'Ja.'

'Ja?'

'Ja.'

'Wie is dat?'

Hij keek me met grote ogen aan. 'Weet je niet wie dat is?'

'Anders zou ik het toch niet aan jou vragen?'

'Volgens mij ken je hem wel degelijk.'

'Ik heb nog nooit van hem gehoord.'

'Waarom wil je dat eigenlijk weten?'

Van mijn stuk gebracht zei ik: 'Dat gaat je niets aan.'

'Geweldig. Uiteraard. Sorry. John Crown is chauffeur en manusje van alles voor een belangrijke man. Paddy de Courcy.'

De chauffeur van Paddy.

Ik moest kotsen. Een misselijk gevoel overviel me, ik voelde het bloed uit mijn hoofd wegtrekken, een golf braaksel kwam in mijn mond en mijn handen en voeten begonnen te tintelen.

Paddy had geregeld – had er zelfs voor betááld – dat mijn auto in brand gestoken werd. Het was ongelooflijk, het was alsof ik ineens midden in een misdaadfilm terecht was gekomen, maar ik wist dat dit echt was, want de timing klopte. Zes dagen daarvoor...

'Grace, voel je je wel goed?'

'Ja, luister...' Ik rende met een noodgang naar het damestoilet en gooide mijn lunch eruit. Mijn maag bleef samenkrimpen tot ik alleen nog gele gal uitkotste.

Toen ik het eenmaal wist, was het net alsof ik het altijd had geweten.

Ik had het móéten weten. Ik was niet dom en ik wist hoe Paddy was. Hij had geweten hoe dol ik op mijn auto was. Hij had me erin zien rijden, zinderend van trots en blijdschap.

Ik stond op en liep met trillende knieën naar de kraan. Ik keek in de spiegel en vroeg aan mijn doodsbleke spiegelbeeld wat ik kon doen.

Niets.

Vergeet het, raadde ik mezelf aan. Het was gebeurd, het was voorbij, het was verleden tijd. Het was het verstandigste om te doen alsof het nooit gebeurd was.

We hadden een nieuwe bank nodig, want we waren door de oude gezakt. 'Grace,' zei Damien. 'Ik zou nog liever mijn been afhakken dan tijdens de uitverkoop in januari een hele zaterdag lang allerlei meubelzaken af te sjouwen, maar we moeten dit weekend echt een nieuwe bank kopen.'

'Dat gaat niet,' zei ik wanhopig. 'Ik moet naar Londen. Ik kan Marnie niet alleen laten.'

Het bleef heel even stil. 'Ja, dat weet ik. Ik begrijp het.'

'Het spijt me, Damien.'

'Ik wil best met je meegaan naar Londen,' bood hij aan. 'Waarom wil je dat niet?'

'Omdat het echt heel vervelend voor je zou zijn,' zei ik. 'En ik zou me belazerd voelen als jouw weekend ook verknald werd.'

'Het kan nooit erger zijn dan rondlopen in Leerwereld.'

Ik zuchtte en schudde mijn hoofd. 'O, jawel hoor.'

'Waarom mag ik je niet helpen?' Hij klonk ineens boos. 'Je bent zo... zelfstandig.'

'Ik dacht dat je dat juist fijn vond van me.' Ik probeerde te lachen.

'Ik ben van gedachten veranderd.'

'Damien, het komt gewoon omdat... omdat de noodzaak om Marnie constant in de gaten te houden zo... zo akelig is. Je gaat er aan kapot.'

Bovendien had ik het donkerbruine vermoeden dat Marnie het helemaal niet leuk zou vinden als ik samen met Damien kwam opdagen. Niet dat ik ook maar enig resultaat bij haar boekte, maar ik had het idee dat ze zich zo zou schamen als Damien er ook bij was, dat ze alleen nog maar meer zou gaan drinken.

'Laten we maar eens kijken of ik dit weekend iets met haar kan beginnen,' zei ik. 'Kunnen we dat als een compromis beschouwen.'

'Vooruit dan maar.'

Op vrijdagavond, toen ik Marnies huis binnenging, was ik ontzettend blij dat ik Damien uit zijn hoofd had gepraat om met me mee te gaan. Marnie lag naakt in de hal – god mocht weten waarom – en was zo dronken dat er geen land met haar te bezeilen viel. Ik goot haar vol water en vitamine B (op aanraden van de hulplijn), zorgde dat ze weer nuchter werd en hielp haar door de nacht zonder dat ze nog een druppel aanraakte. Ik sliep met één oog open (zo voelde het in ieder geval) en ging zaterdagochtend met haar naar een bijeenkomst van de AA. Zaterdagmiddag nam ik haar mee om een eind te gaan lopen, kookte voor haar en sliep zaterdagnacht weer met een oog open. (Het andere oog, dit keer. Verandering van spijs doet eten.)

Maar op de een of andere manier had ze op zondagochtend weer alcohol te pakken gekregen. Het ene moment zaten we gewoon met elkaar te praten en een moment later viel me ineens op dat haar tong dubbelsloeg. Ik was verbijsterd – ik dacht echt dat er geen fles meer in het huis te vinden was – en toen welde er zo'n intens bitter gevoel in me op dat ik het liefst was gaan liggen om voorgoed in slaap te vallen.

'Waar heb je dat vandaan gehaald?' wilde ik weten.

'Heb niets,' mompelde ze. 'Zedderadiomaaraan.'

En verbazingwekkend genoeg viel ze vlak daarna gewoon om. Wat ze ook had gedronken, het moest een enorme hoeveelheid zijn geweest.

Woedend, gefrustreerd en ontzettend gedeprimeerd belde ik Damien op.

'Hoe is het met haar?' vroeg hij.

'Buiten westen.'

'Hè? En ik dacht dat het zo goed ging!'

'Ik ook. Maar volgens mij heeft ze ergens in de badkamer een fles verstopt en die kan ik niet vinden. Ik heb nog net niet het bad naar de overloop gesleept, maar ik kan nog steeds niets vinden.'

Hij zuchtte. 'Kom weer naar huis, Grace, je kunt haar toch niet helpen.'

'Zeg dat alsjeblieft niet, Damien.'

Het bleef even stil aan de andere kant van de lijn. Na een poosje vroeg ik: 'Hoe was het pokeravondje bij Billy gisteren?'

'Hugh kwam opdagen.'

'Je bróér Hugh?'

'Ja, die. Hij was Billy toevallig op een begrafenis tegengekomen en troggelde hem een uitnodiging af.'

Hugh leek op een radioactieve terrier. Een en al tand en tuk op winnen. Door zijn strijdlust was een gezellig avondje bier en kaarten waarschijnlijk in iets heel vervelends veranderd.

'Heeft hij gewonnen?'

'Moet je dat nog vragen? De hele pot. Eenenvijftig euro en zeventig cent.'

'En hij heeft dat geld helemaal niet nodig.'

'En wij wel.'

'Weet je, Damien, op een dag krijgt hij heus wel het lid op zijn neus.'

'Ga verder.' Dit vond Damien een leuk spelletje.

'Die kinderen van hem...' Agrippa, Hector en Ulysses, de arme stakkerdjes, '...die sluiten zich bij een sekte aan.'

'Bijvoorbeeld de...'

'En Hugh...'

'...of Brian...'

'...of nog beter, allebei worden opgepakt omdat ze een van hun patiënten onder narcose op de operatietafel geneukt hebben.'

Damien grinnikte zacht. 'Die vind ik het best.'

'Dat wordt een enorm schandaal en ze worden meteen geroyeerd. En ondertussen word jij hoofdredacteur van de *Press*, de jongste die ze ooit hebben gehad.'

'Jaahhh.' Hij zuchtte een beetje mistroostig. Tijd om te kappen met het hakken op zijn familie. Persoonlijk had ik er nog eeuwen mee door kunnen gaan, maar Damien vond het niet leuk als ik al te venijnig werd. Want, eerlijk is eerlijk, het was nooit hun bedoeling om vervelend te zijn. Het gebeurde niet met opzet.

'Wat ga je vandaag doen?' vroeg ik.

'Ik ga een nieuwe bank kopen.'

'Nee!' Ik schoot geschrokken in de lach. 'Nee, alsjeblieft niet, Damien... God mag weten waarmee je thuiskomt.' Waarschijnlijk een of ander gigantisch monster van zwart leer. 'Haal maar brochures. En staaltjes van de beschikbare bekledingsstoffen. Maar denk erom dat je niets koopt, Damien Stapleton!'

'Vertrouw je me niet?'

'Als het gaat om de aanschaf van een bank? Nee! Bel me vanavond maar op om verslag uit te brengen. En ik waarschuw je nog eens, je krijgt met mij te doen als je echt iets koopt!'

Maandagochtend schrok ik om halfzes 's ochtends wakker in Marnies bed. Ik sprong even onder de douche en tijdens het aankleden probeerde ik Marnie met een opwekkend praatje – zo van: je gaat niet drinken, dat red je best – een hart onder de riem te steken. Maar het was te vroeg en te koud en ik kon de energie niet opbrengen. Het enige wat me overbleef, was smeken: 'Ga nou alsjeblieft niet drinken, Marnie, alsjeblieft. Ik kom vrijdag terug, probeer nou maar gewoon om tot dan niet te drinken.'

Ik pakte de vlucht van 07.45 uur naar Dublin en nam een taxi naar de redactie waar ik midden in een zwarte-handtasdag terechtkwam. Ik zou blij zijn geweest met elke andere kleur, zelfs rood. Ik was zo moe en zwart was zo vermóéiend.

'Voorstellen,' gebood Jacinta met bittere zwarte energie.

'Jaloezie tussen broers en zussen?'

'Nee!'

'De hernieuwde populariteit van poker?'

'Nee!'

'Alcoholisme bij vrouwen van in de dertig?'

'Nee! Ga maar iets anders verzinnen.'

'Enig.' Zodra ze verdwenen was, belde ik Damien. Hij had me de avond ervoor niet teruggebeld en ik was bang dat dat betekende dat hij door een of andere gladjanus in een meubelzaak overgehaald was om voor de helft van de prijs een smoezelig en monstrueus showroomexemplaar te kopen.

'Waarom heb je me gisteravond niet gebeld?' wilde ik weten.

'Omdat...'

'Je hebt toch geen bank gekocht, hè?'

'Nee.'

'Zeker weten?'

'Ja.'

'Gelukkig maar.'

'Het was echt vreselijk, Grace. Alle winkels waren afgeladen met bekvechtende echtparen, het was er bloedheet en walgelijk druk. Maar goed, ik heb brochures en staaltjes.'

'Misschien kunnen we daar vanavond naar kijken. Als je thuiskomt van je avondje met de jongens.'

'Daar hoef ik niet per se naartoe.'

'Waarom niet?'

'Ik heb je het hele weekend al niet gezien.'

'Hè nee, ga nou maar. Het is belangrijk om je aan vaste patronen te houden als alles overhoop ligt. En ik ben toch te moe om gezellig te zijn. Ik zie je wel in bed.'

Ik kon me de rest van de dag nog net staande houden met behulp van een onfatsoenlijke hoeveelheid koffie met suiker. Heel ongebruikelijk voor een maandag ging er een stel naar Dinnegans, maar ik besloot dat ik liever naar huis ging want daar was ik al sinds vrijdagochtend niet meer geweest.

Maar zodra ik mijn sleutel in het slot had gestoken en naar binnen stapte, wist ik dat er iets mis was. Ik rook het gewoon.

Ik liep van de ene naar de andere kamer, snuffelend en vol concentratie om uit te vissen wat dat ongrijpbare, storende en vreemde element precies was.

Ik staarde naar de meubelbrochures op de keukentafel. Zou dat het zijn? Maar dat kon toch niet?

Ik liep naar boven en het gevoel verdween. Ik zou het me wel verbeeld hebben. Ik was gewoon moe, bekaf en overspannen. Maar toen ik onze slaapkamer binnenliep, kreeg ik dat gevoel opnieuw. Maar was dat wel zo? Ik vertrouwde mijn eigen zintuigen niet meer.

Ik bleef heel lang op de rand van het bed zitten, snuffelend en analyserend. Geur of geen geur? Fantasie of werkelijkheid? En waar ging het eigenlijk om?

Daar moest ik het straks toch even met Damien over hebben. Of morgen, als ik niet meer zo moe was.

De volgende dag kostte het me behoorlijk wat moeite om wakker te worden, maar zodra ik besefte dat het dinsdag was en dat ik dus moest werken, slaagde ik erin mijn ogen open te krijgen.

'O gooooood,' kreunde ik.

Damien dook op uit de badkamer, met een handdoek om zijn middel en een half geschoren gezicht.

'Voel je je wel goed?' vroeg hij.

'Ik ben zo moe.'

'Je was buiten westen toen ik gisteravond thuiskwam.'

'Dat heb ik van Marnie geleerd.'

'Wil je iets?'

Meer dan genoeg. Dat mijn zus op zou houden met drinken. Dat de kanker van mijn tante zou genezen. Dat ik Paddy de Courcy nooit had ontmoet.

'Koffie.'

Hij liep naar de slaapkamerdeur op weg naar de keuken. 'Hé, Damien?' vroeg ik zwak. 'Heb je in het weekend iemand op bezoek gehad?'

Hij draaide zich om en keek me aan. 'Nee.'

Maar er vertrok iets. Nauwelijks zichtbaar, maar ik zag het meteen en mijn hart begon te bonzen. 'Wat is er aan de hand?'

'Niets.'

'Het lijkt me anders duidelijk dat het wel iets is.'

'Oké.' Hij zuchtte. 'Ik heb een afspraak met Juno gehad.'

Ik had het gevoel dat ik over moest geven. De vermoeidheid, de schok...

'Maar ze is niet hier geweest. We hebben zondagavond alleen samen Indisch gegeten. Haar man was er niet.' En vervolgens voegde hij eraan toe: 'En jij ook niet.' Ik wist niet of hij echt iets uitdagends in zijn stem had.

'Waarom heb je me dat niet verteld?'

'Het had niets te betekenen, het kwam toevallig zo uit. Ik vertel het je nu pas, omdat ik het gisteren niet wilde zeggen toen je op je werk zat.'

'Maar als het zo belangrijk was dat je het niet telefonisch wilde vertellen, dan lijkt het me duidelijk dat het wel iets is.'

'Doe niet zo belachelijk,' zei hij kortaf.

Deed ik belachelijk?

Als er echt iets tussen hen was, dan zou hij me niet vertellen dat hij haar gezien had. Of juist wel? Probeerde hij zich gewoon te dekken, voor het geval iemand hen samen had gezien? Zou hij me het wel verteld hebben als ik niet had geraden dat er iets aan de hand was?

Of begon ik langzaam maar zeker te malen?

Ik dacht dat ik Damien kon vertrouwen.

Maar konden mensen elkaar wel vertrouwen?

'Ik hou van jou,' zei hij. 'Ze betekent niets voor me.'

'Waarom maak je dan een afspraak met haar?'

Hij was even stil en zei toen: 'Dat zal ik niet meer doen.'

'Oké.' Ik had de puf niet om me nog langer druk te maken.

'Hè?'

'Oké, doe dat dan niet meer. Maak geen afspraken meer met haar.'

'Oké.' Hij knikte bevestigend. 'Afgesproken.'

Marnie

Sky Nieuws was haar enige vriend. Die zender gaf haar belangrijke informatie zonder haar te veroordelen. Het vertelde haar dat het vandaag donderdag 15 januari was, tien voor halftwaalf in de ochtend. (En ook dat er een staatsgreep in Thailand was geweest, maar dat interesseerde haar minder.)

De laatste dag waar ze zich iets van kon herinneren was maandag. Grace was om tien over zes 's ochtends naar Dublin vertrokken en zodra haar taxi aan het eind van de weg de hoek om ging, werd Marnie overstelpt door gevoelens van schuld en eenzaamheid en ze was meteen de wodka gaan halen die ze in de badkamer verstopt had. Daarna was ze zich slechts af en toe bewust geweest van de werkelijkheid, maar nu was ze nuchter.

Ze trilde, ze was bang, ze voelde zich misselijk, maar ze had geen behoefte aan drank. Zo ging het steeds. Het leek een soort cyclus: ze begon te drinken en kon niet meer ophouden tot daar plotseling, en wanneer precies viel nooit te voorspellen, een eind aan kwam.

Vandaag wilde ze alleen nog maar haar dochters. De geur van Daisy's huid, Verity die vol vertrouwen haar hand vasthield...

O, die schuldgevoelens. God, ze voelde zich zo ontzettend schuldig. Ze waren zo jong, zo breekbaar...

Hoe was ze in dit leven terechtgekomen? Hoe waren ze met z'n allen in deze toestand verzeild geraakt? Dat zij hier alleen in dit grote lege huis woonde en haar dochters met haar man in een appartement drie kilometer verderop.

Het was zo raar, zo totaal anders dan haar bedoeling was geweest, dat ze nauwelijks kon geloven dat het echt waar was. Misschien was het niet eens waar. Misschien was ze nooit getrouwd. Misschien had ze nooit kinderen gehad. Zou haar hele leven puur fantasie zijn geweest? Misschien was ze zelfs nooit geboren...

Ze slaagde erin zichzelf met dit soort redenaties zoveel angst aan te jagen, dat ze opstond en door het huis ging lopen om haar gezond verstand weer te hervinden. Ze stelde zich aan. Sterker nog... Maar de gedachten bleven door haar hoofd tollen.

Ik ben niet echt.

Ik ben nooit geboren.

Ze moest met iemand praten. Maar met wie? Ze zouden denken dat ze niet goed wijs was.

Ik ben echt, ik ben echt.

Snakkend naar adem belde ze Grace op haar werk. 'Grace, ben ik echt?'

'O jezus, wat nou weer? Wat is er aan de hand?'

Marnie legde het uit, zo goed en zo kwaad als het ging. 'Word ik gek, Grace?'

'Het klinkt alsof je een delirium hebt,' zei Grace. Ze klonk verdacht rustig.

'Welnee, helemaal niet...'

'Delirium? Tremens?'

'Ik mis gewoon mijn dochters.'

Zodra Marnie had opgehangen, welde de paniek weer op en benam haar de adem. Ze kon alleen nog maar aan Daisy en Verity denken. Als die bestonden, dan bestond zij ook.

Misschien moest ze met Nick praten. Misschien kon hij bevestigen of Daisy en Verity echt waren.

Maar ook al werd ze nog zo verscheurd door angst, ze wist dat ze Nick in deze toestand niet kon bellen. Hij had toch al zo'n lage dunk van haar. Maar de angst maakte haar zo benauwd dat ze uiteindelijk tegen beter weten in toch de telefoon greep en zijn kantoor belde. Zelfs toen ze vroeg of ze hem kon spreken, werd ze bekropen door de vrees dat een stem zou zeggen: 'Nick Hunter? We hebben nooit iemand in dienst gehad die zo heet.'

Iemand die klonk als Nick kwam aan de lijn en hij scheen haar ook te kennen. De donkere nevel van angst loste op en kwam meteen weer terug. Ze vroeg zich zelfs in een moment van waanzin af of de rol van Nick door een acteur gespeeld werd.

'Nick, ik moet de meisjes zien.' Ze moest een tastbaar bewijs hebben.

'Ze zitten op school,' zei Nick.

School. Dat betekende vast dat ze bestonden. 'Kan ik daarnaartoe gaan om ze te zien?'

'Nee! Helemaal niet!' Meteen daarna op een iets kalmere toon: 'Nee, Marnie. Dan raken ze alleen maar overstuur.'

'Ze hebben me al weken niet meer gezien.'

'En wiens schuld is dat?'

Nadat hij bij haar weggegaan was – bij haar wég! – had Nick bepaald dat ze de kinderen op zondagmiddag zou mogen zien. Maar de allereerste zondag was het zo'n onbekend en raar gevoel dat ze slechts één middag bij haar zouden zijn – bij haar, hun móéder, die hun het leven had geschonken – dat ze voordat ze er waren absoluut een borrel moest nemen. En nog een. Tegen de tijd dat Nick kwam opdagen – alleen, om poolshoogte te nemen terwijl de meisjes in de auto wachtten – was Marnie bereid de situatie te accepteren. Maar Nick verklaarde als een ware alleenheerser dat ze dronken was en dat Daisy en Verity helemaal overstuur zouden raken als ze haar in die toestand zagen.

'Je moest je schamen,' had hij gezegd.

Hij veranderde de tijd dat de meisjes bij haar zouden zijn in zaterdagochtend. En toen in vrijdagavond.

'Rotstreken,' had Marnie tegen Grace gezegd. 'Hij probeert me gek te maken. En hij gebruikt de kinderen als pionnen.'

'Nee. Denk je niet dat hij gewoon probeert de beste tijd te vinden, om er zeker van te zijn dat je nuchter bent?'

Rotstreken.

Marnie kreeg een lumineus idee waardoor het gevoel van paniek meteen verdween: ze ging met de meisjes naar de dierentuin! Ze zou nu meteen naar hun school gaan en hen uit de klas halen, dan konden ze met hun drietjes naar de dierentuin. Dat zouden ze gewéldig vinden. Nou ja, Daisy dan. Verity was bang voor dieren. En het was ook wel erg koud. Misschien niet zulk goed weer voor de dierentuin. Maar ze moest niet zo negatief denken!

Ja, ze gingen naar de dierentuin en daar zou ze snoep voor de meisjes kopen, t-shirtjes van de dierentuin, alles wat ze wilden hebben. Ze konden alles van haar krijgen, om ze maar te laten weten hoeveel ze van hen hield en hoe erg ze het vond dat zij zo'n puinhoop van hun leven had gemaakt. Daarna ging ze naar Nick toe om hem over te halen weer thuis te komen.

Zodra het besluit genomen was, werd ze doodzenuwachtig bij de gedachte aan alles wat ze moest doen voor ze hen te zien kreeg. Wat kon ze laten vallen? Ze hoefde niet te eten en ook niet onder de douche. Nee, wacht even, dat kon ze beter wel doen, het was alweer een tijdje geleden. Ze sprong onder het stromende water en goot een hoeveelheid douchegel over haar lichaam, maar een nieuwe aanval van nervositeit maakte dat ze weer uit de douche sprong, nog steeds onder het schuim. Geen tijd om dat af te spoelen.

Terwijl ze een handdoek omsloeg, ging ze op zoek naar iets om aan te trekken. Het eerste wat ze pakte, was een wijdvallend jurkje dat ze nog nauwelijks gedragen had, maar dat maakte niet uit. Daarna pakte ze een stapeltje bankbiljetten uit een met houtsnijwerk versierd doosje op de vensterbank. Nick had al haar bankpasjes laten blokkeren maar ze was hem in dat opzicht al lang voor geweest en had bij pinautomaten duizenden opgenomen die ze overal in huis verstopt had. Wie zou hebben gedacht dat ze zo slim kon zijn?

Daarna liep ze naar buiten en stapte in haar auto, en toen ze het hek uitreed, vroeg ze zich af hoe haar leven eruit zou zien als haar rijbewijs werd ingetrokken. Als die zaak ooit voor de rechter kwam.

Maar waarom zouden ze haar zoiets aandoen? Ze was geen misdadigster. Bovendien had ze twee jonge kinderen, ze had haar auto hard nodig.

Toen ze voor het rode stoplicht stond, zag ze een slijterij. Nou ja, dé slijterij. Er was een tijd geweest dat ze naar vijf of zes verschillende slijterijen ging om niet vaker dan één keer per week in dezelfde zaak te komen. Nu ging ze onveranderlijk naar de winkel die het dichtst bij haar huis was.

Ze was zelf verrast toen ze er plotseling stopte – macht der gewoonte, dacht ze, het kwam door de auto – en naar binnenging.

'Vijf flessen Absolut,' zei ze tegen Ben en voegde er schaapachtig aan toe: 'Ik geef een feestje.'

'Heb je het niet koud in die jurk?' vroeg Ben. 'Het vriest buiten.'

'Eh… nee.' Maar ineens schaamde ze zich dood. Ze had een luchtig zomerjurkje aan. Blote armen. Geen jas. Wat had ze zich in haar hoofd gehaald?

Ze greep de draagtassen en holde bezorgd terug naar de auto. Op hetzelfde moment dat ze weer op haar stoel zat, maakte ze een van de flessen open en zette die aan haar mond om de vloeibare magie naar binnen te gieten. Ze slikte het door, nam de fles even van haar mond om naar adem te happen en zette hem toen opnieuw aan haar mond. Binnen een paar seconden verdween het vernederende gevoel en was ze weer even vastberaden als daarvoor. Aangevuurd door de gesmolten sterren reed ze snel naar de school.

Vrolijk en vol zelfvertrouwen liep ze de dubbele deuren door. Twee vrouwen verschenen in de gang. Een ervan herkende ze. 'Directrice! Goedemiddag. Ik kom voor mijn meisjes.'

'Ze zitten in de klas, mevrouw Hunter.'

'Dat weet ik wel. Maar ik wil ze meenemen voor een uitje.'

'Ik ben bang dat dat niet gaat.'

Aha! Ineens begreep ze wat er aan de hand was. 'Heeft hij gezegd dat ik zou komen? Mijn man? Maar dat doet er niet toe, ik ben hun moeder.'

'Mevrouw Hunter...'

'Alstublieft, ik wil ze zien.'

'Zou u misschien iets zachter willen praten? Kom even mee naar mijn kantoor, dan kunnen we het bespreken.'

'In welke klassen zitten ze? Goed, ik ga ze zelf wel zoeken als u dat niet wilt vertellen!'

Ze grepen haar vast! Ze hielden haar tegen toen ze de gang in wilde rennen om de deuren van de klassen open te gooien. Ze worstelde om los te komen. 'Blijf met jullie handen van me af!'

Gealarmeerd door de herrie werden steeds meer hoofden uit klassen gestoken. Geschrokken onderwijzers, gevolgd door giechelende meisjes die met grote ogen de gang op kwamen.

Toen zag ze Daisy. 'Daisy! Ik ben het! Mam. We gaan naar de dierentuin. Ga Verity halen.'

Daisy bleef als aan de grond vastgenageld staan.

'Schiet op! Gauw!'

'Is dat jouw moeder, Daisy?' vroeg een van de giechelende meisjes.

'Nee.'

De volgende keer dat ze wakker werd, was Grace bij haar in de slaapkamer. Was het nu al weekend? Hoeveel dagen was ze kwijt?

'Hoe laat is het?' vroeg ze schor.

Grace keek op van haar boek. 'Tien over negen.'

Morgen of avond? Welke dag?

'Donderdagavond, de vijftiende januari,' zei Grace. 'Moet ik je ook het jaar vertellen?'

'Wat doe je dan hier?'

'Ik ben na het werk meteen hierheen gekomen. Ik neem morgen vrij en blijf het hele weekend.'

Marnie wist ineens waarom Grace nu al in Londen was. Het kwam door dat telefoontje eerder die dag – het was nauwelijks te geloven dat het nog steeds dezelfde dag was – toen ze Grace had gevraagd of ze echt was.

O, god, nee. Ze had zich als een krankzinnige gedragen en Grace zo laten schrikken dat ze meteen op het vliegtuig was gestapt. Ze schaamde zich zo dat ze nauwelijks uit haar woorden kon komen. 'Het spijt me, Grace. Ik was een beetje... in paniek, maar nu is alles weer in orde.'

Dat was in feite gelogen, want ze snakte naar een borrel. Het verlangen ernaar was zo intens dat ze beefde en begon te zweten. Het had geen zin om te kijken of de fles naast het bed er nog stond, die had Grace vast en zeker leeggegoten. Maar er lag er nog een op het verlaagde plafond van de badkamer. Als ze op de rand van het bad ging staan, was ze net lang genoeg om een van de kunststoftegels eruit te lichten en de fles te pakken.

Een herinnering schoot door haar hoofd: een onderdeel van een seconde vol kleur en lawaai. Geschreeuw en geworstel met de directrice van de school, roepend naar Daisy dat ze naar de dierentuin gingen, de directrice die haar de autosleutels afpakte en de onderwijzer die haar naar huis had gereden.

Nee, dat was niet waar.

Ze stapte uit bed en liep naar het raam. Daar stond haar auto, onschuldig op de oprit! Ze was zo opgelucht dat ze er duizelig van werd en bijna op haar knieën viel. Ze had het gewoon gedroomd.

'Een van de onderwijzeressen heeft de auto teruggebracht,' zei Grace die achter haar stond. 'Het is wel degelijk gebeurd, het is echt waar.'

Marnie wankelde van schaamte en had het liefst door de grond willen zakken. Ze dacht terug aan Daisy's gezicht. Aan de haat die erop te lezen stond.

Ze mocht Grace niet laten merken hoe ze zich voelde, want die zou meteen misbruik maken van haar zwakte en proberen haar met geweld open te breken. Maar de behoefte aan drank drong zich opnieuw aan haar op. Die kon ze niet negeren, die was te sterk.

'Grace.' Haar stem trilde. 'Ik moet naar de badkamer.'

'Ik ga wel mee.'

'Dat hoeft niet. Ik moet alleen maar plassen. Geloof me.'

'Jou geloven?' zei Grace spottend.

'Ik smeek je.' Ineens stroomden de tranen over Marnies wangen. 'Laat me alsjeblieft alleen naar de badkamer gaan.'

'Nee. Ik weet dat je daar drank hebt verstopt.'

'Ik smeek het je op mijn knieën, Grace. Zit je daar dan op te wachten?'

Ze viel op haar knieën en Grace pakte haar elleboog om haar met een pijnlijke ruk weer overeind te hijsen. 'Laat dat, Marnie! Sta in godsnaam op!' Nu huilde Grace ook en Marnie moest bekennen dat dat iets nieuws was.

'Kijk toch eens naar jezelf!' zei Grace. 'Marnie, dit is hartverscheurend!'

'Alsjeblieft, Grace,' smeekte Marnie. 'Je moet niet meer hiernaartoe komen.' Ze hielden elkaar vast, half ruziënd half omhelzend. 'Ik kan niet veranderen. Hou op met dat te proberen, doe jezelf dat niet aan. Je hebt je eigen leven. Hoe zit het met Damien? Vindt hij het niet vervelend dat je constant hier bent?'

'Maak je daar maar niet druk over,' zei Grace vermoeid. 'Iedereen kent die ups en downs.'

Vrijdags rond lunchtijd reed Grace met Marnie naar een bijeenkomst van de AA. Ze bracht Marnie steeds naar bijeenkomsten als ze in Londen was, maar ze ging niet langer mee naar binnen. In plaats daarvan wachtte ze buiten in de tochtige hal. Marnie wist dat Grace bang was dat zolang zij naast haar zat, Marnie tijdens de bijeenkomsten nooit aan haar 'grote bekentenis' toe zou komen. De bekentenis dat ze alcoholist was.

Maar wat Marnie betrof, kon Grace zich het ongemak besparen. Ze kon net zo goed gezellig binnen komen zitten om thee te drinken en koekjes te eten met de alcoholisten, want die bekentenis zou er nooit komen.

En maar goed ook, dacht Marnie, terwijl ze om zich heen keek, want als ze ooit iets op haar hart had, zou het haar de grootste moeite kosten om aan het woord te komen. Kletskousen, die alcoholisten.

'...ik dronk omdat ik een hekel aan mezelf had...'

'...ik dacht echt dat ik de meest bijzondere en buitengewone persoon ter wereld was, zo gecompliceerd dat niemand me kon begrijpen. Toen vertelde iemand me dat alcoholisme de ziekte van "dodelijke zeldzaamheid" wordt genoemd...'

'...het was altijd de schuld van iemand anders...'

'...op een dag werd ik wakker en ineens kon ik het niet meer opbrengen. Ik weet niet wat er anders was aan die dag, misschien had ik er gewoon genoeg van om mezelf en iedereen om me heen als oud vuil te behandelen...'

'Marnie, wil jij misschien ook iets zeggen?'

Nou goed, als ze heel eerlijk was, moest Marnie bekennen dat ze haar altijd uitnodigden om 'mee te doen', maar ze schudde altijd haar hoofd en keek naar de vloer.

Maar vandaag zei ze: 'Ja, eigenlijk wel.'

Er waarde een haast tastbaar gevoel van verwachting rond door de kamer: ze dachten dat ze zou toegeven dat ze een alcoholist was. 'Ik wil alleen maar zeggen dat mijn man bij me weg is gegaan en mijn twee kleine meiden mee heeft genomen. Ik mag ze niet meer zien. En hij heeft al mijn bankpasjes geblokkeerd en het huis te koop gezet.'

Na afloop van de bijeenkomst dook ineens die Jules weer op, met haar jolig zwierende paardenstaart.

'Hé Marnie, zullen we een kopje koffie gaan drinken?'

'Ja!' Grace schoof haar als een soort bedillerige moeder naar Jules toe. 'Ga maar gauw mee, ik kom je over een halfuurtje ophalen.'

In de koffieshop aan de overkant zette Jules een smoothie voor Marnie neer en zei: 'Hoe gaat het met je?'

'Niet zo goed. Ik mis mijn kleine meiden.' Ze gooide het hele verhaal eruit.

'Mijn partner is ook bij me weggegaan omdat ik zoop,' zei Jules. 'En hij nam de kinderen mee. Nou ja, dat was eigenlijk fantastisch. Ik kon eindelijk net zoveel drinken als ik wilde, zonder dat iemand me aan mijn kop zeurde. Ik had zo'n geweldig excuus. Al dat zelfmedelijden.'

'...Maar in mijn geval is er geen sprake van zelfmedelijden.'

'Nee, ik zei alleen dat dat voor mij gold. Ja,' zei Jules nadenkend, 'ik liet me vollopen met rode wijn en begon te huilen en als ik dronken was belde ik ze op om te zeggen dat ik van hen hield en dat het hun papa's schuld was dat ik niet bij hen was. Het leek wel een beetje op kijken naar zo'n sentimentele huilfilm, denk ik, alleen maar janken om de verkeerde redenen, maar ik vond het heerlijk. Afschuwelijk voor je kinderen, natuurlijk, maar ik kon er niets aan doen.'

Marnie luisterde gefascineerd toe. Jules was nog veel erger geweest dan zij. In ieder geval belde zij de meisjes niet en ze probeerde Nick ook niet zwart te maken. Nou ja, niet echt vaak.

'Maar Jules, als het zo erg met je was, hoe kon je dan stoppen?'

'Door naar deze bijeenkomsten te gaan.'

'Waarom werkt het dan niet voor mij?'

'Ben je alcoholist?'

'...Nee, nee, eigenlijk zelfs het tegendeel. Ik ben gewoon ontzettend ongelukkig en dat kan ik alleen met behulp van alcohol onderdrukken.'

'Daar heb je het al,' zei Jules opgewekt. 'Waarom zouden de bijeenkomsten jou helpen als je geen alcoholist bent?'

'...Maar...' Marnie fronste haar voorhoofd. Hoe zat dat nou precies? Had Jules haar nou op een geniepige manier te pakken genomen? Ze kon er niet helemaal bij.

'Sorry, maar ik moet ervandoor,' zei Jules. 'Ik moet mijn kinderen ophalen. Zien we je morgen weer?'

'Eerlijk gezegd, nee Jules.' Marnie had die beslissing net genomen. 'Ik denk het niet. Ik kom niet meer naar deze bijeenkomsten.'

Grace zou moord en brand schreeuwen, maar...

'Ik heb er niets aan,' zei Marnie vermoeid. 'Maar hoe kan het ook anders? Je zei zelf al dat ik geen alcoholist ben.'

'Feitelijk zei je dat zelf,' zei Jules.

'Maakt niet uit. Maar goed, ik kom niet meer. Het is alleen maar tijdverspilling.'

Jules knikte vol begrip. 'Ik zal je missen.'

'Ik jou ook,' zei Marnie beleefd, hoewel dat helemaal niet waar was. Ook al was Jules nog zo aardig. 'Maar mag ik je nog één ding vragen voor je weggaat?' zei Marnie. 'Je kinderen? Wie heeft het ouderlijk gezag? Jij of hij?'

'Dit zul je wel niet leuk vinden.' Er verscheen een brede grijns op Jules' gezicht. 'Mijn partner en ik zijn weer bij elkaar. Sinds ik ben gestopt met drinken.'

'Nee!' Marnie drukte haar handen tegen haar oren. 'Ik wil die propaganda van jullie niet horen! Hou op met drinken en alles komt weer helemaal goed!'

Jules lachte alleen maar.

Ze kwam tot de ontdekking dat ze in de hal op de vloer lag. Het huis voelde enorm groot en koud aan.

Een zwarte schaduw gleed als een roofvogel over haar heen.

Wat was dat? Een wolk die buiten door de lucht zeilde? Een vrachtwagen die voorbijdenderde?

Het leek op de dood.

Lola

Vrijdag 16 januari, 10.07
Telefoon – Nkechi. Alweer! Ze was de eerste twee weken van januari naar Nigeria geweest (de enige rustige tijd van het jaar voor een styliste), maar wist niet van ophouden sinds ze weer terug was. Ik werd er stapelgek van, dat mogen jullie best weten. Ze was bezig haar eigen cliënten van de mijne te separeren. *Separeren?* Waar haalde ze die uitdrukking vandaan? In ieder geval niet van mij.

Precies zoals ze had voorspeld – hoewel ze echt fantastisch was en zo (niet sarcastisch bedoeld, of hooguit een beetje) – wilde toch niet elke klant naar haar en Abibi 'gesepareerd' worden, maar gaven sommigen er de voorkeur aan bij mij te blijven. Eigenlijk wel een behoorlijk lange lijst. Hartverwarmend. Leuk dat ze zo'n hoge dunk van me hadden.

Maar Nkechi – in tegenstelling tot wat ze had beloofd – wilde niet al 'mijn' dames op hun woord geloven. Er waren er een paar bij – met name degenen die het meest uitgaven – die zij wilde meenemen. Ze bleef me maar bellen met voorstellen om te ruilen.

Ik klapte de telefoon open. 'Nkechi?' Mijn toon liet niets te raden over. 'Wat is er verdomme nou weer?'

'Wat denk je hiervan?' zei ze.

Ik luisterde. Wat had ze nu weer voor beledigend en oneerlijk voorstel?

'Jij mag Adele Hostas, Faye Marmion en Drusilla Gallop hebben als ik Nixie Van Meer krijg.'

De brutaliteit! Adele Hostas wilde geen stuiver uitgeven, Faye Marmion was op geen zinnige manier tevreden te stellen en Drusilla Gallop bezondigde zich aan dingen die je gewoon niet kon maken: ze droeg jurken en deed dan net alsof dat niet zo was om vervolgens te proberen ze weer 'terug te geven', stinkend naar sigaretten en Coco Chanel en met dikke vegen vloeibare make-up langs de hals. Nixie daarentegen zwom in het geld en was extravagant en aardig.

'Drie klanten,' drong Nkechi aan. 'Voor de prijs van één. Ja of nee?'

'Nee,' zei ik. 'Nixie Van Meer is niet te koop.'

'We zullen zien,' mompelde Nkechi geheimzinnig en verbrak de verbinding.

Jemig. Hoofd in de handen, toonbeeld van vermoeidheid. Dit was echt een strijd om het bestaan. Dus – een vraag die ik op allerlei manieren had proberen te ontwijken – wat deed ik nog steeds in Knockavoy?

De tijd van mijn verbanning zat erop, ik had mijn straf uitgezeten en ik kon gaan en staan waar ik wilde. Waar ik naartoe móést, als ik mijn cliënten wilde houden. Ik had verplichtingen tegenover hen. Een societydame zonder styliste is even hulpeloos als een eenbenige man die om zich heen wil schoppen. Mijn dames hadden ongewoon veel geduld met me gehad tijdens mijn 'herfstvakantie' (of liever gezegd: mijn 'zenuwinstorting'), maar als ik nu niet snel terugging naar Dublin zouden ze denken dat ik nooit meer terugkwam en iemand anders gaan zoeken.

Nkechi, die instinctief aanvoelde wat mijn zwakke punt was, lag als een haai op de loer. Want als ik heel eerlijk was, had ik helemaal geen zin – echt helemaal niet – om weg te gaan uit Knockavoy.

Zat ik echt vastgebakken in de klei? Zag ik het niet meer zitten in de grote stad? Niet dat Dublin per se een grote stad was. Niet te vergelijken met São Paolo (twintig miljoen mensen) of Moskou plus voorsteden (vijftien miljoen).

10.19

Opnieuw telefoon. Zette me schrap om niet toe te geven aan Nkechi. Echter niet Nkechi maar Bridies tante Bunny (had ik al gezegd dat die familie in rare namen specialiseert? Zelfs oom Tom heet niet echt Tom, maar Coriolanus. En hij stond erop om 'Tom' genoemd te worden, omdat hij bang was dat de mensen Coriolanus zouden afkorten tot 'Anus'. Echt waar) die zei dat ze graag Pasen in de hut van oom Tom door wilde brengen. 'Ik wil het nu al vastleggen,' zei ze. 'Want dat huis is binnen de kortste keren bezet!'

'Ja natuurlijk, haha. Een populair plekje, ook al is er geen televisie.'

Verbrak de verbinding en moest even slikken. Hele schok. Compleet ondersteboven. Oren tintelden ervan.

Teken aan de wand. Universum wond er geen doekjes om. Moest terug naar Dublin.

Wist natuurlijk best dat ik hier niet voor altijd kon blijven. Wist natuurlijk best dat de lente voor de deur stond en dat Bridies uitgebreide familie al gauw aan korte vakanties, frisse lucht en ozon zou gaan denken. Wist natuurlijk best dat ik mazzel had gehad dat ik hier zo lang achter elkaar had kunnen blijven. Was niet stom, had alleen bijzondere aanleg voor zelfbedrog. Had me de afgelopen maanden overgegeven aan lichte vorm van ontkenning. Als ik net deed alsof ik hier mocht blijven, zou ik nooit hoeven te vertrekken.

Maar ontkenning is een trouweloze, laffe vriend en niet opgewassen tegen de waarheid als die besluit je op te zoeken.

Oké, moet iets bekennen. Vooruit met de geit. Had gespeeld met het vage idee om voorgoed in Knockavoy te blijven. Ja! Heel verrassend, geef ik onmiddellijk toe. Was in mijn verbeelding in staat geweest om aardigste en/of meest winstgevende (zelden identiek) cliënten uit Dublin aan te houden en heen en weer te rijden om in hun behoeften te voorzien, terwijl ik ondertussen in deze omgeving een nieuw cliëntenbestand opbouwde. Ik wist nog niet precies hoe ik dat moest klaarspelen, maar wist wel dat het hard werken zou zijn. Zou ontzettend veel kilometers moeten maken gezien al die cliënten zich gedroegen als zenuwachtige raspaardjes en eisten dat ik vierentwintig uur lang hun hand vasthield. En ik zou ook nooit zoveel verdienen als wanneer ik in Dublin zou wonen, maar dat was het toch wel waard als ik hier zo gelukkig was?

Maar daar wilde het universum niets van weten. Universum dreef mij mijn schattige kleine huisje uit en gebood me met lange, knokige Magere-Heinvinger terug naar de grote stad.

Werd ineens door wanhoop overmand, bijna even erg als het gevoel dat me bekropen had tijdens het vreugdeloze kerstdiner met pap en oom Francis.

Was naar Knockavoy gekomen om aan in duigen gevallen leven te ontsnappen en me te verbergen tot mijn gezond verstand weer de overhand kreeg, maar was me onverwacht hier gelukkig gaan voelen. Begreep dat pas nu het eind voor de deur stond. Verdomd typerend natuurlijk.

11.22

Liep naar de keuken en stond bij het raam te staren naar het huis van Considine, terwijl ik me afvroeg of Chloe vanavond wel zou komen opdagen.

Ze was vorige week niet geweest, op de eerste vrijdag na de feestdagen. Ik had ook geen uitnodiging ontvangen om naar *Law and Order* te komen kijken. In feite had ik haar sinds onze 'Thelma and Louise'-avond niet meer gezien.

Eigenlijk was ik ontzettend bang dat mijn ongeplande zoen voor problemen had gezorgd tussen Considine en Gillian en de doodsteek had betekend voor mijn vriendschap met Chloe.

Was niet de eerste keer dat ik een vrouw had gekust – daar had Paddy wel voor gezorgd – maar wel de eerste keer dat ik dat had gedaan zonder dat een grote harige vent al masturberend zat toe te kijken.

Chloe kon fantastisch kussen. Loom, lekker en sexy. Kuste met haar hele mond, niet alleen dat heftige tonggespartel waarvan veel mensen denken dat het lekker zoenen is.

Was er duizelig van geworden en slap in de knieën – en toen werd Chloe zo stijf als een plank en rukte zich los. Het besef van waar ik mee bezig was, overviel me als een beker ijsklontjes die op mijn hoofd werd omgekeerd. 'Gillian...' stotterde ik. 'Was haar helemaal vergeten.'

Arme kleine Frettenkoppie. Dacht dat haar vriendje verkleed als vrouw onschuldig avondje uit had, terwijl hij zich in werkelijkheid mij van het lijf moest houden.

'Chloe, het spijt me echt ontzettend...'

'Nee, Lola! Net zo goed mijn schuld...'

'Ik liet me gewoon gaan... adrenalinestoot van de ontsnapping, zal nooit meer gebeuren...'

'Ja, had ik ook, adrenalinestoot!'

We stapten weer in het personenbusje en reden zwijgend en ver boven de maximumsnelheid terug om de andere meiden op te halen.

De volgende ochtend ging ik al vroeg naar Birmingham voor vier dagen vol duffe ellende met pap en oom Francis. Geloof me, dat stel zou zichzelf nog niet kunnen amuseren als ze er hun leven mee konden redden. Vervolgens naar Edinburgh, met Bridie, Barry en Treese, waar we bij een van Bridies vele familieleden logeerden en ons een paar dagen lang vol lieten lopen onder het zingen van 'The Flower of Scotland' en rare toestanden uithaalden met stukken steenkool. (Geloof dat ik eerder heb gezegd dat ik geen kolenmens was, maar hier geen moeite mee.)

Het leed geen twijfel dat ik een soort schoolmeisjesbewondering had opgevat voor Chloe, wat helemaal belachelijk was omdat Chloe geen echte vrouw was. Maar het ergste van het geval was Gillian. Ik schaamde me diep. Zoiets deed je gewoon niet, je probeerde niet iemand te strikken die al een ander had. Het mocht dan nog zo'n fijne kus zijn geweest, ik wenste uit het diepst van mijn hart dat ik er niet aan begonnen was.

Ik probeerde Bridie en Treese in vertrouwen te nemen in een wanhopige poging om wijs te worden uit mijn gevoelens, maar die voelden niet met me mee.

'Jouw leven lijkt op een soap!' had Bridie uitgeroepen en vervolgens had ze het hele verhaal meteen doorgekwekt aan al haar neven en nichten. Die gaven het weer door aan al hun vrienden en zo bleef het de ronde doen tot heel Edinburgh op de hoogte was. Ik hoorde voortdurend mensen over mij praten: '...en dan wordt ze gepakt door een of andere surfer, die je kennelijk moet zien om het te geloven, zo verdomd aantrekkelijk als die gozer is en stápelgek op haar, ook al ziet hij er stukken beter uit. En is ze dan blij? Nee hoor! In plaats daarvan valt ze op haar buurman, een travestiet. Ja, dat klopt, de buurman van oom Tom! En dat vestje heeft al een hele tijd verkering. Maar nu komt het mooiste: Lola valt niet op dat vestje in mannenkleren, maar alleen als hij vrouwenkleren draagt! Ja, dat weet ik! En ze is niet eens een pot!'

Toen een vent met een Schots geruite muts me tijdens een kroegentocht aansprak en met me over 'die maffe vriendin van Bridie' begon, was het verhaal al dusdanig verkracht dat Jake inmiddels een oceaanzeiler was geworden en Rossa Considine een transseksueel die zijn geval had afgehakt om mij te charmeren.

'Ben je nu gelukkig?' vroeg ik Bridie.

'...Och jee... dat spijt me, Lola, maar het was zo'n mooi verhaal...'

Op 4 januari weer terug in Knockavoy, behoorlijk over mijn toeren. Kon niet wachten tot het vrijdag was, om stemming van Chloe te peilen.

Maar op vrijdag kwam Chloe niet opdagen. Wel Natasha en Blanche en vervolgens Sue en Dolores. Maar geen Chloe.

'Misschien wist ze niet dat we weer begonnen waren,' zei Natasha met een onflatteuze frons. 'Misschien denkt ze dat we pas volgende week weer bij elkaar komen.'

Alsof vestjesbijeenkomsten een soort avondschool waren.

'Zou kunnen.' Met een misselijk gevoel.

Natuurlijk was ze niet gekomen! Chloe was trouw aan Gillian.

Maar wilde niets liever dan Chloe beloven dat Thelma and Louisekus eenmalig was geweest, als gevolg van ongewone, bijzonder zenuwslopende omstandigheden. Moest de koe bij de hoorns vatten (plattelandsuitdrukking die ik nu pas begrijp – koeien doodeng), maar kon de moed niet opbrengen om het grasveld over te steken en een onderhoud met Considine te vragen.

Te bang – jawel – dat hij me ronduit zou vertellen dat ik op moest rotten en dat daarmee alles voorbij was.

Hoopte dat ik het gewoon aan het toeval kon overlaten, dat ik hem in het weekend wel tegen het lijf zou lopen. Bleef nerveus naar buiten kijken, maar in geen velden of wegen te zien. Kon even alle zorgen opzij zetten toen me ineens door het hoofd schoot dat hij misschien wel vakantie hield en ergens in het buitenland in een grot zat. Maar maandagochtend vroeg werd ik wakker toen hij de voordeur dichtsloeg. Sprong uit bed en gluurde hem na terwijl hij naar ecomobiel beende, gewoon op weg naar het werk. Hij keek niet op en toen wist ik zeker dat er iets mis was. Ziek van mezelf. Wanhopig.

Bespiedde hem dinsdag, woensdag, donderdag en vandaag en hij keek geen enkele keer op. Negeerde me duidelijk. Maar ik hoopte nog steeds dat Chloe vanavond toch zoals gewoonlijk zou komen opdagen.

16.01
Snel even naar de begraafplaats voordat het donker werd.

'Mam, ik wil niet terug naar Dublin.'

'Moeten allemaal dingen doen die we niet willen. Dacht je dat ik dood wilde gaan en jou alleen achterlaten?'

'Nee, maar...'

'Was van het begin af aan maar tijdelijk verblijf in Knockavoy.'

'...Oké.' Was per slot van rekening geen echt gesprek met mam. Luisterde alleen maar naar inwendige stem en kon eigenlijk precies doen wat ik zelf wou...

'Waarom vraag je mijn mening als je toch niet van plan bent te luisteren?' riep mams stem uit.

...Hoewel ik me in dat opzicht dus best zou kunnen vergissen.

'Spijt me. Nu ik toch hier ben, wat gebeurt er met Chloe? Komt ze vanavond wel?'

Geen antwoord.

'Mam? Mam?'

'Je zult moeten afwachten.'

18.29
Telefoon. Bridie.

'Kom maar weer terug, Lola Daly, je tijd zit erop! Volgens mij word je het huis uitgezet.'

'Ja.'

'Blijft de vraag of je je goed genoeg voelt om weer thuis te komen of ben je nog steeds niet goed wijs? Als je het mij vraagt, is het alleen maar erger geworden. Toen je naar Knockavoy ging, was je een leuke heteroseksuele meid, nu kom je als een halve pot terug.'

'Heb je een bedoeling met dit telefoongesprek, Bridie?' Koele houding. 'Of probeer je me nu alleen maar te pesten?'

'Was maar een grapje. Je leek in Edinburgh weer normaal genoeg. Hoe voel je je nu met betrekking tot De Courcy?'

'Weet ik niet.'

'Wens je hem het allerbeste toe? Heb je het gevoel dat je confetti kunt strooien op zijn bruiloft? Je kunt een man pas echt loslaten als je bereid bent confetti te strooien op zijn bruiloft.'

'Nou, dat gevoel heb ik zeker niet.'

Maar ik dacht niet langer ieder moment van de dag aan Paddy en ik droomde ook niet meer iedere nacht van hem. Ik werd niet langer knettergek van het feit dat ik niet bij hem kon zijn. Eerlijk gezegd – om iets dieper op dit onderwerp in te gaan – wilde ik hem niet meer zien. Ik wilde hem echt niet meer zien. Nooit meer. Dat was iets nieuws.

Er kwam ook nog iets anders bij kijken, maar wat wist ik niet precies. Droefheid? Nee. Verlangen? Nee. Verdriet? Nee. Boosheid? Ik werd warmer. Haat?… Mmm, misschien, maar toch niet helemaal… iets anders, maar wat? Angst? Kon het angst zijn? Ja, best mogelijk.

19.01
Aankomst van Natasha en Blanche.

19.15
Aankomst van Dolores.

19.27
Aankomst van Sue. Terwijl ik haar binnenliet, was ik op van de zenuwen.

'Waar is Chloe?' vroeg Sue.

'Die komt vanavond niet,' zei Natasha. 'O ja, Lola, sorry dat ik je dat niet verteld heb. Chloe heeft me een sms'je gestuurd. Ze heeft vanavond geen tijd.'

'Waarom niet?' Mijn stem klonk schril. En waarom had ze dat niet aan mij gestuurd? Ze had mijn nummer.

'Heeft ze niet gezegd. Kijk even, lijkt mijn penis hierin niet erg groot?'

19.56
Vroeg aan de meiden om te gaan zitten en vertelde hun dat de huidige regeling bijna ten einde was.

'De familie van Tom Twoomey wil voor korte vakanties gebruik maken van het huis. En het is ook hoog tijd dat ik voor mijn werk terugga naar Dublin.'

'O,' zei Natasha. 'Wanneer ga je dan?'

Ja, wanneer? 'Ergens in de komende twee weken.'

Er was eigenlijk geen enkele reden om niet meteen te gaan – zou hooguit tien minuten nodig hebben om te pakken – maar had tijd nodig om te wennen aan het idee van vertrekken.

De meiden keken elkaar even aan en haalden hun schouders op. Een van hen zei: 'Ik wist allang dat dit niet eeuwig kon duren.'

Verbijsterende reactie. Had gejammer en tandengeknars verwacht en smeekbeden om toch te blijven. In plaats daarvan volwassen reactie. Waarom? Die disco van vlak voor de kerst, daarom. Was voor de vestjes het bewijs geweest dat er een grote vestjeswereld op hen lag te wachten. Ze hadden mij niet meer nodig.

'Jullie zijn me ontgroeid,' zei ik en barstte prompt in snikken uit. 'Jullie kwamen als een stel kuikentjes naar me toe en nu… nu… ZIJN JULLIE HELEMAAL VOLWASSEN!'

'Dacht dat je daar juist blij om zou zijn,' zei Natasha zuur. 'Je doet niets anders dan klagen.'

Zaterdag 17 januari, 10.15 uur

Stond op, kleedde me aan en liep naar buiten. Na een slapeloze nacht eindelijk juiste beslissing genomen. Ging praten met Rossa Considine.

Ecomobiel op de oprit, dus hopelijk thuis en niet ergens diep in een grot. En hopelijk ook niet in bed met Gillian. Hoewel ze dat nooit schenen te doen… de hele dag in bed blijven liggen. Het waren allebei typische vroege vogels.

Considine deed de deur open alsof hij me verwachtte. Liep achter me aan naar de zitkamer, waar we naast elkaar op het randje van de bank gingen zitten, niet op ons gemak en een beetje verdrietig. Er hing een vreemde sfeer, alsof we verliefd op elkaar waren geweest en het nu uit hadden gemaakt.

'Je bent gisteravond niet gekomen.'

'Nee. Heb tegen Noel gezegd dat aan jou door te geven.'

'Heeft hij ook gedaan. Rossa, de manier waarop ik me die avond dat we door de politie achtervolgd werden heb gedragen… dat zal echt niet weer gebeuren…'

'Is al goed.'

'Ik wil me echt verontschuldigen, Rossa. Ook tegenover Gillian.

Uit het diepst van mijn hart. Ik schaam me ontzettend, maar het zal nooit weer gebeuren. Was waanzin, adrenaline, een moment van verstandsverbijstering. Kom alsjeblieft terug, we missen Chloe.'

'Sorry, Lola,' zei hij spijtig. 'Maar Chloe blijft een tijdje weg.'

'Ik beloof je dat ik haar met geen vinger zal aanraken...'

'Het heeft niets met jou te maken, Lola. Het is jouw schuld niet. Het is alleen maar... gewoon het beste.'

'Maar...' Tranen in mijn ogen! Voor een wezen dat niet echt bestond!

'Sorry, Lola,' zei Considine. Hij klonk ongelooflijk lief. 'Ik weet hoe graag je haar mocht. O, Lola, niet huilen! Kom hier.' Hij nam me op schoot precies zoals Chloe dat had gedaan en ik snikte het uit tegen zijn overhemd.

'Komt ze wel terug?'

'Waarschijnlijk wel ja, op een bepaald moment. Alleen... je weet wel...'

Nee. Had waarschijnlijk iets te maken met Gillian. Misschien eindelijk genoeg van het feit dat haar vriendje in vrouwenkleren rondliep.

'Maar tegen de tijd dat Chloe terugkomt, ben ik er niet meer.'

'Wat?' Klonk als een snauw. Hij schoot overeind, waardoor ik bijna op de grond kukelde. Zijn lichaam verstrakte en ik kon er niet langer lekker tegenaan leunen.

'Ja, Considine. Moet terug naar Dublin. De familie van Twoomey wil het huis terug en ik moet weer aan het werk.' Bij de gedachte dat ik weg moest, begon ik nog harder te huilen. Opvallend veel verdriet.

'Wanneer ga je?'

'Weet ik niet. Heb nog geen besluit genomen. Kan het niet opbrengen. Maar wel binnenkort. Binnen twee weken.'

'Juist.'

Zijn lichaam werd slap en hoewel ik er toen weer lekker tegenaan kon leunen, was het toch anders en lang niet zo plezierig. Zijn hoofd hing zwaar tegen het mijne aan. Er hing een intens trieste sfeer, alsof we allebei rouwden om het verlies van Chloe. Dat klinkt stom, dat weet ik ook wel, maar zo was het gewoon.

Considine klopte me op mijn rug en mijn gesnik nam wat af en stopte toen helemaal. Ik deed mijn ogen dicht. Weer een stuk kalmer. Warm. Keel van Considine rook lekker. Een diepe, diepe zucht, helemaal van onder uit mijn buik. Zuchtte nog een keer gelaten en duwde mezelf omhoog. 'Ik kan maar beter opstaan, Rossa Considine. Als ik langer blijf zitten, val ik nog in slaap.'

'Lola, het spijt me als ik je overstuur heb gemaakt...'

'Ja, goed hoor. Prima.' Had mijn best gedaan. En ging toch weg uit Knockavoy. Zou al die vestjesonzin achterlaten.

'Kom je woensdag nog wel naar *Law and Order* kijken?' vroeg hij. 'De allerlaatste keer?'

'Was dat niet op donderdagavond?'

'Nieuw jaar, nieuwe programmaindeling. Nu op woensdagavond. Kom je?'

'...oké...' Had niet gekregen waarvoor ik was gekomen, maar vooruit...

12.12
Hoofdstraat van Knockavoy

Zag aan de overkant Jake met zijn vreemde mond voorbijslenteren zoals het een halfgod betaamde. Zette mezelf schrap voor scheldkanonnade. Maar hij zwaaide opgewekt naar me, zonder een spoor van bitterheid, obsessie of waanzin. Dus het was echt waar! Volgens de gebruikelijke bronnen (Cecile) was hij weer helemaal de oude, verwaand en wel. Hij had Jaz gebroken achtergelaten en om de tijd tussen Kerstmis en Nieuwjaar te ledigen een achteloze en gemene poging gedaan om tussen Kelly en Brandon te komen, maar hield het nu met een verloofd meisje uit de buurt van Liscannor. Ik was de enige smet op zijn verder ongerepte blazoen.

12.16
Supermarkt

De nieuwe *Vogue* was er! Kelly liet die speciaal voor mij komen. Moest haar wel vertellen dat ze daarmee moest stoppen gezien terugkeer naar Dublin. Ze vond het naar dat ik al zo gauw zou vertrekken en begon toen over de schandalig hoge prijs van de *Vogue*.

'Bijna een tientje!' riep ze uit terwijl ze me het wisselgeld teruggaf. 'En er staat niets anders in dan advertenties! Hé!' Een en al opwinding. 'Hoe kom je aan dat litteken?'

'Wat voor litteken?'

'Dat.' Ze wees naar een klein, kaal uitziend roze cirkeltje midden in mijn handpalm. 'Is dat een brandwond? Doe jij aan automutilatie?' vroeg ze gretig. Kelly is helemaal gefascineerd door de leefwijze van de jeugdige sterretjes die de goedkope roddelbladen bevolken – kleine meisjes met grote handtassen, boulimia en al voor hun achttiende verjaardag diverse kuren in afkickcentra achter de rug. 'Zou dolgraag iemand tegenkomen die echt aan zelfverwonding doet.'

'Had die plek al bij mijn geboorte,' zei ik verontschuldigend. En voegde eraan toe omdat ze zo teleurgesteld keek: 'Sorry.'

13.15
Passeerde The Dungeon

'Hé, Lola Daly! Kunnen we je even spreken?'

Ik stapte naar binnen.

'We hebben een roddel voor je,' zei Boss.

'Vers van de pers,' zei Moss.

'Bloedvers,' beaamde de Meester.

Schandalig genoeg gleed er een rilling over mijn rug. Dit drietal wist alles. Als zij me iets vertelden, zou het echt waar zijn.

'Ben je er klaar voor?' informeerde Boss.

Ik knikte.

'Gillian Kilbert...'

'...ook wel bekend als Frettenkop...'

'...en Osama, de barkeeper...'

'...hebben iets met elkaar.'

Diep geschokt.

Gillian en Osama? Verstijfd van schrik. Mijn schuld? Had ik een wig gedreven tussen Gillian en Considine, waardoor Gillian had besloten uit wraak ook vreemd te gaan?

'Weet Rossa dat al?' vroeg ik.

'Nee.'

'Hoe kom jij dan aan die wetenschap?'

'Kon je op wachten. Heb hen scherp in de gaten gehouden sinds ze voor het eerst iedere vrijdag samen naar die Deense films gingen.'

'Ze waren er allebei rijp voor,' zei de Meester. 'Een vogeltje heeft me in het oor gefluisterd dat Considine en Frettenkop het al weken niet meer met elkaar gedaan hebben. In feite niet meer vanaf de avond dat ze het weer goed hadden gemaakt.'

'Hoe weet jij dat nou, verdorie?' Akelig brandend gevoel bij deze inbreuk op Considines privacy.

'Blijft een dorp. Maar goed, in plaats van direct naar huis te gaan vanuit Ennis hebben Gillian en Osama de gewoonte opgepakt om de auto op een kilometer buiten de stad te parkeren en dan woest met elkaar te gaan vrijen.'

'Ze zijn gisteren zelfs helemaal niet naar de bioscoop geweest,' zei Boss. 'Ze hebben gewoon de auto op hun favoriete plekje neergezet... en... nou ja, je weet wel.'

Akelige brandende gevoel werd sterker. 'Hebben jullie niets beters te doen dan mensen te begluren?'

Verstomde stilte. 'Wat is er aan de hand, Lola?' Boss helemaal overstuur. 'Dacht dat je het wel leuk vond om te horen.'

'Klopt niet dat ik het wel weet en Rossa niet.'

'Hij zal het gauw genoeg van iemand te horen krijgen.' Moss scheen dat een prima idee te vinden.

Maar was niet zo!

Plotseling ontzettend veel medelijden met Considine. Trotse man. En weliswaar af en toe beetje verknipt, maar toch goeie vent. Ik wist wat het was om de bons te krijgen.

Ik moest het hem vertellen.

Maar zou ik dat wel doen? Ik haatte dat nieuwsgierig-Aagje-ge-speeld-medeleven-gedoe van 'ik vond dat je het echt moest weten...'

Hoewel mijn medeleven niet gespeeld was.

En als ik Considine het nieuws doorgaf, zou hij me eeuwig haten. Boodschappers waren altijd de pineut. Wilde niet dat hij me eeuwig zou haten. Merkte ineens dat ik bijzonder op hem gesteld was.

'Ga je al weg?' riepen de zuipschuiten toen ik opstond.

'Ja.' Ik wilde nadenken.

Liep de kroeg uit, terwijl Boss mopperde: 'Weet niet wat er met haar aan de hand is.'

Jezus christus! Eerste persoon die ik tegen het lijf liep toen ik naar buiten stapte, was Gillian. Bleef schuldig als aan de grond genageld staan.

'Hallo, Lola, gelukkig nieuwjaar.' Ze bleef staan om even te kletsen. Leek zich prima te voelen.

'...Eh...'

'...Alles goed met je?...'

Jemig de pemig. Kon niet besluiten wat juiste aanpak was. Kon geen toeval zijn dat ze ineens hier voor mijn neus stond. Maar viel niet mee. Ten eerste omdat ik nauwelijks recht van spreken had, aangezien ik had geprobeerd haar vriend te versieren, ook al was ik niet in hem geïnteresseerd, alleen in zijn vrouwelijke alter ego. En ten tweede omdat het tegen mijn stadse mentaliteit indruiste om mijn neus in andermans zaken te steken.

'Gillian.' Schraapte mijn keel. 'Gaat me eigenlijk niets aan en wil je ook niet veroordelen, echt niet, maar heb gehoord... dat jij en Osama, ik bedoel Ibrahim, dat jullie...'

Wat moest ik zeggen? Klonk allemaal even laag-bij-de-gronds. Scharrelen in geparkeerde auto?

'...Weet je waar ik het over heb?' vroeg ik gegeneerd.

Ze staarde me aan zonder een spier te vertrekken, maar met ogen vol angst.

'Er wordt over gepraat,' zei ik. 'Zal Rossa ook ter ore komen. Lijkt me verstandiger als hij het van jou hoort.'

'Waar heb jij dat gehoord? Toch niet daar?' Ze knikte naar The Dungeon. Haar gezicht was doodsbleek.

Ik knikte met tegenzin. Zou het mijn grootste vijand nog niet toewensen... dat Boss, Moss en de Meester hun meest intieme geheimen kenden.

'Verdomme,' fluisterde ze. 'Oké.' Ze knikte. Knikte nog eens en nog eens en draafde toen de straat in, regelrecht naar The Oak. Ongetwijfeld om overleg te plegen met Pruimenoog.

15.37

Echt niet aan het gluren. Nee. Was gewoon toevallig aan het ramenlappen als voorbereiding op mijn vertrek toen Frettenkop en Pruimenoog samen de weg op kwamen. Vastberaden. Leek de *Gunfight at the OK Corral* wel. Bij het huis van Considine stapten ze regelrecht naar de voordeur. Klopten aan en werden even later binnengelaten. Deur viel achter hen dicht.

Ik spitste mijn oren in de veronderstelling dat ik wel geschreeuw zou horen of gesmijt met borden, maar hoorde helemaal niets.

16.19

Frettenkop en Pruimenoog doken weer op, met gebogen hoofd, kennelijk van schaamte. Kon verder niets onderscheiden.

18.24

Was bezig oven schoon te maken, hoewel nauwelijks gebruikt tijdens verblijf in Knockavoy, toen op de deur werd geklopt.

Rossa Considine leunde tegen deurpost. Zag er een tikje slonzig uit.

'Houten kop,' zei hij.

'Heb jij die?'

'Jouw beurt om houten kop te krijgen. Heb je dat beloofd en belofte nooit ingelost. Wat zou je zeggen van vanavond? Of nu meteen?'

'Fantastisch idee! Even schort afdoen.'

Was natuurlijk alleen maar vriendelijk. Considine had een excuus nodig om te gaan stappen en zich te bezatten om pijn van bedrog van de fret te verdrinken en deed net alsof hij mij daarmee een genoegen deed. Maar was toch trots – jawel – dat hij mij daarvoor uitkoos in plaats van zijn grottenvrienden. Nou ja, ik ging er ook wel vanuit dat die macho's hem ongenadig zouden pesten. 'Haha, heb je het al gehoord van Considine? Hij is zo klote in bed dat zijn meisje ervandoor is gegaan met een zelfmoordbommenwerper! HAHA-HAHA!'

18.37
In de hoofdstraat van Knockavoy
'Welke kroeg?' vroeg ik.
'The Oak.'
The Oák? Vind je het raar dat ik daar vreemd van opkeek?
Maar sportieve vent. Vol vergiffenis. Tenzij hij van plan was om Osama op zijn bek te slaan.
Maar nee. Geen kwestie van. Bestelde gewoon drankjes bij Osama. Beleefd. Indrukwekkend. Rossa Considine op de Ghandi-toer! Daarentegen sloop Osama met neergeslagen ogen rond. Vanavond geen spoor van glimlach met sprankelende pruimenogen.
Considine wist zich een paar borrels groot te houden, maar kwam toen toch op de proppen met nieuws over Gillian en Osama. Deed net alsof ik van niets wist.
'Wat vreselijk,' zei ik. Oprecht. Heb altijd verdriet als andere mensen uit elkaar gaan, voel echt met ze mee. 'Hoe ben je eronder?'
'Einde van een tijdperk,' zei hij. 'Maar we hadden het wel gezien met elkaar. We hadden er nooit opnieuw aan moeten beginnen. De redenen waarom het misging, bestonden nog steeds – ik had geen belangstelling voor die deprimerende films van haar en zij had geen belangstelling voor mijn... hoe zullen we het noemen? Mijn vestjesschap. Of grottenonderzoek. En zij hebben elkaar echt gevonden.'
'Maar is toch niet leuk om de bons te krijgen?' drong ik aan. Word een beetje ziek van mannen die hun gevoelens ontkennen.
'Nee. Steekt wel. Je hebt gelijk. Maar ik overleef het wel.'
'Hoeft niet zo dapper te doen. Het is vernederend als iemand je de hoorns opzet.' (Margery Allingham)
Hij draaide zich om en keek me aan. Zei vol verbazing: 'Wil je me dan gedeprimeerd hebben?'
'Nee. Wil dat je eerlijk bent.'
'Ben eerlijk.'
'Nietes.'
'Welles. Echt waar, Lola. Gillian en ik... dat is al eeuwen geleden

misgelopen en ik was te… te… jeweetwel… om er iets aan te doen. Hoopte dat het beter zou gaan. Of hoopte gewoon… dat ik niet de moeilijkste weg zou hoeven te gaan.'

'Vertel me nou niet dat je opgelucht bent!'

'Niet opgelucht. Zo simpel is het niet. Maar moest binnenkort iets gebeuren. Is nu achter de rug. En eerlijk gezegd, nu je er toch over begint, ben wél opgelucht.'

'Sjongejonge.' Binnensmonds. 'Nog een glaasje?'

20.49
Nog steeds in The Oak

'Hoe voel je je nou, Considine?'

'Heb houten kop.'

'Nee, zeg je verkeerd. Niet de bedoeling dat we nu houten koppen krijgen! Gebeurt pas morgenochtend.'

'Weet ik best.' Verrassend aantrekkelijke glimlach. Heel even sprekend Chloe! 'Maar zullen elkaar morgenochtend niet zien.' Lichte aarzeling in oogcontact. 'Dus zeggen we het nu.'

'…Eh…' Had even nodig om te bekomen van oogcontact en riep toen vrolijk: 'Oké, houden het dus op houten kop!'

21.17
Nog steeds in The Oak

Brandon en Kelly kwamen binnen voor neutje na het werk. Behoedzame blikken toen ze mij en Considine zagen. Nieuws van het ontrouw had hen kennelijk bereikt.

'Lola, Rossa. Hoe is het ermee?'

'Hebben houten kop.'

21.21
Nog steeds in The Oak

Cecile kwam even langs om 'allo te zeggen. 'God zegene jullie allemaal,' kwinkeleerde ze. "Oe gaat 't ermee?'

'Hebben houten kop!'

We vertelden iedereen die we zagen dat we 'houten koppen' hadden. Huilde van het lachen. Was allemaal ontzettend grappig en was natuurlijk ontzettend dronken.

'Wij zijn bende van de houten koppen!' verklaarde Considine.

'De berúchte bende van de houten koppen. Laten we maar even bij mevrouw Butterly aanwippen voordat ze naar bed gaat.'

21.40

Bij mevrouw Butterly

'O hallo, Lola, Rossa, hoe gaat het met jullie?'

'Hebben allebei houten kop, mevrouw Butterly.'

'Hoeft niet grof te worden. Of te schreeuwen.' Keek bijna geschrokken toe terwijl Considine en ik compleet met slappe lach op de krukken aan de ontbijtbar klauterden. 'Of zitten lachen zonder dat ik weet waarom.'

Probeerden het haar uit te leggen. Maar moesten te hard lachen. Waarom zou het zo grappig zijn om achthonderd keer 'houten kop' te zeggen? Ze deed haar best om het te begrijpen, maar bleef hoofdschuddend zeggen: 'Nee, vind het nog steeds niet grappig. Eddie Murphy, die vind ik wel grappig. Hebben jullie hem in *Big Momma's House* gezien?'

Considines telefoon ging. 'Is Gillian,' fluisterde hij geheimzinnig, hoewel nog niet opgenomen zodat Gillian niets kon horen. 'Wil weten hoe het met me gaat. Er klaar voor?'

'Ja!'

Hij klapte de telefoon open. 'Gillian?' Luisterde heel even. 'Zal je zeggen hoe ik me voel.'

Knikte me vrolijk toe en we schreeuwden allebei in de microfoon: 'HEBBEN EEN HOUTEN KOP!'

'Gaan jullie allebei nou maar naar huis,' zei mevrouw Butterly. Geïrriteerd. Had er genoeg van. 'Ik ga naar bed.'

'Om naar Eddie Murphy in *Dr Doolittle* te kijken!' snoof Considine.

'Of in *Beverly Hills Cop!*'

Considine en ik kwamen niet meer bij van het lachen toen ze ons gedecideerd van de barkrukken naar de deur bracht.

22.01

Hoofdstraat van Knockavoy

We waggelden door de straat. Niet omdat we zo zat waren, maar vanwege slappe lach. Duurde eeuwen, omdat we om de paar seconden in een deuk lagen.

'Hé Lola Daly, Rossa Considine! Hadden al gehoord dat jullie een kroegentocht hielden!'

Oproep vanuit het duistere interieur van The Dungeon.

Stapten meteen naar binnen. Kregen veel, heel veel, verschrikkelijk veel drankjes aangeboden.

Verdomd fantastische avond.

Zondag 18 januari, 10.03

Maar één manier om te beschrijven hoe ik me voelde: houten kop. Eeuwen niet meer zo'n kater gehad.

Bezorgd om Considine. Zat er dik in dat de leut van de avond ervoor inmiddels wel weggeëbd was en dat hij nu diep in de put zat – deels vanwege houten kop en deels vanwege hoorns. Niets ergers dan wakker worden op de dag nadat je de bons hebt gekregen. Vooral als je apelazarus was geworden om je ellende te verdrinken.

Stuurde hem een sms'je. Leek mal stads ding om te doen, sms'je naar iemand die naast je woonde, terwijl je net zo goed uit bed kon stappen en de boodschap in eigen persoon overbrengen. Maar wilde hem niet storen bij verdriet.

Mrg. Htn kp & U?

Kreeg meteen antwoord.

M2 Htn kp.

Stuurde er nog een achteraan.

ZU in Grt?

Onmiddellijk antwoord.

Egte of emotionele?

Bedoelde echte, maar dit was suggestief.

Emotionele?

Antwoord per omgaande.

Neu, VM GWN kater.

Verrekte kerels! Net als je denkt dat ze hun hart zullen uitstorten! Besloot om weer te gaan slapen.

15.10

Werd wakker van sms-signaal. Grabbelde naar telefoon. Bericht van Considine.

Strndwalk? Om OOATK?

Geheel nieuw idee. Aspirines, verschaalde cola, dure chips, bank en dekbed voor de meeste mensen de manier om op of af te knappen. Antwoordde desondanks:

Wrm nie? O 20 min U #.

15.30

Daar was hij, in een behoorlijk dikke fleecetrui en stevige stappers. Ongekamd haar, alsof hij zo uit bed kwam en bleek, o ja, was echt heel bleek. Zodra ik hem met zijn groene kop in het oog kreeg, sloeg ik dubbel van het lachen. Kon geen stap meer verzetten.

Hij ook de slappe lach, zo erg dat hij zijn handen in zijn zij moest zetten. Toen hij uiteindelijk in staat was om iets uit te brengen, riep hij: 'Hoe voel je je, Lola Daly?'

'Heb een houten kop, Rossa Considine. En jij?'

'Houten kop.'

Echt zo'n kater waarbij alles om te gieren is.

16.27

Wandeling voorbij, de hemel zij dank.

'Voel me kilometers beter,' zei Considine opgewekt. 'En jij?'

'Nee. Oorpijn van de wind en mijn kater laat zich alleen door glas fanta en schaal chips verdrijven.'

'The Oak?'

'Waarom proberen we niet een andere tent?' Wilde voorkomen dat hij zich zo macho moest voordoen en naar the Oak ging om te bewijzen dat het hem helemaal níks kon schelen dat zijn vriendinnetje hem voor Osama had laten zitten. 'De Hole in One?'

'Over mijn lijk.'

17.03

The Oak

Aan de tweede fanta. Bak met chips voor mijn neus. Van plan om daarna het toetje van de dag te nemen, kwarkpunt met aardbeien.

Considines telefoon piepte. 'Sms'je van Gillian,' zei hij. 'Om te controleren of ik mezelf niet heb opgehangen.'

Ik kreeg meteen een schuldig gevoel. Zou dat mijn leven lang zo blijven, iedere keer als Gillian Kilbert ter sprake kwam?

Considine merkte het meteen. 'Wat is er?'

Moest het weten. Vraag kwam er ontzettend moeizaam uit, als slagroom uit zo'n knijpzak: 'Zijn jij... en Gillian... uit elkaar... vanwege... die toestand tussen Chloe en mij... vlak voor de kerst?'

'Nee. Heb ik je al een paar keer verteld. Relatie lag al voor god mag weten hoe lang op apegapen.'

'Heeft Gillian... wel eens iets over mij gezegd?'

'Nee,' zei hij, maar de aarzeling was onmiskenbaar.

'Wel waar!' riep ik uit. 'Vertel op!'

'Waarom? Zodat je je nog schuldiger gaat voelen?'

'Vertel het nou maar, Considine.'

'Weet je nog die dag dat ik die ontstopper heb geleend? Toen zei ze dat er een soort spanning... een seksuele spanning tussen ons hing.'

Wat? Gillian Kilbert, dat brutale kreng! 'Ze denkt zeker dat ze de aandacht van haar eigen overspelige gedrag kan afleiden door jou en mij te beschuldigen van seksueel getinte spanningen!' zei ik. 'Ik vind het niet leuk om een in de steek gelaten man nog een trap na te geven, Considine, maar ik val helemaal niet op je.'

'Dat bedoelde ze helemaal niet,' zei Considine geduldig. 'Ze had het kennelijk over de wederzijdse aantrekkingskracht tussen jou en Chloe.'

'Maar waar baseerde Gillian die opmerking op? Jemig nog aan toe, je hebt haar toch niet verteld van die vrijpartij, hè?' Sloeg mijn handen voor mijn ogen.

'Nee. Met name omdat dat nog niet was gebeurd op de dag van de ontstopper,' lachte hij. 'Ze zei dat we sarcastisch tegen elkaar deden.'

'Wat heb jij daarop gezegd?'

'Dat we sarcastisch tegen elkaar deden, omdat we elkaar eigenlijk niet mochten. Meest voor de hand liggende oplossing is meestal de juiste.'

Grace

'Ik moet met je praten,' zei Damien.

De schrik sloeg me om het hart.

'Er is iets wat je moet weten,' zei hij.

God allemachtig. Dit zou eigenlijk een heerlijke, romantische avond moeten zijn. Ik was die ochtend terug komen vliegen uit Londen – waar ik eeuwen was geweest, sinds dat alarmerende telefoontje van Marnie op donderdag waarmee ze me de stuipen op het lijf had gejaagd – en Damien had erop gestaan om zijn maandagse pokeravondje af te zeggen, zodat we voor de verandering eens bij elkaar konden zijn.

Maar ook al had ik mijn kostbare Jasmine-kaars aangestoken en hadden we samen een fles rode wijn soldaat gemaakt, met de romantiek wilde het niet echt lukken. Ik was te moe en aangezien de bank kapot was, zat ik in onze enige fauteuil en moest Damien genoegen nemen met een harde keukenstoel.

Uiteindelijk hadden we ons er stilzwijgend bij neergelegd dat er geen gespreksstof meer was en de tv aangezet. Er was een documentaire over ongelooflijk gewelddadige bendes in Braziliaanse gevangenissen – het soort programma waar we normaal gesproken dol op waren – maar we schonken er geen van beiden aandacht aan.

Ik zat na te denken over Marnie, met wie het steeds slechter leek te gaan en die nu al vreemde trekjes begon te vertonen als ze nuchter was. Ik kon het akelige gevoel niet van me afzetten dat we op een climax afstevenden.

Damien zat ook in gedachten verzonken, kennelijk druk bezig allerlei dingen te analyseren en op een rijtje te zetten en – waarschijnlijk omdat ik echt doodmoe was – liet ik hem met rust in plaats van hem met vragen te bestoken zoals ik normaal gesproken zou doen.

'Grace, ik moet je iets vertellen,' zei hij nog een keer. Het klonk alsof hij een besluit had genomen en ineens was ik ontzettend bang.

Gebeurde dit echt?

Ik besefte dat ik hierop had zitten wachten, zonder dat ik me dat echt bewust was geweest.

Toen ik vanavond het huis was binnengekomen, dacht ik al dat ik dat vreemde element weer voelde. Zeker weten was er niet bij, want ik had het alleen maar verwacht. Ik was hinkend op twee gedachten van de ene naar de andere kamer gelopen. Misschien wel, misschien niet. Ik kon maar niet besluiten of er dit weekend iets, of iemand, hier was geweest. Iemand die hier niet hoorde te zijn.

Nu zou Damien me dat vertellen en ik was echt onbeschrijflijk bang. En nat van het zweet.

'Gaat het...' Mijn stem klonk schor en ik schraapte mijn keel. 'Gaat het om Juno?'

'Wat?' Damien fronste. 'Júno? Welnee.'

Ging het niet om Juno?

Maar waarom dan wel? Om wie?

Ik had niet gedacht dat ik nog banger kon worden dan twintig seconden geleden, maar dat was dus wel het geval.

'Ik ben er per ongeluk achtergekomen...' zei Damien.

Waar was hij achtergekomen?

'Maar nu ik het weet...'

Wát weet?

'Het gaat over Dee.'

Ik was heel even met stomheid geslagen. 'Over Dee *Rossini?*'

'Ja. Ze zijn op mijn redactie bezig met een verhaal. Kennelijk heeft ze onderdak verleend aan illegale buitenlanders.'

'O.' Ik wist dat dat waar was. Ik had het zelf gezien. Maar ik kon niets zeggen. Ik was nog steeds in de greep van de angst.

'Ze gaan het gigantisch groot presenteren,' zei Damien. 'Als het waar blijkt te zijn, komt ze daar nooit overheen.'

Ik staarde hem strak aan, zoekend naar... ja, naar wat? Een dubbele bodem? De dingen die hij niet had gezegd?

'Is dat alles?' vroeg ik. 'Heb je me niet meer te vertellen?'

'Ik riskeer mijn carrière door je dit... Hè? Hoezo? Wat had je dan verwacht?'

'... Niets...'

'Niet weer Juno, hè?' vroeg hij geërgerd. 'Ik heb toch gezegd dat ik geen afspraakjes meer met haar zou maken?'

'Ja. Ja, hoor.'

'Ik weet niet waarom je denkt dat ik ooit weer iets met haar zou beginnen.'

'Ik weet wel dat je van me houdt...'

'Ja, ik hou van je, natuurlijk hou ik van je. Maar zelfs als dat niet zo was... Na alles wat Juno me aangedaan heeft?' Hij ging van frustratie steeds harder praten. 'Je weet best dat ik haar nooit meer zou vertrouwen.'

Hij wierp me een boze blik toe en ik gaf hem een boze blik terug en toen schoten we allebei in de lach.

'Wil je het hele verhaal horen of niet?' vroeg hij.

'Ja.'

Hij legde me alles haarfijn uit. Zijn krant, de *Press*, had een bron die met het verhaal was gekomen dat Dee Rossini deel uitmaakte van een kleine, clandestiene groepering die jonge vrouwen, voornamelijk uit Moldavië, hielp nadat ze op illegale wijze Ierland waren binnengekomen. De vrouwen werden als slavinnen behandeld, geslagen en geprostitueerd door de mannen die ze dit land hadden binnengebracht, maar omdat ze illegaal waren, konden ze uiteraard geen beroep doen op juridische hulp.

'Vandaar dat Dee en haar jolige groepje weldoeners hun helpen. De vrouwen worden naar een dokter gestuurd, ze krijgen nieuwe papieren en ze verblijven bij een van de weldoeners tot alles veilig is.'

'En gaan ze dan naar huis?'

Dat zou niet zo erg zijn, als Dee illegale buitenlanders hielp om weer uit Ierland te vertrékken.

Damien schudde zijn hoofd. 'Ze sturen ze niet terug, want kennelijk is het daar net zo erg als hier. Ze proberen een soort huishoudelijk baantje voor ze te vinden. Inwonend, bijvoorbeeld als kindermeisje. Sommige vrouwen worden naar Groot-Brittannië gestuurd. En dat zal natuurlijk echt wonderen doen voor de Iers-Britse relaties,' zei hij vermoeid. 'Een Ierse minister die illegale buitenlanders helpt om Groot-Brittannië binnen te komen. Ik ben dol op Dee, dat zweer ik. Ze is een echte idealist. Maar af en toe...'

'Wie zetten het verhaal in elkaar?'

'Binnenlandse zaken. Angus Sprott en Charlie Haslett. Het is Code Zwart.'

'Werken jullie met codes? Wat zit er toch een stel macho's bij de *Press*. Hoe ben je er eigenlijk achter gekomen?'

'Charlie heeft ingebroken in mijn computer en ik vroeg me af waarom hij me niet gewoon heeft gevraagd wat hij zocht. De conclusie lag voor de hand: hij was bezig met iets wat het daglicht niet kon velen.' Hij haalde zijn schouders op. 'Hoe kon ik daar nou weerstand aan bieden?'

'Het kan niet écht Code Zwart zijn als jij er zo gemakkelijk bij kon.'

'Zijn nieuwe baby krijgt tanden. Hij heeft gebrek aan slaap. Ik denk dat hij heeft vergeten zijn files te beveiligen.'

'Hoe ver zijn ze er al mee? Wanneer willen ze het verhaal publiceren?'

'Zodra ze foto's hebben.'

'En wanneer is dat?'

'Als er weer een van de vrouwen bij Dee naar binnen gesmokkeld wordt. Fotografen houden het huis vierentwintig uur per etmaal in de gaten.'

Ik was geschokt. Het leek wel alsof ze een terroriste was! Maar meteen daarna kwam de vraag weer op die iedere keer als Dee in moeilijkheden was als eerste kwam bovendrijven. 'Wie is hiervoor verantwoordelijk? Heb je bijvoorbeeld enig idee wie de bron is?'

'De bron?'

'Ja ja, ik weet het.' De identiteit van een bron werd nooit bekendgemaakt omdat ze anders – uiteraard – geen bron meer zouden zijn. 'Maak je niet druk.'

'Sorry. Maar goed, het moeten de Chrisps wel zijn, want dit betekent niet alleen het einde van Dee, maar van heel NewIreland. Er gaan geruchten dat er binnenkort tussentijdse verkiezingen worden uitgeschreven. Waarschijnlijk in maart. Net als de vorige keer zullen de Nappies nooit voldoende stemmen krijgen om alleen een regering te vormen. Maar als NewIreland op zijn kont ligt, hebben ze geen coalitiepartner meer en dat maakt de weg vrij voor de Chrisps.'

'Damien, ik zal dit aan Dee moeten vertellen.'

'Waarom denk je dat ik het aan jou doorbrief?'

'Maar als iemand erachter komt dat jij je mond voorbij hebt gepraat...'

Dan was hij zijn baan kwijt.

Hij was even stil. 'Daar heb ik al over nagedacht. Dat risico moeten we dan maar nemen.'

'Dat is... dat is echt heel lief van je, Damien.'

'Dee, wie weet ervan?'

Ik had haar vroeg in de ochtend, voordat ik aan het werk ging, te pakken gekregen in haar kantoor in Leinster House en zei dat ze moest gaan zitten voordat ik haar vertelde wat ik van Damien had gehoord. Het bloed trok weg uit haar mooie gezicht tot ze sprekend op een wassen beeld leek. 'Maar hoe...'

'Dat is wat ik je heb gevraagd. Wie weet hiervan?'

Ze maakte haar knot los en haalde haar vingers door haar losse krullen voordat ze alles weer bij elkaar pakte, in een knot rolde en op haar hoofd vastmaakte.

Toen pas deed ze haar mond open. 'Alleen de meisjes zelf. En een handjevol andere mensen. Maar we zijn maar met zo weinig en we willen allemaal hetzelfde...' Ze keek me plotseling strak aan. 'En jij weet het ook, Grace, maar aangezien jij me komt waarschuwen, neem ik aan dat het niet om jou gaat.'

'En hoe zit het met die andere mensen? Damien had het over een dokter. En iemand die voor papieren zorgt? Kan het een van hen zijn?'

'Zij hebben net zoveel te verliezen als ik.'

'Wie kan er dan per ongeluk achter zijn gekomen? Wie komt hier bij je thuis? Heb je een vriend?'

Ze schudde heftig haar hoofd.

'Dat heb je al eerder gezegd en toen was het ook niet waar.'

'Dat spijt me, maar nu is er echt niemand.'

'Je dochter?'

'Die woont in Milaan.'

'Een hulp in de huishouding?'

'Je bent bij me thuis geweest. Ziet dat eruit alsof ik hulp heb?'

'Vrienden? Je nodigt wel vrienden uit om pasta bij je te eten. Je hebt Damien en mij ook gevraagd.'

Ze legde haar handen plat op haar bureau. Weer zo'n prachtige kleur nagellak. 'Luister, Grace, ik zal je precies uitleggen hoe het werkt. Het wordt van tevoren gepland. Het is niet gemakkelijk om een meisje te helpen ervandoor te gaan en je moet met ontzettend veel dingen rekening houden. Ik word altijd gewaarschuwd als er een meisje op komst is, meestal een paar een dagen van tevoren. Dus zorg ik dat de kust vrij is. En dat er op die tijd niemand anders in huis is.'

'Maar Elena...'

'Elena was een spoedgeval. Dat komt niet vaak voor.'

'Feit blijft, dat iemand ervanaf weet, Dee, en zijn of haar mond heeft opengedaan.'

'Het zijn eigenlijk nog maar kinderen,' zei ze triest. 'Jonge meisjes. Je wilt niet geloven wat voor vreselijke dingen er met ze gedaan wordt. Ze worden verkracht, uitgehongerd, geslagen, hun botten worden gebroken, sigaretten worden in hun vagina's uitgedrukt...'

'Hou op.'

'Ik moet ze gewoon helpen.'

'Dee, ik sta helemaal achter je, maar je overtreedt de wet! Ik zeg niet dat het geen wrede wet is, maar jij bent minister. Als je je baan niet wilt verliezen, samen met je carrière en je hele politieke partij – en dat zal gebeuren als dit bekend wordt – dan kun je maar beter proberen om uit te vissen wie hierachter zit. En wel heel snel, want de *Press* staat te trappelen om het verhaal te publiceren.'

'Het moet wel Bangers Brady en zijn Christelijke Progressieven zijn.'

'Dat lijkt wel voor de hand te liggen. Maar wíé van de Christelijke Progressieven?'

'Het is een grote partij. Het kan iedereen of een heel stel zijn.'

'Nee, Dee, je moet beter nadenken. Iemand heeft het op jou voorzien.'

Ze sloeg haar ogen ten hemel. 'Er gaat geen dag voorbij dat ik niet besef dat iemand het op mij heeft voorzien.'

'Wat ik bedoel, Dee, is dat je er zo gewend aan bent dat iemand je weer aan de schandpaal nagelt, dat je vergeten bent dat akelige dingen niet zomaar gebeuren omdat er kwade machten door de ether zweven, maar omdat bepaalde menselijke wezens ze veroorzaken.'

Ik vond het zelf eigenlijk wel een aardig toespraakje. Ik vroeg me af of ze onder de indruk zou zijn.

Ze zag eruit alsof ze haar lachen zat in te houden. En dit was helemaal niet om te lachen! Heel even schoot me iets door het hoofd wat in een heftige spionagefilm niet had misstaan: het zou Dee toch niet zelf zijn geweest? Ik had het gevoel dat ik in gedachten alles dubbel zag.

'Dee?'

'Ik lach je echt niet uit, hoor Grace, ik ben juist ontzettend dankbaar. Ik zal alles doornemen en met de anderen praten. Ik kom er wel achter wie dit op z'n geweten heeft.'

'Maar dat moet heel snel gebeuren, Dee, want je moet dat verhaal tegenhouden. En ondertussen kun je geen meisjes meer in huis halen, want zodra de *Press* foto's heeft, wordt het gepubliceerd.'

'Morgen, morgen, morgen, morgen, morgen,' groette ik TC, Lorraine, Clare, Tara en – ja – zelfs Joanne.

'Is het nog steeds zo koud buiten?' TC had zin om te mekkeren en meestal was ik wel bereid om daaraan mee te werken.

'Ja, nog steeds,' zei ik kortaf terwijl ik de stortvloed van persberichten in mijn inbox bekeek. Zonder me ook maar af te vragen of ze ergens op sloegen, viste ik er vijf mogelijke ideeën uit die ik Jacinta kon voorhouden als ze binnenkwam en begon toen, onder de bijzonder argwanende blikken van TC, lukraak namen op mijn aantekenblok te schrijven: Dee Rossini, Toria Rossini, Bangers Brady, de man van Toria Rossini-hoe die ook mocht heten, Christopher Holland, mijn naam, Damien, Paddy de Courcy, Sidney Brolly, Angus Sprott, en Scott Holmes, de journalist die dat afschuwelijke stuk met Christopher Holland had geschreven.

Iedereen die ik kon bedenken en die de afgelopen zes maanden contact had gehad met Dee kwam op het velletje terecht.

'Wat zit je te doen?' vroeg TC.

'Niks,' zei ik en hield mijn arm ervoor.

Ik deed iets wat de detectives in de boeken van Val McDermid ook altijd deden: ze schreven alles op wat ze wisten over een zaak, met inbegrip van alle verwarrende informatie die nergens op leek te slaan, en dan keken ze of ze een patroon of een verband konden vinden. Maar misschien werkte dat in het leven van alledag helemaal niet. Misschien konden echte detectives ook helemaal niet met behulp van een creditcard een huis binnenkomen. Misschien zeiden echte detectives in Hawaï helemaal niet: 'Pak ze maar op, Danno.'

Maar ik kon geen andere manier bedenken. Ik tikte met mijn pen op het blok. Wie verder nog? De ex-man van Dee natuurlijk. Terwijl mijn blik wezenloos over de redactie dwaalde, zag ik David Thornberry ineens opstaan om zijn sigaretten te pakken. Die hoort er ook bij, dacht ik, en krabbelde zijn naam. Hij had een exclusief verhaal gehad over Dee die zogenaamd de rekening van haar dochters bruiloft niet had betaald en daar had de Grote Baas een stokje voor gestoken. En omdat ik toch bezig was, zette ik er meteen maar de naam van Coleman Brien bij.

Daarna zette ik een aantal vragen onder elkaar, zomaar lukraak op het vel, zonder er echt over na te denken. Wie heeft Dee's huis geschilderd? Waar werd de trouwreceptie van haar dochter gehouden? Wie heeft dat hotel aanbevolen? Waar heeft Dee Christopher Holland ontmoet? Wie heeft Dee attent gemaakt op die Moldavische meisjes? Wie heeft voor hun papieren gezorgd? Kenden zij iemand bij de Chrisps? Kenden zij Christopher Holland?

Het vel begon aardig vol te raken. Misschien moest ik een stapeltje archiefkaartjes uit de kast pakken, daar allerlei dingen op schrijven en ze dan op de grond gooien om te zien of er iets viel op te maken uit de manier waarop ze terecht waren gekomen. Maar misschien deden echte detectives dat ook niet.

Ik bleef neerkijken op het dicht beschreven vel. Aangenomen dat ik er alles bij had gezet wat van belang was – en de hemel mocht

457

weten of dat echt zo was – dan zat daar ergens een verband verborgen dat zou verwijzen naar de persoon of de personen die het op Dee voorzien hadden.

Ik trok pijlen, legde verband tussen namen en verklaringen en deed mijn best om zonder vooroordelen te redeneren en me te laten leiden door een ander soort kracht.

Maar ik geloof niet in dat soort krachten. Ik geloof niet in intuïtie. Ik geloof niet in ingevingen.

Zo'n soort journalist ben ik niet. Ik ben er goed in om mensen uit te putten, om die arme klungels net zo lang lastig te vallen tot ze uiteindelijk toegeven en mij een quote of een verhaal geven om van me af te zijn.

Ik bestudeerde het resultaat. Niet veel soeps. Volgens mijn pijlen had Bangers Brady Dee's huis geschilderd, was Christopher Holland zijn eigen ex-vriendin en was Dee's dochter met mij getrouwd.

'Ik zie er wel een,' zei TC terwijl hij zich over me heen boog en wees, alsof hij me hielp een sudoku te maken. 'Kijk, die. "Paddy de Courcy" gekoppeld aan "Wie heeft de schilders aanbevolen?" Dat lijkt logisch. Dat kan hij best hebben gedaan.'

'Daar komt ze aan!' Lorraine had Jacinta in het oog gekregen. 'O god nee, het is rood vandaag!'

'Rood!' Drie weken zwart waren heel vermoeiend geweest, maar rood was nog veel erger. Rood voorspelde woede, stemverheffing en absoluut geen taart.

Ik vouwde mijn papier op en zette me schrap voor Jacinta's woede.

Het staartje van de januari-uitverkoop, daar wilde ze een verhaal over. Hoe lang duurde die nog? Wat gebeurde er met de onverkochte kleren? Vernietigd? Terug naar de fabrikant? Werden ze en bloc in outlets gedumpt? 'Zoek uit wat er met Missoni gebeurt,' beval ze. 'Ze hebben nog stapels in de uitverkoop bij Brown Thomas, maar ze houden star vast aan veertig procent korting.'

Onwillekeurig kreeg ik het vermoeden dat Jacinta persoonlijk belang had bij dit verhaal.

Terwijl ik van de ene naar de andere kledingzaak vol restanten van de feestdagen sjokte, bleef ik nadenken over Dee en ik kwam steeds weer terug bij haar voormalige vriend, Christopher Holland. Hij had, om Hercule Poirot te citeren, niet alleen de middelen, maar ook het motief en de gelegenheid gehad. Aangezien hij Dee al zo schofterig behandeld had dat ze hem toch nooit meer terug zou willen hebben, kon hij haar net zo goed aan de schandpaal nagelen omdat ze onderdak verstrekte aan illegale buitenlanders. Casey Kaplan had gezegd dat hij speelschulden had en, ook al gaf ik er de voorkeur aan om te denken dat Kaplan uit zijn nek lulde, het was best mogelijk dat Christopher nog meer geld nodig had gehad.

Hij kwam vaak bij Dee over de vloer en hoewel ze zei dat haar privéleven en haar beroepsleven streng gescheiden waren, had hij gemakkelijk een van de meisjes tegen het lijf kunnen lopen. Ik bedoel maar, ík wist ook dat Dee onderdak verleende aan vrouwen, en dat betekende dat hetzelfde gold voor andere mensen. Gelukkig had ik een zwak voor Dee. Maar misschien had ze die dag nog een interview gedaan en was er een andere journalist langs gekomen om samen met haar in de keuken zelfgebakken kokosmakronen te eten en vervolgens naar boven te gaan om... om... wat? Wat was dat nou? Iets in mijn brein had voor een adrenalinestoot gezorgd. Opgeschrikt en met een hoofd vol kristalheldere gedachten bleef ik midden op straat stokstijf stil staan, waardoor een man tegen me opbotste. 'Sorry,' riep ik, terwijl hij iets mompelde over verdomde idioten, die geen respect hadden voor andere mensen...

Ik stapte opzij en haalde me mijn laatste gedachten nog eens voor de geest.

'Een andere journalist'? Nee, dat was het niet.

'Samen met haar in de keuken'? Nee, ook niet.

'Zelfgebakken kokosmakronen te eten'? Dat was het!

De zelfgebakken kokosmakronen. Ik had ze afgeslagen, maar volgens Dee maakte dat niets uit omdat Paddy zo bij haar kwam voor een werklunch en hij zou ze wel opeten.

Aangenomen dat Dee hem niet afgebeld had en aangenomen dat Elena voordat hij kwam nog niet was verplaatst, was Paddy tegelijk met Elena in Dee's huis geweest.

Als Paddy op de hoogte was van Elena's bestaan, wat wist hij dan nog meer?

Ik pakte mijn telefoon.

'Dee, denk eens even terug aan de dag dat ik je heb geïnterviewd. Toen zou Paddy de Courcy bij je komen voor een werklunch. Paddy kan Elena best gezien hebben. Hij kan net als ik de deur van de slaapkamer open hebben gedaan. Heeft hij dat gedaan?'

'Hoezo?'

'Wil je alsjeblieft antwoord geven?'

Na een lange stilte zei ze: 'Het zou kunnen. Ik weet het niet zeker, maar het kan best.'

Mijn vingertoppen begonnen te tintelen.

'Dee, kunnen we even terugkomen op dat schildersschandaal?'

Ze stemde zuchtend toe.

'Laat het me nog even op een rijtje zetten.' (Ik wist precies hoe het zat, ik wilde haar alleen met de neus op de feiten drukken.) 'Je hebt je huis laten schilderen, het bedrijf verzuimde om je een rekening te sturen en toen je uit eigen beweging maar een cheque stuurde, werd die niet geïnd. Dus in principe was je huis voor niets geschilderd. Dus degene die je te pakken wilde nemen, moet contact hebben gehad met het schildersbedrijf nadat jij besloot hen in de arm te nemen. Of iemand had het al met hen op een akkoordje gegooid en heeft jou overgehaald om hen te gebruiken. Je hebt me zelf verteld dat iemand dat bedrijf aanbevolen had. Ja? En wie was dat?'

Weer een lange stilte.

'Was het Paddy? Paddy de Courcy?'

Diepe zucht. 'Ja.'

'Hij is het, Dee.'

'Hij is het niet,' zei Dee. 'Doe niet zo idioot. Als ze mij kapotmaken, geldt dat ook voor de partij en in het verlengde daarvan voor hem.'

'Luister eens, ik zeg niet dat het een perfect plan was.' Ineens viel me op dat ik in mijn enthousiasme veel te hard praatte en dat de helft van de klanten in Kenny's mee zat te luisteren. Het was verstandiger geweest om dit gesprek in een besloten ruimte te houden, maar ik wilde niet naar Dee's huis, voor het geval de verborgen fotografen mij per abuis voor een van de Moldavische vrouwen zouden houden en ik wilde niet dat Dee met mij meeging, omdat dan misschien de aandacht op Damien zou worden gevestigd.

'Een precisiebombardement,' fluisterde ik. 'Om jou uit te schakelen maar de integriteit van de partij te bewaren. Dat is zijn streven.'

'Een precisiebombardement,' herhaalde ze en schudde een tikje spottend haar hoofd.

Ik besefte ineens hoe melodramatisch ik klonk. 'Het spijt me... We zitten niet midden in *Black Hawk Down*, maar ik weet niet hoe ik het anders moet zeggen.'

'Het is veel te riskant voor hem,' zei ze.

'Hij is bereid risico's te nemen.'

'Hoe weet jij dat?'

Ik schudde mijn hoofd. 'Dat vertel ik je wel een andere keer.' Ik haalde diep adem. 'Het spijt me, Dee, maar Paddy de Courcy is niet de aardige man voor wie jij hem houdt.'

Ze keek me stomverbaasd aan en ik vond het vervelend dat ik

haar van haar illusies moest beroven, maar het was nodig als – zoals ik vast geloofde – hij de persoon was die haar te grazen nam.

'Ik heb Paddy de Courcy nooit een aardige man gevonden,' zei ze.

'Echt niet? Nou, dat is mooi, want...'

'Paddy de Courcy is een meedogenloze, verraderlijke, hebzuchtige, adembenemend ambitieuze en bijzonder onaardige man. Hij zou zijn eigen grootmoeder nog op een rommelmarkt verkopen als hij dacht dat dat hem een paar stemmen op zou leveren en al komt de onderste steen boven, hij moet en hij zal op een dag de minister-president van Ierland worden.'

Ik was met stomheid geslagen. Met stomheid! Haar opinie over hem was haast nog slechter dan de mijne. En daar had ze nooit een woord over gezegd. Ze had er zelfs nooit iets van laten merken. Politici!

'Waarom werk je dan met hem samen?'

'We moeten allemaal samenwerken met mensen die we niet aardig vinden. De partij heeft er baat bij – mensen die mij wantrouwen omdat ik zo'n uitgesproken feministe ben, voelen zich gerustgesteld omdat ik zo'n knappe, charismatische man als assistent heb.'

'Maar je geeft toe dat hij de taoiseach wil worden?'

'God ja, dat is wat hem altijd voor ogen heeft gestaan, maar ik had nooit verwacht dat hij van plan was dat via het leiderschap van NewIreland te doen. Hij gebruikt ons omdat wij klein zijn maar toch behoorlijk aan de weg timmeren. Hij is in NewIreland een van de grote jongens en dat levert hem veel publiciteit op, maar we zijn voor hem niet meer dan een tussenfase. Zijn volgende grote stap zal zijn dat hij overloopt naar de Nappies en dan ziet hij wel weer verder.'

'Zeg dat nog eens, Dee, "een meedogenloze, verraderlijke..."'

'"Een meedogenloze, verraderlijke, hebzuchtige, adembenemend ambitieuze en bijzonder onaardige man."'

'En nu die opmerking over zijn grootmoeder...'

'"Hij zou zijn eigen grootmoeder nog op een rommelmarkt verkopen als hij dacht..."'

'"... dat dat hem een paar stemmen op zou leveren,"' souffleerde ik.

'"... dat dat hem een paar stemmen op zou leveren,"' herhaalde ze.

Opnieuw was ik stomverbaasd. 'Ik dacht dat jullie echt twee handen op één buik waren.'

'Dan weet je nu beter.'

'En ik denk dat je je vergist. Ik denk dat hij wel degelijk de leider van NewIreland wil worden. Op zijn minst levert hem dat een ministerspost op.'

'Wat heeft Paddy je aangedaan?' vroeg ze ineens.

'Eh...'

'Er is wel iets gebeurd, hè? Iets vervelends? Maar Grace, je mag niet proberen om krom te praten wat recht is, alleen maar om hem de schuld in de schoenen te schuiven.'

Deed ik dat?

Liet ik toe dat mijn persoonlijke gevoelens me blind maakten voor de waarheid? Probeerde ik Paddy de Courcy overal de schuld van te geven? Het broeikaseffect? Het verdwijnen van de regenwouden? De aanvallen op Dee Rossini?

Misschien. Ik wilde wel toegeven dat die kans bestond, al was het maar een heel kleintje.

Maar zodra ik hem uit mijn gedachten probeerde te zetten en me concentreerde op iemand anders – Christopher Holland bijvoorbeeld – weigerden mijn hersenen prompt dienst.

Ik moest nog één voorbeeld hebben dat Paddy iets te maken had met het lastigvallen van Dee, dan was de zaak rond. Wie kon ik dat vragen? Het had geen zin om Angus Sprott bij de *Press* te bellen om te vragen of Paddy de Courcy zijn bron was. Om te beginnen zou hij me dat nooit vertellen, ten tweede zou ik dan Damien in de problemen brengen en ten derde zou Paddy dat nooit in eigen persoon hebben gedaan. Hij zou John Crown opdracht hebben gegeven om iemand anders te betalen om iemand anders de opdracht te geven: en als de rij tussenpersonen maar lang genoeg was, dan zou hij daar nooit de terugslag van ondervinden.

'De trouwdag van je dochter, toen er zoveel dingen misgingen... Heb je het idee dat iemand in het hotel misschien betaald is om alles te verstieren? Om te zorgen dat de bruidstaart "zoekraakte"? Om chaos in de keuken te veroorzaken, zodat er niet genoeg maaltijden opgediend konden worden?'

'In theorie zou dat best kunnen. Maar dat valt niet te bewijzen.'

Zo moeilijk hoefde dat niet te zijn. Ik zou alleen met iedereen moeten praten die op de dag van de bruiloft in het hotel werkzaam was. Maar goed, dat was vijf maanden geleden, en het personeelsverloop in hotels was altijd groot. Maar het was het overwegen waard.

'Het is Paddy niet,' zei Dee. 'Maar het zou Christopher kunnen zijn. Dat meen ik echt.'

'Oké.' Ik besloot om dit andere spoor te volgen. (In de boeken van Val McDermid zeggen de detectives altijd dat je ruimdenkend moet zijn.) 'Waarom heeft hij zijn verhaal over de relatie met jou verkocht?'

'Ik neem aan dat de *Globe* hem daar een hoop geld voor heeft gegeven.'

'Neem je dat aan? Heb je hem dat dan niet gevraagd?'

Ze keek me aan alsof ik stapelgek was geworden. 'Ik heb geen woord meer met hem gewisseld sinds de publicatie van dat verhaal. Twee dagen daarvoor was de laatste keer.'

'Helemaal niet? Had je dan geen zin om te bellen en hem de huid vol te schelden?'

'Nee.'

'Of om antwoord te krijgen op bepaalde vragen?'

'Nee.'

'Zelfs niet als je dronken was?'

'Ik ben nooit dronken.'

'O nee?'

'Nou ja, vooruit, af en toe. Maar waarom zou ik een gezellige dronk aan hem verspillen? Hij heeft me bedrogen. Maar dat wist ik van tevoren. Dat doen mannen altijd.'

'Waarom ben je dan iets met hem begonnen?'

'Omdat hij zo'n grote pik had en het drie keer per nacht kon doen.'

'... Eh... Echt waar?'

'Ja, en soms wel vier keer.'

Goeie genade nog aan toe, wat een geweldig mens.

'Niemand, dat wil zeggen bijna niemand, wist dat je een vriend had. Hoe wist de *Globe* dat er iemand was die ze konden benaderen en omkopen? Dat moet iemand ze verteld hebben. Wist Paddy van het bestaan van Christopher?'

Ze aarzelde. 'Misschien wel. Christopher kwam een keer bij mij op kantoor opdagen. Ik heb hem meteen weggebonjourd, maar Paddy vroeg wie hij was. Toen heb ik gezegd dat het een vriend van Toria was. Ik weet nog steeds niet zeker of hij me wel geloofde,' gaf ze toe. 'Er ontgaat Paddy niets. Maar ik dacht dat we Paddy met rust zouden laten.'

'Ik ook.'

Uit pure nieuwsgierigheid wilde ik nog iets weten. 'Casey Kaplan zei dat hij Christopher kende. Is dat zo? Of kletst hij uit zijn nek?'

'Dat is zo.' Ze lachte toen ik een zuur gezicht trok. 'Christopher

en Casey zijn heel goed bevriend, ze hebben samen op school gezeten. Hij kent echt iedereen. Dat soort mensen heb je nu eenmaal.'

'Het kan ook Casey Kaplan zijn geweest.'

'Hij zeker niet,' zei Dee minachtend. 'Hij zou dat verhaal nooit
aan Scott Holmes hebben gegeven, dan had hij het zelf gedaan. Maar
goed, hij was het niet, want hij is een echte lieverd.'

'Klootzak bedoel je zeker?'

'Oké, die idiote kleren, dat haantjesgedrag, dat rocksterrenjar-
gon... Maar hij is echt een knuffel. Dat is de belangrijkste reden
waarom hij zoveel contacten heeft. Iedereen vindt hem aardig.'

'Ik niet.'

'Iedereen behalve jij dan.'

'Ik bel Scott Holmes,' zei ik. 'Misschien krijg ik iets uit hem los.'

'Vast niet,' zei Dee.

'We zullen zien,' zei ik, terwijl ik mijn telefoon pakte en hoopte
dat ik Scotts nummer niet had gewist.

'Scott? Met Grace Gildee.'

'Gracie!' Ik liet het 'hoestmetjou'-gesprek even gaan en zei toen:
'Scott, je moet me helpen.' (Verstandige aanpak. Hulpeloos doen.
Schiet je meestal een stuk mee op. Duidt er wel op dat het met de
toestand van de man-vrouwrelaties triest is gesteld, maar het is niet
anders.)

'Goh, Grace, je belt me alleen als je iets nodig hebt.'

'Afgelopen november heb je een uitgebreid interview gehad met
Christopher Holland, de vriend van Dee Rossini. Weet je nog?'

'Tuurlijk.'

'Wat was de onmiddellijke aanleiding? Heeft Christopher Holland
zelf contact met je opgenomen? Of zat er iemand anders tussen?'

'Toe nou, Grace, je weet best dat dat vertrouwelijk is.'

'Scott, we hebben het niet over het Goede Vrijdag Verdrag. Was
het Paddy de Courcy?'

'Hè? Ben je stapel?'

'John Crown?'

'De chauffeur van De Courcy? Nee.'

Alleen de ruis op de lijn was te horen.

'Grace, ik wil alleen nog aan je kwijt dat er inderdaad iemand
tussen zat, maar de naam van die persoon ken ik niet. Ik heb hem of
haar nooit ontmoet.'

Shit. 'Hoe hebben ze dan contact met je opgenomen? Heb je een
visioen gehad?'

Hij lachte. 'Mobiele telefoon.'

'Heb je dat nummer misschien nog?'

'Dat zal inmiddels wel afgesloten zijn. Meestal wordt het alleen maar gebruikt om de deal te sluiten en meteen daarna weer afgedankt.'

'Dank je, Scott. Ik ben zelf ook journalist. Ik ken die kwalijke praktijken. Maar geef het toch maar.'

'Onder de gebruikelijke voorwaarden. Je hebt het niet van mij enzovoort enzovoort. Ik zoek het even op.' Na veel geklik en geritsel dreunde hij een nummer op.

'Dank je, Scott, dat is heel aardig van je.'

'Laten we weer eens een afspraakje maken,' zei hij.

'Hè ja,' zei ik en verbrak meteen de verbinding.

Ik mocht hem graag hoor, maar hij wilde altijd van die gezonde Nieuw-Zeelandse dingen. De belangrijkste reden dat ik het had uitgemaakt – afgezien van het feit dat ik verliefd was geworden op Damien – was dat hij me altijd meesleepte voor bergwandelingen in de sneeuw.

'Heb jij kleingeld?' vroeg ik aan Dee. 'Ik moet even bellen.'

Ze hield me haar mobiel voor.

'Nee, ik moet een telefooncel gebruiken. We mogen geen elektronisch spoor achterlaten.'

'O, zitten we nu midden in *The Bourne Identity?*'

Ze viste een muntje van vijftig cent op en ik liep naar de gore alkoof waarin de telefoon van Kenny's stond. Ik toetste het nummer in dat ik van Scott had gekregen en hield mijn adem in.

Ik verwachtte allerlei rare geluiden, maar geen ringtoon. Hij ging over! De telefoon ging drie keer over, voordat er werd opgenomen. 'Met het toestel van Ted Sheridan,' zei een mannenstem.

Ik verbrak meteen de verbinding.

Mijn handen trilden.

Ted Sheridan.

Sheridan.

Meer bewijs had ik niet nodig.

Ik liep terug naar Dee.

'Was het Paddy?' vroeg ze.

'Nee.'

'Dat heb ik toch gezegd.'

'Kom op. We gaan een ritje maken.'

'The Godfather? Goodfellas?'

Onder het rijden belde ik ma. 'Je moet een foto voor me opzoeken. Van lang geleden, uit de tijd dat Marnie met Paddy de Courcy ging.'

Dee, die naast me zat, wierp me een scherpe blik toe.

'Niet van hen samen,' zei ik tegen ma. 'Ik heb een foto van Sheridan nodig. Ik weet zeker dat er nog een rondslingert.'

Het zou niet lang duren voordat ma hem had gevonden. Ze vonden het ontzettend bourgeois om elke familiegebeurtenis met een grote stapel foto's vast te leggen. Ze hadden niet eens een camera en de paar foto's die ze van Marnie en mij als tieners hadden, waren presentjes van Leechy, die ze ook had genomen.

'Wat gaan we doen?' vroeg Dee.

'We gaan een foto ophalen van De Courcy's oude vriend Ted Sheridan en die laten we vervolgens aan Christopher Holland zien en vragen hem of dat de man was die hem heeft overgehaald om zijn hart uit te storten over jou.'

'Ik wil niet... Ik pieker er niet over om zelfs maar één woord met Chris te wisselen...'

'Je hoeft ook niet met hem te praten, maar je moet er wel bij zijn, want hoe moet ik je anders bewijzen dat De Courcy de aanstichter van al die ellende is?'

Omdat het al zo laat was, waren we binnen tien minuten op Yeoman Road. Ik holde het huis in en Bingo gooide zijn kop achterover en jankte van blijdschap toen hij me zag. Ma had de foto gevonden, het was er een van Marnie, Paddy, Leechy, Sheridan en mij. We stonden in een groepje te lachen.

'Dank je, ma, je bent geweldig. Maar ik kan niet blijven.' Ik moest Bingo letterlijk van me afschudden.

Toen ik eindelijk weer naar buiten holde en in de auto stapte, gaf ik de foto aan Dee. 'Hou maar even vast. Waar woont Christopher Holland?'

Ze keek alsof ze dat eigenlijk liever niet vertelde, maar gaf toch toe. 'Inchicore.'

Ze kon haar ogen niet van de foto afhouden. 'Paddy ziet er nog zo jong uit en hij is nog knapper geworden. En moet je jou zien, jij bent helemaal niet veranderd! Wie zijn die andere mensen?' Ze zat Leechy te bestuderen. 'Is dat... dat kan toch niet...'

'Wie? Laat eens zien? O ja, hoor.'

'Ik wist niet dat je haar kende.'

'Ik ken haar ook niet meer. Bel jij nu Christopher Holland maar. Zorg dat hij thuis is. Zeg maar dat je hem wilt spreken.'

'Ik wil hem helemaal niet spreken.'

'Dan doe je maar net alsof. We proberen je carrière te redden, voor het geval je dat even vergeten was.'

'En als hij me nou niet wil zien?'

'Dan praat je maar op hem in. Zeg maar dat hij je dat op z'n minst verplicht is.'

Ze viste haar telefoon uit haar tas, maar bleef met gebogen hoofd zitten.

'Bel hem op!'

Met een opvallend gebrek aan enthousiasme toetste ze het nummer in. Hij nam kennelijk op, want ze zei: 'Met Dee.' En daarna. 'Ik moet je spreken.' 'Nu.' 'Over tien minuten.'

Toen verbrak ze de verbinding en huiverde.

'Kop op,' zei ik. 'Je bent zo bij hem thuis. Je kunt iets van hem breken. Iets waardevols.'

Christopher Hollands deur ging onmiddellijk open en de verontschuldigingen stroomden ons tegemoet. 'Dee, het spijt me zo dat ik...'

Toen zag hij mij en week meteen vol argwaan achteruit.

Hij was echt ongelooflijk sexy en in de wetenschap dat hij zo welgeschapen was en zo'n uithoudingsvermogen had, lag ik meteen plat. (Nou ja, in theorie en als ik Damien niet had gehad en zo.)

'Grace Gildee, Christopher Holland.' Dee klonk gespannen toen ze ons aan elkaar voorstelde. We stapten naar binnen en ik liep achter Dee aan naar de woonkamer.

'Dee, ik had het nooit moeten doen...' Christopher ging weer verder met zijn knieval, maar Dee wuifde het weg. 'Je hoeft je niet te verontschuldigen, daarvoor ben ik niet gekomen. Ik wil alleen weten of je me gewoon uit eigen beweging die rotstreek hebt geleverd of dat iemand je ertoe heeft aangezet.'

'Iemand heeft me ertoe aangezet,' zei hij, alsof hij zich daardoor niet langer schuldig hoefde te voelen. 'Ik zou uit mezelf nooit zoiets bedacht hebben, Dee, maar ze boden zo ontzettend veel geld. Ik heb nee gezegd, toen verhoogden ze het bedrag en toen ik weer nee zei, werd het weer hoger. Het was de moeilijkste beslissing van mijn leven...'

'Je breekt mijn hart,' zei Dee. 'Laat hem die foto maar zien, Grace.'

Ik duwde hem de foto onder zijn neus. 'Het is wel een oude, dat weet ik, maar staat je...' Ik kuchte even sarcastisch, '"verleider" er misschien op?'

Het was eeuwen geleden dat ik Sheridan had gezien. Ik kon alleen maar hopen dat hij niet te veel veranderd was of zich via plastische chirurgie had laten verbouwen.

Christopher keek er met grote ogen naar. 'Is dat Paddy de Cóúrcy?' Hij lachte. 'Ga weg. Wat ziet hij eruit! Hij had een matje.'

'Je hoeft niet op hem te letten.'

'En ben jij dat?' Hij nam me van top tot teen op. 'Jij bent niet echt veranderd.'

'Alsjeblieft...' vermaande ik.

Hij staarde zo lang naar de foto die plat op zijn hand lag, dat het klamme zweet me uitbrak.

'Ja?' moedigde ik aan.

'Nee.' Hij schudde zijn hoofd. 'Sorry.' Hij zag eruit alsof het hem echt speet.

'Ik weet dat het een oude foto is, maar denk nu eens zeventien jaar verder.' Ik begon een beetje wanhopig te worden. 'Misschien ander haar, misschien minder haar, wellicht wat zwaardere kaken...'

Hij bracht de foto dichter naar zijn gezicht en probeerde het eerst met het ene en toen met het andere oog dicht. 'Hela! Ja! Nu zie ik het ineens! Maar je moet toch toegeven dat ze er tegenwoordig volkómen anders uitziet, veel chiquer...'

Zij?

Zij?

'Wie?'

'Zij.' Hij wees naar Leechy. 'Alicia Thornton? Paddy's verloofde? Toen ze hier opdook, had ze een of ander maf sjaaltje om, kennelijk in een poging zich te vermommen, maar ik wist toch wie ze was. Uit de krant. Was dat niet degene die jullie bedoelden?'

Ik keek Dee aan. De schok die ik had gehad stond op haar gezicht weerspiegeld.

'Bedoel je...' siste Dee tegen Christopher Holland op een manier die hem de stuipen op het lijf joeg, 'dat je niet alleen alle bijzonderheden over ons liefdesleven aan de grote klok hebt gehangen, maar dat je het ook niet nodig vond om me te vertellen dat mijn naaste collega probeert me onderuit te halen?'

'Ik...'

'Vertel me nou alsjeblieft niet dat je dacht dat Alicia Thornton dit uit eigen beweging deed? Moet ik dan ook nog ontdekken dat je te stom bent om voor de duvel te dansen?'

'Ik had eigenlijk het gevoel...' stamelde Christopher, 'dat ik je al genoeg verdriet had gedaan. Ik dacht dat dat andere niet zo belangrijk was.'

'Juist. Stom, verraderlijk en nog arrogant op de koop toe. Als je het per se wilt weten, Christopher, mijn carrière betekent oneindig veel meer voor me dan jij ooit gedaan hebt. Kom op, Grace.' Ze stormde naar buiten.

Ik griste de foto uit Christophers hand en holde achter Dee aan naar de auto. We stapten in, maar ik startte nog niet, ik was zo overdonderd dat ik niet zeker wist of ik wel veilig kon rijden.

'Het is Paddy,' zei Dee.

Ik knikte.

'Het is absoluut Paddy,' herhaalde ze. Ze keek me aan. 'Dat is toch zo, Grace?'

'Daar lijkt het wel op, ja.'

'Is alles oké, Grace?'

'Eh... ja.'

Maar dat was niet waar. Ik was ineens tot de ontdekking gekomen dat ik nog eens goed moest nadenken of deze hele onderneming wel zo verstandig was. Tot nu toe was het – bijna – een soort spelletje geweest. De vrouwelijke detective uithangen tijdens een rustige week op de redactie. Vanwege wat Paddy me had aangedaan was het heel bevredigend geweest om nog meer bewijzen te verzamelen waaruit bleek hoe slecht hij was. Maar nu ik het bewijs had dat hij werkelijk heel riskante politieke spelletjes speelde, stond ik ineens weer met twee voeten op de grond. Wat had ik met die idiote waaghalzerij willen bereiken? Ik had me nergens mee moeten bemoeien. Dit was de werkelijkheid en ik wist precies waar Paddy toe in staat was.

Terwijl ik daar in die geparkeerde auto zat, besloot ik dat het tot hier was en niet verder. De rest moest Dee zelf maar uitzoeken. Zij was de politicus, zij zou wel goed zijn in al dat Machiavelliaanse gedoe. Ik was maar een gewone Mien Doorsnee. Een bange Mien Doorsnee.

'Ik zal het hem voor de voeten moeten gooien.' Dee zat met samengeknepen ogen over dat scenario na te denken. 'Maar ik moet wel iets hebben om te kunnen onderhandelen. Wat weet jij van hem, Grace? Zijn er schandaaltjes in de familie?'

'Nee. Niets.'

'Wat?' Ze draaide zich verbaasd om. 'Maar ik dacht... O nee, Grace. Het is niet waar!'

'Dee, ik ben niet zo'n soort persoon... journalist... Ik dacht van wel, maar nu blijkt dat het toch niet waar is. Sorry,' voegde ik eraan toe.

'Bedoel je dat je bang bent voor Paddy?'

'... Ik denk het wel.'

'Maar dat komt goed uit! Dat betekent dat je iets van hem weet. Iets wat mij kan helpen.'

'Ja, maar...'

'Wat hij je ook heeft aangedaan, wil je hem dat niet betaald zetten?'

'Nee.'

'Dat is niet de Grace die ik ken.'

'Het is ook niet de Grace die ik ken,' zei ik somber. 'Maar zo zie je maar.'

'Grace, je bent mijn enige hoop. Mijn politieke carrière hangt van jou af. Zonder jou ben ik gezien.'

Ik legde mijn hoofd op het stuur. 'Hou op.'

'En als ik gezien ben,' zei Dee zacht, 'dan geldt hetzelfde voor dui-zenden Ierse vrouwen. Vrouwen die in angst leven. Vrouwen die nie-mand hebben die voor hen opkomt. Vrouwen die niemand hebben die hun wensen kan verwoorden, niemand die kan verklaren wat er in het diepst van hun hart leeft.'

Marnie

Sky News was nog steeds haar enige vriend. Ook al had het de neiging zichzelf steeds te herhalen, om het kwartier of zo. Vandaag vertelde het haar dat het woensdag 21 januari was. (En ook iets saais over voetbaltransfers, maar daar luisterde ze niet naar.)

Toen de telefoon ging, wierp Marnie er een angstige blik op. Macht der gewoonte. Op de een of andere manier bracht de telefoon tegenwoordig alleen maar slecht nieuws en ze nam niet meer op.

Het antwoordapparaat sprong aan en toen hoorde ze Grace.

'Marnie, ik ben het, Grace. Ben je thuis?'

Marnie pakte op. 'Ja.'

'Ben je nuchter?'

'Ja.' Maar alleen omdat ze moest wachten tot de slijter openging. Er was geen druppel wodka meer in huis. Ze snapte niet hoe ze dat had kunnen laten gebeuren.

'Echt waar?' Grace klonk bezorgd. 'Want dit is heel belangrijk.'

'Eerlijk waar.' Marnie voelde een steek in haar hart, maar ze kon het Grace niet kwalijk nemen dat ze zo achterdochtig was.

'Oké, goed dan. Ik moet je een gunst vragen. Terug naar het verleden. Zet je schrap. Paddy de Courcy.' Er gleed een rilling over Marnies rug. Nog steeds. Ze hoefde alleen maar zijn naam te horen.

'Je hoeft je niet gedwongen te voelen om iets te doen,' vervolgde Grace. 'Als je het niet wilt, doe het dan niet. Ik vraag dit alleen om iemand anders te helpen, dus dat betekent niet dat je mij laat zitten.'

Marnie begreep er niets van. 'Wil je dat ik Paddy help?'

'Jezus nee! Precies het tegenovergestelde.'

'... Oké.' Dus Paddy had haar hulp niet nodig. Vreemd genoeg was ze teleurgesteld.

'Hij haalt allemaal smerige politieke trucjes uit,' zei Grace. 'En ik heb de persoon op wie hij het heeft gemunt gezegd dat ze op mijn hulp kon rekenen.'

Marnie was stomverbaasd. Dit klonk allemaal heel dramatisch.

'En daarbij dacht ik dus aan jou,' zei Grace.

'Aan míj?'

'Zoals hij jou... afranselde en zo. Volgens mij heeft hij dat ook met andere vrouwen gedaan. Als ik iemand kan vinden, zou je dan bereid zijn om met ons mee te gaan? Om hem onder druk te zetten?'

'Onder drúk?' hoorde Marnie haar eigen stem vragen. Dit was toch allemaal wel heel vreemd. Paddy de Courcy, na al die tijd. Hem 'onder druk' zetten?

'Als hij niet ophoudt met die streken, gaan jij en de anderen met jullie verhaal naar de krant.'

'De krant!'

'Zover zal het waarschijnlijk niet komen. Het dreigement zal wel voldoende zijn.'

'O. Oké.' Ze wilde niet met haar verhaal in de krant. 'Maar Grace... waarom denk je in vredesnaam dat er ook anderen zijn geweest?'

'Er zijn een paar dingen, die ik nog moet controleren. Ik wilde voordat ik verder ging eerst weten of jij bereid was om het te doen.' Ze was even stil en zei toen: 'Je hoeft het niet te doen, hoor Marnie. Ik vraag het alleen maar omdat ik die persoon, Dee, beloofd heb dat ik zou helpen. Maar het leven is de laatste tijd niet bepaald gemakkelijk voor je geweest en misschien is dit wel het laatste...'

'Wil je nou wel of niet dat ik kom?'

'In zekere zin niet, om eerlijk te zijn. Ik vraag het alleen maar omdat ik beloofd heb...'

'Dat heb je al gezegd.' Marnie moest bijna lachen. 'Maar ik kom wel.' Ze liet er geen twijfel over bestaan. De aantrekkingskracht van Paddy was er nog steeds, zelfs na al die jaren. God, wat zielig. Maar ze had altijd geweten dat ze een slappeling was.

'Denk je niet dat het...' Grace aarzelde. 'Dat het alles nog moeilijker voor je zal maken?'

Ze had het over haar drinken, dat begreep Marnie meteen.

'Zal ik je eens iets vertellen, Grace? Ik denk dat het juist zal helpen.'

'Misschien wel,' beaamde Grace, een tikje onzeker.

'Om het verleden voorgoed te begraven.'

'Mmm... dat zou kunnen...' Daarna zei Grace ineens, op een heel andere toon: 'Het probleem is, Marnie, dat als dit doorgaat je naar Dublin zou moeten komen. Dan zou je op een vliegtuig moeten stappen.'

Ze klonk heel voorzichtig, maar Marnie begreep wat het inhield: de kans bestond dat ze niet nuchter genoeg zou zijn om de reis te maken. En Marnie erkende treurig dat het een logische opmerking was.

'Dat zit wel goed, Grace. Ik beloof je dat het best in orde komt. Wanneer wil je me daar hebben?'

'Als het doorgaat al vrij snel. Morgen of zo. En je weet zeker dat je wilt komen?'

'Ja.'

Paddy de Courcy. Ze had al heel lang niet meer aan hem gedacht. Af en toe, zo om het jaar, werd zijn naam nog wel eens door ma, pa of Bid genoemd, maar ze liet zich nooit verleiden tot bitterzoete herinneringen. Ze hoefde alleen zijn naam maar te horen, of er kwam een barrière in haar geest die als een guillotine elke gedachte aan het verleden afkapte.

Maar deze ochtend kon ze zich niet verdedigen tegen onwelkome herinneringen. Ze drongen zich op, scherp en en helder, en ze werd er heel direct aan herinnerd hoe duizelingwekkend opgelucht ze zich had gevoeld toen ze Paddy had leren kennen, overtuigd dat ze eindelijk haar ontbrekende wederhelft had gevonden.

Tot op dat moment was haar leven incompleet en onevenwichtig geweest en het was een heerlijke gewaarwording om te ontdekken dat hij even hunkerend en hol van binnen was als zijzelf. Zijn moeder, van wie hij ontzettend veel had gehouden, was gestorven en zijn vader was te eigenaardig om hem liefde te geven. Paddy was alleen en eenzaam en de tederheid die Marnie voor hem voelde was zo volmaakt dat ze het bijna niet meer uithield.

Het was alsof ze communiceerden op een frequentie waarop alleen zij elkaar konden horen. Vreselijke en ondraaglijke gevoelens van angst en verdriet hadden haar altijd in de greep gehad, ze kon zich de tijd niet herinneren dat ze niet was overgeleverd aan een stortvloed van emoties. Niemand anders – en zeker Grace niet, met wie ze altijd weer werd vergeleken – onderging het leven met zo'n hartverscheurende intensiteit als zij. Zelfs ma en pa sloegen haar af en toe met verbijstering gade, alsof ze niet wisten hoe ze aan haar waren gekomen.

Ze schaamde zich omdat ze zo anders was. Andere mensen, de geluksvogels, schenen een inwendige stopknop te hebben, een buffer waarachter gevoelens hen niet konden deren.

Maar Paddy was net als zij. Hij onderging het leven met dezelfde overweldigende gevoelens van liefde en bodemloze emoties van wanhoop. Ze was niet langer een unieke zonderling.

Ze voelden zich meteen tot elkaar aangetrokken en elke scheiding was onverdraaglijk. Zelfs als ze de hele dag samen waren geweest, belden ze elkaar meteen op als ze thuis waren.

'Ik wil alleen maar in jouw huid kruipen,' zei hij, 'en jou in de mijne trekken om ons dan dicht te ritsen.'

De eerste keer dat hij haar mee naar zijn huis nam, was het daar zo kil en liefdeloos dat het gewoon hartverscheurend was. Het deed haar denken aan de *Marie Celeste,* een schip dat verlaten op zee ronddreef. Er was niets te eten en de verwarming stond niet aan. In de keuken was het koud, het tafelblad kleefde en de afvalbakken zaten propvol. Het was duidelijk een plek waar nooit een maaltijd werd klaargemaakt. De melk werd er rechtstreeks uit het pak gedronken en boterhammen met jam werden zonder een bord te pakken besmeerd en leunend tegen het aanrecht opgegeten.

Het feit dat hij thuis niemand had die hem liefhad, verschafte Marnie een angstaanjagend inzicht en in dat opzicht sloeg ze altijd de spijker op de kop, vooral als het om nare dingen ging: als zijn moeder niet was gestorven, was Paddy nooit verliefd op haar geworden. Hij had haar verteld dat hij voor de dood van zijn moeder heel anders was geweest en zij wist – ook al ontging hem dat – dat hij door dat sterven zo kwetsbaar was geworden dat hij haar nodig had.

Daardoor begon ze niet alleen te vermoeden dat ze van hem profiteerde, maar ook dat ze niet goed genoeg was om een relatie met een gezonde man te hebben. Alleen de kneusjes hadden belangstelling voor haar omdat zij zelf ook een kneusje was. En haar grootste angst was dan ook dat Paddy's kwetsbaarheid iets tijdelijks was, terwijl zij voorgoed aan de hare vastzat.

Ze probeerde er met Grace over te praten, maar die sloeg haar ogen ten hemel en riep uit: 'Je kunt gewoon niet gelukkig zijn, hè, ook al hangt je leven ervan af! Wat maakt het nou uit waarom hij van je houdt? Dat is gewoon zo en daarmee uit. Snap je dan niet dat je een echte geluksvogel bent?'

Beschaamd deed Marnie haar uiterste best om in te zien dat ze echt mazzel had gehad: Grace had gelijk, zo'n verbintenis als tussen Marnie en Paddy was uiterst zeldzaam.

Ze lagen op hun rug in de wei naar de wolken of naar de sterren te kijken en maakten toekomstplannen. 'We blijven altijd bij elkaar,' beloofde Paddy. 'Dat is het enige dat telt.'

De duistere keerzijde van zijn liefde was zijn jaloezie. Hoewel ze bezwoer dat ze altijd van hem zou blijven houden, behandelde hij elke andere man als een bedreiging. Er ging geen week voorbij of hij beschuldigde haar ervan dat ze met Sheridan had geflirt, of op een feestje naar een andere man had 'gekeken', of niet genoeg tijd met hem doorbracht.

Toen ze een keer per vergissing zei dat ze Nick Cave best sexy vond, werd hij ter plekke half gek en scheurde het tijdschrift met de foto's die haar die opmerking hadden ontlokt aan flarden. Nog maanden daarna zou hij meteen opstaan en de kamer uitlopen als er een nummer van de Bad Seeds voorbijkwam. Zijn paranoia werkte besmettelijk en zij werd – bijna om hem een plezier te doen – even argwanend als hij. Hartstochtelijke ruzies waren schering en inslag, bijna verplicht. Het leek op een spel, een ritueel vol dramatische beschuldigingen gevolgd door een hereniging met tranen. Het was hun manier om te laten zien hoeveel ze van elkaar hielden.

Af en toe beschuldigde ze hem ervan dat hij naar Grace lonkte. En soms zelfs naar Leechy, ook al kon je haar niet echt knap noemen, daarvoor leek ze te veel op een paard. Maar Leechy was wel lief en vriendelijk, een echt zorgzaam type, en ze kwam steeds vaker als Marnie en Paddy weer eens overhoop hadden gelegen opdagen om Paddy raad te geven en te troosten. Marnie stond eigenlijk van die brutaliteit van Leechy te kijken, maar toen ze er bezwaar tegen maakte, zei Leechy dat ze begrip hoorde te tonen. 'Hij was helemaal overstuur. Hij houdt zo ontzettend veel van je en hij heeft niemand anders om mee te praten.'

'Hij heeft Sheridan.'

Leechy trok een gezicht. 'Sheridan is een knul.'

Af en toe kreeg het emotionele spel een fysiek tintje: een duw hier, een tikje daar en op een avond dat het echt uit de hand liep een klap in haar gezicht.

Toen Grace daar gealarmeerd op reageerde, zei Marnie: 'Het is niet zo erg als het lijkt. Hij wordt zo door zijn gevoelens overstelpt, dat het soms de enige manier is waarop hij zich kan uiten.'

Zelfs de brandplek van zijn sigaret in haar hand was verklaarbaar. 'Hij heeft voorgoed zijn stempel op me gezet. Alsof het een tatoeage is. Maar zeg alsjeblieft niets tegen ma,' voegde ze er haastig aan toe.

Hij groeide haar boven het hoofd, zo simpel was het. Maar dat begreep ze pas achteraf. De ellende in hun driejarige relatie stamde eigenlijk voornamelijk uit de laatste vijf maanden, die samenvielen met de laatste vijf maanden van zijn studententijd, van januari tot mei. Objectief bekeken was het logisch: hij stond op de drempel van het echte leven, hij was niet langer de treurende, halfwilde jongeman, maar een man die een carrière als jurist beoogde.

Tijd om afscheid te nemen van al die kinderachtige dingen, zou pa hebben gezegd.

Tijdens die lente maakten ze misschien nog wel vaker ruzie dan ze normaal gesproken al deden. Misschien werd Marnie nog plakkeriger omdat ze hem onbewust weg voelde glippen. En naarmate hij meer vrijheid wenste, werd zijn minachting ook steeds duidelijker.

Hij zei tegen haar dat hij niet meer van haar hield. Maar hij had altijd al, iedere keer als ze ergens over kibbelden, gezegd dat hij haar haatte.

Dit keer meen ik het echt, zei hij dan. Maar dat had hij ook altijd al gezegd.

Tijdens zijn afstudeerperiode in mei onderdrukte ze haar paranoia. Ze mocht niet riskeren dat hij zou zakken. Zelfs toen ze van Sheridan te horen kreeg dat Leechy Paddy thuis had opgezocht, hield ze haar mond.

Maar de avond nadat hij zijn laatste examen had afgelegd, gaf ze vrij baan aan al die opgekropte gevoelens. 'Wat hebben jij en Leechy uitgespookt toen ze weer eens bij je op bezoek was? Ben je met haar naar bed geweest?'

Het was hun eigen beproefde manier om aan de ander een liefdesverklaring te ontlokken – die had hij haar zelf bijgebracht – en diep van binnen wist ze best dat het helemaal niet waar was.

'Dat klopt,' zei hij.

'Nee, serieus, wat deden jullie dan?'

'Dat heb ik toch net gezegd?'

Ze dacht dat hij een grapje maakte. Iedere andere verklaring was gewoon onvoorstelbaar.

'Het is echt waar, Marnie. Ik heb haar in mijn examenperiode iedere dag geneukt. Het is uit tussen jou en mij. Wanneer dringt dat nou eens tot je door?'

Toen ze begreep dat het echt waar was, zakte ze in elkaar en begon te janken als een beest... maar ze snapte nog steeds niet dat dit echt het einde was. Jaren later, toen ze er wat afstandelijker naar kon kijken, besefte ze dat het haar schuld niet was. Dat hij met Leechy naar bed was geweest was bijna niet te harden, maar het paste naadloos in hun tactiek om elkaar zoveel mogelijk pijn te doen omdat ze zoveel van elkaar hielden.

'Je hebt gezegd dat je voor altijd van me zou houden.' Ze had een verwilderde blik in haar ogen.

'Dat was gelogen. Hoor eens, het was gewoon een schoolvriendschap.'

Nee, dat was het helemaal niet. Hij was haar grote liefde, zo'n liefde die maar eens in de paar honderd jaar voorkwam.

Terwijl ze om zich heen sloeg als een gekooid beest, vroeg ze zich af wat ze moest doen. Ze was zo overstuur, dat het volkomen logisch leek om met Paddy's beste vriend tussen de lakens te kruipen.

Het was niet half zo moeilijk als ze had verwacht om Sheridan zover te krijgen. Maar toen het voorbij was, had hij er meteen spijt van. 'Vertel het alsjeblieft niet aan Paddy,' zei hij.

Ze keek hem bijna medelijdend aan. Niet aan Paddy vertellen? Waarom dacht hij dat ze met hem naar bed was geweest?

'Paddy, vraag me eens waar ik gisteravond was.'

'Dat interesseert me geen ruk.'

'Vraag het nou maar.'

'Oké, Marnie.' En in één dreun door: 'Waar was je gisteravond?'

'In bed. Met Sheridan.'

Ze was ervan overtuigd dat zijn jaloezie hem rechtstreeks terug zou drijven in haar armen, nog toegewijder dan hij altijd was geweest.

'Sheridan?' zei hij scherp.

'Ja, ik ben met een andere man naar bed geweest.'

Maar toen bleek dat het hem koud liet dat ze met een andere man naar bed was geweest. Wat hij wél erg vond, was dat het Sheridan was geweest.

'Met Sheridan?' Paddy's gezicht was vertrokken van emotie. 'Hij is de enige persoon ter wereld die ik vertrouw en jij... jij hebt hem gecorrumpéérd!'

Ze was niet verbaasd toen hij haar sloeg. Ze klapte tegen de muur en hij sloeg haar opnieuw, dit keer zo hard dat ze op de grond viel. Maar toen hij haar in haar maag schopte, wist ze dat ze te ver was gegaan.

Helemaal door het dolle heen trapte hij haar tegen haar ribben, tegen haar borst en in het gezicht. Ze probeerde haar hoofd met haar armen te beschermen maar hij trok ze weg en stampte op haar rechterhand.

'Je bent een stomme, nutteloze trut en dit is je eigen verrekte schuld.' Hij torende hijgend van inspanning boven haar uit, terwijl zij opgerold op de vloer lag. 'Zeg het maar na. Je bent een stomme, nutteloze trut en dit is je eigen verrekte schuld.'

Hij zwaaide zijn voet achteruit om haar opnieuw te schoppen. Nee. Ze wist zeker dat ze dat niet zou overleven. De punt van zijn laars trapte haar maag tegen haar ruggengraat. Ze kokhalsde en bleef kokhalzen, maar er was niets meer om over te geven.

'Zeg het na!'

'Ik ben een stomme, nutteloze trut,' fluisterde ze terwijl de tranen over haar wangen stroomden, 'en dit is mijn eigen schuld.'

'Je eigen *verrekte* schuld. Kun je dan nooit iets goed doen?'

Toen ze in het ziekenhuis bij kennis kwam, met slangetjes verbonden aan allerlei apparaten, had ze eigenlijk verwacht dat Paddy met gebogen hoofd van schaamte naast haar bed zou zitten.

Maar alleen Grace was bij haar. 'Waar is Paddy?' vroeg ze schor. 'Weet ik niet.'

Marnie nam aan dat hij alleen even de kamer uit was om een sigaret te roken of iets te drinken te halen.

Ze had een akelig voorgevoel. Het zou niet meevallen om dit van zich af te zetten. Hij zou iets moeten doen, naar een psychiater of zo. Hij moest professionele hulp inroepen, om ervoor te zorgen dat dit nooit weer zou gebeuren.

Toen ontdekte ze dat Paddy helemaal niet in het ziekenhuis was. En dat hij er ook niet was geweest.

'Weet hij wel dat ik hier ben?' vroeg ze aan Grace.

'Daar ben ik van overtuigd,' zei Grace. 'Aangezien het de enige plek is, waar je zou kunnen zijn. Aangenomen dat je nog in leven was.'

Marnie begreep niet wat ze bedoelde. 'Heeft hij gebeld?'

'Nee.'

'Néé?'

Marnie besefte meteen dat hij zich te erg schaamde voor wat hij had gedaan. Ze had wel naar hem toe willen gaan, maar daar was ze lichamelijk niet toe in staat. De lijst van haar verwondingen nam twee velletjes in beslag en Grace stond erop dat ze die doorlas: een gebroken knokkel (omdat hij op haar hand had gestampt), kneuzingen van de lever, een gescheurde milt, ernstige kneuzingen van ribben en sleutelbenen.

Ineens schoot er een verschrikkelijke gedachte door haar hoofd. 'Grace, weten ma en pa dit ook?'

'Nee, ik kon ze niet bereiken.'

Goddank.

Ma en pa waren samen met Bid op vakantie in Frankrijk.

'Vertel ze alsjeblieft niets, Grace.'

'Ben je gek geworden? Natuurlijk vertel ik het wel.'

'Dat kun je niet doen, dat mag je niet doen! Dan zou ik hem nooit meer mogen zien.' Ineens kwam ze op een nog angstaanjagender idee. 'Je bent... je bent toch niet naar de politie geweest?'

'... Nee... maar...'

'Grace, nee, nee, dat kun je niet doen!' Vol paniek en frustratie barstte ze in tranen uit. 'Alsjeblieft... dat zou het ergste zijn wat je me ooit...'

'Maar de verpleegster zei dat de kans groot was dat hij het opnieuw zal doen.'

'Dat doet hij écht niet meer. Grace, je begrijpt het niet. Zo zijn wij gewoon, zo gaan wij met elkaar om.'

'Maar hij heeft je het ziekenhuis in geslagen!'

'Je kunt het gewoon niet doen, Grace. Dat zou net zijn alsof je iemand van de familie aangeeft! Paddy hoort bij de familie!'

'Maar je ziet toch zelf ook wel wat hij je heeft aangedaan?'

'Grace, alsjeblieft, zweer dat je het niet zult doen. En dat je het ook niet aan ma en pa vertelt. Het komt vast wel weer in orde, echt waar, het zal heus niet weer gebeuren, dat zweer ik.'

Uiteindelijk kreeg ze Grace zover dat ze met tegenzin toestemde, maar Grace weigerde pertinent om Marnie te helpen op te staan en naar de telefoons in de hal te gaan.

'Je hebt inwendige bloedingen,' zei ze. 'Je mag nog niet opstaan.'

Marnie wachtte tot Grace weg was en liep toen voetje voor voetje met haar infuusstandaard naar de telefoons. Maar toen ze geen gehoor kreeg werd ze plotseling duizelig en kreeg het gevoel dat ze van een wolkenkrabber tuimelde, om en om, terwijl de wind langs haar oren floot.

De volgende dag zei ze: 'Grace, hij neemt de telefoon niet op. Wil je alsjeblieft bij hem langs gaan?'

'Nee.'

'Alsjeblieft, Grace, ik wil hem zien.'

'Nee. Ik zal ma niet vertellen wat hij heeft gedaan, maar ik ga niet naar zijn huis.'

Marnie hield het nog negenentwintig uur uit voordat de drang te groot werd. Ze trok het infuus uit haar arm, liep zonder iemand iets te vertellen het ziekenhuis uit en nam een taxi naar Paddy's huis. De vreemde vader deed open, duidelijk geschokt door Marnies blauwe plekken en al dat verband, en zei in antwoord op haar wanhopige vragen: 'Hij is weg. Al sinds afgelopen woensdag.'

'Afgelopen woensdag?' Vier dagen!

'Hij pakte een koffer en ging ervandoor.'

'Dus u hebt hem nog wel gezien? Waarom hebt u hem niet tegengehouden?'

'Hij is een volwassen man.'

'Waar is hij naartoe?'

'Geen flauw idee.'

'Maar dat moet u weten!'

'Hij vertelt me nooit iets.'

'Ik moet even in zijn kamer kijken.' Ze hinkte naar boven.

Het rook nog steeds naar hem, maar al zijn kleren en boeken waren verdwenen.

'Grace, zouden we niet naar de politie moeten gaan?'

'Goed idee. Hij hoort gearresteerd te worden.'

'Nee, ik bedoel dat we hem als vermist opgeven.'

'Hij wordt niet vermist. Hij is weggegaan. Dat heeft zijn vader zelf gezien.'

'Maar waar is hij dan?'

'Waar hij ook uithangt, het kan niet ver genoeg weg zijn.'

'Misschien is hij wel in Londen.' Ze overwoog meteen om daar ook naartoe te gaan.

'Nee,' zei Grace. 'Je kunt niet achter hem aan gaan. Hij had je kunnen vermoorden. Hij heeft niet eens de moeite genomen om uit te vinden of je nog in leven bent...'

'Omdat hij bang is, daarom is hij weggegaan...'

'Nee, omdat het hem niets interesseert.'

'Ik moet naar Sheridan toe. Die zal het wel weten.'

Maar Sheridan wist het ook niet, of hij wilde niets zeggen. Daar kwam Marnie nooit achter.

En hoewel het onvoorstelbaar leek dat Leechy het wel zou weten en zij niet, ging ze het toch vragen. Maar Leechy wist het ook niet. Leechy had zelfs het lef om er bijna even ellendig en zenuwachtig uit te zien als Marnie.

Paddy kwam niet boven water. Dagen en vervolgens weken gingen voorbij. De hele zomer door bleef Marnie op haar qui-vive, trillend van spanning, wanhopig wachtend op zijn terugkeer. Ze concentreerde zich op oktober, want dan moest hij wel terug zijn omdat hij voor zijn opleiding stage moest lopen. Tot dan moest ze geduld oefenen.

Uiteindelijk probeerde hij haar volslagen te negeren toen ze hem op straat tegenkwam. 'Blijf bij me uit de buurt. Ik word doodziek van je.'

Hij liep met grote passen door en ze deed haar best om hem bij te houden. 'Paddy, maak je geen zorgen, ik vergeef je.'

'Wat vergeef je me?'

'Dat... dat je me in elkaar geslagen hebt.'

Hij staarde haar ongelovig aan. 'Dat was toch je eigen schuld!'

Was dat echt waar? Maar ze had geen tijd om erover na te denken, want hij liep alweer verder en ze moest nog zoveel vragen.

'Waarom heb je me niet verteld waar je naartoe ging?'

Hij bleef staan en keek vanaf zijn grote hoogte op haar neer. 'Omdat ik dat niet wilde en omdat ik je nooit, helemaal nooit weer wil zien.'

Ze kreeg opnieuw het gevoel dat ze omlaag stortte, al ronddraaiend naar beneden tuimelde.

'Je zult hem uit je hoofd moeten zetten,' zei Grace, alsof dat net zo gemakkelijk ging als een bed verschonen.

'Als ik dat kon, zou ik dat wel doen.' Ze had met liefde een arm afgehakt als ze dacht dat het verdriet daardoor af zou nemen. Maar ze was machteloos. In de zomer had ze nog gedacht dat er een eind zou komen aan haar lijden, maar nu begreep ze dat de kans groot was dat ze voor eeuwig verdriet zou hebben zonder dat ze er iets aan kon doen.

'Toon eens wat zelfrespect,' drong Grace aan.

'Dat zou ik dolgraag willen,' zei ze rustig, 'als ik wist waar ik dat kon vinden.'

'Je hoeft alleen maar te besluiten dat je het hebt.'

Ze schudde haar hoofd. 'Grace, er is niets zo angstaanjagend... of zo vernederend als houden van een man die niet meer van jou houdt.'

'Dat overkomt iedereen.' Grace bleef irritant praktisch.

'Ik ben niet zoals iedereen. Ik ben niet normaal.'

Ze leed aan emotionele hemofilie. Ze bleef bloeden. Alle nare dingen die haar ooit waren overkomen – vanaf de allereerste schooldag, toen ze van Grace gescheiden werd – droeg ze nog met zich mee, en elke wond voelde nog even vers en pijnlijk aan alsof het gisteren was gebeurd. Ze kon nooit iets van zich afzetten.

'En laten we wel wezen, Grace, zelfs als ik geen totale mislukking was...' – ze slaagde er zelfs in te lachen – 'zelfs als ik het meest uitgebalanceerde en opgewekte wezentje ter wereld was, dan zou het nog steeds moeilijk zijn om Paddy de Courcy uit mijn hoofd te zetten.'

De volgende negen maanden – de laatste periode van haar studietijd – was ze niet meer dan een geest. Ze studeerde af, maar dat drong nauwelijks tot haar door. De tijd ging voorbij. Een jaar. Twee jaar. Drie jaar en ze leed nog steeds even sterk onder zijn afwezigheid. Het was alsof haar leven stand-by stond, wachtend tot hij terug zou komen en de startknop weer ingedrukt kon worden.

Jaren later, als ze terugdacht aan die tijd, vroeg ze zich vaak af waarom ze niet gewoon zelfmoord had gepleegd. Maar ze was zo versuft geweest van verdriet dat ze zelfs dat niet had kunnen opbrengen.

Op een gegeven moment hoorde ze dat Paddy een huis deelde met Sheridan en dat bericht trof haar als een messteek in het hart: waarom had hij Sheridan wel vergeven en haar niet? Er was maar één minieme troost: Paddy was niet met Leechy.

In de tijd dat ze het meest leed onder het feit dat Paddy en zij uit elkaar waren, hadden ma en pa haar rustig en verstandig ondersteund. Ze hadden nooit gevraagd waarom de relatie beëindigd was, ze hadden nooit willen weten waarom Leechy nooit meer langskwam. Het was pa die met de suggestie kwam om het eens een tijdje in een andere stad te proberen en Marnie had verbijsterd geconstateerd dat ze helemaal opkikkerde van dat idee. Haar leven in Dublin was zo ellendig, dat alles misschien wel op zou klaren als ze ergens anders opnieuw zou beginnen. Ze dacht eerst aan San Francisco en vervolgens aan Melbourne, maar door de problemen die een eventueel visum meebracht, zonk de moed haar al snel in de schoenen en ze vond dat ze gewoon mazzel had gehad dat ze in Londen terechtkwam. Ze keek er zelf ook wel van op dat ze erin slaagde om een redelijk goede baan als hypotheekmakelaar te vinden. Maar omdat ze nog steeds niet over het verlies van Paddy heen was, begon ze aan de ene fatale romance na de andere en wankelde van man naar man in haar pogingen om weer voet aan de grond te krijgen.

Na een poosje begonnen ma en pa af en toe de naam van Paddy weer te laten vallen, meestal vol trots verwijzend naar zijn opkomst in de politiek. Ze hadden er kennelijk geen idee van dat het haar nog steeds pijn deed om zijn naam te horen, anders hadden ze dat vast nooit gedaan. Ze dachten – volkomen logisch – dat haar relatie met Paddy inmiddels al zo lang geleden was, dat ze er wel overheen zou zijn.

Op een gegeven moment legde ze zich erbij neer dat ze haar leven zonder Paddy zou moeten doorbrengen, maar heel af en toe merkte ze tot haar afschuw dat er ergens vanbinnen nog iets zat wat op hem bleef wachten. In haar verbeelding was het een kamer die op slot was gedaan en in dezelfde staat werd gehouden als toen hij vertrok. Ze wachtte alleen maar op het juiste moment om de deur weer open te gooien, de stofhoezen van de meubels te trekken en het licht naar binnen te laten stromen.

Grace

Ik belde Damien. 'Marnie zegt dat ze het zal doen als er meer vrouwen zijn.'

Ik klonk kennelijk even ellendig als ik me voelde, want hij zei heel teder: 'Grace, je hoeft dit niet te doen.'

'Ik heb het Dee beloofd.' Ze had me zover gekregen dat ik zei dat ik zou proberen iets in elkaar te draaien en als ik zoiets had gezegd dan deed ik dat ook, zelfs al wilde ik dat helemaal niet.

'Ik had mijn mond over dat verhaal moeten houden.' Damien klonk grimmig. 'Ik dacht dat je het gewoon alleen maar tegen Dee zou zeggen. Ik had geen idee dat je... dit allemaal op je schouders zou nemen. Dat gedonder met De Courcy.'

'Misschien lukt het me niet om Lola Daly te vinden.'

'Dat zou kunnen.'

Dan kon ik me met een gerust hart terugtrekken.

'Hou me op de hoogte,' zei hij.

'Doe ik.' Ik verbrak de verbinding, stond op en liep met frisse tegenzin naar het bureau van Casey Kaplan.

'Casey, weet je nog dat je me vertelde wie John Crown was en hoe dankbaar ik je daarvoor was?'

'Volgens mij was je helemaal niet dankbaar.'

'Je hebt mijn Madonna-verhaal gestolen. Ik was zo dankbaar als ik kon opbrengen. Wil je me nog een keer helpen?'

'Probeer het maar.'

'Ik moet weten waar iemand uithangt. Ze heet Lola Daly en ze is styliste.'

'Yep, die ken ik wel.'

'Weet je waar ze is?'

'Nee.'

Klungel.

'Ze is in september voor het laatst in Dublin gesignaleerd,' zei ik. 'Maar sindsdien is ze van de aardbodem verdwenen. Ze neemt haar mobiel niet op, maar het nummer is niet afgesloten. Meer weet ik niet. Ik weet dat het niet veel is, maar kun jij eens informeren bij... je weet wel, modellen en dat soort meiden, societydames, hippe vogels... om te horen of er nog iemand gebruik van haar maakt?'

Zijn ogen waren het enige wat bewoog. Hij liet ze onderzoekend over mijn gezicht glijden, op een manier die ik onthutsend sexy zou moeten vinden. Hij knikte langzaam. 'Oké.'

'Echt waar?' Zou hij haar echt kunnen vinden, of kletste hij uit zijn nek? Ik was overtuigd van het laatste.

'Het kan wel even duren.' Hij leunde achterover op zijn stoel. 'Moeilijke verzoeken kunnen we wel aan. Onmogelijke nemen wat meer tijd in beslag.'

Ik liep terug naar mijn bureau en pakte de telefoon, maar die legde ik weer neer toen ik zag dat Casey naar me toe kwam.

'Wat is er?' vroeg ik ongeduldig. 'Ik kan je verder niets vertellen.'

Hij liet een papiertje op mijn bureau vallen. 'Ze is in County Clare. In een gehucht dat Knockavoy heet.'

Er gingen tien seconden vol ontzetting voorbij voordat ik mijn tong terugvond. 'Weet je dat nú al?'

'Ik had meteen beet. Bij het eerste telefoontje al. Soms heb je gewoon geluk,' voegde hij er bescheiden aan toe. 'Ik kwam gisteravond SarahJane Hutchinson tegen. Ze zag er fantastisch uit. En ze zei dat haar styliste tegenwoordig in County Clare zat. Ik had het vage idee dat het misschien het meisje was dat wij zochten.'

Ik was sprakeloos.

'Blij?' informeerde Kaplan.

'Door het dolle heen,' zei ik vaag.

Ik had gedacht dat Lola Daly niet te vinden zou zijn. In mijn stoutste dromen had ik me niet kunnen voorstellen dat daarvoor maar één telefoontje nodig zou zijn.

Een wilde golf vol ergernis sloeg door me heen. Verrekte Casey Allemansvriend Kaplan. Waarom had de Grote Baas het nodig gevonden dat wij opgepimpt werden? Waarom had hij Casey Kaplan in dienst genomen? Waarom hadden onze wegen elkaar gekruist? Kijk nou eens waarmee hij me opgescheept had! Ik zou naar County Clare moeten rijden. En god mocht weten wat me nog meer voor ellende boven het hoofd hing.

Ik liet mijn voorhoofd even op mijn bureau zakken om tot rust te komen en drukte mezelf toen weer omhoog. Mijn hoofd voelde loodzwaar aan.

'Wat is er aan de hand?' vroeg Kaplan.

'Hoe lang...' Mijn stem klonk zacht en schor, dus begon ik maar opnieuw. 'Hoe lang denk je dat ik erover doe om naar... hoe heet die plaats... Knockavoy te rijden?'

'Geen idee,' zei Kaplan. 'De enige keer dat ik naar Clare ben geweest, was met een helikopter.'

Ik zei dat ik me nog vaag kon herinneren dat ik daar een keer in een lang weekend naartoe was gereden en dat ik er zeven uur over had gedaan.

'O nee, hoor,' deed Lorraine ook een duit in het zakje. 'Zo lang doe je er echt niet over. Niet sinds die nieuwe rondweg bij Kildare open is.'

'Ja, die is echt fantastisch,' zei Tara.

'Een geschenk uit de hemel,' beaamde Clare.

'Ik weet niet of het wel zoveel verschil maakt,' zei Joanne.

'TC?' vroeg ik. Het was vreemd dat TC – per slot van rekening een kerel – zich niet in het gesprek had gemengd om ons te vervelen met ellenlange routebeschrijvingen enzovoort.

Hij luisterde niet eens. Hij zat in zichzelf te neuriën terwijl hij een heel stel fotokopieën op een stapeltje legde, ze recht legde en er netjes gaatjes in perforeerde. Hij was zo druk bezig, dat hij nergens anders aandacht voor had.

'Laat hem maar,' zei Lorraine. 'Hij is bezig met de voorbereidingen voor dat grote interview van vrijdag. Je krijgt nu toch geen zinnig woord uit hem.'

'Zoals gewoonlijk,' zei ik, maar zelfs toen hapte hij niet.

TC begon de blaadjes in een prachtige rode map te doen.

'Waar heb je die mooie map vandaan?' zei ik. 'Zoiets heb ik nooit in de kast zien liggen.'

'Dat klopt,' zei hij opgewekt. 'Want ik heb hem zelf gekocht, van mijn eigen centen.'

Hij liet zijn hand liefkozend over het rode kaft glijden en ik vroeg: 'Wie moet je dan interviewen? Dat je daar zoveel moeite voor doet?'

'Het mooiste meisje ter wereld.' Hij glimlachte dromerig.

'En wie mag dat zijn?'

'Zara Kaletsky.'

Hij bleef neuriën en over zijn rode map strijken. Lorraine had gelijk, ik zou vandaag geen zinnig woord uit hem krijgen. Ik bleef nog even naar hem staren omdat ik niet kon geloven dat ik hem niet tegen de haren in kon strijken, maar ik kon niet tot hem doordringen.

Verslagen draaide ik me weer om en zat meteen weer tot mijn nek in de ellende. Ik staarde zonder iets te zien naar mijn scherm. Ik had nog een volle dag werk voor de boeg. Zelfs als ik de moed kon opbrengen, hoe moest ik het dan voor elkaar krijgen om naar de westkust van Ierland te gaan? Ik kon pas na het werk vertrekken, maar ondanks die veelgeprezen rondweg bij Kildare zou de reis toch minstens vier uur in beslag nemen. Dat was acht uur heen en terug en als ik daar was, kon het god mocht weten hoe lang duren voordat ik Lola Daly zover had dat ze haar mond opendeed. Aangenomen dat ze iets te vertellen had. Aangenomen dat ze daar zat.

Ik snakte naar een koekje. Naar iets dat me kracht zou geven voor de zware opgave die voor me lag. Ik liep naar het kantoorkeukentje, maar daar was niets te vinden. 'Vreetzakken,' mompelde ik. 'Graaiers. Varkens.' Ik trok een la open en de lepels rinkelden verontwaardigd, alsof ik ze wakker had gemaakt. In een andere la vond ik alleen maar kruimels, als bewijs dat daar wel degelijk biscuitjes hadden gelegen. In de hele keuken was nog geen mariakaakje te vinden. Ik zou naar de winkel moeten. Ik draaide me om en zag Casey achter me staan.

'Ik wil mezelf niet op de borst kloppen,' zei hij.

'O, dus het is meer een tic? Of Tourette?'

'Wat?'

'Waar je geen controle over hebt?'

Hij sloot zijn ogen, slaakte een diepe zucht en zei met zijn ogen op de muur achter me gericht: 'Ik weet verdomme niet waarom ik me druk maak.'

'Waarover?'

'Ik wilde zeggen dat ik een vriend heb... met een helikopter... die heeft gezegd dat ik die altijd mocht gebruiken als ik hem nodig had...'

'Een helikópter?'

'Ja.'

'Ja,' zei ik. 'Dat zou me een eind op weg helpen.' En dit keer vergat ik niet om eraan toe te voegen: 'Dank je wel.'

Lola

Woensdag 21 januari, 12.15

Begin alles op orde te krijgen. Kom zo langzamerhand op streek. Na laatste geharrewar met Nkechi had ik nog dertien klanten over. Niet veel, maar wel goeie. Ook al had ik veel meer dames nodig, ik was er mooi in geslaagd om een paar van de vervelendste en mafste op Nkechi af te schuiven. Daar had ik geen geduld meer voor.

Toekomstige leven in Dublin zou simpeler en zuiverder zijn dan leven dat ik achtergelaten had. Ja, ook armer. Maar zou na verloop van tijd wel meer werk krijgen.

Grootste probleem van terugkeer naar Dublin was zelfde reden waarvoor ik daar weg was gegaan. Paddy de Courcy. Hoe ik zou reageren als ik hem tegenkwam. En Dublin kennende zou dat zeker gebeuren. Zou ik dan weer bijna in het openbaar moeten kotsen, precies als die laatste keer? Zou ik per ongeluk kleren vernielen bij fotosessies?

Kwestie van afwachten.

12.33

Helikopter tsjak-tsjak-tsjakkend voorbij raam, op weg naar de golf-baan. Niets om van op te kijken. Heli's landden voortdurend op golfbaan, om veel te dikke lawaaipapegaaimannen met zonnekleppen af te zetten voor hun achttien holes. Lijkt hier Vietnam wel.

Maar een minuut of tien later ineens angstig voorgevoel – kan het niet anders omschrijven – waardoor ik opsprong, naar de voordeur rende, die opentrok en naar buiten keek. Schrik sloeg me om het hart! Onmiskenbare gestalte van Grace Gildee, vastberaden op weg naar hut van oom Tom. Ze had me in het vizier.

Waarom was ze in een helikopter naar Knockavoy gekomen?

Alles werd donker om me heen, alsof de lucht ineens vol was met purpergrauwe donderwolken. Werd bekropen door gevoel van doods-angst.

Toen zag ze me, zoals ik daar verstijfd van schrik op de drempel stond, en zwaaide vrolijk, alsof we boezemvrienden waren.

Vond dat ze er niet uitzag. Onverzorgd haar. Mooie honingkleur maar slordig. Misschien door de rotors van de helikopter, maar dacht van niet. Waarschijnlijk zat het altijd zo. In spijkerbroek, platte laarzen, kaki jack (misschien om Vietnam-thema door te voeren) en met rugzak. Ik zou heel wat voor haar kunnen doen.

Nu liep ze het pad op met een brede grijns op haar gezicht.

'Lola,' zei ze en stak haar hand uit. 'Grace Gildee. Leuk om je weer te zien.'

'Wat wil je?' Stem klonk schor en gebroken.

'Praten.'

'Over Paddy?'

'Mag ik binnenkomen?'

Machteloos stapte ik opzij.

12.47

'Ik weet dat je bang bent voor Paddy.'

'Nietes. Gewoon omdat ik niet uit de school wil klappen.' Zielige poging tot verzet.

'Hoe vaak heeft hij je geslagen?'

'Geslágen?'

'Ik weet dat hij je geslagen heeft, want hij rost al zijn vriendinnetjes af.'

'Ga alsjeblieft weg.'

'Hij heeft mijn zusje Marnie helemaal tot moes geslagen.'

'Ga alsjeblieft weg.'

'Onder die Armani-pakjes zal Alicia Thornton ook wel bont en blauw zijn.'

'Louise Kennedy. Ga alsjeblieft weg.'

'Je denkt dat je bijzonder bent omdat hij je heeft geslagen, dat hij dat deed omdat hij zoveel om je gaf, maar je vergist je.'

Ze had het mis. Dacht helemaal niet dat ik bijzonder was. Niet meer. Maar was vroeger misschien wel stom genoeg geweest om te denken dat hij hartstochtelijke gevoelens voor me koesterde omdat hij me pijn deed.

'Heeft hij dat geintje met die sigaret ook met jou uitgehaald?' vroeg ze. 'Door er een uit te maken in je hand?'

Kon de schrik niet verbergen. Was – nou ja – verbijsterd dat ze dat wist.

Deed mond open om het te ontkennen, maar kwam alleen '...ehhh...' uit.

Ze pakte mijn rechterhand. Daar zat het, precies midden in mijn palm, een klein roze cirkeltje met een vreemd glimmende huid.

Ze staarde ernaar, met zo'n stralende en verwonderde blik dat ik me afvroeg of ze wel eerlijk was geweest toen ze zo stellig had beweerd dat ze wist dat Paddy me sloeg. Vermoedde nu dat het een slag in de lucht was geweest. Maar had succes gehad. Onbeschaamd.

'Is kennelijk zijn handelsmerk,' zei ze. 'Een soort brandmerk.'

'Je liegt.' (Stomme opmerking, want was duidelijk niet waar, maar wenste wanhopig dat dit niet echt was.)

'Helemaal niet! Hoe zou ik dat anders weten?'

Bleef een hele tijd stil. Hoofd liep om. Had echt gedacht dat ik de enige was. Ter wereld.

'Zweer je dat het ook met anderen is gebeurd?'

'Dat zweer ik.'

'Ik beloof niets, Grace Gildee, maar wat wil je eigenlijk van me?'

'Ga samen met een paar andere vrouwen naar hem toe en werp hem alles voor de voeten.'

'Waarom?'

'Omdat hij Dee Rossini aan de schandpaal probeert te nagelen en iemand moet hem tegenhouden. Dee Rossini is de leider van New-Ireland.'

'Weet ik best.' Geïrriteerd. Dacht ze soms dat ik geen klap wist?

'Dan dreigen we dat we met het verhaal naar de pers gaan als hij er niet mee ophoudt.'

'Maar waarom zou ik dat voor Dee Rossini doen?'

'Gewoon omdat ze een lieve fatsoenlijke vrouw is die het beste met mensen voorheeft. Maar misschien krijg je er zelf ook wel een goed gevoel van als je Paddy de waarheid zegt.'

'Om hoeveel vrouwen gaat het?'

'Op zijn minst drie.'

Dacht aan hoe het zou zijn als ik hem de waarheid zei – Paddy de Courcy, in levenden lijve – en werd bekropen door zo'n duister en verlammend gevoel van angst dat ik bijna begon te janken. Heb een keer gelezen dat een man opgesloten werd in een busje met drie hongerige pitbulls. Het idee dat ik samen met Paddy in één kamer zou zijn vervulde me met een soortgelijke angst.

Schaamde me dat ik het moest bekennen. 'Ik ben bang voor hem.'

'Des te meer reden om hem de waarheid te zeggen.'

Zij had makkelijk praten. Ze droeg niet eens lipgloss. Ze wist kennelijk niet wat angst was.

'Nee, je begrijpt het niet,' fluisterde ik. 'Ben zo bang voor hem dat ik het liefst zou willen... zou willen... Sta al te trillen als ik er alleen maar aan denk. Wens je veel geluk. Maar je kunt nu beter weggaan.' Moest haar het huis uit zien te krijgen voordat ik helemaal in elkaar klapte.

'Het kwaad krijgt alleen de kans,' zei ze, 'als brave mensen niets doen.'

'Ja natuurlijk, je hebt gelijk, veel succes.' Stond op en liep naar de deur, hopend dat ze achter me aan zou komen.

Ze keek me recht in de ogen. 'Je hebt niets anders te vrezen dan de angst zelf.'

Staarde terug. 'Maar angst is angstaanjagend. Tot ziens.'

Terug in de tijd

De avond van dat walgelijke etentje bij Treese en Vincent was de eerste keer. Nadat we eindelijk waren opgestapt, reden we in gespannen stilzwijgen weg. John had avond vrij en heb me vaak afgevraagd of het ook gebeurd zou zijn als hij er bij was geweest. Denk van wel. Hij moest weten hoe Paddy was.

Rustige weg. Paddy zette de auto aan de kant. Ik dacht, idioot genoeg, dat hij stopte om even te vrijen. Hij draaide zich naar me om, pakte mijn schouder met één hand vast en gaf me toen met zijn andere hand een vuistslag in mijn gezicht. Snel en efficiënt. 'Flik me dat nooit weer,' zei hij.

Het deed ontzettend pijn, maar de schok was het ergst. Moest bijna overgeven. Maar kon het hem in zekere zin niet kwalijk nemen. Was een afschuwelijke avond geweest, echt afschuwelijk. Had dat mijn ergste vijand nog niet toegewenst.

Meteen daarna gedroeg hij zich ontzettend lief. 'Laten we maar gauw naar huis gaan om je weer op te knappen.' Gaf me een zakdoek om het bloed dat uit mijn neus stroomde te stelpen. In zijn flat pakte hij zijn goed gevulde verbanddoos, veegde teder het bloed weg en deed een ontsmettend middel op mijn gespleten lip. 'Dit zal wel pijn doen.'

'Dat had je beter kunnen bedenken voordat je me een klap gaf,' zei ik.

Hij was ontzet. 'Het spijt me, Lola. Het spijt me echt ontzettend. Weet niet wat me bezielde. Was gewoon stress, heb zo'n veeleisende baan, wilde gewoon gezellig avondje uit, maar die kloterige Vincent heeft me zo zitten afzeiken dat er iets in me knapte.' Legde zijn handen tegen zijn wangen en liet zijn hoofd hangen. Kreunend. 'God allemachtig. Ik kan het gewoon niet geloven, dat ik jou heb geslagen, mijn lieve Lola, mijn kleine schattebout. God, hoe heb ik dat kunnen doen? Ik ben een beest, verdomme, gewoon een beest.' Raakte steeds meer overstuur. Keek me met wanhopige ogen aan. 'Vergeef me, alsjeblieft, Lola, ik zweer dat het nooit weer zal gebeuren. Op mijn moeder zaliger, het zal nooit weer gebeuren. Kun je me vergeven?'

Natuurlijk vergaf ik hem. Iedereen kan een fout maken. Hij was zo overstuur dat ik dacht, god, hij houdt echt van me.

Die nacht geen rare seksfratsen. Vielen in elkaars armen in slaap. Nou ja, hij viel in slaap. Ik lag het grootste gedeelte van de nacht wakker, omdat elke benauwde ademtocht door mijn gehavende neus me het gevoel gaf dat ik scheermesjes inhaleerde.

De volgende dag stuurde hij tweehonderd witte rozen naar mijn flat. Had niet eens genoeg vazen om ze allemaal in te zetten. Moest pannen gebruiken, prullenbak en lege wijnflessen.

De volgende keer ging anders. Hij opende de voordeur van zijn flat om me binnen te laten en ineens schoof ik langs de muren, klapte tegen de kast in de hal en sloeg met mijn hoofd tegen de houten vloer. Ik zag echt sterretjes, een hele explosie in mijn hoofd, het leek wel vuurwerk.

Lag daar een tijdje op de vloer, verbijsterd en aangeslagen terwijl Paddy boven me uit torende, briesend als een stier. De kast was omgevallen en alles wat erin had gezeten – boeken, sleutels, van alles en nog wat – lag om me heen.

Paddy hielp me overeind – ik had het gevoel dat er bruiloftsklokken in mijn hoofd geluid werden – en sleepte me door de rotzooi uit de kast heen naar de woonkamer, waar hij vreselijk begon te schreeuwen. 'Lola, blijf met je verdomde vingers van mijn dvd-recorder af!'

'Wat?' Ik had nauwelijks benul van mijn omgeving. 'Heb ik niet aangeraakt.'

'Wel waar! Ik had hem ingesteld om mijn bezoek aan *Prime Time* op te nemen en dat heb jij geannuleerd.'

'Paddy, ben er echt niet aan geweest.' Iets drupte langs de rand van mijn gezicht. Bloed. Had mezelf kennelijk verwond. 'Waarom zou ik?'

'Jaloezie. Jij vindt dat ik teveel tijd aan mijn werk besteed.'

Was toevallig waar, maar was niet aan zijn recorder geweest.

Drukte mijn mouw tegen mijn gezicht om bloed op te vangen. Botten deden pijn. Vooral schouder. 'Misschien ben je vergeten het in te stellen, Paddy.'

'Vergeten! Het is belangrijk! Hoe zou ik dat kunnen vergeten?' Boos, heel boos.

'Jij hebt me omvergeduwd!' zei ik, toen ineens tot me doordrong wat er was gebeurd.

'Wat? Je bent gevallen! Christus, daar zit ik net op te wachten. Je klooit met mijn recorder en dan begin je me ook nog allerlei verwijten te maken! Je bent gevallen, begrepen? Je bent gevallen!'

Ineens ging de bel van de buitendeur. 'Wie is dat nou weer, verdomme?' wilde Paddy weten. Naar de hal, even praten in de intercom en toen was hij weer terug in de kamer, zo woedend als ik hem nog nooit had gezien. 'Het is de politie.'

De politie!

'Zorg dat je verdomme hier blijft,' siste hij.

Even later stond hij alweer in de hal en deed de deur open. 'Dag agenten, wat kan ik voor jullie doen?' Alsof er niets aan de hand was.

Een diepe stem met een stads accent zei op hoogdravende toon: 'De buren hebben gemeld dat hier iets aan de hand is.'

'Wélke buren?'

'Anonieme melding. Mogen we binnenkomen?'

Verwachtte dat Paddy hen met een kluitje in het riet zou sturen. Charmant en overtuigend, dus goed in dat soort dingen. Maar kon mijn ogen niet geloven toen twee smerissen de kamer binnenstapten. Een man en een vrouw. Uniformen, lichtgevende strepen en werkelijk afschúwelijke schoenen.

Ze keken me aan. 'Wilt u ons misschien vertellen wat er hier aan de hand is?'

De vrouw was erg vriendelijk. 'Hoe heet je? Lola? Wat is er met je gezicht gebeurd, Lola?'

Paddy dook achter hen op en zei: 'Agenten, zou ik misschien even onder vier ogen met mijn vriendin mogen praten?'

De twee smerissen keken elkaar aan.

'Alstublieft,' zei Paddy op autoritaire toon.

Ze keken elkaar opnieuw aan. Vrouwelijke smeris schudde even met haar hoofd, maar man zei: 'Goed, heel even dan.' Vrouwelijke smeris wierp hem boze blik toe, zuchtte en liep met hem de kamer uit.

Met stramme kaken en vuurspuwende ogen zei Paddy: 'Kijk nou wat je gedaan hebt.'

'Ik heb helemaal niets gedaan.'

'Weet je wel hoe serieus dit is? Als je maar één woord tegen dat stel zegt, word ik gearresteerd.'

Gearresteerd!

'Dan moet ik voorkomen. Dat zal in alle kranten komen te staan en daarna moet ik de gevangenis in.'

De gevangenis! Ik kon hem niet de gevangenis in laten draaien. Dit was de man van wie ik hield.

Maar hij had me die duw gegeven...

Als het iemand anders was overkomen en ik had het hele verhaal op de radio gehoord of zou, zou ik vast gedacht hebben: Waarom zei ze niets tegen die smerissen? Waarom liet ze gewoon toe dat haar vriend haar een oplawaai gaf als hij daar toevallig zin in had?

Maar het is heel iets anders als je er zelf middenin zit. Ik hield van Paddy.

Soms – vaak zelfs, eigenlijk meestal – was hij ontzettend lief voor me, en het idee dat ik hem zou laten oppakken was... eigenlijk onvoorstelbaar. Ongeveer te vergelijken met een ontvoering door buitenaardse wezens. Vrouwen zoals ik lieten hun vriend niet oppakken. Het was iets dat zo ver buiten mijn belevingswereld stond, dat ik me daar helemaal niets bij kon voorstellen.

Ik moest gewoon zelf zorgen dat hij dat niet meer deed en niet de politie erbij hoefde te halen.

Paddy deed een stap naar voren, pakte mijn hand en drukte er een kus op. Legde toen zijn voorhoofd ertegen en fluisterde: 'Het spijt me echt ontzettend.'

'Ik zal mijn mond houden,' zei ik. 'Maar je moet me wel beloven dat je het nooit weer zult doen.'

Nog een kus op mijn hand. 'Dat beloof ik,' zei hij schor. 'Echt waar. Het spijt me zo ontzettend. Maar mijn werk zet me zo onder druk. Arme kleine Lola, je verdient dit niet. Ik zal het echt nooit weer doen, dat zweer ik bij alles wat me lief is. Als je me alleen maar wilt vergeven. Ik zou het niet kunnen verdragen om jou te verliezen.'

'Ik geef je nog één kans, Paddy,' zei ik. 'Als je me nog een keer aanraakt, ben ik weg.'

De smerissen mochten weer binnenkomen en Paddy speldde ze op de mouw dat ik op een stoel was geklommen om iets van de bovenste plank te pakken en dat ik toen mijn evenwicht had verloren en met kast en al tegen de grond was geklapt, waarbij ik op mijn gezicht terecht was gekomen.

Ze wisten dat we logen. De mannelijke smeris nam opgewekt afscheid - 'nou, dan laten we jullie maar alleen' – maar de vrouwelijke smeris was bezorgd. Vriendelijke ogen. Had niet veel zin om op te stappen.

Volgende dag werden weer een paar honderd bloemen bij mijn flat afgeleverd. De buren klaagden dat ze stonken.

Was vastbesloten om een eind te maken aan relatie met Paddy als hij weer tekenen van gewelddadigheid vertoonde, maar de volgende keer was toen ik ziek was en hij toch per se wilde neuken. Omdat ik altijd bereid was tot vreemde spelletjes vond ik het eigenlijk niet zo raar dat hij ervan uitging dat ik me door een griepje niet zou laten tegenhouden.

De keer daarna – het voorval met de sigaret – was nog verwarrender. Van alle dingen die ik met Paddy had meegemaakt, was dat voorval voor mij een reden om me af te vragen of ik gek was geworden. Hoe kon iemand een hand per abuis voor een asbak aanzien? Maar hij hield zo hardnekkig vol dat het een ongeluk was, dat ik hem half geloofde.

De volgende keer was er echter geen twijfel mogelijk. Ik zat in zijn appartement op hem te wachten nadat hij bij een zitting in de Dáil was geweest. Toen ik zijn sleutel in het slot hoorde, wist ik al dat ik aan de beurt was. 'Waar zit je?' schreeuwde hij, terwijl hij met grote passen door de flat beende. Hij vond me in de slaapkamer, trok me uit bed en smeet me tegen de muur. Ik viel op de grond en hij trapte me in mijn maag. Zo hard dat ik moest braken.

Kwam er later achter dat een wetsvoorstel van NewIreland in de Dáil was afgewezen. Had niet beseft dat ze dat zouden indienen. Dom van mij. Had ik moeten weten. Dit keer geen bloemen. De volgende keer ook niet.

Maakte me ontzettend veel zorgen over hele toestand. Overwoog om met iemand te gaan praten, Bridie of zo. Maar hoe gek het ook klinkt, ik vond het oneerlijk om met iemand anders over Paddy te praten. Ik moest hem juist beschermen. Hij was een complexe man met een bijzonder veeleisende baan.

Bridie zou erop staan dat ik het met hem uitmaakte en daar was ik nog niet aan toe. In de belevingswereld van Bridie was alles heel simpel: word je door een vent geslagen, dan pak je je biezen. Maar het was veel gecompliceerder. Ik hield van hem en hij hield van mij. We zouden die problemen toch wel samen kunnen bespreken om er een oplossing voor te vinden?

Ik moest toch gedeeltelijk ook verantwoordelijk zijn voor wat er gebeurde – waar twee kijven, hebben twee schuld. Moest gewoon meer steun bieden bij zijn werk. Ja, vond het een saaie bedoening, maar het was mijn plicht.

Schaamde me ook ontzettend dat ik werd geslagen en toch bij hem bleef. Kreeg de woorden niet over mijn lippen.

Daarna was alles weer even heerlijk. Opluchting, o zalige opluchting. Paddy liefdevol, teder en lachend. Seks, etentjes, cadeautjes, weekend in Cannes, winkelen, nog meer cadeautjes, allemaal een tikje verknipt, champagne en seks. Oké, met Russische prostituee. Triootjes. Terug naar Ierland. Niets aan de hand. NewIreland verloor een tussentijdse verkiezing. Er vielen geen klappen. Alles weer bij het oude. We waren een tijdje het spoor bijster geweest, maar dat was verleden tijd. We waren nu weer een stap verder, het was niet nodig er met anderen over te praten. Dolgelukkig.

Op een avond waren we aan het neuken. Paddy lag te kreunen en liet mij op zijn schoot op en neer wippen. Plotseling hield hij op. Hij keek naar het punt van contact. 'Ben je ongesteld?'

Wist ik niet eens. Was te vroeg. Wat dan nog?

'Gore teef.' Hij gaf me een klap tegen mijn keel. Kon zo lang geen adem krijgen dat ik buiten westen raakte en twee weken lang niet zonder pijn kon slikken.

Maar hij had wel gelijk... het was goor.

Dat voorval luidde een nieuwe periode in waarin hij me weer begon af te tuigen, vaker dan hij daarvoor had gedaan. Overwoog niet langer om bij hem weg te gaan of om Bridie of Treese in vertrouwen te nemen. Ik was veranderd. Mijn verontwaardiging was verdwenen en de tijd dat ik sterk genoeg was om hem te verlaten lag achter ons.

Wilde niets liever dan terug naar het begin, toen hij nog stapelgek op me was geweest en ik geen kwaad kon doen. De keren dat hij teder en vol genegenheid was geweest waren veel talrijker dan de nare voorvallen, maar ik wist niet hoe ik ervoor moest zorgen dat hij weer zo werd.

Ik deed nog harder mijn best om sexy te zijn, zijn stemmingen te peilen, zijn behoeften te voorspellen en meer politiek bewust te worden. En om constant ter beschikking te zijn, dag en nacht.

Wilde hem zo graag gelukkig maken, dat ik niet langer in staat was om voor anderen emotie of liefde op te brengen. Ik dacht niet meer aan Bridie, Treese en Jem, die namen alleen mijn kostbare tijd in beslag.

Probeerde om alles ter wereld in de hand te houden, zodat niets hem kon ergeren. Maar hij kon om het minste of geringste ineens furieus worden – een rood stoplicht, een visgraatje in het eten, of het feit dat ik hem niet had herinnerd aan iets dat hij moest doen, hoewel ik daar niets van afwist.

En toen was het ineens allemaal voorbij – na het nieuwsbericht dat Paddy met een andere vrouw ging trouwen en mij dus niet meer nodig zou hebben. Had blij moeten zijn dat ik van hem af was. Maar dat was niet zo. Bij hem voelde ik me niets waard. Maar zonder hem was de schaamte zo groot, dat ik dacht dat ik daar nooit overheen zou komen.

18.11
Sms'je van Considine.

KJVNV ETN VOOR Law & Order? ½ 8 BMT?

20.39
In Considines keuken achter een gezonde stamppot

Laatste Considine-mysterie ook opgelost. Douchemuts en zwembrilletje? Voor als hij kookt. Tegen tranen bij het hakken van uien. Douchemuts tegen kookluchtjes.

'Heerlijke stamppot, Considine,' zei ik.

'Mooi.' Man van weinig woorden.

'Heb vandaag bezoek gehad,' zei ik.

Hij keek op. Ik besefte dat het klonk alsof ik op een kokette manier wilde vertellen dat ik ongesteld was geworden. Voegde er haastig aan toe: 'Een journaliste wilde me spreken.'

'Waarover?'

'Ze wilde... ze zei... Weet je nog die vriend over wie ik je... ik bedoel Chloe, verteld heb? Nou, volgens haar was ik niet de enige die hij... je weet wel... pijn heeft gedaan. Ze wilde dat ik meeging naar Dublin om samen met andere vrouwen met hem... te praten.'

'Fantastisch!'

'Nee, vreselijk!'

'Waarom?'

'Omdat ik bang voor hem ben.'

'Maar je zult toch niet alleen met hem zijn? Er zullen ook andere vrouwen bij zijn.'

Lange stilte. 'Vind jij dat ik moet gaan?'

'Zeker weten!'

'Maar als het nou echt afschuwelijk is?'

'Wat is het ergste dat je kan overkomen?'

Probeerde wijs te worden uit mijn gevoelens. Het ergste? Dat hij me zou slaan? Nee. Dat hij ervoor zou zorgen dat ik weer van hem ging houden? Nee. Dat ik weer kapot zou gaan van verlangen naar hem? Nee. 'Dat hij me uit zou lachen.'

'Is dat dan zo erg?'

Ja. Heel erg. 'Hij gaf me echt het gevoel dat ik... waardeloos was. Dat ik... niets was. Nutteloos, van geen enkel belang... Zo voel ik me nu niet meer. Zeg niet dat ik hier rondbanjer met het idee dat ik helemaal fantastisch ben maar... ik wil niet weer dat hulpeloze, waardeloze stuk onbenul worden dat ik was toen ik met hem ging en hij me de bons gaf.'

'Zou het helpen als er iemand met je meeging? Zal ik je ernaartoe rijden?'

Wat een ontzettend lief aanbod. Wie zou dat nou gedacht hebben van die chagrijnige Considine?

'Weet je wat ik het liefst zou willen?' vroeg ik. 'Dat Chloe met me mee zou gaan.'

Nadenkende stilte, toen zei hij: 'Als dat de manier is om je zover te krijgen dat je gaat, zal Chloe meegaan.'

'Nee,' zei ik. 'Ik stel me aan. Vergeet maar dat ik dat gezegd heb. Maar wil je me alsjeblieft vertellen waarom Chloe momenteel uit de gratie is? Ik dacht eerst dat Gillian erop stond, maar dat is niet zo, hè?'

'Nee, het heeft helemaal niets met Gillian te maken. Het voelt gewoon niet goed. Is me wel vaker overkomen. Soms voel ik me bijzonder op mijn gemak met Chloe. En dan... kan ik me ineens niet voorstellen dat ik als volwassen vent in vrouwenkleren wil rondlopen. Valt niets tegen in te brengen, hè?'

'Er is niets mis met een volwassen vent die in vrouwenkleren rondloopt,' zei ik stellig. 'Maar ik denk dat ik het wel begrijp. Ik vond het een heel lief aanbod van je.'

'Omdat ik vind dat je echt naar Dublin moet gaan. Dit is de ideale gelegenheid. Er zullen andere vrouwen bij zijn, dus je hoeft nergens bang voor te zijn. Als je deze kans niet aangrijpt, zul je altijd schichtig blijven en bang dat je hem per ongeluk tegen zult komen. Dat is geen leven. Veel verstandiger om met dingen af te rekenen.'

Mannen. Wat zijn ze toch praktisch!

Ineens zat ik te piekeren over mijn botte weigering om naar Dublin te gaan. Considines altruïstische aanbod had me zo verbaasd dat ik in gedachten weer aan het onderhandelen sloeg. Als hij bereid was om zich opnieuw als vrouw uit te dossen terwijl hij daar net mee was gestopt, dan moest hij er echt van overtuigd zijn dat ik naar Paddy toe moest.

'Oké,' zei ik langzaam. 'Ik kan wel begrip opbrengen voor je standpunt. En ik hoop dat je niet beledigd zult zijn als ik het toch graag nog met iemand anders zou willen overleggen.'

Maar wie moest ik om raad vragen? Bridie? Treese? Jem?

Nee. Die wisten geen van allen hoe het uit de hand was gelopen met Paddy. Dan zou ik veel te veel moeten uitleggen en dat zou veel te veel tijd in beslag nemen. En als ik steeds weer opnieuw zou moeten beamen dat Paddy een krankzinnige klootzak was, zou ik het doel uit het oog verliezen.

'Mijn moeder,' zei ik. 'Ze is dood.' Zelfs na al die jaren kostte het me nog moeite om dat te zeggen. 'Zou normaal gesproken naar het kerkhof gaan om haar mening te vragen, maar dat zou te veel tijd kosten.'

'Ik begrijp het.' Considine vertrok geen spier toen hij hoorde dat ik mijn dode moeder wilde raadplegen. 'Dus je hebt behoefte aan een soort teken van haar?'

'Ja.' Diep onder de indruk van je logische redenering, Considine.

'Eh... hoe moeten we dat oplossen? Eens even kijken. Kop of munt?' stelde hij voor en haalde een euro uit zijn zak. 'Kop en je moeder zegt ja? Munt en je moeder zegt nee?'

Geweldig idee. 'Maar wacht heel even.' Ik liep naar een van de donkere ramen aan de achterkant van het huis, staarde naar de woelige zee en vroeg: Mam, vertel me alsjeblieft wat ik moet doen.

Daarna draaide ik me om. Considine was weggelopen en stond bij de voordeur, alsof hij de indruk wilde wekken dat hij mijn behoefte aan privacy respecteerde. 'Vooruit maar,' zei ik.

'Nu?'

'Ja. Toe maar.'

Hij gooide het muntstukje op. Het twinkelde en schitterde in het licht voordat het weer omlaag kwam en op de rug van Considines hand landde. Hij legde zijn andere hand eroverheen.

Ik hield mijn adem in.

'En?' vroeg ik.

Hij trok zijn hand weg. 'Kop,' zei hij.

Kop. Ik slaakte een diepe zucht.

'Oké. Het ziet ernaaruit dat ik naar Dublin ga. Bedankt voor je aanbod, maar ik ga wel alleen. Moet echter wel meteen weg, voordat de moed me weer in de schoenen zakt. Geen *Law and Order* vanavond.'

20.59

Considine liep met me naar mijn auto en wenste me goede reis.

Hij gaf me een thermosfles koffie mee. Lief. Ook lekker.

'Veel succes,' zei hij. 'Schop die vent maar voor zijn kloten, want dat verdient hij. Rij voorzichtig.'

Ik stond naast het geopende portier van mijn auto, zonder in te stappen. Het was net alsof er nog iets moest gebeuren voor ik wegging.

'Stuur me wel een sms'je,' zei hij.

'Oké, Considine. Ga maar gauw naar binnen, het vriest dat het kraakt.'

Hij liep weg, bleef staan en draaide zich om. 'Wacht even.' Hij kwam naar me toe alsof hij iets aan me zag dat meteen hersteld moest worden. Een draadje op mijn kraag of zo, of een haar in mijn wenkbrauw die verkeerd zat.

Ik wachtte af. Hij kwam vlak voor me staan en legde zijn hand in mijn nek.

'Is het een draadje?' vroeg ik.

'Wat?' Hij fronste. Zijn voorhoofd was zo dichtbij, dat ik precies kon zien waar zijn huid ophield en de donkere haarlijn begon.

'Blaadje in mijn haar?'

'Wat? Nee.' Misschien fronste hij wel weer, maar ik mocht hangen als ik dat zag, want hij was zo dichtbij dat ik er scheel van begon te kijken. 'Ik wil je iets laten zien.'

Zonder omhaal boog hij zijn hoofd en drukte op een haast zakelijke manier zijn lippen op de mijne. Zo warm op die koude avond.

Dus dat was waar ik op had zitten wachten! De Openbaring dat Rossa Considine fantastisch kon kussen. Loom, lekker en sexy. Kuste met zijn hele mond, niet alleen dat heftige tonggespartel waarvan veel mensen denken dat het lekker zoenen is. Begon er duizelig van te worden en slap in de knieën... hé, wacht eens even! Niet de eerste keer! Was al eerder zo gekust. Alleen hield het toen op toen het echt begon en dit keer bleef het maar duren en werd het steeds heerlijker, zaliger, zodat mijn lichaam tintelend tot leven kwam en...

Lieten elkaar eindelijk los en Considine stond te wankelen op zijn benen. 'Ga maar gauw,' zei hij met een gesmoorde stem. Sexy. 'Ga in godsnaam gauw weg.'

'Je kust net als Chloe!'

Hij lachte en liep achteruit terug naar zijn huis (geen geringe prestatie met die oneffen grond). 'Kom snel weer terug, Lola. Maar rij voorzichtig.'

22.12

Belde Grace Gildee vanuit auto op. (Ja, mag niet, weet ik best.)

'Met Lola Daly. Ga met je mee naar Paddy op één voorwaarde.'

'Welke?'

'Dat ik je mag stylen.'

'Stylen?'

'Niet voor altijd! Maar één keertje.' Dacht ze soms dat ik aan liefdadigheidswerk deed?

'Bedoel je dat je me wilt opdoffen met hoge hakken en zo?'

'Klopt.'

'... in een jurk?'

'En in een jurk.'

'... Maar... waarom?'

Omdat ze zichzelf echt verwaarloosde, zo'n in wezen aantrekkelijke vrouw als zij. 'Neem me niet kwalijk dat ik het zeg,' zei ik, 'maar jij haalt niet uit jezelf wat erin zit.'

Ze moest even lachen. Kon haar helemaal niets schelen! Kon haar gewoon niets schelen! Niet iedereen is gelijk, zou mam zeggen.

'Oké. Wanneer kom je naar Dublin?'

'Ben al onderweg.'

Grace

'Is ze dat?' Marnie zag de vrouw die op het trottoir stond te wachten het eerst.

'Ja.' Ik stopte. 'Ik ben het, Lola. Grace. Stap in.'

Lola ging op de achterbank zitten en zei nerveus: 'Je zei dat er minstens drie vrouwen zouden zijn.'

'Dat is ook zo,' zei ik. 'Marnie, Lola. Lola, Marnie.'

'Hoi,' zei Lola zacht.

'Hoi.' Marnie draaide zich om en keek Lola aan en ineens begon ik me zorgen te maken.

Dat zeg ik nu wel zo, maar in werkelijkheid was ik de hele dag al bijna tegen de muur opgevlogen omdat ik over van alles en nog wat inzat. En niet het minst vanwege de angst dat Marnie ladderzat zou komen opdagen. Maar ze was nuchter, hoewel ik me afvroeg of ze niet een beetje té geïnteresseerd was in Lola.

Jezus. Welke doos van Pandora had ik nu weer opengetrokken?

'We moeten alleen even langsrijden om Dee op te pikken.'

'Heeft hij Dee ook geslagen?' vroeg Lola ontzet.

'Nee, nee, ze komt alleen maar mee om ons binnen te krijgen. Maar ze gaat niet mee.' Dee en ik hadden uitvoerig zitten bekvechten over de juiste aanpak en uiteindelijk had ze met tegenzin toegegeven dat het beter zou zijn als zij zich erbuiten hield. De zaak zou zomaar uit de hand kunnen lopen en als zij er dan bij was, zou het volslagen mis kunnen gaan.

'Grace,' zei Lola's benepen stemmetje. 'Er zijn toch wel drie vrouwen bij, hè? Want ik wil er echt niet aan beginnen als het alleen maar om Marnie en mij gaat. Ik ben veel te bang.'

'Vertrouw me nou maar, Lola.' Ik liet mijn stem geruststellend klinken en zelfs een beetje geamuseerd. Ik kon het niet hebben dat ze nu de moed verloor!

Ik stopte voor Dee's kantoor en stuurde een sms'je om haar te vertellen dat we er waren. Even later kwam ze naar buiten en stapte achterin, naast Lola. Ze was lang niet zo vrolijk en positief als gewoonlijk. Toen we samen voor het huis van Christopher Holland in de auto hadden gezeten en ik haar alles had verteld wat ik van Paddy wist, had ze ontzet gereageerd. Zo geschrokken dat ze naar adem zat te happen.

'O, mijn god,' had ze hijgend uitgebracht. Het leek alsof ze zat te huilen zonder tranen. 'O mijn god. Ik wist wel dat Paddy een... nou ja, ik wist gewoon dat hij alleen maar aan zijn eigen hachje dacht en ik wist ook dat hij waanzinnig ambitieus was... maar ik dacht dat ik daar wel mee om kon gaan omdat hij zo populair is bij de stemmers.' Ze had gewoon zitten kokhalzen. 'De prijs die je soms moet betalen... Maar echt, Grace... Ik bedoel, ik was zelf een slachtoffer van huiselijk geweld. En ik had geen flauw idee dat Paddy zo was. Ik en alles waarvoor ik sta. Waarom heb ik me nou weer met zo'n type ingelaten? En kom me niet aan met populaire psychologische leuterpraatjes! Dat ik ze aantrek of zo.'

'Jezus Dee, dat was ik echt niet van plan.'

Toen was ze een tijdje stil geweest. En daarna: 'Wat moet ik nu doen? Ze zeggen wel eens dat het niet een tragedie is om tussen goed en kwaad te moeten kiezen, maar om tussen twee dingen te moeten kiezen die allebei goed zijn.'

Ja, dat had ik vaker gehoord. Ma kwam er regelmatig mee aanzetten. Meestal als ze probeerde te beslissen wat we moesten eten.

'Maar,' ging Dee verder, 'dit is een keuze tussen twee kwaden.'

'Hoezo?'

'Als ik niets doe, komt Angus Sprott met zijn verhaal en dat betekent het einde van mijn carrière, dan kan ik niemand meer helpen. Maar als ik Paddy aan de pers verlink, zal ik met hem ten onder gaan en dan kan ik ook niemand meer helpen. Als ik hem ontsla zonder de reden kenbaar te maken, zullen de kiezers het vertrouwen in ons verliezen en bij de algemene verkiezingen niet op ons stemmen. En dan kan ik ook niemand helpen. En als ik hem zover kan krijgen dat hij ophoudt met zijn lastercampagnes tegen mij en we gewoon samen blijven werken, dan houdt dat in dat ik het willens en wetens op een akkoordje gooi met een vent die vrouwen afrost.'

'Dat zijn vier kwaden,' had ik opgemerkt.

'Dan zie je meteen hoe groot de tragedie is.'

Ze leunde achterover en mompelde met haar ogen dicht: 'Politiek is één grote smeerboel. Ik wilde gewoon alleen maar mensen helpen. Maar zelfs als je denkt dat je integer bent en alleen maar zuivere motieven hebt, raak je toch... besmeurd.'

Toen deed ze haar ogen weer open en ging rechtop zetten, alsof iets haar weer nieuwe energie had gegeven. 'Het is niet mijn gewoonte om de dingen maar op hun beloop te laten, Grace.'

Ineens voelde ik me niet op mijn gemak. Ik wist dat ik hier niet zonder kleerscheuren vanaf zou komen, dat wíst ik gewoon.

'Wat is de minst slechte keuze van de vier?' Ze had mij aangekeken en ik haar. Er was een nieuwe vastberadenheid in haar ogen te lezen. Op dat moment begon ik een beetje bang voor haar te worden. 'De minst slechte keuze is dat ik mijn persoonlijke gevoelens opzij zet en een deal sluit met Paddy.'

'En wat houdt dat in?'

'Als hij ophoudt met die lastercampagne zullen de vrouwen niet met hun verhaal naar de pers gaan.'

'Maar dan zul je die vrouwen toch eerst moeten overhalen om mee te werken.'

Ze had me verbaasd aangekeken. 'Nee, dat moet jij doen.'

Verdomme. Verdomme. O verdomme...

'Want jij kent ze toch, Grace? Je zusje. Die styliste...'

'Ik zal mijn best doen. Maar beloven kan ik niets, Dee.'

'Maar je doet echt je best? Zweer je dat wel?'

O verdorie nog aan toe. '... ja.'

Zodra ze me die belofte ontlokt had, zakte ze weer weg in haar apathie. 'God, wat voel ik me gedeprimeerd.'

Ze was verdorie echt niet de enige.

Grappig genoeg kenden drie van ons de code van Paddy's hek: Dee omdat ze met hem samenwerkte, Lola uit de tijd dat ze met hem ging en ik van de keer dat ik Alicia had geïnterviewd.

Zodra we binnen waren, zette ik de auto drie flats verder dan het gebouw waarin Paddy woonde, aan de overkant van de straat. Paddy en Alicia hadden verplichtingen buitenshuis. Dee was op de hoogte van hun schema en voorspelde dat ze rond kwart voor elf thuis zouden komen.

Het was nu acht minuten over halfelf.

'Volgens mij zijn we veel te dicht bij zijn flat,' zei Lola zenuwachtig. 'Hij kan ons zien.'

Ik reed tien meter verder. 'Zo dan?'

'Nee,' zei Marnie. 'Nu kunnen wij niets zien.'

Ik kon nog net een diepe zucht binnenhouden en reed weer achteruit.

'Let op!' riep Dee. 'Daar zijn ze!'

Instinctief zakten we allemaal onderuit op onze stoelen en keken toe hoe de Saab van Paddy met John achter het stuur tot stilstand kwam.

Zwetend van spanning hoorden we hoe autoportieren opengingen en dichtsloegen en stemmen John goedenacht wensten, terwijl hij zonder ons een blik waardig te keuren langs ons heen reed.

Heel voorzichtig keken we toe hoe Paddy en Alicia het gebouw binnenliepen.

'We moeten tien minuten wachten,' zei ik. 'Dan gaan we naar binnen.'

'Tien ligt teveel voor de hand,' zei Marnie. 'Negen is beter.'

'Of elf,' stelde Dee voor.

Lola zei niets. Ik was bang dat ze ging overgeven. Ze zat maar te slikken en diep adem te halen. Iedere keer als ik naar haar keek, voelde ik me schuldig dat ik haar dit liet doen.

'Waarom doet hij zo?' vroeg ze ineens. 'Waarom is hij zo wreed?'

'Zijn moeder stierf toen hij vijftien was. Misschien wil hij alle vrouwen straffen omdat zijn moeder hem verlaten heeft,' zei Marnie tegen Lola. 'Ik heb heel wat therapie gehad,' voegde ze eraan toe.

'Er zijn meer dan genoeg mensen die als tieners hun moeders kwijtgeraakt zijn,' zei Dee spottend. 'En die veranderen niet in machtswellustelingen die vrouwen slaan.'

'Mijn moeder stierf ook toen ik vijftien was,' zei Lola. 'En ik heb nog nooit iemand geslagen.'

Die lieve schat, ze zag eruit alsof ze nog geen ei kapot kon slaan.

'Zijn vader was emotioneel geremd,' zei Marnie. 'Misschien heeft hij dat geërfd.'

'Heb je dat ook uit al die therapie?' vroeg Dee.

'Ja.'

Toen de democratisch vastgestelde elf minuten waren verstreken, zei ik: 'Oké, we gaan.'

We stapten allemaal uit en liepen de straat over. Dee ging recht voor de camera van de intercom staan en drukte op Paddy's bel. 'Ik ben het Paddy, Dee. Ik kwam net langs en vroeg me af of ik even met je over morgen kon praten.'

(De volgende dag zou er in de Dáil een of ander wetsvoorstel ingediend worden.)

'Natuurlijk, kom maar boven.'

De voordeur klikte open en we stapten met ons vieren naar binnen. Dee wenste ons succes en Marnie, Lola en ik liepen de trap op naar Paddy's flat.

We stelden ons voor Paddy's deur op en Lola fluisterde: 'We lijken net *Charlie's Angels.*'

Maar *Charlie's Idioten* zou dichter bij de waarheid komen.

Ik was niet eens bang, het was meer dan dat. Ik had het vertrouwen in de hele onderneming verloren. Wij drietjes – Lola, Marnie en ik – zouden nog geen hond angst aanjagen.

Toen werd er opengedaan en stond Paddy in de deuropening. Heel even, een onderdeel van een seconde, gebeurde er iets vreemds met zijn ogen. Ze gleden over ons heen, herkenden ons alle drie in één klap en met zijn pupillen gebeurde iets wat er bij mensen hoort te gebeuren als de woede opwelt – ze werden groter of kleiner – en toen ineens verscheen zijn Paddy-op-campagne-glimlach. 'Grace Gildee,' zei hij. 'Dat ik dat nog mag beleven.'

Hij pakte mijn hand en boog zich voorover om me een kus te geven en me welkom te heten. 'En je hebt Marnie ook meegebracht. Marnie, dat is lang geleden. Jaren! Veel te lang.' Een kus op haar wang voor Marnie en een kus op haar wang voor Lola en we werden uitgenodigd om binnen te komen. Hij zag eruit alsof hij bijzonder in zijn nopjes was.

Het zou beter zijn geweest als hij had geprobeerd de deur voor onze neus dicht te gooien, zodat wij erop af hadden moeten springen om binnen te kunnen komen. Dan hadden we tenminste een beetje adrenaline in onze aderen gehad.

'Kom binnen en ga zitten,' zei hij. 'Dan roep ik Alicia even voordat ze haar make-up heeft verwijderd. Ze zou boos op me zijn als ze jullie miste.'

Hij verdween een gang in en wij bleven met ons drieën in de zitkamer wachten, Marnie in een fauteuil en Lola en ik op het randje van de bank. 'Hij probeert ons van ons stuk te brengen door aardig te doen,' prentte ik hun in. 'Denk alleen maar aan wat hij jullie heeft aangedaan. Dat moet je niet uit het oog verliezen.'

Lola's knieën tikten tegen elkaar. Ik pakte haar hand vast. 'Je doet het geweldig.'

'Sorry,' fluisterde ze. 'Ik had een spijkerbroek aan moeten trekken. Ik wist niet dat ik zo bang zou zijn...'

'Denk erom dat jullie niets zeggen. Laat dat maar aan mij over.' Ik had mijn toespraakje uitentreuren met Dee gerepeteerd. Zij had mijn plaats ingenomen en ik had Paddy gespeeld en daarna hadden we de rollen omgedraaid. Ik was bang dat Lola zo overstuur was, dat ze de zorgvuldig ingestudeerde scène in de war zou sturen door zich voor Paddy's voeten te gooien en hem te smeken haar terug te nemen.

'Alicia komt er zo aan.' Paddy was weer terug. 'Mag ik jullie iets te drinken aanbieden?'

'Niets, dank je, Paddy.' Ik probeerde mijn stem zo laag mogelijk te houden. 'Het is al laat en we willen niet al te lang beslag op je leggen. Je zult je wel afvragen waarom wij hiernaartoe zijn gekomen.'

'Ik vind het altijd een feest als ik drie mooie vrouwen in mijn huis mag ontvangen,' zei hij nonchalant.

Langzaam, weloverwogen en een tikje dreigend zei ik: 'Paddy, we willen dat je het verhaal dat je bij de *Press* hebt aangekaart over Dee Rossini die onderdak verleent aan illegale buitenlanders weer intrekt.'

In een volmaakte situatie zou hij gezegd hebben: 'Waarom zou ik dat weer intrekken?' en dat was dan voor mij aanleiding geweest om te zeggen: 'Als jij jouw verhaal intrekt, doen wij dat ook.'

Maar hij lachte en zei: 'Ik heb geen flauw idee waar je het over hebt.'

'Trek het terug, Paddy,' zei ik, in een poging het geplande scenario weer op gang te brengen. 'Dan doen wij dat ook.'

Nu moest hij eigenlijk vragen wat ons verhaal dan wel was, maar hij strekte gewoon zijn benen uit en leunde achterover in zijn fauteuil. Tegelijkertijd glimlachte hij me toe en liet zijn blik loom over mijn lichaam dwalen, eerst over mijn tepels en vervolgens langzaam omlaag naar mijn kruis.

De stilte hield aan.

Uit mijn ooghoeken zag ik dat Lola's knieën weer met volle kracht vooruit aan het trillen waren geslagen. Toen vloog de deur open en Alicia kwam de stille kamer binnen. Haar vriendelijke glimlach bevroor en ze vroeg zenuwachtig: 'Wat is er aan de hand?'

'Ik legde net aan Paddy uit dat als hij zijn verhaal over Dee Rossini die onderdak verleent aan illegale buitenlanders intrekt, wij dat ook met ons verhaal over Paddy zullen doen.'

'Wat voor verhaal?' vroeg Alicia. Godzijdank was er nog iemand aanwezig die haar rol kende.

'Dat Paddy vrouwen mishandelt. Hij slaat ze, schopt ze en brandmerkt ze. Maar dat hoef ik jou niet te vertellen, Alicia.'

Ze werd doodsbleek – ze had gedacht dat zij de enige was – en op dat moment wist ik dat ons plan zou slagen.

'Welke vrouwen?' vroeg Alicia.

Ik wees naar Lola en Marnie.

Paddy grinnikte. 'Wie zou er nu die modepop met dat paarse haar geloven?'

Gechoqueerd hield Lola haar adem even in. 'Waarom ben je zo wreed?' Haar stem trilde.

'Lola, je kunt toch niet serieus... Ik ben een políticus!' Bijna vriendelijk voegde hij eraan toe: 'Maar we hebben wel pret gehad, hè?'

'Pret? Ik ben een menselijk wezen, Paddy, geen speelpop.'

'Waarom gedraag je je dan zo?'

Ik kon Lola afschrijven. Paddy had haar gewoon afgeschoten. Daarna richtte hij zijn aandacht op Marnie.

'Marnie Gildee? Ben je na al die tijd nog steeds zo gek?'

'... ik...'

'Je hebt Marnie geslagen,' zei ik.

Hij zuchtte. 'Iedereen zou Marnie slaan.'

'Nee...'

'Ze maakte me stapelgek. Met dat gejank en die ruzies en die eeuwige telefoontjes naar mijn huis, dag en nacht...'

'... Maar dat had je haar zelf aangeleerd en je was zelf precies zo...'

'En toen ging ze naar bed met mijn beste vriend, die als een broer voor me was.'

'Dat schijnt anders weinig schade te hebben aangericht, aangezien je hem het vuile werk hebt laten opknappen om dat verhaal in de *Globe* te krijgen.'

Terwijl ik die opmerking maakte, riep Marnie tegelijkertijd tegen Paddy: 'Maar jij bent zelf begonnen door met Leechy naar bed te gaan!'

Paddy sloeg zijn ogen ten hemel en keek mij aan alsof wij de enige volwassenen in de kamer waren. 'Dat is allemaal al heel lang geleden, Grace. We waren nog kinderen die van toeten noch blazen wisten. Daar schiet je niets mee op, hoor. Is dat alles wat je hebt? Dit stel?'

'Eerlijk gezegd niet, nee,' zei ik. Het was tijd voor mijn geheime wapen.

Iedereen – zelfs Paddy, en dat deed me goed, dat geef ik eerlijk toe – keek verbaasd op.

Ik sprong op uit mijn stoel en pakte Alicia's handen vast. Ik draaide ze allebei om, met de handpalmen naar boven, er vast van overtuigd dat een daarvan een klein rond littekentje zou hebben. Maar er was niets op te zien. Haar handen waren ongeschonden. Ik schoof haar mouwen omhoog en er was geen blauwe plek te zien. Verdomme. Verdomme nog aan toe.

Ik stapte meteen weg van Alicia alsof ik helemaal niet naar haar toe was gelopen en dat die blik op haar handpalmen alleen maar betekende dat ik een cursus handlezen volgde.

Ondertussen stond ik me geestelijk in allerlei bochten te wringen, want het enige geheim dat ik nog over had, zou evenveel goed als kwaad doen. De weerslag op mijzelf zou fataal kunnen zijn, dus dat kon ik niet opbrengen. Waarom zou ik voor Dee mijn hele leven in de waagschaal stellen?

Iedereen stond me nog steeds vol verwachting aan te kijken, alsof we een soort detective opvoerden. Ik overwoog heel even om Marnie en Lola in hun kraag te pakken en de deur uit te slepen. Natuurlijk zouden ze dan boos zijn en verward, maar ik zou ze bij wijze van troost mee kunnen nemen naar de Italiaan. Ik had in de loop der jaren gemerkt dat pizza's wonderen konden doen. Samen met wijn. En eventueel nog een tiramisu na. En een Irish coffee...

Maar ik moest mijn plicht doen.

Zelfs als dat niet waar zou zijn, dan was ik toch te trots om zomaar toe te geven.

Ik zuchtte en meteen keek iedereen op alsof er nu echt iets zou gaan gebeuren. 'Er is nog iemand anders,' zei ik, met een tong die woog als lood. 'Een derde vrouw die bereid is haar verhaal te doen.'

'Wie dan?' vroeg Marnie.

'Ja, wie dan?' wilde Lola weten.

Arme Lola en Marnie, die van mij verwachtten dat ik echt een konijn uit de hoge hoed zou toveren en dat er op dit moment een vrouw binnen zou komen lopen die met een lief stemmetje verklaarde: 'Je bent toch niet vergeten dat je mij ook tot moes hebt geslagen, Paddy?'

'Ja, wie dan?' zei Alicia.

Paddy zei niets. Hij keek toe met een flauw glimlachje om zijn mond.

'Ik,' zei ik.

'Jíj?'

'Waarom zou hij jóú slaan?' vroeg Marnie.

'Omdat...' Ik kon geen kant op. Ik moest het zeggen. 'Omdat ik niet met hem naar bed wilde.'

Er viel een verbijsterde stilte. Paddy deed zijn ogen dicht en glimlachte in zichzelf.

'Wilde Paddy met jou naar bed?' vroeg Marnie langzaam, alsof ze naar haar eigen stem luisterde.

'Ja.' Paddy rekte zich lui uit. 'Altijd al. Als ik jou lag te neuken moest ik aan haar denken.'

'Dat is helemaal niet waar! Let maar niet op hem, hij probeert gewoon ons tegen elkaar op te zetten.' In godsnaam, het was al bijna vijftien jaar geleden dat Marnie verkering had gehad met Paddy. Wanneer zou ze nou eens ophouden met te doen alsof het net uit was?

'Paddy en ik werkten samen aan zijn biografie en toen probeerde hij me te versieren omdat hij dat nu eenmaal bij iedere vrouw doet. Toen ik daar niet intrapte, verkocht hij me een dreun, drukte een sigaret uit in mijn hand en zei tegen zijn chauffeur dat hij mijn auto in brand moest steken.'

'Werkte je aan zijn biografie?' vroeg Marnie aarzelend.

'Hou nou op, Grace,' zei Paddy. 'Je bood nauwelijks weerstand.'

'Wanneer was dat dan?' vroeg Marnie gesmoord.

'Afgelopen zomer. Tot september.'

'September,' zei Lola ineens. 'Maar hij heeft zich in augustus met Alicia verloofd.'

Marnie keek Alicia aan. 'En hoe bevalt jou dat, Leechy?'

'Prima,' zei Alicia. 'Want er is gewoon helemaal niets van waar. En noem me geen Leechy. Dat heb ik altijd vreselijk gevonden.'

'Maar hij heeft je net verteld dat hij met Grace naar bed wilde,' riep Lola op hetzelfde moment uit dat Marnie tegen Alicia zei: 'Maar ik heb je niet als eerste Leechy genoemd. Iemand anders kon de naam Alicia niet uitspreken...'

'Mijn zusje.'

'Dus je hoeft niet te doen alsof wíj die naam voor je uit hebben gezocht. Iedereen noemde je Leechy, zolang wij je hebben gekend.'

'Nu heet ik Alicia.'

'Maar eigenlijk paste Leechy veel beter bij je,' zei Marnie, onverwacht venijnig. 'Want *leech* betekent toch bloedzuiger? En zo gedroeg je je ook tegenover Paddy...'

We dreigden ons oorspronkelijke doel uit het oog te verliezen.

'Marnie, alsjeblieft,' zei ik.

'Jullie zijn nooit echte vriendinnen voor me geweest,' zei Leechy. 'Ik hing er altijd maar een beetje bij. Alles draaide om jou en om Grace.'

Dat was echt niet waar, maar voordat ik me ermee kon bemoeien stond Paddy op. 'Ik ga naar bed.'

'Wacht even, Paddy. We zijn nog niet klaar.' Ik deed mijn best om weer dreigend te klinken. 'Zoals ik al zei, jij trekt dat verhaal terug anders komt het onze in de krant.'

Hij lachte zacht en schudde zijn hoofd. Niet als weigering, maar omdat we er zo'n puinhoop van hadden gemaakt. Ik kon het hem niet kwalijk nemen.

Het was mislukt. Faliekant.

We liepen de flat uit en denderden als een ongeregeld zootje naar beneden om Dee het slechte nieuws te brengen.

Marnie wilde niet instappen. Haar gezicht stond strak en ze voelde zich duidelijk vernederd.

Dee en Lola, die beseften dat er iets stuk was gelopen tussen mij en Marnie, hadden zich met een opmerking over taxi's uit de voeten gemaakt.

'Stap alsjeblieft in, Marnie,' zei ik.

'Het was zo'n ontzettend belangrijke relatie voor mij,' zei ze. 'Kun je je misschien voorstellen hoe ik me voel nu ik weet dat hij jou wilde?'

'Maar niet toen hij met jou ging. Hij hield echt van je.' Ik reed langzaam naast haar mee. 'Stap nou alsjeblieft in, Marnie. Het is al laat. Je kunt niet zomaar blijven rondlopen.'

'Ik wil niet met jou mee naar huis.'

'Laat me je dan bij ma afzetten. Alsjeblieft, Marnie, het is niet veilig.'

Uiteindelijk stapte ze in en bleef stokstijf rechtop zitten, zonder een woord te zeggen. Na tien minuten vroeg ze kil: 'Weet Damien het van jou en Paddy?'

'Ik ben niet met hem naar bed geweest,' zei ik. 'Ik heb Damien niets te vertellen.'

'Maar er was wel iets aan de hand?'

Ja, er was wel iets aan de hand.

'Wilde je soms wel met hem naar bed? Heb je het overwogen? Was je er emotioneel bij betrokken?'

Ik hield mijn mond en dat was voor haar antwoord genoeg.

'Ik durf te wedden dat Damien dat niet weet,' zei ze.

'Zeg alsjeblieft niets tegen hem.' Met gesmoorde stem.

Ze gaf geen antwoord en daardoor wist ik dat ze het misschien wel zou doen. De hele toestand was onwezenlijk. Marnie en ik waren altijd in de eerste plaats trouw aan elkaar geweest, andere mensen – alle andere mensen – kwamen op de tweede plaats. Maar nu lag alles in puin. Marnie was gekwetst en ze was niet te vertrouwen, mede vanwege de drank en zo. En het had allemaal met Paddy de Courcy te maken, die alles wat hij aanraakte verdraaide en kapotmaakte. Toen we bij Yeoman Road aankwamen, stapte Marnie uit en rende de trap op zonder iets tegen me te zeggen.

'Waar is Marnie?' Damien zat gespannen op me te wachten. 'Hoe is het met De Courcy gelopen?'

'O god, Damien...' Ik wist niet waar ik moest beginnen omdat ik niet wist waar ik mee moest eindigen. Ik kon hem niet alles vertellen, want ik was bang dat ik hem te veel zou vertellen.

Ik drukte mezelf tegen hem aan en sloeg mijn armen om zijn nek. De angst om hem te verliezen was zo enorm, dat ik hem lijfelijk moest voelen.

Hij trok me stijf tegen zich aan en legde zijn hoofd op het mijne.

'Nog vaster,' zei ik.

Gehoorzaam vormden zijn armen een nog stevigere band om mijn rug. 'Was het een ramp?' vroeg hij in mijn haar.

Ik knikte tegen zijn schouder. 'Ja, het was beslist een ramp. Maar ik weet niet of hij het met jou in verband brengt. Ik denk dat dat wel snor zit.' Dat meende ik echt. 'Kunnen we meteen naar bed gaan?' vroeg ik.

'Kom maar.' Hij hielp me de trap op alsof ik net een zware ziekte achter de rug had. In de slaapkamer liet ik mijn kleren op de grond vallen en schoof tussen de lakens. Damien stapte ook in bed en ik kroop tegen hem aan, tegen zijn warme lijf, alsof het de laatste keer was dat ik die kans kreeg. Ik sloot mijn ogen, bleef doodstil liggen en wenste dat dit ogenblik eeuwig zou duren.

Daarna ging Damien verliggen en week ver genoeg achteruit om me aan te kunnen kijken. 'Wil je me niet vertellen wat er precies is gebeurd?'

Ja, ik moest het hem wel vertellen. Hij had zo zijn best gedaan om me te helpen. 'Ja, natuurlijk.' Maar ik kon hem niet alles vertellen en dat maakte me zo ontzettend triest. En ontzettend bang. 'Alleen is het rare dat er zo weinig te vertellen valt. Hij wuifde alles wat Marnie en Lola zeiden weg, ze stortten echt helemaal in. Het zou totaal geen zin hebben om hen te interviewen en het was duidelijk dat hij Alicia met geen vinger aangeraakt heeft. Het was een fiasco. Hij is nergens bang voor.'

'De Courcy.' Damien deed het licht uit en slaakte een zucht in het donker. 'Je kunt maar beter niets met hem te maken hebben.'

'Ja.' Dat wist ik ook.

Natuurlijk werd ik ook verliefd op Paddy vanaf het moment dat ik hem zag. Ik dacht zelfs dat hij eigenlijk de manager van de Boatman behoorde te zijn, want hij was zo overweldigend en zo superieur aan die vervelende onbeschofte Mick dat ik in gedachten al een soort gesprek voerde waarbij ik – als eigenares van de Boatman – meteen Mick ontsloeg en Paddy in zijn plaats als manager aanstelde. Maar ik was door ma dusdanig geïndoctrineerd dat ik niet in liefde op het eerste gezicht geloofde, vandaar dat ik er thuis niets over zei. Bovendien hadden ze me toch uitgelachen, want er werd altijd van uitgegaan dat ik zo'n flinke meid was.

En toen verscheen Marnie op het toneel en pikte hem voor mijn neus in. Heel even had ik destijds nog het gevoel dat mijn kans even groot was als de hare en dat, als ik er echt voor zou willen vechten, ik hem ook kon krijgen. Maar toen riep ik mezelf tot de orde. Paddy wilde Marnie. En zelfs als dat niet zo was geweest, dan wilde Marnie hem en ik kon haar nooit iets weigeren.

Het viel niet mee. Ik zag ze op het werk en ik zag ze thuis, er viel niet aan te ontkomen. Ik moest toekijken hoe hij haar kuste, haar hand vasthield en met haar zat te giechelen. Ik moest haar onverbloemde verhalen aanhoren over de geweldige manier waarop hij neukte. '... En toen trok hij mijn benen om zijn middel, en o Grace, ik zweer bij god...'

Maar uiteindelijk raakte ik eraan gewend dat hij van Marnie was. Af en toe was er nog wel eens een moment waarop ik me herinnerde hoe ik aanvankelijk over hem had gedacht, maar dan besefte ik meteen dat ik niet goed wijs was geweest.

Ze bleven bijna drie jaar bij elkaar en ik wist al dat Paddy niet meer van haar hield voordat het tot haar doordrong. Het was de lente voor onze twintigste verjaardag, Paddy zat in zijn laatste jaar aan de universiteit, hij zou in oktober stage gaan lopen bij een advocatenkantoor en het was duidelijk – in ieder geval voor mij – dat hij op het punt stond aan een nieuw leven te beginnen.

Ik probeerde Marnie te waarschuwen, maar het drong niet tot haar door. In zekere zin kwam het even hard aan als wanneer hij mij de bons had gegeven. Ik voelde met haar mee.

Toen kreeg ik van Sheridan te horen dat er zich meer afspeelde tussen Paddy en Leechy dan de platonische troostsessies. Ik kon mijn oren niet geloven, want Marnie en ik hadden Leechy altijd als een zusje beschouwd. Maar Sheridan beweerde bij hoog en bij laag dat het waar was en hij was zo overtuigend dat ik – ook al ging het me in feite niets aan – naar Leechy ging en haar vroeg bij Paddy uit de buurt te blijven.

Leechy was altijd bereid om het iedereen naar de zin te maken. Maar nu zei ze, onthutsend vastberaden: 'Nee, Grace. Ik ben Paddy's nieuwe vriendin.'

Nieuwe vriendin? Ik was verbijsterd. 'Maar hij heeft al...' Ik staarde haar aan en ineens drong de waarheid tot me door. 'Ga je... ga je echt met hem naar bed?'

'Nee.' Ze bloosde.

'Jawel! O gottegot. O gottegottegot,' kreunde ik vol angst. Wat zou Marnie zeggen? Wat zou Marnie doen? 'Leechy, dat kun je niet maken! Wat is er met je loyaliteit gebeurd?'

'Normaal gesproken zou ik loyaal zijn,' zei ze. 'Normaal gesproken zou ik nooit de man van iemand anders inpikken.'

Normaal gesproken zou je daar verdomme ook geen schijn van kans op hebben, had ik het liefst tegen haar gezegd. Je bent niet bepaald Cindy Crawford.

'Ik hou van hem, Grace,' zei ze, nog steeds vol zelfvertrouwen, en dat was dat.

Ik nam het Paddy kwalijk, maar Leechy nog meer. Als zij niet met Paddy naar bed was gegaan, zou Marnie nooit op de idiote gedachte zijn gekomen om met Sheridan tussen de lakens te kruipen, en als zij niet met Sheridan had geslapen, zou Paddy haar nooit buiten westen hebben geslagen. Want dat was volgens mij de gebeurtenis die haar voorgoed had veranderd.

Het duurde vier jaar tot ik hem weer zag. Het had iets met mijn werk te maken, een product dat vroeg in de avond gelanceerd werd, ergens in een bomvolle hotelkamer. Ineens zag ik hem, hij stak boven alle mensen om hem heen uit. Hij zag er niet arm en wild meer uit, zijn kleren waren nieuw en duur, maar hij was het wel degelijk. Ik bleef net een halve seconde te lang naar hem kijken, waardoor hij zich naar me omdraaide. Hij schrok duidelijk, werd bleek en verstarde. Ik draaide hem mijn rug toe.

'Ik ga ervandoor,' zei ik tegen de mensen met wie ik was.

'Waarom?'

Ik zette mijn glas op een passerend dienblad en wurmde mezelf door de menigte op weg naar de deur. Tegen de tijd dat ik daar aankwam, versperde Paddy me de weg.

'Grace...'

Ik draaide mijn hoofd opzij en probeerde langs hem heen te glippen, maar hij bleef voor me staan.

'Grace. Alsjeblieft... zo behandel je een oude vriend toch niet?'

'Wat?' Ik keek met een ruk op. 'Jij bent mijn vriend niet.'

Het was een vergissing om hem aan te kijken. Hij was een toonbeeld van zielensmart. 'Grace, alsjeblieft.' En smekend voegde hij eraan toe: 'Wij zijn toch altijd vrienden geweest.'

'Vrienden? Na wat je Marnie hebt aangedaan?'

Mijn kreet van verontwaardiging zorgde voor verbaasde blikken. Paddy zag ze ook. 'Kunnen we even praten?' vroeg hij rustig.

'Ga je gang.' Ik sloeg mijn armen over elkaar. 'Ik ben een en al oor.'

'Niet hier. Ergens waar we... waar wat meer privacy is. Waar ik alles kan uitleggen.'

Er viel helemaal niets uit te leggen. Maar nieuwsgierigheid is altijd mijn zwakke punt geweest. Misschien was er tóch wel iets, waardoor alle puzzelstukjes op hun plaats zouden vallen.

'Er is een privébar in dit hotel,' zei hij. 'Wil je me tien minuten van je tijd gunnen?'

Hij maakte het me wel erg gemakkelijk. Als ik ergens samen met hem naartoe had moeten gaan, was ik er niet ingetrapt. En wat was nou tien minuten?

In de gewijde stilte van de gezellige, met hout betimmerde bar zette Paddy een glas voor mijn neus.

'Je hebt nog zes minuten,' zei ik.

'In dat geval kan ik maar beter opschieten. Oké... ik was jong en... en... buiten zinnen en ontzettend boos. Mijn moeder was gestorven, mijn vader was een volslagen minkukel...'

'Dat is geen excuus.'

'Ik probeer geen excuus te zoeken, ik probeer het alleen maar te verklaren,' zei hij met gebogen hoofd. 'Ik had geen thuis, dat is de enige manier waarop ik het onder woorden kan brengen.' Het bleef een hele tijd stil voordat hij verder ging. 'Toen ik Marnie leerde kennen werd zij mijn thuis. Of eigenlijk jullie allemaal, jij en Bid en je moeder en je vader.' Weer zo'n stilte. 'Maar toen het ophield, toen ik ineens niet meer van Marnie hield, nam ik haar dat kwalijk. Ik dacht dat ik niet meer van haar hield omdat ze zo slap was. Als ze maar anders was geweest, dan had ik vast nog wel van haar gehouden, maar dat was niet zo en ik was opnieuw mijn thuis kwijt...'

Tot mijn verbazing voelde ik een beetje medelijden in me opwellen. Toen dacht ik weer aan Marnies in elkaar geslagen, gezwollen gezicht en het verdween op slag.

'Sindsdien word ik achtervolgd door schaamte,' zei hij.

'Terecht. Maar waarom vertel je mij dit? Je zou het tegen Marnie moeten zeggen.'

Hij aarzelde. 'Dat heb ik overwogen. Ik denk er nog steeds over. Maar omdat ik weet... nou ja, wíst hoe Marnie was, had ik het idee dat ik... oude wonden zou openrijten als ik weer contact met haar opnam. Ik dacht dat ik de zaak daarmee alleen maar erger zou maken.'

Het was ontzettend irritant, maar hij had gelijk. Als Marnie nu weer iets van hem zou horen, zou ze zeker weer terug zijn bij af.

'Maar ik weet het nooit echt zeker, het is iets waar ik regelmatig aan moet denken...'

'En met die fascinerende gedachte...' ik dronk mijn glas leeg en stond op, '... zijn je tien minuten voorbij.'

'Hoe is het met haar?' vroeg hij.

'Met Marnie? Prima,' zei ik. 'Ze is zonder jou veel beter af. Je hebt haar... schandalig behandeld.'

'Ik moest wel. Het was de enige manier om er een eind aan te maken. Anders had ze zich er nooit bij neergelegd.'

Hij had opnieuw gelijk.

'Ze is een heel bijzonder meisje,' zei hij een beetje triest. 'Wil je niet nog één drankje nemen en me vertellen hoe het met haar gaat?'

'Nee.'

'Alsjeblieft.'

'Nee. O, nou goed dan.'

Ik had toch niets anders te doen. Nou ja, dat maakte ik mezelf tenminste wijs.

Paddy bood me nog meer drankjes aan en bleef zo vriendelijk over Marnie praten en zo triest herhalen dat ze zo gevoelig was en zoveel moeite had om gelukkig te zijn dat ik – tot mijn eeuwige schade en schande – het min of meer met hem eens was.

Het geratel van een metalen vat onderbrak Paddy's monoloog. 'God, dat doet me echt aan vroeger denken,' zei hij en we keken toe hoe de barkeeper een van de vaten verving. 'Weet je nog dat we dat in de Boatman ook altijd moesten doen?'

Ik knikte, beschaamd bij de herinnering dat ik met allerlei zware dingen had lopen zeulen om indruk op hem te maken. Wat was ik toch een idioot geweest...

'Jij was het enige meisje dat een vat kon vervangen,' zei hij. 'Je leek af en toe echt zo'n... verbazingwekkende amazone. Niets kon je raken.'

Ik was verbijsterd. Ik had juist altijd gedacht dat Paddy me niet zag zitten omdat ik als een stuwadoor met allerlei vaten had lopen goochelen.

'Ik had nog nooit zo'n vrouw als jij ontmoet,' zei hij peinzend.

Ik kon hem niet aankijken. Ik moest iets wegslikken, maar deed dat zo luid dat we het allebei hoorden.

'En sindsdien ook nooit meer.'

Christus! Ik keek even vanuit mijn ooghoeken naar hem en toen onze blikken elkaar kruisten, laaiden de emoties tussen ons op. Ook al verzette ik me ertegen – en dat deed ik zeker, ik hoefde alleen maar aan Marnies opgezwollen, tot moes geslagen gezicht te denken. Toch had ik het gevoel dat we op dezelfde golflengte zaten en dat we elkaar begrepen. Precies zoals toen hij Marnie nog niet had ontmoet.

'Nog een drankje?' vroeg hij.

'Nee. Ik ga er vandoor.'

'Weet je dat zeker? Wil je echt niet nog een glaasje?'

Ik aarzelde en gaf toe. 'Nou goed, eentje dan.'

Toen hij terugkwam van de tap zette hij onze glazen op het tafeltje voordat hij me aankeek en zei: 'Ik moet je iets vertellen en als ik dat nu niet doe, doe ik het nooit.'

Ik had al een vaag idee wat er zou komen.

'Ik heb een fout gemaakt,' zei hij. 'Ik heb de verkeerde zus uitgekozen.'

Ik sloot mijn ogen. 'Hou op.'

Zelfs als hij Marnie niet al die verschrikkelijke dingen had aangedaan, dan was het toch taboe om het aan te leggen met een oud vriendje van je zus. Of van je vriendin. Hij zou altijd van haar blijven.

'Ga met me mee naar huis,' zei hij.

Ik werd overstelpt door een gevoel van verlangen. Ik had er alles voor willen geven om één keer met hem naar bed te gaan. Eén nacht onder zijn naakte lichaam, een nacht vol gore, tedere, hartverscheurende seks in alle mogelijke standjes, een nacht waarin hij zich bij me naar binnen drong met een gezicht dat verwrongen was van lust voor mij, voor mij, voor mij...

'Nee,' zei ik.

'Nee?'

'Nee.' Het beeld van Marnie in het ziekenhuis bleef door mijn hoofd spoken. Ik pakte mijn tas en stond op.

'Je verandert wel van gedachten,' zei hij. 'Ik krijg je wel zover.'

'Mij niet,' zei ik en vroeg me af wat hij zou doen om me over te halen.

Maar er gebeurde niets. Ik hoorde niets meer van hem, elf jaar lang geen woord. Meer dan genoeg tijd om na te denken over mijn weigering.

En toen werd ik afgelopen zomer ineens gebeld door Annette Babcock, een redacteur bij Palladian, een uitgeversmaatschappij die zich specialiseerde in biografieën van beroemdheden. Ik had in het verleden bij een paar boeken van hen opgetreden als ghostwriter. (Het levensverhaal van een sportvrouw en het verslag van de problemen en beproevingen van een vrouw die ooit Miss Ierland was geweest en inmiddels achtentwintig plastische ingrepen had ondergaan om haar carrière als model voort te kunnen zetten.)

Het was het soort werk dat je er als journalist vaak bij deed, aangezien de meeste sportlieden of modellen – en ja, ook politici – min of meer randdebielen zijn. Het was zwaar werk, ook in emotioneel opzicht, want je moest proberen om het saaie leven van iemand anders met inbegrip van allerlei suffe anekdotes fatsoenlijk op papier te krijgen, maar het betaalde meestal goed.

'Kun je even langskomen?' vroeg Annette. 'Ik heb iets voor je.'

Toen ik voor haar bureau zat, zei ze: 'We gaan het boek van Paddy de Courcy publiceren.'

Jezus, dacht ik. Paddy de Courcy...

'Volgens ons ben jij de juiste persoon om dat te doen. Het betekent dat je de komende maand heel wat tijd met Paddy de Courcy zult moeten doorbrengen, maar dat is niet bepaald een opgave, hè?' zei ze. En: 'Vind je ook niet?' toen ik geen antwoord gaf.

'Wat zeg je? Sorry. Ik zat even ergens anders aan te denken...' Ik schraapte mijn keel. De vragen drongen zich meteen op. Om te beginnen: waarom ik?

'Ik zou maar geen ideeën krijgen,' zei Annette snibbig. Kennelijk viel ze op hem. 'Hij heeft echt niet om jou gevraagd. We hebben een hele club schrijvers waaruit we kunnen kiezen. We hebben hem een paar namen voorgelegd en hij zei dat hij *Het Menselijk Ras* had gelezen.' (De biografie van de sportvrouw.) 'Hij zei ook dat hij van jouw stijl hield.'

'O ja...?'

Het probleem was dat ik Paddy de Courcy min of meer uit mijn hoofd had gezet. Niet helemaal, want dat zou verdomd moeilijk zijn geweest omdat hij voortdurend in het nieuws was en zijn knappe kop me constant vanuit de societyrubrieken toegrijnsde. Af en toe voelde ik nog wel een verrassend kriebeltje in mijn buik als ik hem zag, maar meestal deed het me niets.

'Nou?' zei Annette. 'Voel je er iets voor?'

'Ik weet het niet...'

'Hè?!!'

Ik was een beetje in de war. Nam Paddy geen al te groot risico? Ik wist dingen van hem die waarschijnlijk geen enkele andere journalist wist. Maar misschien had hij me daarom juist uitgekozen: omdat hij wist dat hij zich niet in allerlei bochten zou hoeven te wringen om zijn mond te houden over het feit dat hij Marnie het ziekenhuis had ingeslagen en mij de schrik van mijn leven had bezorgd. Of misschien wist hij wel dat hij het niet weg kon laten, maar dacht hij dat hij mij wel zover zou kunnen krijgen om er een leuke draai aan te geven?

Of misschien zocht ik er wel teveel achter. Misschien lag Marnie inmiddels zo ver achter hem dat hij volkomen was vergeten wat hij had gedaan? Misschien was wat ik van *Het Menselijk Ras* had gemaakt hem écht bevallen. De kans bestond dat dit toch echt alleen maar om werk ging.

'Het verdient goed,' zei Annette een beetje zenuwachtig. Ze noemde een bedrag en om eerlijk te zijn had ze volkomen gelijk. 'Ik kan wel proberen om er nog een paar duizend bovenop te krijgen.'

'Ja, maar...'

Ik werd door twijfels verscheurd. Waarom zou ik Paddy helpen? Het idee om met hem samen te moeten werken, hem te laten profiteren van mijn schrijftalent gaf me het onbehaaglijke gevoel dat ik niet eerlijk was. Maar toen deed mijn strijdlust een duit in het zakje. Misschien kon ik nu gerechtigheid krijgen voor Marnie, vijftien jaar na het voorval. Ik moest er nog heel even over nadenken, maar raakte er steeds meer van overtuigd dat dit tot iets goeds kon leiden.

'Oké,' zei ik tegen Annette. 'Ik doe het.'

'Een beetje enthousiaster kan geen kwaad, hoor,' zei ze. 'Persoonlijk zou ik al nat worden bij de gedachte dat ik zoveel tijd met Paddy mocht doorbrengen.'

Ik sloot mijn ogen. Jezus, moest dat nou?

'Maar luister eens goed naar me, Grace. Dit is een bijzonder vertrouwelijk project, gezien het gevaar dat andere politici van tevoren al ergens een ban op leggen. Je mag er met niemand over praten.'

'Ik zal mijn mond houden.'

Dus vertelde ik het zodra ik thuis was aan Damien.

'Zijn autobiografíé?' reageerde Damien achterdochtig. 'Waarom? Hij heeft niets bijzonders gedaan, behalve het neuken van allerlei modellen. Hij is geen partijleider. Hij is nog niet eens minister geweest.'

'De wereld van autobiografieën is veranderd,' zei ik schouderophalend. 'Je hoeft tegenwoordig alleen maar beroemd te zijn en er goed uit te zien.'

Damien bleef me aankijken, met een strak gezicht en sombere ogen. 'Waarom heb je erin toegestemd, Grace? Na wat hij Marnie heeft aangedaan?'

'Daar gaat het juist om. Ik vraag me af of ik er... ik weet het niet... iets voor Marnie uit kan slepen. Misschien zelfs een verontschuldiging...'

'Het is al zo lang geleden,' zei Damien rustig. 'Marnie is inmiddels getrouwd en moeder van twee kinderen. Misschien wil ze wel helemaal niet dat dit algemeen bekend wordt. Misschien wil ze wel helemaal niets met hem te maken hebben.'

'Maar de kans bestaat dat ze dat wel wil.'

'Misschien moet je maar eerst met haar gaan praten voordat je verder gaat.'

'Ik heb al gezegd dat ik het zou doen.'

Hij haalde zijn schouders op. 'Je kunt toch gewoon van gedachten veranderen? Je hebt nog niets getekend.'

'Nee, dat weet ik wel. Maar ik heb echt het gevoel dat ik dit moet doen... Het is zo belangrijk geweest in het leven van Marnie en mij,' zei ik. 'Ik weet dat je dat niet zult begrijpen, omdat je er niet bij bent geweest, maar dit voelt als een kans om... ik weet het niet... Verdorie, ik weet het niet, Damien!' Ik slaakte een diepe zucht. 'Om een kwaad ongedaan te maken.'

Na mijn woorden bleef het even stil. Hoe moest ik hem dat aan het verstand brengen? Ik had in het aas gehapt. Ondanks mijn argwaan en mijn angst voor ontrouw, moest ik dit gewoon doen.

'Kijk niet zo verdrietig,' zei ik smekend.

Damien lachte een beetje treurig. Hij wist alles van mijn kalverliefde voor Paddy.

'Oké,' zei ik, 'al goed. Mij best. Als je echt niet wilt dat ik dit doe, zeg dat dan, dan bel ik het af.'

'Grace...'

Ineens schaamde ik me. Damien zou dat nooit vragen, zo'n soort man was hij niet. Hoofdschuddend liep hij weg.

'Het verdient heel goed,' riep ik hem na.

'Fijn,' hoorde ik hem in de verte zeggen. 'Dan kunnen we van alles kopen.'

Onze eerste bijeenkomst, over de vorm van het boek, vond plaats in Paddy's kantoor. Ik was vergeten hoe het was om zo dicht bij hem te zijn. Zijn lengte. Die ogen. Zijn persoonlijkheid... charisma, hoe je het ook moest noemen. Zo'n ongelooflijk krachtige lijfelijke aanwezigheid. Er ging zoveel geconcentreerde kracht van hem uit – ongeveer in de trant van heel sterke koffie of intens bittere chocola – dat het bijna niet uit te houden was. Hij schudde me de hand en gaf me een kus op mijn wang. 'Ik vind het een heerlijk idee dat we samen zullen werken.'

'Hou die politieke praatjes maar voor je,' zei ik. 'Waar moet ik zitten?'

'Waar je wilt. Op de bank of zo.'

'Waar je al je modellen ontvangt?'

'Gewoon mijn bank.'

Ik nam een rechte stoel met de binnensmondse opmerking dat dat waarschijnlijk het veiligst zou zijn. Paddy ging achter zijn bureau zitten en ik sloeg mijn aantekenblok open. 'Laten we maar bij het begin beginnen,' zei ik uitdagend. 'Nemen we ook het voorval mee waarbij jij mijn zus het ziekenhuis in hebt geslagen?'

'Nog steeds de oude Grace,' zei Paddy, maar zonder rancune. 'Altijd op de bres voor bepaalde zaken. Maar het lijkt me beter als we die jeugdige onbezonnenheid maar laten rusten.'

'O, juist. Dus daarom wilde je mij hebben?' Precies wat ik had verwacht. 'Als jij denkt dat ik jou in bescherming ga nemen, kun je dat meteen uit je hoofd zetten.' Ik stond op.

'Niet om mij in bescherming te nemen – zou je alsjeblieft weer willen gaan zitten, Grace? – maar om Marnie te beschermen. Denk je dat zij het leuk zou vinden als dit in een boek kwam te staan?'

Precies wat Damien had gezegd...

'Denk je dat echt?' vroeg hij nog een keer.

Ik wist het niet. Ik had het haar niet gevraagd.

Ik ging langzaam weer zitten. Maar als ik niet aan dit project begonnen was om gerechtigheid te krijgen voor Marnie, waarom deed ik het dan?

'Je krijgt er een hoop geld voor,' zei Paddy, alsof hij mijn gedachten kon lezen. 'Kom op, Grace, er ligt werk op ons te wachten. Laten we het nou maar gewoon doen.'

Ik kreeg er inderdaad een hoop geld voor. Ik had pas een nieuwe auto gekocht en de aflossingen waren hoog.

Ik pakte mijn pen en vervolgens zaten we tot mijn verbazing drie uur lang te werken en schoten we goed op. Ik besefte dat dit gewoon een klus was en verder niets.

Onze tweede afspraak was vijf dagen later en opnieuw schoten we goed op. We hadden zijn jeugd inmiddels afgehandeld en waren bij de dood van zijn moeder aanbeland toen Paddy ineens ophield met praten en zijn hoofd boog. Toen hij weer opkeek, stonden de tranen in zijn ogen. Normaal gesproken zou ik hebben gedacht: kijk, een vent die zit te huilen, wat ráár. Maar misschien omdat ik hem destijds had gekend, vlak na de dood van zijn moeder, en wist hoe verloren en losgeslagen hij was geweest, had ik onverwacht medelijden met hem.

Ik viste een servetje van de Burger King uit mijn tas en gaf het aan hem. Hij wreef in zijn ogen.

'Nou, dat was wel een beetje gênant.' Hij lachte en keek naar het servetje. 'Stop de persen. Grace Gildee was vriendelijk.'

'Ik bén ook vriendelijk,' zei ik verdedigend. 'Voor mensen die het verdienen.'

'Dat weet ik. Zal ik je eens iets vertellen, Grace?' – hij gaf me de volle lading met zijn intens blauwe ogen – 'Ik ben voor jou naar Palladian gegaan.'

'Hè?' Hoezo over iets anders beginnen?

'Ik heb je carrière altijd gevolgd, ik wist altijd voor welke krant je werkte en ik heb altijd al je artikelen gelezen.'

'Waarom begin je daar nu ineens over?'

'Omdat ik in al die jaren constant aan je gedacht heb.'

Onwillekeurig schoot er een rilling van opwinding door me heen.

'Ik heb elke dag aan je gedacht. Je bent de enige vrouw die ooit tegen me opgewassen was.'

Tegen heug en meug voelde ik me toch gevleid. En opgewonden. En opeens zat ik er weer middenin.

De tiener in mij was opgestaan en ik was dromerig, afwezig en halfblind van verlangen naar Paddy.

Die nacht kon ik niet slapen. Ik kon er niet omheen: de aantrekkingskracht die Paddy op me had, deugde voor geen meter. Het was gevaarlijk en goor.

Het is al zo lang geleden, misschien is hij veranderd.

En Damien dan?

Wat Damien en ik hadden, was zeldzaam en goed.

Instinctief wist ik precies wat me te doen stond: ik moest met het project kappen.

Maar toen ik een afspraak maakte met Paddy om hem te vertellen dat hij een andere schrijver moest zoeken, was het net alsof hij dat van tevoren had zien aankomen. Voordat ik mijn mond open kon doen, deed hij de deur van zijn kantoor dicht en zei: 'Doe het niet, Grace. Laat me niet in de steek.'

'Maar...'

'Alsjeblieft. Jij bent de enige in wie ik genoeg vertrouwen heb. Ik weet dat je de waarheid zult vertellen. Ik heb je nodig.'

Ik kon er niets tegen inbrengen... Hij gaf me gewoon het gevoel dat ik te belangrijk was om me terug te trekken.

Die dag en de sessie daarna, twee dagen later, was de seksuele spanning tussen ons zo groot, dat ik niet meer goed kon nadenken. We schoten geen meter meer op, maar dat kon me niets schelen. Ik was alleen met mezelf bezig, onafgebroken onderhandelend. Ik wilde maar één nacht. Een nacht die ik nog van elf jaar geleden tegoed had. Of van achttien jaar geleden. Dat betekende nog niet dat ik niet van Damien hield.

Thuis sloeg Damien me gade, maar hij zei niets en ik slaagde erin mezelf wijs te maken dat hij niets in de gaten had. Maar op een avond zei hij ineens: 'Als een van ons vreemd gaat – God, wat heb ik toch een hekel aan die uitdrukking! – dan komen we daar misschien wel overheen, maar dan wordt het nooit meer hetzelfde. Want dan zou er geen vertrouwen meer zijn. Dan zijn we de onschuld kwijt.'

'Ik...' De meest logische reactie was om te vragen waarom hij daar nu ineens mee aankwam, maar die weg durfde ik niet in te slaan. Hij had me nergens van beschuldigd, dat was het enige wat telde, en om heel eerlijk te zijn had ik ook nog niets misdaan. 'Oké, Damien, dat weet ik.'

'Goed zo. Mooi... want ik zou het echt vreselijk vinden om te denken...' Hij leek nog iets anders te gaan zeggen en ik probeerde hem in gedachten te dwingen zijn mond te houden. 'Want ik hou van je, snap je?'

Normaal gesproken vroeg ik altijd of hij zich niet lekker voelde als hij zei dat hij van me hield, maar nu zei ik alleen maar: 'Dat weet ik wel.' En in de vlaag van liefde en dankbaarheid die plotseling in me opwelde, voegde ik eraan toe: 'Ik hou ook van jou.'

'Kijk een beetje uit,' zei hij. 'Zo meteen veranderen we nog in *Hart to Hart.*'

We schoten allebei een tikje zenuwachtig in de lach.

De volgende dag had ik opnieuw een afspraak met Paddy. De zon stond stralend aan de hemel en hij stond buiten op me te wachten en keek toe hoe ik de voor mij bestemde parkeerhaven inreed. Het lukte me in één vloeiende beweging de auto precies tussen de vier witte kalkstrepen te krijgen, een perfect staaltje parkeren in mijn perfecte auto op deze perfecte dag.

'Goed gedaan,' zei Paddy, die zijn bewondering niet onder stoelen of banken stak.

'Allemaal dankzij de auto,' zei ik lachend.

'Hou je van je auto?' vroeg hij.

'Ik ben dól op mijn auto.'

In zijn kantoor ging ik aan zijn bureau zitten om met het werk te beginnen, toen Paddy zei: 'Hoe zit het met jou en Damien?'

'Wat is er met ons?' zei ik, onwillekeurig verdedigend.

'Nog steeds verliefd?'

'Ja.'

'Je overweegt niet om bij hem weg te gaan?'

'Waarom zou ik dat doen?'

'Om mijn vriendin te worden. We zouden echt een geweldig paar zijn. Hier.' Hij krabbelde een nummer op een papiertje. 'Dit is mijn privé mobiele nummer. Mijn supergeheime nummer. Alleen mijn fitnesstrainer heeft het. Denk er maar eens over na.' Hij haalde zijn schouders op. 'Als je een besluit hebt genomen, kun je me altijd bellen, dag en nacht.'

Ik kon geen woord uitbrengen. Het lef van die vent! En toch voelde ik me schandalig genoeg gevleid. Of zou het alleen maar een spelletje zijn?

'Ik meen het serieus,' zei hij. 'Ik weet dat je me niet gelooft, maar ik blijf het zeggen tot je me wél gelooft: jij bent de enige vrouw die ik ooit heb ontmoet die tegen me opgewassen is.'

Ik moest bijna overgeven. Van verlangen en schaamte, van schaamte en verlangen.

Drie dagen later werd bekend dat Paddy ging trouwen en – dat geef ik eerlijk toe – ik had het gevoel dat iemand me met een stomp voorwerp op mijn hoofd had geslagen. Hij was me niets verschuldigd, er was niets beloofd, maar hij had zich gedragen alsof...

De schok werd nog groter toen ik ontdekte dat Leechy zijn aanstaande bruid was.

Het was alleen een kwestie van ego, prentte ik mezelf in. Anders niets. Ik voelde me gekwetst omdat ik dacht dat hij iets speciaals voor me voelde.

Hij belde me.

'Is het waar?' vroeg ik.

'Grace...'

'Is het waar?'

'Ja, maar...'

Ik verbrak de verbinding.

Hij belde opnieuw en ik zette mijn telefoon uit.

Toen kwam ik achter het bestaan van Lola. Tijdens een interview met de 'vooraanstaande zakenvrouw' Marcia Fitzgibbon voor 'Mijn Favoriete Belediging' klaagde ze dat haar styliste drugs gebruikte, links en rechts allerlei blunders maakte en hardnekkig volhield dat Paddy de Courcy haar vriend was. 'Je zou dat mens moeten zien,' zei Marcia tegen me. 'Ik bedoel maar, ze heeft páárs haar!'

Ik had Lola binnen de kortste keren gevonden. Maar ze wilde niet bevestigen dat zij de vriendin van Paddy was geweest en paradoxaal genoeg was dat voor mij het bewijs dat het waar was.

Ik begon me steeds stommer te voelen en belde Palladian om te zeggen dat ik me terugtrok uit het project. Ze probeerden dwars te gaan liggen, maar ze hadden geen poot om op te staan aangezien het contract nog niet getekend was.

De twee of drie weken daarna bleef Paddy me opbellen en ik nam nooit op... tot ik dat op een dag in een opwelling toch deed. Waarom heb ik nooit begrepen.

'Ik wil het je alleen maar uitleggen,' zei hij en hoewel ik geen idee had hoe hij zich uit dat wespennest dacht te redden, was ik – zoals gewoonlijk – nieuwsgierig genoeg om toe te geven.

'Bij mij op kantoor?' stelde hij voor.

'Oké.'

'Ik stuur John wel langs.'

'Ik loop wel.'

Paddy's assistent zette me ergens in een leeg kamertje. Hij zat niet eens op me te wachten, ik had nooit moeten komen. Ik stak een sigaret op. Het vlammetje van mijn aansteker trilde en ik besloot tot zestien te tellen. (Waarom zestien? Geen idee.) Als hij dan nog niet was komen opdagen, ging ik weg. Een, twee...

Daar was hij. Hij trok de deur vastberaden achter zich dicht en vulde de hele kamer met zijn aanwezigheid.

'Gefeliciteerd met je aanstaande huwelijk.' Ik stond op.

'Luister eens, ik begrijp het best.' Hij zag er ellendig uit. 'Maar dat hoeft toch niets te veranderen, Grace. Ik hou niet eens van haar,' zei hij.

Hoewel ik alleen maar minachting voor Leechy koesterde, vroeg ik me toch af hoe iemand zo cru kon zijn.

'Ik ben een politicus, Grace. Ik heb een geschikte vrouw nodig. Het spijt me dat ik je dit niet persoonlijk kon vertellen. Maar toen ik een paar ringen wilde zien, heeft de juwelier in kwestie het verhaal doorgebriefd en voordat ik wist wat er gebeurde, was het al gepubliceerd. We kunnen toch gewoon op de oude voet doorgaan?' Hij was dichterbij gekomen, zo dichtbij dat hij de sigaret uit mijn hand kon pakken en in een asbak kon leggen. 'Zelfs nog beter,' zei hij zacht. 'Wanneer verlos je me uit mijn lijden? Ik verlang zo naar je dat ik er gek van word. Ga met me naar bed, Grace, ga alsjeblieft met me naar bed.'

Hij pakte me bij mijn heupen, boog door zijn knieën, drukte zijn erectie tegen mijn onderlijf en mompelde in mijn oor: 'Dat doe jij met me. Constant.' En fluisterend: 'Denk je eens in dat we samen in bed zouden liggen, Grace.'

Alsof ik de laatste tijd nog ergens anders aan dacht.

Het was alsof ik gehypnotiseerd was en plotseling wist ik zeker dat ik met Paddy naar bed zou gaan. Dit was het moment waarover ik jarenlang had gefantaseerd. Maar waarom nu? Nu hij met iemand anders zou gaan trouwen? Vreemd genoeg was dat juist de reden. Het schokkende nieuws had me duidelijk gemaakt hoe ik naar hem verlangde.

We gingen dichter tegen elkaar aan staan. De warmte van Paddy's adem streek over mijn mond. Hij ging me kussen... *Maar Damien...* Mijn lichaam reageerde op de vastberaden blik in Paddy's ogen. Bijna duizelig van zijn nabijheid sloot ik mijn ogen, toen kroop zijn tong in mijn mond en de mijne in zijn mond en we kusten elkaar... *Maar hoe zit het met Damien?...* Paddy's hand om mijn borst, zijn vingers die mijn tepel zochten, zijn lichaam hard en warm tegen het mijne... *Damien...* Mijn knieën knikten van verlangen... en toen zag ik in gedachten ineens het paarse, opgezwollen gezicht van Marnie.

Ik deed mijn ogen open en rukte mezelf los. 'Nee, Paddy, ik begin er niet aan.'

Het kwam uit het niets. Een klap met zijn vlakke hand, dwars over mijn gezicht, waarbij zijn ring mijn oogkas raakte. Door de kracht ervan belandde ik op de grond. Ik voelde iets nats onder mijn linkeroog en gedurende één vernederend moment dacht ik dat ik huilde. Het was een hele opluchting toen ik met mijn hand over mijn wang wreef en zag dat het bloed was.

'Je zult wel geen hechtingen nodig hebben,' zei hij, bijna verontschuldigend.

'Hoe weet je dat?' vroeg ik gesmoord. 'Doe je dit vaak dan?'

Het was sarcastisch bedoeld, maar uit de manier waarop hij naar me stond te kijken, alsof hij zich afvroeg hoeveel moeilijkheden ik zou kunnen veroorzaken, begreep ik dat hij dit inderdáád vaak deed. Marnie mocht dan de eerste zijn geweest, maar sindsdien waren anderen gevolgd. Ik staarde hem met grote ogen aan en wendde toen mijn blik af omdat het me veiliger leek hem niet aan te kijken.

'Als je dit ooit verder vertelt,' zei hij, 'dan vermoord ik je. Begrepen? Begrepen?' Nog iets luider.

Ik veegde het bloed van mijn gezicht en verbaasde me over de hoeveelheid en de helrode kleur ervan. 'Mij best.'

Hij knielde naast me neer. Ik dacht dat hij me overeind wilde helpen en maakte me op om hem weg te duwen. Met één hand pakte hij mijn sigaret uit de asbak en pakte met de andere mijn pols vast.

Onze blikken kruisten elkaar en na een kort, verstard moment van ongeloof begreep ik wat hij van plan was.

'Nee!' In paniek probeerde ik op mijn billen achteruit te schuiven.

'Ja.' Hij hield me vast, zette zijn knieën op mijn onderarm en drukte het brandende puntje van de sigaret midden in mijn handpalm.

Het was kort maar hevig, veel erger dan ik me ooit had kunnen voorstellen. Maar nog veel afgrijselijker was het feit dat ik voor eeuwig door hem gebrandmerkt was.

Ik kan me nauwelijks herinneren hoe ik zijn kantoor ben uitgelopen. Buiten op straat liep ik met lood in mijn schoenen door de drukke Kildare Street zonder het te beseffen regelrecht naar de rust en stilte van Stephen's Green waar ik op een bank ging zitten omdat ik tot niets anders in staat was.

Alles om me heen leek op een vertraagde film. Zelfs mijn gedachten stokten.

Ik heb een shock, besefte ik. Ik heb een shock.

Mijn gezicht bloedde nog steeds. Niet zo heftig als in het begin, maar een hardnekkig straaltje waarvoor ik steeds nieuwe tissues nodig had. Als ik er een tegen mijn wang drukte en er dan even later naar keek, zag ik dat het helemaal rood en nat was, zodat ik weer een nieuwe moest pakken.

Wat raar dat ik een pakje tissues in mijn tas had, dacht ik met het gevoel alsof ik ergens anders was. Ik ben helemaal geen mens om altijd een pakje zakdoekjes bij me te hebben. Maar toen ik in mijn tas keek of ze er misschien in zaten, waren ze present geweest, als... als... kleine steuntjes in de rug...

Mijn hand bonsde van pijn, een angstaanjagende, ietwat dreigende pijn die zo hevig was dat ik er bijna van moest overgeven.

En toen werd ik ineens witheet, ziedend van kwaadheid. Die klote Paddy de Courcy. Ik was misselijk, echt letterlijk misselijk, van wat hij me aangedaan had. Een ondraaglijke vernedering. Hij had me kennis laten maken met zijn grotere kracht en ik had er helemaal niets aan kunnen doen. Ik had het gewoon moeten nemen.

Maar nu was hij gezien. Zodra ik daartoe in staat was, zou ik een taxi aanhouden en me naar het dichtstbijzijnde politiebureau laten brengen – in Pearse Street – en dan liet ik hem oppakken voor geweldpleging. Hij zou er spijt van krijgen dat hij me zo had behandeld, bezwoer ik mezelf, bitter en vastbesloten. Hij zou er spijt van krijgen dat hij ooit gedacht had dat hij me de baas was. Ik was niet zomaar een stom wicht dat zo gek op hem was dat ze haar mond zou houden.

Ik ben je nooit vergeten, ik wist altijd voor welke krant je werkte en ik heb altijd al je artikelen gelezen. Al die onzin die hij had uitgekraamd toen we de eerste keer aan het boek werkten, al die stroop die hij me om de mond had gesmeerd en die me aan het duizelen had gebracht, hoewel ik me tegelijkertijd had afgevraagd of hij me alleen maar vertelde wat ik graag wilde horen... Nu wist ik het zeker. Maar in plaats van dat ik me gevleid voelde, vond ik het griezelig.

Waarschijnlijk had hij geen bal om me gegeven toen ik nog een tiener was, maar ik wist nu zeker dat die keer – inmiddels elf jaar geleden – dat ik niet met hem mee naar huis had gewild bij Paddy kwaad bloed had gezet. Paddy de Courcy zou wel niet zo vaak een blauwtje hebben gelopen. Het zat er dik in dat hij me vanaf dat moment had beschouwd als iets dat nog in het vat zat. Niet echt belangrijk maar iets dat toch een keer rechtgezet moest worden als de kans zich voordeed...

En toen had ik geen tissues meer over. Ik kon niet langer op die bank blijven zitten. Het was tijd om op te staan en naar Pearse Street te gaan.

Ik stond op. Maar toen ik in beweging kwam om mijn gedachten in daden om te zetten, drong er plotseling iets tot me door. Ik kon Paddy helemaal niet bij de politie aangeven. Alle dreigementen die ik in gedachten gebruikt had, waren pure grootspraak, want ik wist precies hoe het gesprek met de brigadier van dienst zou verlopen.

'*Waarom heeft meneer De Courcy u geslagen?*'

'*Omdat hij boos op me was.*'

'*En waarom was hij boos op u?*'

'*Omdat ik niet met hem naar bed wilde.*'

'*En had u meneer De Courcy reden gegeven om aan te nemen dat u wel met hem naar bed wilde?*'

'*Waarschijnlijk wel, ja.*'

Dat kon ik niet doen. Niet omdat ik vond dat Paddy gelijk had – verre van dat, verdomme – maar omdat het Damien ter ore zou komen. En dan zou ik Damien kwijtraken. Op hetzelfde moment wist ik dat ik voor het blok stond. Ik kon geen kant op. Ik moest mijn mond houden.

Ik ging weer zitten met het gevoel dat ik van hulpeloosheid, woede en frustratie zou ontploffen. Daarna legde ik mijn hand over mijn mond – de linker, die hij niet had aangeraakt – en begon te gillen. Ik bleef net zolang doorkrijsen tot de tranen me in de ogen sprongen, mijn hoofd weer helder werd en ik begreep wat me te doen stond.

Ik moest gewoon doen alsof er niets aan de hand was en weer aan het werk gaan.

Maar wat voor verklaring gaf ik dan voor mijn gezicht? Voor mijn hand?

Wat moet ik tegen iedereen zeggen?

Wat moet ik tegen Damien zeggen?

Ik probeerde een verhaal in elkaar te draaien. Uiteindelijk kwam het erop neer dat ik over een scheefliggende tegel was gestruikeld, waardoor ik op mijn gezicht was gevallen en met mijn hand terecht was gekomen op de sigaret die ik net had opgestoken. Pure kolder, maar daar zou ik het mee moeten doen.

Ik probeerde het verhaal uit op de moederlijke vrouw in de apotheek in Dawson Street.

'De toestand van de trottoirs is gewoon schandalig,' zei ze. 'Je hebt een lelijke klap gemaakt. Die wond in je gezicht kan maar beter gehecht worden. Ga maar even naar de spoedeisende hulp.'

Nee. Zo erg was het niet. Ik wilde niet dat het zo erg zou zijn.

'Kunt u er niet gewoon een pleister op doen?' vroeg ik. 'Een desinfecterend middel en een pleister? Alleen maar tegen het bloeden.'

'Je moet het zelf weten. Ik zei het alleen maar omdat ik het zonde zou vinden als zo'n mooie meid als jij er een litteken aan overhoudt.'

Haar vriendelijkheid zou me tot tranen toe hebben geroerd als ik daar gevoelig voor was geweest.

Ze depte mijn wang met een desinfecterend middel. 'Dappere meid,' zei ze. 'Volgens mij steekt dat behoorlijk.'

Dat was ook zo, maar ik wilde niets laten merken omdat – ja, ik weet wel hoe stom dat is – ik het gevoel had dat Paddy dan opnieuw een ronde had gewonnen.

'Je hebt een behoorlijk harde klap op je jukbeen gehad,' zei de vrouw. 'Dus dat zal binnen een dag of zo wel behoorlijk blauw worden. Reken daar maar op en zeg alle fotosessies af!'

Terug op de redactie liepen TC, Jacinta en de anderen niet direct over van medeleven – ze moesten gewoon veel te hard lachen – maar ze accepteerden het verhaal van de scheefliggende tegel meteen. Dus tegen de tijd dat ik 's avonds thuiskwam en Damien vertelde wat er was gebeurd, was er geen vuiltje meer aan de lucht en hij was ontzettend bezorgd. Hij kookte, ging een dvd halen, trok een fles wijn open en na een paar glaasjes werd ik duizelig van onverwachte blijdschap.

Tussen mij en Damien was alles in orde.

Mijn relatie met Damien was gered.

Ik was zo ontzettend stom geweest, zo besmet met De-Courcy-itis dat ik een idioot risico had genomen. Maar dat was nu voorbij en Damien en mij kon niets meer gebeuren.

Ik wilde niet denken aan wat Paddy me had aangedaan. Ik wilde mezelf niet eens de kans geven om weer boos te worden. Ik dankte alleen de hemel op mijn blote knieën dat ik Damien nog steeds had.

De wekker liep af en toen ik met een schok wakker werd, zat ik meteen weer midden in de afschuwelijke toestanden van de avond ervoor – de faliekante mislukking van onze confrontatie met Paddy, Marnies kille woede, de vragen van Damien...

Damiens kant van het bed was leeg. Hij had kennelijk de wekker opnieuw gezet en was al tijden geleden weggegaan.

Het leek een omen. Want in het kille daglicht was ik van één ding overtuigd: Damien zou te horen krijgen wat zich tussen mij en Paddy had afgespeeld. Marnie was zo boos geweest, dat het er dik in zat dat zij het hem zou vertellen. En anders zou De Courcy het wel doen. Hij zou me die toestand van gisteravond vast betaald willen zetten en de gemakkelijkste manier om dat te doen was een breuk te forceren tussen mij en de persoon van wie ik het meest hield. Dat zou ik niet kunnen voorkomen, dus er bleef me maar één ding over: ik moest het hem zelf vertellen. Het was een regelrechte nachtmerrie en dat kon ik alleen mezelf verwijten.

Gisteravond had Dee nog geprobeerd ons een hart onder de riem te steken. 'We moeten leren van onze fouten,' had ze gezegd.

Maar in dat soort onzin geloofde ik niet. Ik gaf er de voorkeur aan om gewoon geen fouten te maken. En als dat toch gebeurde, dan stopte ik ze liever in de doofpot en deed net alsof er helemaal niets gebeurd was.

Maar god, hoe had ik me toch zo in Leechy kunnen vergissen? Ik was ervan overtuigd geweest dat ze het litteken van een sigaret in haar hand zou hebben. Omdat zij de persoon was geweest die Christopher Holland had overgehaald om zijn verhaal over Dee te verkopen had ik per abuis gedacht dat zij gewoon een van Paddy's paladijnen was. Samen met Sheridan draafde ze maar rond om de hele wereld naar Paddy's hand te zetten. Ze waren geen haar beter dan John de chauffeur.

Maar misschien beschouwde Paddy Leechy wel als zijn gelijke, misschien waren ze samen wel op het idee gekomen. Misschien had Paddy de enige vrouw gevonden die hij niet af hoefde te rossen. Misschien hield hij echt van haar.

Ik kwam bijna een uur te laat op de redactie en vroeg me af welk excuus ik Jacinta zou moeten geven. Terwijl ik naar mijn bureau liep, was ze verwikkeld in een of andere woordenwisseling met TC.

Mooi zo. Misschien kon ik gewoon naar binnen glippen en net doen alsof ik er al die tijd al was geweest...

'Ik kan het niet,' zei TC met een hoge stem vol paniek.

'Je zult wel moeten,' zei Jacinta met een kille stem.

TC zag mij en zijn gezicht klaarde op. 'Grace!'

Daar ging mijn alibi.

Hij schoot op me af. 'Wil jij het doen, Grace? Alsjeblieft?'

'Wat?'

'Dat interview met Zara Kaletsky. Ik durf het niet. Ik hou te veel van haar.'

'Ik...' Jezus, werd alles dan alleen maar erger?

'TC, je hebt me gesmeekt of je het mocht doen,' zei Jacinta met een soort geamuseerde minachting. 'Dus maak nu maar dat je wegkomt.'

'Alsjeblieft Grace?' TC duwde me zijn mooie rode map toe. 'Ik neem al je werk waar. Ik blijf voor je overwerken. Ik laat me neuken door Damien. Ik doe alles wat je wilt.'

'Waar heb jij verdomme uitgehangen?' wilde Jacinta weten. Toen draaide ze zich weer om naar TC en blèrde: 'Waarom zou Grace dat doen?' Ze was in haar element omdat ze gelijktijdig tegen twee mensen kon schreeuwen en genoot daar waarschijnlijk volop van. 'In godsnaam, TC...' op een toon die droop van minachting, 'gedraag je als een vent.'

Het was dat zinnetje en dat onnodig kleinerende toontje waardoor ik van gedachten veranderde. Ze was een echte bullebak en op dat moment had ik mijn buik vol van dat type.

'Welk hotel?' vroeg ik aan TC. 'Waar doen ze de interviews?'

'In het Shelbourne.'

Daar hadden ze lekkere biscuitjes en ik had nog niet ontbeten. Ik kon wel wat suiker gebruiken.

'Ik ga wel.' Ik griste de rode map mee en beende naar de deur.

'Ik bepaal hier wie wat doet,' hoorde ik Jacinta nog schreeuwen, maar toen was ik allang weg.

Een ongezellige hotelgang, chagrijnige journalisten langs de muren, de gebruikelijke starre selectieprocedure, niets nieuws onder de zon. Ik viel neer op een plastic stoeltje. Niemand zei iets. Seconden kropen als uren voorbij. Wanhoop in de lucht in plaats van zuurstof. De wachtkamer van de hel zou hier wel eens veel van weg kunnen hebben, dacht ik.

TC had een stapel researchmateriaal bij elkaar gezocht waaruit een epos in de trant van *Oorlog en Vrede* gehaald zou kunnen worden, maar het leven van Zara Kaletsky was zo'n aaneenschakeling van clichés dat het bijna op een parodie begon te lijken. Ze was eerst model geweest en toen overgestapt op acteren. Een paar jaar geleden was ze naar L.A. verhuisd en volkomen uit beeld geraakt, tot ze een rol kreeg in een film van Spielberg en plotseling stond de hele Ierse pers te trappelen van verlangen om haar te interviewen.

Door alle ellende van de avond ervoor werd ik overstelpt door een gevoel van wanhoop, het hopeloze besef dat het leven op aarde een aaneenschakeling van misère was, dat het kwaad altijd over het goede zou zegevieren, dat degenen die de macht hadden daar nooit een greintje van af zouden staan en dat de kleintjes in de maatschappij nooit een overwinning zouden behalen. Het leek bijna immoreel om een vrouw te fêteren die een schandalige hoeveelheid geld incasseerde voor de frivole bezigheid van het net doen alsof je iemand anders was.

'Grace Gildee? De *Spokesman?*'

Ik stond op. Ik had pas twee uur en zeventien minuten zitten wachten. Dat moest een record zijn.

'Dertig minuten,' siste de deskundige dame met het klembord venijnig toen ik langs haar heen liep om het heilige der heiligen te betreden. 'Geen seconde langer.'

'Geweldig,' siste ik terug.

Zara had een huid van albast, een kort kopje glanzend haar en ogen die zo donker en diep waren, dat ze bijna zwart leken. Ze stond op en glimlachte. Een meter tachtig lang en zo slank als riet.

Ik gebaarde dat ze weer kon gaan zitten, 'je hoeft voor mij echt niet op te staan', sloeg mijn aantekenblok open en zette mijn cassetterecorder met een klap op tafel.

'Ik heb je naam niet verstaan,' zei ze.

'... O? Grace. Maar dat maakt niet uit, want we komen elkaar toch nooit meer tegen. En je hoeft mijn naam ook niet aan ieder zinnetje toe te voegen om aan te geven hoe oprecht je bent. Dat weet ik allang!'

Ze keek een beetje geschrokken.

'Hoeft er geen pr-meneer of -mevrouw bij te zitten om te controleren wat je allemaal zegt?' vroeg ik.

'... Nee. Ik vond... vind dat voor iedereen erg vervelend.'

'Geweldig.' Het betekende alleen maar dat ze niet boven aan de lijst van volslagen-maffe-idioten-met-een-fikse-dosis-perverse-neigingen stond. 'Oké, Zara, laten we onszelf een genoegen doen. Jij zult wel ziek zijn van al die interviews en ik ben zelf ook niet echt in de stemming. We doen het even in sneltreinvaart. Glutenallergie?'

'Hè?'

'Glutenallergie?' herhaalde ik iets luider. 'Ja of nee?'

'... Nee.'

'Echt niet? Lactose-intolerantie dan?' Ik krabbelde iets op mijn blok. 'Ook niet? Zeker weten? Volgens mij kun je dat maar beter even natrekken. Yoga? Heeft dat je leven gered?'

'In feite was het meditatie.'

'Komt op hetzelfde neer,' mompelde ik. Ik had geen van beide gedaan, maar waarom zou ik me daar druk over maken?

Ik liet mijn oog over TC's aantekeningen glijden. 'Middelste kind,' zei ik. 'Laat me eens raden. Ouders die meer geïnteresseerd waren in de anderen, bla bla, en je bent met zingen en dansen begonnen om hun aandacht te krijgen? Ja? Jááá, grote meid. Even kijken. Al een meter tachtig op je twaalfde, altijd het lelijke eendje, bla bla, ineens een zwaan en schoonheidskoningin. Miss Donegal bla bla. Anorexia?'

'... Eh...'

'Een aanval van anorexia? Als tiener? Ja?' Ik knikte samen met haar. 'Maar nu gaat het geweldig met je, eetlust van jewelste, je zit constant te snaaien, je hebt alleen een geweldige spijsvertering.'

Mijn ogen schoten over de bladzijde naar beneden. 'Jajaja, even kijken, Ierse soap. Groot succes. Mmmm, dus je had alles bereikt wat er in Ierland te bereiken viel? Ja? Jááá, mooi. Toen naar L.A. in de hoop dat je de bla bla top zou bereiken? Aanvankelijk moeizaam, maar daarna de mazzel dat Spielblah het een of het ander in je zag.'

Vertel me nou eens waarom dit soort mensen de moeite nam er nog een leven op na te houden? Als ze in geen enkel opzicht ooit origineel kunnen zijn? Als alles al drie keer uitgeserveerd is op de pagina's van *Hello*?

'Nee, wacht even, oei, daar keek ik bijna over heen. Je bent eerst naar Zuid-Afrika gegaan en toen pas naar L.A. Waarom naar Zuid-Afrika? Sinds wanneer hebben ze daar een filmindustrie?'

'Ik had behoefte aan verandering van omgeving,' zei ze op een gespannen toontje.

'Geweldig,' zei ik luchtig. 'Laat maar zitten, ik hoef het niet te weten. Wat het ook was, een faillissement of plastische chirurgie, je geheim is bij mij veilig. Waar kunnen we het verder nog over hebben? Mannen? Laat me eens raden. Er is niemand in het bijzonder, je hebt het op dit moment prima naar je zin, maar je hoopt dat je op de rijpe leeftijd van dertig zo ver bent dat je een gezinnetje kunt stichten. Jáaá?'

'Ik ben al drieëndertig.'

Echt waar? Dan zag ze er nog goed uit. Zou wel komen van al dat vergif dat ze in haar voorhoofd liet spuiten, dacht ik. 'Je wilt twee kinderen hebben, een meisje en een jongen. Je woont momenteel in L.A. maar Ierland zal altijd je thuishaven blijven? Ja? Jáaá. Prima! Dan hebben we alles wel zo'n beetje gehad.'

Ik stond op en stak mijn hand uit. 'Het was me een genoegen, mevrouw Kaletsky.'

Ze pakte mijn hand niet aan. Verwaande diva.

'Kom op,' probeerde ik haar over te halen. 'Sans rancune.' Ik stak opnieuw mijn hand uit.

Ze keek ernaar, maar weigerde hem aan te pakken, wachtend tot ik hem gegêneerd terug zou trekken.

'Dan niet,' zei ik. 'Het was me een waar...'

'Hoe kom je aan dat litteken?'

'... Welk litteken?'

Pas toen drong het tot me door dat ze helemaal niet weigerde om me de hand te schudden, maar dat iets anders haar aandacht had getrokken. Ze pakte mijn rechterhand met twee handen vast en boog mijn vingers open. 'Dat litteken,' zei ze.

We keken allebei naar het cirkeltje van glanzend roze huid midden in mijn handpalm. 'Ik... eh...'

We keken elkaar aan en gaven elkaar iets door. Informatie die volledig overkwam, zonder dat we zijn naam maar hoefden te noemen. Mijn vingers tintelden.

'Klik.' Met een lenig gebaar spreidde ze de vingers van haar rechterhand en toonde haar litteken alsof het een identiteitsbewijs was.

Ik kon geen woord uitbrengen. Ik was letterlijk met stomheid geslagen.

'Laat me eens raden.' Zara nam me van top tot teen op. 'Je hebt jezelf altijd min of meer als een rebel beschouwd. Ja? Redactrice van de schoolkrant. Een paar onbelangrijke demonstraties georganiseerd. Niets echt controversieels. Besloot om niet te gaan studeren maar je kennis op te doen aan de universiteit van het leven. Ja? Hebt op de nieuwsredactie gewerkt tot je erachter kwam dat je daar ziek van werd. Op een bepaald moment leerde je Paddy de Courcy kennen, dacht dat jij de vrouw was die hem kon veranderen, maar hield daar alleen een gezicht vol blauwe plekken en een verbrande hand aan over. Ja?'

Ik deed mijn mond open. Er tolden allerlei zinnetjes door mijn hoofd, maar er kwam nog steeds geen geluid over mijn lippen.

Ten slotte zei ik: 'Was hij de reden dat je uit Ierland wegging?'

'Ik had de fout gemaakt om naar de politie te gaan. Hij was zo boos dat ik dacht dat hij me zou vermoorden.'

Was ze naar de politie gegaan?

'En is hij toen ook... zeg maar... *aangeklaagd?*' Hoe had hij dat uit de krant weten te houden?

'Geen denken aan.' Ze sloeg haar ogen ten hemel. 'Er kwamen twee van die dikke idioten in hun gele jasjes opdagen en zodra die doorkregen dat het "alleen maar" om huiselijk geweld ging, zeiden ze dat we het maar gauw moesten afzoenen en gingen toen haastig weer de straat op om chips en hamburgers te kopen. Het enige wat ik nog kon doen, was een verzoek indienen voor een contactverbod en dat zou twaalf weken in beslag nemen. Maar toen was ik allang gevlogen.'

'Waarom Zuid-Afrika?'

'Ik kon zo gauw niets bedenken dat nog verder weg was.'

Waarom had ik niet aan Zara gedacht? Ik wist het niet. Misschien omdat ik ervan was uitgegaan dat Paddy zijn handen niet zou uitsteken naar mooie vrouwen naar wie wellicht geluisterd zou worden.

Een gevoel van opwinding welde in me op. Een idee begon zich te vormen...

'En jij en ik zijn niet de enigen,' zei Zara.

'Dat weet ik...'

'Selma Teeley hoort er ook bij.'

'De alpiniste?'

'Voormalig alpiniste. Hij heeft een botje in haar hand gebroken en dat is nooit helemaal genezen.'

'Wat? Echt waar?'

'Ze belde me toen ik voor het eerst met hem uit begon te gaan en probeerde me te waarschuwen. Maar tegen de tijd dat ik erachter kwam dat ze geen doorgedraaid ex-vriendinnetje was dat hem geen moment met rust wilde laten, had hij er al voor gezorgd dat ik van de pil af was, me zwanger gemaakt, me een abortus opgedrongen en me nog dezelfde dag verkracht.' Ze zweeg even en voegde eraan toe: 'Afgezien van de rest natuurlijk. Maar dat was wel het toppunt.'

'Christus,' hijgde ik.

'Ben jíj naar de politie gegaan?' vroeg Zara.

Beschaamd schudde ik mijn hoofd.

'Ach, ze zouden je toch nooit geloofd hebben.' Zara sloeg haar ogen ten hemel. 'Het is al erg genoeg als een vent je twee blauwe ogen slaat, maar als dat ook nog eens Paddy de Courcy is, de droom van elke huisvrouw, dan maak je geen schijn van kans. Ik weet ook niet waarom ik die moeite heb genomen. Wie zou mij nou geloven, als het om mijn woord tegen dat van Paddy de Courcy ging? Ik was maar een ex-model met een rolletje in een lullige soap.'

'Maar dat ben je nu niet meer,' zei ik. 'Je bent nu een echte Hollywood-ster.'

'God ja, nu je het zegt...'

'Je hebt nu macht, Zara. Meer macht dan hij heeft.'

'God ja, nu je het zegt...'

Marnie

Ze lag in bed in haar oude tienerkamer met op de draaitafel de plaat van Leonard Cohen waar ze ook altijd naar luisterde toen ze vijftien was. De originele vinylplaat. Sommige mensen zouden daar echt van gaan kwijlen. Vooral malle jongetjes in zwarte T-shirtjes.

Beneden was er iemand aan de voordeur. Haar slaapkamer lag er recht boven en ze kon precies horen wat er gebeurde.

'Grace!' riep ma's stem. 'Wat een leuke verrassing! En nog op een doordeweekse dag ook!'

Grace. Marnie had al verwacht dat ze zou komen om vrede te sluiten. In feite begon ze zich al af te vragen waar ze bleef.

'Waar is Marnie?' Graces stem klonk gespannen.

'Boven, in haar oude kamer. Ze draait weer die plaat van die vervelende Cohen. Die had ik in tweeën moeten breken toen ze het huis uitging.'

Een moment later werd er zacht op de deur geklopt en Grace riep: 'Mag ik binnenkomen, Marnie?'

Marnie overwoog even om nee te zeggen en Grace gewoon weg te sturen zonder met haar te praten. Maar haar verbeelding had haar de afgelopen nacht wakker gehouden en alles wat ze in gedachten voor zich had gezien was ronduit ondraaglijk geweest. Wat had zich precies afgespeeld tussen Grace en Paddy? Dat wilde ze absoluut weten. 'De deur is open,' zei ze.

Grace stapte naar binnen. Ze zag er een tikje beschaamd uit, maar tegelijkertijd maakte ze de indruk dat ze haar opwinding onderdrukte. 'Marnie, we moeten echt met elkaar praten. Ik heb je zoveel te vertellen. En uit te leggen. Maar ondertussen is er iets gebeurd dat niet kan wachten.'

'Dat kan me niets schelen,' zei Marnie. 'Wat er ook aan de hand is, het zal moeten wachten. Ik wil precies weten wat er tussen jou en Paddy is gebeurd. Nu. En,' voegde ze eraan toe terwijl ze haar best deed om zo vijandig mogelijk te klinken, 'je hoeft me geen gekuiste versie voor te schotelen om me niet te kwetsen.'

Grace kromp letterlijk in elkaar, maar herstelde zich meteen. 'Ben je nuchter? Want het heeft geen zin om met het hele verhaal aan te komen als je je er later toch niets van herinnert.'

'Ik. Ben. Nuchter,' beet Marnie haar met kille waardigheid toe.

Ze keek Grace strak aan en hoopte dat haar bittere gevoelens op haar gezicht te lezen stonden. Grace retourneerde haar blik. Ze bleven elkaar een paar seconden lang aanstaren, toen sloeg Grace haar ogen neer.

'Hoe komt het dat je niet gedronken hebt?' vroeg ze.

Eerlijk gezegd had Marnie geen flauw idee waarom ze niet dronken was. De laatdunkendheid die haar de avond ervoor ten deel was gevallen, de vernedering, de zelfminachting, het gevoel dat ze een idioot was en dat ze dat altijd was geweest... dat waren nou juist de gevoelens die ze normaal gesproken probeerde te verdringen met behulp van alcohol. En als je daar dan nog boosheid bij optelde – boosheid op Grace en Paddy – dan was er toch reden te over geweest om ladderzat te worden. In plaats daarvan had ze in de keuken met ma zitten kletsen, chocolademelk gedronken, koekjes met maanzaad gegeten en geklaagd dat de zaadjes tussen haar tanden bleven zitten.

'Misschien ben ik gisteravond eindelijk volwassen geworden,' zei Marnie bits. 'Omdat ik mijn jeugdige idealen omtrent bepaalde mensen in rook zag opgaan...' *Of omdat ik echt geen trek had in die gore wijn van pa.* 'Goed, Grace. Vertel me nu maar alles over jou en Paddy. En denk erom, ik merk het meteen als je begint te liegen.'

Dat was een van Marnies twijfelachtige 'gaven': ze wist altijd precies wanneer mensen probeerden haar te ontzien.

'Oké.' Grace viel op het bed neer en gooide het hele verhaal eruit, vanaf het moment dat ze Paddy had leren kennen. Af en toe was ze even stil, om vervolgens met grote zorg haar woorden te kiezen, waardoor Marnie zich meteen ging afvragen of ze de pijnlijkste dingen afzwakte. Maar toen het hele verhaal er ten slotte uit was, wist Marnie instinctief dat ze niets had weggelaten.

Grace was bleek van ellende. 'Ik schaam me echt ontzettend, Marnie, en dat is nog maar zwak uitgedrukt. Terwijl ik eigenlijk vanaf het begin alleen maar jou in bescherming wilde nemen...'

'Hou op, Grace. Voorlopig is het wel genoeg.' Het was nog niet uit de wereld, maar Marnie kon er even niet meer tegen.

'Mag ik je dan nu vertellen wat er is gebeurd?' vroeg Grace.

Marnie knikte met gesloten ogen.

'Er zijn nog twee andere vrouwen die een relatie met Paddy hebben gehad... en misschien zelfs nog meer. We gaan vanavond weer terug.'

'Naar Paddy?'

'Ja. Ga je ook mee?'

Zou ze dat doen?

Waarom zou ze Grace helpen? Waarom zou ze teruggaan naar de plek waar ze zo was vernederd? Maar ineens drong tot Marnie door dat ze die kans eigenlijk met twee handen wilde aangrijpen. Waarom? Nou, omdat alles gisteravond veel te hectisch was geweest. Nu konden ze het nog een keertje overdoen, en beter.

'We leggen allemaal een beëdigde verklaring af,' zei Grace. 'Daarin vertellen we onder ede wat hij ons heeft aangedaan. Dee heeft voor een advocaat gezorgd. Doe je mee?'

Marnie knikte.

'Dan ga ik alles regelen. Zal ik je vertellen hoe we het vanavond gaan aanpakken?'

'Nee.' Ze wilde dat Grace weg zou gaan. Ze was doodmoe.

Toen Grace was vertrokken, kwam ma de kamer in en ging op Marnies bed zitten. 'Kun je die treurmars niet eens afzetten?' vroeg ze vriendelijk. 'Die vent zou zelfs Pipo de Clown nog zelfmoordneigingen bezorgen.'

'Oké.' Marnie draaide Leonard Cohen midden in een woord de nek om.

'Dat is een stuk beter,' zei ma. 'En zou je me nu eens willen vertellen wat er precies aan de hand is?'

Maar Marnie had geen idee hoe ze de ingewikkelde toestand onder woorden moest brengen. Hulpeloos zei ze: 'Paddy de Courcy...'

'Wat is er met hem?'

'Het gaat om... ik... Grace... Het is ontzettend ingewikkeld.'

'Hij was je vriendje toen je nog een tiener was. Lang geleden. Inmiddels ben je getrouwd en heb je twee kinderen.'

'Ja maar...'

'"Als iemand alleen maar reuzen ziet, wil dat zeggen dat hij de wereld nog steeds door de ogen van een kind bekijkt",' zei ma. 'Anaïs Nin.'

Marnie knikte.

'"Omstandigheden veranderen niet",' zei ma. '"Wij veranderen". Thoreau.'

'Daar zit wat in.'

'"Als je niet bij je eerste poging slaagt, haal je een gemiddeld niveau",' zei ma. 'MH Alderson.'

Marnie wendde haar ogen af.

'"Zorg dat je geen visgraat krijgt op de plek waar je ruggengraat hoort te zitten",' zei ma. 'Clementine Paddleford.'

Marnie keek naar haar schoot.

'"Als het leven ons citroenen voorschotelt..."'

'Dank je, ma, zo is het wel genoeg!' zei Marnie.

Het leek op een herhaling van de avond ervoor, alleen waren er dit keer twee auto's. Marnie zat samen met Zara en Selma in de ene te wachten en Grace met Dee en Lola in de andere.

Het was tien voor elf en Paddy en Alicia werden ieder moment thuis verwacht.

Selma keek van Marnie naar Zara en schoot in de lach. 'Paddy valt niet echt op een bepaald type, hè?'

Dat was waar. Marnie kon haar ogen niet van de andere twee afhouden. Zara had een adembenemend mooi gezichtje en ze was zo dun dat het leek alsof ze tot twee keer de lengte van een normaal mens was uitgerekt. Selma daarentegen was lenig en knokig, met krullend blond haar en het kleine, pezige lichaam van een sportvrouw. Haar kuiten waren veel te gespierd voor de dunne hoge hakken die ze droeg. Marnie vond dat ze wel iets weghad van een dressoir.

Zelfs qua karakter leken ze niet op elkaar: Zara was loom en sarcastisch, terwijl Selma zelfbewust was en een grote mond had.

Terwijl ze op Paddy en Alicia zaten te wachten wisselden ze ervaringen uit.

Zara was tweeëneenhalf jaar lang zijn vriendin geweest. Selma had zelfs vijf jaar lang een relatie met hem gehad en daarvan had ze er drie met hem samengewoond. Hij had Zara zwanger gemaakt en vervolgens verkracht. En nadat hij een botje in Selma's hand had gebroken moest ze haar sportcarrière opgeven omdat het nooit helemaal genezen was.

'Wat afschuwelijk, Selma,' zei Marnie ademloos. 'Waarom ben je niet naar de politie gegaan?' De woorden ontglipten haar voordat ze er echt over had na kunnen denken.

Selma keek haar strak aan. 'Waarom ben jij niet naar de politie gegaan?'

'... Sorry... ik...' Het was een belachelijke vraag, als je naging wat Marnie zelf met Paddy had meegemaakt. Maar als je hoorde dat iemand door iemand anders zo mishandeld was, dan dacht je toch automatisch meteen aan de politie.

'Omdat je van hem hield, hè?' drong Selma aan. 'Omdat je hem geen moeilijkheden wilde bezorgen?'

'Het spijt me, Selma. Ik dacht er gewoon niet bij na...' Jezus, ze joeg haar de stuipen op het lijf.

'Nou, ik hield ook van hem,' zei Selma. 'Dat dacht ik tenminste, maar daar kunnen we nu beter niet op ingaan. Het lijkt me duidelijk dat ik niet goed wijs was. En trouwens, ik heb er wel degelijk de smerissen bij gehaald. Tot vier keer toe.'

'Mijn god!' zei Zara. 'Dan sta ik ervan te kijken dat je nog steeds in leven bent. Hoe is hij er in geslaagd om niet aangeklaagd te worden?'

'Ach, je weet toch hoe hij is,' zei Selma minachtend. 'Hij wist me telkens weer zover te krijgen dat ik er geen werk van maakte, hij bezwoer me bij zijn moeder zaliger dat hij me nooit meer met een vinger aan zou raken en zei dat het aan zijn veeleisende baan lag. Het gebruikelijke geleuter. En ik zei de gek trapte er iedere keer weer in. Ik bleef denken dat alles anders zou worden. Met een soort bodemloze hoop.' Ze lachte kort. 'Maar toen was er ineens geen hoop meer. Toen hij mij de bons gaf, had ik natuurlijk wel naar de politie kunnen gaan, want niets hield me tegen, maar... nou ja, ik was mezelf niet meer, laten we het daar maar op houden.'

'Beroofd van al je zelfvertrouwen?' vroeg Zara vol medeleven. Marnie luisterde verbijsterd toe.

'Ik was verdomme een wrák!' zei Selma. 'Het duurde een jaar voordat ik weer doperwtjes kon eten.'

'Dóperwtjes?' zei Marnie. 'Hoezo?'

'Mijn handen trilden zo dat ze niet op de vork bleven liggen.'

'Hoe komt het dat er nooit iets over hem in de krant heeft gestaan?' wilde Marnie weten.

'Tot iemand echt een aanklacht indient, valt er niets te melden.'

'Maar hoe zit het dan met "de politie heeft een inval gedaan in het huis van Paddy de Courcy nadat er ongeregeldheden gemeld waren" en dat soort dingen?'

Zara en Selma trokken allebei hun wenkbrauwen op en keken Marnie een tikje bezorgd aan.

'Ongefundeerde roddels?' zei Zara.

'Ben je mal?' viel Selma haar in de rede. 'Hij zou ze met zo'n noodgang voor de rechter slepen dat ze van voren niet wisten dat ze van achteren leefden.'

'En de pers eet uit zijn hand,' zei Zara. 'Hij kan geweldig goed opschieten met redacteuren en journalisten. Ze zijn dol op hem.'

'Hè ja,' voegde Selma eraan toe.

'Ik woon in Londen!' Marnie had het gevoel dat ze zichzelf moest verdedigen. 'Hoe moet ik dat weten?' Ineens hield ze haar adem in. 'O god, daar komt hij aan.'

Ze zakten alle drie onderuit, hoewel ze veel te ver van zijn flat af stonden om gezien te worden. Maar Selma kon de verleiding niet weerstaan om even een blik op hem te werpen. 'Moet je hem zien, de klootzak,' zei ze ademloos. Haar ogen glinsterden.

Ze hadden besloten om dit keer maar drie minuten te wachten. Dee had geconcludeerd dat de elf minuten van de avond ervoor veel te lang waren geweest. 'Ga maar meteen naar binnen en pak hem aan,' had ze aanbevolen. 'Bij voorkeur voordat hij tijd heeft gehad om te gaan piesen. Zorg dat hij zich niet op zijn gemak voelt.'

Toen ze uit de auto's waren gestapt en de twee groepjes van drie zich bij elkaar hadden gevoegd, vroeg Selma aan Grace: 'Zal hij je na dat gedonder van gisteravond nog wel binnenlaten?'

'Ja hoor.' Grace zuchtte. 'Hij is helemaal niet bang voor ons.'

Dee zorgde dat ze bij de hoofdingang naar binnen konden en wenste ze succes voordat ze de trap opliepen. 'In gedachten ben ik bij jullie.'

Grace liep voorop, gevolgd door Lola, Selma en Zara, terwijl Marnie helemaal achteraan liep. Haar benen trilden van de zenuwen toen ze de gang door liepen en samen voor Paddy's deur bleven staan.

'Klop maar aan,' zei Selma tegen Grace. 'Probeer hem voor te zijn.'

Maar het was al te laat. Paddy deed met een zwaai de voordeur open en toen hij het hele stel zag staan, barstte hij in lachen uit. En van harte gemeend, dacht Marnie. Niet dat gemaakte lachen dat sommige mensen gebruikten om niet te laten merken hoe onbehaaglijk ze zich voelden.

We zijn te laat, besefte ze. Hij heeft al gepiest.

'Wat is dit nu weer in godsnaam!' riep hij uit.

'Mogen we binnenkomen?' vroeg Grace.

Hij sloeg zijn ogen ten hemel. 'Niet te lang. En ik wil niet dat jullie hier een gewoonte van maken.'

'Dit is zeker de laatste keer,' zei Grace.

Terwijl ze achter elkaar naar binnen liepen, was hij gul met complimentjes. 'Lola, weer even mooi als altijd! Selma, wat zie je er goed uit.'

Pas toen hij Zara aankeek, zag Marnie dat hij iets van zijn zelf-vertrouwen verloor.

'... De muze van Spielberg! Wat een eer! En Marnie natuurlijk.'

In de zitkamer, dezelfde plek als de avond ervoor, gingen ze alle-maal zitten, behalve Grace en Paddy. Marnie was om de een of an-dere reden weer in dezelfde stoel terechtgekomen en dat leek haar een slecht voorteken. Ze keek toe hoe Grace Paddy een dikke witte envelop toestak, terwijl hij net deed alsof hij niets zag.

'Moet ik Alicia even roepen?' vroeg hij beleefd aan Grace. 'En krijgen we dan weer een herhaling van die vreemde vertoning van gisteravond, waarbij je haar mouwen opstroopte?'

Grace werd rood en schudde kortaf haar hoofd. 'We hebben Alicia niet nodig.'

Opnieuw stak ze hem de envelop toe en dit keer nam hij hem aan, tot grote opluchting van Marnie. 'Een cadeautje voor je,' zei Grace. 'Kopieën van de beëdigde verklaringen die we alle vijf hebben afge-legd en waarin tot in detail wordt beschreven wat je ons precies hebt aangedaan. De originelen liggen in een kluis.'

Paddy ging zitten, trok de envelop open en wierp een korte blik op alle velletjes voordat hij ze achteloos opzij gooide, alsof ze niets te betekenen hadden.

'Een enkele vrouw die met beschuldigingen komt,' zei Grace die nog steeds midden in de kamer stond, 'kan afgedaan worden met de mededeling dat ze niet goed wijs is. Voor twee geldt hetzelfde. Maar met drie wordt het al een stuk moeilijker. En bij vijf stuks begint het er lelijk voor je uit te zien. Vooral als een daarvan de Hollywood-ster is die momenteel het hardst aan de weg timmert.'

Paddy lachte.

'Het is maar een kwestie van tijd tot we meer van je ex-vriendin-nen opgetrommeld hebben,' zei Grace.

Paddy zat nog steeds geamuseerd te grijnzen. 'Je bent echt een gil-ler, Grace Gildee. De dingen die jij je in je hoofd haalt!'

Daarna keek hij Zara aan en zei: 'Zara Kaletsky! Nou, ik moet zeggen dat het een hele eer is dat ik jou in mijn nederige flat mag ont-vangen. Vertel me eens iets meer over Los Angeles. Klopt het echt dat daar nooit gegeten wordt?'

'Ik ben niet hier om gezellig met jou over L.A. te kletsen,' zei Zara kil.

'Want als daar echt niet gegeten wordt dan is het de ideale omgeving voor jou,' zei Paddy met een knipoogje. 'Vanwege die... eh... oude problemen van je.'

Marnie kon zich vaag herinneren dat ze ergens had gelezen dat Zara als tiener anorexia had gehad. God, Paddy pakte iedereen meteen op haar zwakke plek aan. Dit zou weer net zo aflopen als gisteravond. Hij haalde hen stuk voor stuk onderuit en daar zouden ze niet tegen kunnen.

'En Selma.' Hij schonk haar zijn allercharmantste glimlach. 'Hoe gaat het met je sportadviesbureau? O, wacht, ik was even vergeten dat het over de kop is gegaan. Dat zal een behoorlijke tegenvaller zijn geweest. Als er geen geld binnenkomt, kan het leven knap moeilijk worden. Maar goed...' Hij keek met een brede glimlach de kamer rond. 'Het was reuze gezellig om weer even met jullie te kletsen, meiden, maar ik heb een lange dag achter de rug, dus als jullie me nu willen excuseren...'

'Die beëdigde verklaringen, Paddy,' zei Grace. 'We menen het echt.'

Hij rekte zich uit en gaapte luidruchtig. 'Wat menen jullie echt?'

'Dat we daarmee naar de pers gaan.'

'O ja?'

'Tenzij...'

'Tenzij wat?'

'Tenzij...' Grace haalde even diep adem en het werd doodstil in de kamer. Marnie zag dat zelfs Paddy, die zijn uiterste best deed om net te doen alsof alles hem volslagen koud leek, toch luisterde.

'Tenzij je uit NewIreland stapt.' Grace telde de voorwaarden op haar vingers af. 'Dat je aankondigt dat je je uit het Ierse politieke leven terugtrekt. Dat je voor ten minste vijf jaar een baan als docent aan een Amerikaanse universiteit aanneemt...' Nog voordat ze de hele lijst had afgewerkt brulde Paddy al van het lachen.

'Dat je degenen die hier aanwezig zijn stuk voor stuk je verontschuldigingen aanbiedt. Dat je het verhaal over de Moldavische vrouwen terugneemt. Dat je een eind maakt aan die lastercampagne tegen Dee.'

Grace hield haar mond.

'Was dat alles?' vroeg Paddy met een brede glimlach.

'Ja.' Marnie hoorde dat de stem van Grace nauwelijks merkbaar trilde. Misschien viel het de anderen niet op, maar zij kende haar zo goed...

'Je vraagt niet veel, hè?' vroeg hij sarcastisch.

'Aan jou de keus,' zei Grace. 'Of je gaat ermee akkoord, of wij gaan allemaal met ons verhaal naar de media en dan ben je toch gezien.'

'Het is mijn woord tegen dat van jullie,' zei hij.

'Wij zijn met ons vijven. Op zijn mínst. Dus zeg het maar.'

Paddy leunde achterover in zijn stoel en terwijl iedereen gespannen naar hem zat te kijken deed hij zijn ogen dicht.

Marnie hield haar adem in.

Uiteindelijk ging Paddy rechtop zitten, deed zijn ogen open en keek hen een voor een recht aan.

Marnie voelde de spanning stijgen.

Daarna haalde Paddy diep adem en zei: 'Nee.'

Nee? Marnie zette haar nagels in haar handpalmen. Dit draaide weer op een ramp uit, net als gisteravond.

'Me terugtrekken?' vroeg Paddy minachtend. 'De politiek opgeven? Om het land uit te gaan en in het buitenland aan een universiteit een docentenbaan aan te nemen? Zijn jullie verdomme helemaal gek geworden? Geen denken aan.'

'Ben je dan helemaal niet bereid om met ons te onderhandelen?' vroeg Grace.

Nu kon je goed horen dat haar stem trilde. Marnie besefte dat het iedereen op zou vallen, Paddy incluis. Marnie hoopte dat ze op zou houden.

Paddy lachte. 'Nee.'

'Ben je zelfs niet bereid om dat verhaal over die Moldavische vrouwen in te trekken? Als jij dat verhaal tegenhoudt, zullen wij onze pogingen staken. Dat is toch een redelijk aanbod?'

'O, mij best! Vooruit dan maar!' Paddy grijnsde nog steeds toen hij vervolgde: 'Ik weet niet waarom je denkt dat ik zoveel invloed heb bij de Ierse media. Ik ben immers maar een gewone TD. Maar ik kan wel bij bepaalde journalisten een goed woordje doen om te vragen of ze bij wijze van gunst voor mij dat verhaal terug willen trekken. En,' voegde hij er grinnikend aan toe, 'zonder vooroordelen ben ik ook nog wel bereid om jullie mijn excuses aan te bieden.' *Alsof je daar iets mee opschiet,* had hij er net zo goed bij kunnen zeggen. 'Maar daar blijft het bij. Meer krijgen jullie niet.'

'Dus je laat Dee met rust en biedt ons stuk voor stuk je verontschuldigingen aan?' vroeg Grace uitdrukkingsloos. 'Dat is alles?'

'Dat is alles. Je kunt het aanbod nu aannemen of ik trek het weer in.'

'Neem het aan, Grace,' drong Selma op zachte toon aan.

'Niet doen,' zei Zara.

'De klok tikt door,' zei Paddy.

'Neem het aan, Grace!' zei Selma.

'Nee!' zei Zara. 'Er zit meer in voor ons.'

'Maar hij zegt dat hij niet meer wil toegeven,' protesteerde Grace.

'We krijgen er toch niet meer uit,' zei Selma.

'Wel waar!' Zara was duidelijk woedend. 'Wacht maar af. Wij hebben het hier voor het zeggen.'

Marnie zag dat Paddy met volle teugen genoot van de woordenwisseling.

'Jullie tijd is bijna om, meiden,' zei hij.

'Wat denk jij ervan, Lola?' vroeg Selma.

'Hij moet er meer voor doen,' zei Lola. 'Op z'n minst aftreden.'

'Marnie?' vroeg Selma.

Marnie was verbaasd dat het haar ook gevraagd werd. 'Neem het aan.' Het idee van een verontschuldiging beviel haar wel.

'Drie...' zei Paddy, 'twee...'

'Neem het nou aan!'

'Nee!' Zara deed nog een laatste poging om het tij te keren. 'Probeer er meer uit te slepen!'

'Een!'

Met een diepe zucht zei Grace: 'De meeste stemmen tellen.' Ze keek Paddy aan. 'Oké, Paddy, we nemen het aan.'

'Heel verstandig van jullie.'

Marnie vroeg zich gefascineerd af waarom hij dit zo grappig vond. Hij scheen er echt van te genieten. 'En zorg ervoor dat ik de originele exemplaren van die beëdigde verklaringen krijg. Laat ze morgen maar langsbrengen.'

'Oké,' zei Grace die een bedeesde indruk maakte.

Als Marnie niet zeker had geweten dat Grace nooit huilde, zou ze helemaal niet verbaasd zijn geweest als er een traantje over haar wangen had gebiggeld.

'Nou, begin dan maar,' zei Grace zuchtend tegen Paddy.

'Waarmee?'

'Met verontschuldigen.'

'Wat? Wanneer?'

'Nu.'

'Bedoel je... meteen?'

'Wanneer had jij dan gedacht?'

'Nou ja...' Hij ging verzitten.

'We zijn nu toch allemaal hier,' zei Grace. 'Weet jij een beter moment?'

Paddy schoof naar achteren in zijn stoel. Marnie keek geboeid toe en besefte dat hij er helemaal geen zin in had. 'Het hoeft toch nu niet,' zei hij.

'Ja, dat lijkt me toch het beste,' zei Grace. 'Het kan wel een hele tijd duren voordat we weer allemaal bij elkaar zijn. Schiet op. Begin maar met Lola.'

Paddy keek Lola aan. Hij leek niet te weten wat hij moest zeggen. '... Lola... ik...'

Hij voelt zich helemaal niet op zijn gemak, dacht Marnie.

'Ik verontschuldig me...' zei Grace hem voor.

'... ik verontschuldig me omdat ik je pijn heb gedaan.'

'En omdat je hebt gezegd dat mijn haar paars was,' zei Lola met haar zachte stemmetje. 'Het is Molichino.'

'Molichino,' zei hij haar na.

Vervolgens was Zara aan de beurt. 'Zara, het spijt me dat ik je pijn heb gedaan.'

Zara grijnsde spottend en Paddy richtte zich tot Selma. 'Het spijt me dat ik je pijn heb gedaan. Marnie het spijt me dat ik je pijn heb gedaan.'

Het ging veel te snel. Marnie had verwacht dat hij iets speciaals tegen haar zou zeggen, maar hij richtte zich al tot Grace.

'Grace, het spijt me dat ik je pijn heb gedaan.'

Toen die laatste verontschuldiging eruit was, haalde Paddy zichtbaar opgelucht adem, maar een onderdeel van een seconde later barstte iedereen in lachen uit. Met uitzondering van Marnie lagen ze allemaal dubbel.

Ze vroeg zich af wat er aan de hand was.

'Waar lachen jullie om?' vroeg Paddy een beetje verward.

'Om jou,' zei Zara. 'We lachen je uit.'

'Waarom?' Paddy keek haar argwanend fronsend aan.

'"Het spijt me dat ik je pijn heb gedaan!"' imiteerde Selma hem. 'Hoe denk je dat een gebroken pols aanvoelt?'

'Of een gescheurde milt?' wilde Zara weten.

'Of een schouder uit de kom?'

'Dacht je nou echt dat we verwachtten dat je je terug zou trekken en naar Amerika zou gaan?' zei Grace opgewekt.

'Maar waarom zei je dat dan?' vroeg Paddy.

Ineens begreep Marnie het.

En gezien de plotseling starre uitdrukking op zijn gezicht gold dat ook voor Paddy.

'Het is een eeuwenoud trucje als je ergens over onderhandelt,' zei Grace. 'Gewoon veel meer vragen dan je werkelijk wilt. En jij bent erin getrapt, omdat je dacht dat we alleen maar een stel stomme wijven waren. Het enige wat wij wilden, was jouw toezegging dat je zou ophouden met dat moddergooien naar Dee.'

'Vond je niet dat we het aardig deden?' vroeg Selma jolig. '"Neem het nou aan, Grace!" "Nee, Grace, niet aannemen!"'

Marnie besefte dat ze alles hadden gerepeteerd. Tot en met dat trillen van Graces stem. Ze herinnerde zich ineens dat Grace haar eerder die dag had gevraagd of ze ook mee wilde doen, maar toen was ze nog veel te boos geweest.

'Maar die verontschuldigingen dan?' vroeg Paddy zwak.

'Dat was alleen maar voor de lol.'

'Alsof jouw excuses ook maar enigszins gemeend waren!' zei Zara met dodelijke spot. 'Alsof wij jou ooit zouden vergeven!'

'We wisten dat je dat helemaal niet leuk zou vinden,' zei Grace. 'Per slot van rekening wil je je als machtsbeluste gek nooit ergens voor verontschuldigen.'

Paddy kwam met gebalde vuisten overeind.

'Oeoeoehhh!' riepen ze alle vijf uit alsof ze doodsbang waren. Het leek wel gerepeteerd.

'Voorzichtig, Paddy,' zei Grace. 'Je kent je eigen kracht niet. Straks doe je nog iemand pijn!'

'Hou hem uit de buurt van brandende sigaretten!' zei Lola en opnieuw barstten ze allemaal in lachen uit.

Paddy zakte langzaam terug in zijn stoel en zijn ogen gleden van de ene vrouw naar de andere, terwijl ze hem allemaal zaten uit te lachen. Marnie wist dat hij dit niet verwacht had. Ze vond zelfs dat hij een angstige indruk maakte.

'We hebben alleen om verontschuldigingen gevraagd om je te vernederen!'

'En kijk nou eens naar je,' zei Grace terwijl er opnieuw een orkaan van gelach opsteeg. 'Je sterft duizend doden!'

Opgewonden holden ze huppelend naar beneden waar Dee op hen stond te wachten.

'Het was een groot succes!' zei Grace tegen haar.

Ze praatten allemaal door elkaar, met uitzondering van Marnie.

'... en Grace deed net alsof ze heel zenuwachtig werd...'

'... en toen zei Selma "neem het nou maar aan" en Zara zei "nee niet doen!"...'

'... en Paddy zat daar maar te grijnzen met het idee dat we het in onze broek deden...'

'... en Paddy voelde zich zo vernederd...'

'Allemaal mee naar mijn huis om het te vieren!' zei Dee. 'Grace, bel die vent van je op, hij verdient het om er ook bij te zijn. Als hij er niet was geweest, was dit nooit gebeurd.'

Grace wierp een verschrikte blik op Marnie en zei: 'Ach nee, Dee, het is al zo laat, misschien ligt hij wel in bed...'

'Nou, bel hem er dan maar uit,' beval Dee. 'We moeten dit vieren!'

'Nee, laat nou maar...'

Ineens begreep Marnie wat er aan de hand was. Grace was bang dat ze Damien alles over Paddy zou vertellen.

'Bel hem maar,' zei ze rustig. 'Ik hou mijn mond.'

Ze had al zoveel ellende veroorzaakt, met name voor Daisy en Verity. Er was al te veel verdriet op de wereld, daar wilde ze niets aan toevoegen. Maar toch was ze nog steeds boos op Grace. Ze had het haar niet vergeven. *Misschien vergeef ik het haar nooit.* Het was een verrassende gedachte. Interessant.

Maar ondanks Marnies geruststelling beweerde Grace dat ze Damien niet te pakken kreeg. 'Geen gehoor,' zei ze terwijl ze haar telefoon dichtklapte.

'Probeer het dan bij jullie thuis,' beval Dee.

'Heb ik al gedaan.'

'En zijn mobiel?'

'Heb ik ook gedaan.'

'En op zijn werk?'

'Ook.'

'Spreek dan een boodschap voor hem in, zodat hij weet wat er aan de hand is,' zei Dee. 'Oké, laten we dan maar gaan.'

Marnie stapte bij Selma in de auto, maar vroeg of ze haar bij een taxistandplaats wilde afzetten.

'Ga je dan niet mee naar Dee om het te vieren?' Selma en Zara leken daar helemaal ondersteboven van.

Marnie schudde haar hoofd. Ze wilde alleen nog maar weg. Het liefst was ze meteen teruggevlogen naar Londen, maar de laatste vlucht was al vertrokken.

'Als je het zeker weet...' zei Selma.

'Heel zeker.' Marnie sprong uit de auto en pakte een taxi terug naar het huis van ma en pa.

Langzaam maar zeker drong de volle betekenis van wat zich die avond had afgespeeld tot haar door. Ze kon er niet omheen, de waarheid was onverbiddelijk: ze betekende helemaal níéts voor Paddy. Ze was alleen maar een vriendinnetje uit zijn tienertijd dat hij

volslagen was vergeten. Er waren veel te veel vrouwen na haar geweest, met inbegrip van haar eigen zus. Vrouwen bij wie zij in het
niet viel, die veel langer verkering met Paddy hadden gehad, die met
hem hadden samengewoond...

Marnies wangen brandden toen ze moest erkennen dat ze eigenlijk had gehoopt dat hij zich zou gedragen alsof zij tweetjes een speciale band hadden die de tand des tijds had doorstaan en dat hun
liefde weliswaar in vlammen op was gegaan, maar dat ze nog steeds
een plaatsje in elkaars hart hadden terwijl ze elk hun eigen weg gingen.

Maar er was helemaal geen sprake geweest van een grootse passie. In werkelijkheid was zij gewoon een neurotische, onzekere sukkel geweest en daar had hij gewoon een tijdje aan meegedaan tot hij
van gedachten veranderde en besloot dat hij eigenlijk veel liever normaal wilde zijn.

Ze voelde zich vernederd en boos, maar op wie was ze boos? Op
Grace? Op Paddy? Op zichzelf?

Ze wist het niet. Het enige wat ze wist, was dat ze de volgende
ochtend terugging naar Londen en dat ze niet alleen zou zijn.

Daar wachtte de alcohol op haar.

En die zou haar nooit in de steek laten.

Grace

Door de rinkelende telefoon schrok ik wakker uit een diepe slaap en mijn hart stond stil door de schok van het lawaai. Ik had de halve nacht doorgefeest met Dee, Selma en Zara en het was al vijf uur geweest toen ik met veel lawaai naar binnen stommelde en Damien had wakker gemaakt. 'Waar zat je nou?' zei ik terwijl ik hem vastpakte. 'Ik heb je constant gebeld om te vragen of je ook mee kwam feesten.'

'Ik was op reportage,' zei hij. 'En ik moet over twee uur opstaan.'

'Maar ik wil je vertellen hoe we Paddy uitgelachen hebben.'

'Vertel me dat maar een andere keer.'

Inmiddels was het volgens de wekker tien over negen en ik lag alleen in bed. Damien was kennelijk naar zijn werk gegaan.

Ik pakte de telefoon om een eind te maken aan dat afschuwelijke nerveuze gejengel. Mijn zenuwen konden er niet meer tegen. De adrenaline van de gebeurtenissen van gisteravond en de alcohol waren uitgewerkt en ik viel weer ten prooi aan die allesoverstelpende angst dat Damien alles over Paddy te weten zou komen.

Aarzelend zei ik: 'Hallo.'

Het was Marnie. 'Ik ben op het vliegveld van Dublin en sta op het punt om in te stappen.'

Zo vroeg al?

'Ik meende wat ik gisteravond heb gezegd. Ik zal Damien niets vertellen over jou en Paddy.'

'... Dank je.' Ik had dolblij moeten zijn, maar haar stem klonk onthutsend vijandig.

'En je hoeft ook niet meer elk weekend naar Londen te komen. Ik wil je niet meer zien.'

Ik was ontzet. Ik móést gewoon naar haar toe. Er waren zoveel gevaarlijke en misschien wel dodelijke dingen die haar konden overkomen als ze dronken was en er was echt niemand anders die haar in toom kon houden.

En god mocht weten hoe ze zich voelde na dat gedoe met De

Courcy. Gisteravond waren een paar van de meiden zichtbaar opge-
bloeid omdat Paddy in hun ogen het onderspit had moeten delven.
Met name Lola, de styliste. Het was alsof ze de angst voor De Courcy
van zich af had geschud en ineens weer rechtop kon staan.

Maar Marnie had niet meegedeeld in de opwinding en het groeps-
gevoel. Toen we Dee buiten triomfantelijk vertelden hoe alles was
verlopen had ze zich afzijdig gehouden en ze was ook niet meegegaan om iets te drinken, al had ze heel geniepig gedaan alsof dat wel
het geval was door bij Zara en Selma in de auto te stappen. Maar
toen ze bij het huis van Dee aankwamen, was Marnie gevlogen.

Ik wist niet hoe Marnie nu over Paddy dacht, ik durfde er gewoon
niet naar te vragen, maar ik vermoedde dat het een van twee uiter-
sten was. Of ze besefte dat zij en Paddy gewoon een kalverliefde
hadden gedeeld, of ze klemde zich nog steeds vast aan het idee dat
hij Haar Grote Liefde was. Ik had het angstige vermoeden dat het in
beide gevallen haar oplossing was om zich te laten vollopen.

'Blijf bij me uit de buurt,' zei ze en verbrak de verbinding.

Ik moest het echt aan Damien opbiechten. De gedachte was zo angstaanjagend dat ik in mijn kussen lag te kreunen, maar het was de
enige juiste oplossing.

Toch fluisterde een laf inwendig stemmetje: *En als dat nou helemaal niet nodig is?* Als De Courcy nou eens helemaal niet van plan
was me te verlinken? Als het nou eens helemaal niet nodig was dat
ik Damien alles vertelde?

Misschien moest ik het toch maar niet doen.

Maar kon ik wel leven met zo'n schuldgevoel? Het was een loden
last die ons al sinds de zomer in de weg had gezeten.

Misschien moest ik gewoon mijn rug rechten, mijn tanden op elkaar zetten en het hem vertellen.

Jezus…

Lola

In de auto onderweg naar Knockavoy. Van plan om alles in te pakken en terug te gaan naar Dublin. Kon ineens niet meer wachten.

Had onderweg veel om over na te denken.

Kwam tot de ontdekking dat ik blij was dat ik naar Dublin was gegaan. Niet na die eerste confrontatie met Paddy natuurlijk. Toen hij zei: 'Wie zou er nu die modepop met dat paarse haar geloven?' was ik echt ontzet geweest.

Ineens drong tot me door dat ik alleen maar dat poppetje was geweest dat in bed tot alles bereid was. Alsof ik geen echt mens was. Akelig brandend gevoel. Waarom had ik mezelf zo laten behandelen?

Had altijd gedacht dat hij een gevoelige man was, omdat hij van zijn overleden moeder hield. Maar toen ik terugreed, besefte ik dat hij ook een bijzonder onplezierige man was. Mensen hebben vaak meerdere kanten.

Handig om te onthouden.

Maar de tweede avond, met Zara en Selma en Paddy die in zijn hemd werd gezet, had als een bevrijding gewerkt. Ik vond hem niet langer angstaanjagend. En interessant genoeg ook lang niet zo knap meer. Dat geföhnde haar kon gewoon niet.

De wetenschap dat hij meer vrouwen had mishandeld hielp ook. Zoiets wens je je ergste vijand (technisch gesproken Sybil O'Sullivan, al wist ik niet meer waarover we zo'n ruzie hadden gehad) niet toe, maar ik had niet langer het gevoel dat het mijn schuld was. Hij was de eerste man die me ooit had geslagen en hij zou de laatste zijn. Maar voor hem was het een gewoonte geweest. Dus wiens schuld was het? Ja, de zijne.

Hij had me te pakken gekregen op een moment in mijn leven dat ik echt kwetsbaar was geweest: mijn beste vrienden hadden allemaal een vaste relatie, mijn moeder was overleden en mijn vader gaf niet thuis. Ik had zelfs wel een beetje op Paddy geleken, maar ik leefde me tenminste niet uit door andere mensen op hun smoel te slaan.

12.29

Aankomst in Knockavoy

Twee seconden nadat ik stopte, ging Considines deur al open. Ik holde over het gras naar zijn huis toe.

'Thee?' vroeg hij.

'Ja prima. Oké, wil je alles al horen?'

Had hem sms'je gestuurd met de uitkomst, maar geen details.

'Hoezo al?' zei hij. 'Ik wil het zo graag horen dat ik vandaag niet eens ben meegegaan op grottentocht.'

Echte opoffering.

'Heb al drie uur zitten luisteren of ik je auto hoorde.'

'Als echte eenzame plattelandsbewoner?'

'Precies als echte eenzame plattelandsbewoner.'

Zelfde golflengte.

'Moet je in alle eerlijkheid wel waarschuwen, Considine, dat ik mezelf niet als echte heldin heb gedragen. Ben niet met groot lef voor Paddy gaan staan om te zeggen: "Haha! Ik mag dan vroeger gek op je zijn geweest, maar nu zie ik pas dat je alleen maar een bruut met geföhnde haren bent!"'

'Dat is jammer,' zei hij vol medeleven. 'Gemiste kans. Maar je hebt toch wel gezegd: "Ik heb mijn eigen leven weer opgepakt?" Nee?' Hij knikte vol begrip. 'Een beetje té soapachtig?'

'Ja, precies!'

'Al heb je wel degelijk je eigen leven weer opgepakt.'

'Ja, maar zoiets zeg je niet hardop.'

'Want als je dat zegt, is het net alsof je dat helemaal niet hebt gedaan,' zei hij. 'Paradoxaal.'

'Klopt, Considine. Heel paradoxaal. Oké, dan zal ik je nu het hele verhaal vertellen.'

Ik liet niets weg. Zelfs niet de vervelendste dingen. 'De eerste avond heb ik bijna niets tegen hem gezegd en ik had constant knikkende knieën. Maar de tweede avond was een heel ander verhaal.' Overdreef een beetje. 'Heb hem zelfs zijn eigen opmerking over dat paarse haar laten inslikken! "Molichino," zei ik en liet het hem herhalen!'

'Dat was het beste wat je had kunnen doen,' zei Considine. 'Hem aanpakken. Zal voortaan vast wel waardering voor je hebben. En sta je nu ook geen doodsangsten meer uit dat je hem in Dublin tegenkomt?'

'Nee.' Stond nu ook niet direct te springen van blijdschap bij het idee, maar waarom alles somber bekijken?

Zondag 25 januari

Alles ingepakt. Huis opgeruimd. Afscheid genomen van iedereen in het dorp. Moet toegeven dat de tranen me hoog zaten. Was vijf maanden geleden hier als een wrak gearriveerd. Ging nu weer terug, niet echt zo goed als nieuw omdat ik nooit meer de persoon zou worden die ik was geweest voordat ik Paddy leerde kennen, maar toch behoorlijk opgekalefaterd.

Considine kwam me helpen de koffers in de auto te zetten. Was zo gebeurd.

'Heb je alles?' Hij smeet de kofferbak dicht.

'Ja!' Ik gaf een klap op de achterruit. 'Alles zit erin.'

We deden allebei overdreven joviaal en mannelijk en wisten even geen weg met onze handen die aanvoelden alsof ze tien keer zo groot waren geworden.

'Kom je weer terug?' vroeg hij.

'Ja, waarschijnlijk wel voor een weekendje. Of voor een vrijgezellenavond.'

Hij knikte alsof hij zich niet op zijn gemak voelde. We zwabberden allebei met onze opvallende handen.

Na een korte stilte zei ik: 'Ontzettend bedankt dat je zo lief voor me bent geweest terwijl ik hier was. En dat ik je tv mocht delen. En voor de goede raad over De Courcy.'

Hij knikte weer. 'Je bent ook heel lief voor mij geweest. Vestjesavonden. Het lenen van de ontstopper. Houten koppen-avond.'

Weer die stilte. Toen vroeg ik: 'Moet je voor die milieubaan van je wel eens in Dublin zijn?'

'Nee.'

'O. Kom je wel eens naar Dublin om vrienden op te zoeken?'

'Nee.'

'O?'

'Heb geen vrienden in Dublin.'

'Ben ik dan geen vriend van je?' vroeg ik dapper. 'En ik woon in Dublin.'

'In dat geval kom ik jou misschien opzoeken.'

'Mooi. Dan gaan we weer op zoek naar houten koppen.'

'Verheug ik me nu al op. Tot ziens, Lola.'

Keek hem aan. Donkere ogen. Slordig haar. En god, nog iets...

Deed een stap naar hem toe, hij deed een stap naar mij toe, ik hief mijn gezicht naar hem op, hij legde zijn hand op mijn rug in mijn taille en drukte zijn mond op de mijne, lippen tegen elkaar. Heel even bleven we zo staan, bewegingloos, in een soort filmkus. Begonnen te trillen – allebei, echt trillend van verlangen – voelde het in hem, hij voelde het in mij – tot we in elkaar wegkropen. Langzaam, wellustig, slap in de knieën. Rossa Considine kan ontzettend sexy zoenen.

18.44
Mijn flat in Dublin
Welkom thuis geheten door Bridie, Barry, Treese en Jem.
'Afscheid genomen van al je vrienden in Knockavoy?' vroeg Bridie.
'Ja.'
'Verdrietig?'
'Ja.'
'We gaan wel een keer terug om ze op te zoeken,' beloofde ze. 'Over een jaar of zeven zullen we de hut van oom Tom wel weer voor een weekendje kunnen krijgen.'

Grace

Zaterdag was voorbijgegaan zonder dat ik de moed had kunnen opbrengen om alles aan Damien op te biechten. En de dag ging ook voorbij zonder dat De Courcy me aan Damien had verlinkt. Zondag gebeurde er ook niets bijzonders. En toen was het maandag en belde Damien me vanaf zijn werk.

'Charlie en Angus hebben het verhaal over Dee de nek omgedraaid.' Zijn stem trilde van opwinding.

Dus Paddy had woord gehouden en zijn bron opdracht gegeven om het verhaal terug te trekken. Waarschijnlijk het enige fatsoenlijke gebaar dat hij ooit in zijn leven had gemaakt. En nu het echt gebeurd was, durfde ik het ook pas te geloven. Zelfs in het weekend had ik half en half verwacht dat het verhaal over Dee toch in een van de kranten op zou duiken.

'Je hebt Dee's carrière gered,' zei Damien.

'Dat geldt ook voor jou.'

'Nee, echt waar. Binnenkort worden er algemene verkiezingen uitgeschreven. Als Paddy zijn gang had kunnen gaan, was hij als de leider van NewIreland aan de campagne begonnen.'

'Jij bent degene die je baan op het spel heeft gezet. Je bent toch niet ontslagen?' vroeg ik bezorgd.

Hij lachte. 'Nee hoor. Niemand heeft het over een lek. Er wordt helemaal niet moeilijk over gedaan.' Er waren altijd verhalen die niet doorgingen, dat gebeurde om de haverklap. 'Niemand zal er schade van ondervinden,' beloofde hij. 'Het komt heus allemaal in orde.'

Ik wilde niets liever dan hem geloven.

Alles bij elkaar waren de afgelopen zes maanden niet gemakkelijk geweest. Al vanaf de zomer wilde ik niets liever dan alles weer goed maken met Damien, zodat we weer op de oude voet verder konden gaan.

Misschien was het nu dan zover. Misschien hadden we die hele akelige De Courcy-episode eindelijk achter de rug.

Ik begon een beetje hoop te koesteren, maar hield nog steeds mijn adem in. Maandag ging voorbij zonder dat Paddy de Courcy mijn leven kapot maakte.

Hetzelfde gold voor dinsdag.

En woensdag.

Op donderdag schreef Taoiseach Teddy Taft nieuwe algemene verkiezingen uit. Dat was heel goed nieuws. Paddy zou tot aan zijn nek in de verkiezingscampagne zitten. Bovendien zou hij over vijf weken gaan trouwen. Hij had vast geen tijd om zich druk te maken over mijn persoontje.

Ik kwam tot de conclusie dat ik eindelijk weer rustig adem kon halen.

Lola

Maandag 2 februari

Weer aan het werk. Had verwacht dat het in het begin rustig aan zou gaan, maar nee! Was iets geks gebeurd. SarahJane Hutchinson ineens tot de koningin van de society gepromoveerd. Combinatie van haar nieuwe, rijke vriendje en haar 'connectie' met Zara Kaletsky had haar aan de top gebracht. Ondanks haar dikke knieën wilde iedereen bevriend met haar zijn. Iedereen wilde zitting nemen in haar comités. En iedereen wilde haar styliste gebruiken…

Ja! Door haar ook in haar moeilijke tijd te blijven steunen, had ik voor het eerst van m'n leven op het goeie paard gewed en daar zou ik nu de vruchten van kunnen plukken. Als ik tenminste mijn kop erbij hield en tijdens fotosessies geen dure jurken schroeide.

De telefoon stond niet stil.

Eerste week van februari

Kom om in het werk.

Heb bij nader inzien besloten Grace Gildee toch niet te stylen. Mensen zijn zoals ze zijn. Zinloos om te proberen daar verandering in te brengen.

Heb bovendien geen tijd.

Maandag 9 februari, 21.13
Siam Nights

Jem had iedereen opgeroepen voor een dringende bijeenkomst in een Thais restaurant. Hoewel ik omkwam in het werk stond hij er toch op dat ik kwam.

Was drieënveertig minuten te laat. Holde naar binnen. 'Duizend excuses, maar zit…'

'… ja ja, tot je nek in het werk.'

Ging zitten. Keek van Treese naar Bridie en toen naar Jem. 'Heb ik iets gemist?'

'Hij wilde niets zeggen tot jij er ook was,' zei Bridie gemelijk.

'Duizend excuses, maar zit...'

'Ja, laat maar.'

'Nu iedereen er eindelijk is,' zei Jem plechtig, 'moet ik jullie iets vertellen.'

Moed zonk me in de schoenen. Hij ging trouwen met die verdraaide Claudia en dan zouden we voor eeuwig met haar opgescheept zitten. En wat nog erger was, we zouden ook naar haar vrijgezellenavond moeten. Of die zelf organiseren. Ik hou niet van vrijgezellenavonden. Veel te gevaarlijk.

'Vertel het nou maar,' drong Bridie aan.

Jem deed plotseling schichtig. Schoof zijn glas heen en weer over het tafeltje. 'Ik... eh... heb iemand ontmoet.'

Duurde even voordat zijn woorden doordrongen.

'Iemand ontmoet? Bedoel je... een vrouw?'

Hij knikte, nog steeds jonglerend met zijn glas.

'Maar je hebt al een vrouw! Claudia!'

'Ja, Claudia!' beaamde Treese.

Jem deed net alsof hij zichzelf de keel afsneed. 'Uit.'

Het was uit met Claudia!

'Wie heeft het uitgemaakt?' vroeg ik verontwaardigd. 'Jij?'

Hij knikte bevestigend. 'Vanavond slaapt ze met de nieuwslezers.'

'Wat? Met het hele stel?' vroeg Bridie.

Hij haalde zijn schouders op. 'Zou me niets verbazen.'

'Dus je hebt haar gewoon afgedankt?' vroeg ik.

Jem verbaasd. 'Waarom zo geërgerd? Je had de pest aan haar. Jullie allemaal.'

Verontwaardiging alom. 'Niet de pest aan haar. Helemaal niet. Vond haar juist heel aardig.'

'Nou ja, goed dan,' gaf Bridie toe. 'Had wel de pest aan haar. Maar zij ook aan mij.'

'Treese?' vroeg Jem.

'Ja, had de pest aan haar,' zei Treese.

'Lola?' vroeg Jem.

'Ja, had de pest aan haar. Tuurlijk. Sorry, voelde even mee met vrouw die wordt afgedankt. Is alweer voorbij. Ben nu verdomd blij. Wie is de nieuwe? Ik hoop dat ze wel wat aardiger is dan Claudia.'

Ik zou het al mooi vinden als ze met Jem kon opschieten, iets wat Claudia nooit voor elkaar had kunnen krijgen.

Er verscheen een stralende blik op Jems gezicht. 'Gwen. Ik zal haar aan jullie voorstellen. Jullie vinden haar vast ontzettend leuk.'

Ja, maar dat had hij ook van Claudia gezegd.

Grace

Toen ma me de uitslag van Bids laatste onderzoek doorgaf, had ik Damien best op zijn werk kunnen bellen, maar ik besloot om het hem in eigen persoon te vertellen. Vanwege de komende verkiezingen werkte hij gemiddeld veertien uur per dag, waarin hij constant vastzat in verkiezingskaravanen om allerlei afschuwelijke partijcampagnes te verslaan.

Die avond was het tien over twaalf toen hij eindelijk thuiskwam. 'Ik zit hier,' riep ik vanuit de zitkamer.

Hij duwde de deur open en ik zei opgewekt: 'Raad eens?'

Zijn gezicht werd grauw. Hij ging langzaam op de vloer zitten (de nieuwe bank is er nog steeds niet, nog niet eens besteld). 'Vertel het me maar gewoon, Grace.'

Kennelijk verwachtte hij slecht nieuws. Maar ik had toch heel vrolijk geklonken?

Ik keek naar zijn bezorgde gezicht en werd plotseling overvallen door de angstaanjagende gedachte dat het nooit meer echt helemaal goed zou komen tussen ons. Na die avond met Selma en Zara had alles eigenlijk opgelost moeten zijn, maar opnieuw waren Damien en ik allesbehalve gelijkgestemde zielen.

'De scan van Bid,' zei ik. 'Ze hebben niets meer kunnen vinden.'

Het was niet wat hij had verwacht. Ik kon bijna zien hoe de angst van hem afgleed. 'Echt waar?' Hij begon te lachen en zijn glimlach werd steeds breder. 'Mijn god, ze is echt niet te geloven, hè? Niets houdt haar tegen.'

'Die ouwe knar zal ons waarschijnlijk allemaal overleven.'

'Ik dacht echt dat ze er was geweest,' bekende Damien.

'Ik weet niet eens wat ik dacht,' zei ik. Ik vermoed dat ik er gewoon niet over na had willen denken.

'Dat is echt fantastisch nieuws,' zei Damien.

'En wat nog veel geweldiger is,' zei ik, 'is dat we weer kunnen gaan roken. Zes maanden zonder een sigaret aan te raken. Zonder jou had ik dat nooit gered.' Om er op hoogdravende toon aan toe te voegen: 'Onze opoffering heeft haar het leven gered, dat begrijp je toch ook wel?'

Maar hij kon er niet om lachen en zijn stemming leek ineens weer in te zakken. Wat was er nou toch verdomme aan de hand?

'Ik moet je iets vertellen,' zei Damien op ongelooflijk vermoeide toon. Het joeg me meteen de stuipen op het lijf. En die afschuwelijke angst werd alleen maar erger toen hij zei: 'Iets opbiechten.'

Ik wil niet dat dit waar is...

'Ik wou je er niet lastig mee vallen zolang we nog in onzekerheid verkeerden over Bid,' zei hij, 'maar ik heb je... bedrogen.'

Wat is dat toch een afschuwelijk woord: *bedrogen.*

'Ik heb echt mijn uiterste best gedaan, Grace.' Damien was een toonbeeld van wroeging. 'Maar ik moest het gewoon doen.'

'Met Juno?' Waarom vroeg ik dat nog? Ik had haar immers zelf geroken, in mijn huis en in mijn eigen bed?

Ik wist dat ze hier was geweest. Ergens diep vanbinnen wist ik dat gewoon heel zeker. Maar ik wilde zo graag dat er niets aan de hand was, dat ik Damien op zijn woord had geloofd toen hij alles had ontkend.

'Ja, soms met Juno.'

'Sóms?' reageerde ik volslagen onthutst. '... Heb je dan ook nog anderen gehad?' Was dit erger of beter? Geen idee, het was allemaal al verschrikkelijk genoeg.

'Wacht even, Grace,' zei Damien dringend. 'Waar heb je het eigenlijk over?'

'Zeg jij het maar.'

'Ik heb gerookt. Sigaretten. Terwijl jij in Londen bij Marnie was.'

Het duurde heel even tot de waarheid tot me doordrong. 'Heb je geróókt?'

Hij knikte.

'Is dat alles?'

Dat was dus wat ik had geroken: de vage geur van sigarettenrook. Ik had het voor ontrouw gehouden.

'We hadden een afspraak,' zei hij. 'En daar heb ik me niet aan gehouden.'

'Maar dat geeft helemaal niet!'

'Ik heb tegen je gelogen.'

'Wie maakt zich nou druk over een paar stiekeme sigaretjes? Je hebt mij toch niet bedrogen?'

'Grace, dat verrékte woord! Nee, dat heb ik niet gedaan.'

'O god, Damien, ik dacht... Wat een opluchting, ik kan...' Ik had wel een gat in de lucht kunnen springen, maar ineens was er nog iets anders. Waar was dat plotseling vandaan gekomen? En waarom uitgerekend nu?

Maar toen begreep ik dat het er al die tijd al was geweest. Het had gewoon het juiste moment afgewacht.

'Wat is er nou?' zei ik verdedigend. Er lag een schuldige blik in mijn ogen en het antwoord stond in de zijne te lezen. We waren allebei stil en wachtten op iets – het deed er niet toe wat – dat die rare stemming zou doorbreken. Ik zette mijn voeten op de grond om op te staan, maar toen deed hij zijn mond open en ik verstarde.

'Grace. Ik weet alles.'

Ik kon geen woord uitbrengen.

'Over jou en De Courcy.'

De angst die ik had gevoeld toen ik dacht dat Damien met Juno naar bed was geweest viel hierbij in het niet. Dit was oneindig veel erger.

'Hoe dan?' Met een benepen stemmetje.

'Toen je aan zijn biografie werkte. Het was... zo klaar als een klontje.'

Ik voelde het leven uit me wegebben. Mijn hele bestaan ging ineens in rook op. Ik kon niet eens mijn voeten meer voelen.

'Alsjeblieft...' Ik wilde hem vertellen dat er niets tussen mij en Paddy was voorgevallen, maar dat was alleen waar in de letterlijke zin van het woord en ik had teveel respect voor Damien om hem dat soort onzin te vertellen.

'Vervolgens kom je opdagen met een beurs gezicht en de brandplek van een sigarettenpeuk in je hand. En het verhaal dat je over een losliggende tegel bent gestruikeld.' Damien lachte even en schudde zijn hoofd.

Ik was ontzet. Ik had echt gedacht dat hij me geloofde. Hoe kon ik zo dom zijn geweest?

'Maar je hebt helemaal niets gezegd.' Mijn stem klonk schor.

'Als je bereid was om tegen me te liegen,' zei hij, 'wat had het dan voor zin om tegen je te zeggen dat ik het wist?'

Dat was het verschrikkelijkste moment van mijn leven. Zelfs toen het gebeurde, wist ik dat al.

Ik werd overstelpt door schaamte, echte schaamte, niet dat quasigevoel dat maakt dat je alles op hoge toon gaat ontkennen en net doet alsof je niet weet dat je in de fout bent gegaan.

Maar ik wist wel degelijk dat ik in de fout was gegaan. Hoewel het hem de grootste moeite had gekost, had Damien mij zijn vertrouwen geschonken en ik had net gedaan of het een oud vod was dat je gebruikt om rotzooi mee op te dweilen.

'Maar dat is al een halfjaar geleden.' Ik was met stomheid geslagen.

'Hoe heb je daarmee kunnen leven, zonder iets tegen mij te zeggen?'

'Omdat ik van je hield. Ik wilde bij je blijven. Ik wilde het weer goedmaken als het kon.'

O jezus... Door schaamte overmand dacht ik aan alles wat Damien had gedaan om de schade te herstellen die ik had veroorzaakt.

Hij had een banklening gesloten om de auto te vervangen die Paddy in brand had laten steken.

Hij had geprobeerd met een romantisch avondje de verhouding tussen ons te herstellen.

Hij had het roken opgegeven om mijn tante in leven te houden.

Ik had het gevoel dat ik moest overgeven.

'Maar was je dan niet boos op me?'

Hij keek me aan. Eerst verbaasd en toen bijna verachtelijk.

'Ik was ook boos. Ik ben nog steeds boos.' Hij beet me de woorden toe en ineens zag ik de omvang van zijn woede. Hij deed geen poging meer om het te verbergen en het was wreed en angstaanjagend.

'Je hoeft jezelf niet te verwijten dat je niet in staat was om je genegenheid voor De Courcy te verbergen,' zei hij kil. 'Ook als ik het niet had geraden, heeft De Courcy er zelf wel voor gezorgd dat ik het te weten kwam.'

Ik was zo geschokt dat ik hem met open mond zat aan te staren.

'Weet je nog die avond met Zara en Selma?' vroeg hij. 'Zodra jullie weg waren, heeft hij me gebeld.'

Dus daarom had Damien die nacht niet op mijn telefoontjes gereageerd.

'Damien...' De tranen rolden over mijn wangen.

Ik wilde hem vertellen dat het een kortstondige waanzin was geweest en dat ik daar inmiddels wel van genezen was. Ik wilde hem smeken me te vergeven, maar ik wist ook dat hij dat niet zou kunnen... of willen.

Het ergste, het meest onverteerbare van het hele geval was dat Damien me had gewaarschuwd dat dit zou kunnen gebeuren. De afgelopen zomer, op het hoogtepunt van mijn aanval van De-Courcy-itis, had hij gezegd dat als een van ons beiden de ander zou bedriegen, we daar misschien wel overheen zouden komen, maar dat het daarna nooit meer hetzelfde zou zijn. De onschuld en het vertrouwen zouden verdwenen zijn.

'Ik heb alles kapotgemaakt, hè?'

Hij was niet nodeloos hard, maar op die vraag was maar één antwoord mogelijk.

Ma deed open. 'Grace? Wat doe jij hier?'

'Ik heb zestien euro nodig om de taxi te betalen.' Ik knikte naar de auto die met stationair lopende motor langs het trottoir stond.

'Waarom ben je in een taxi gekomen? En waarom kun je die niet betalen?'

'Ik kan mijn autosleutels niet vinden. En mijn portemonnee ook niet.'

'Waar moeten we nou ineens zestien euro vandaan halen? We zullen alle potjes van je vader leeg moeten maken.' Pa verzamelde los geld in oude jampotjes.

'Ik zal wel tegen die chauffeur zeggen dat hij nog even moet wachten.' Ik zette mijn rugzak bij de deur en liep het bordes weer af.

'Grace, is alles in orde? Je ziet er een beetje...'

'Weet je nog dat je een keer gezegd hebt dat er hier altijd een bed voor me zou staan?'

Ma keek me met grote ogen aan en op haar gezicht stond de schrik te lezen toen tot haar doordrong wat ik had gezegd.

'Ik kom je aan je woord houden,' zei ik.

'Wat is er gebeurd?' fluisterde ze.

'Paddy de Courcy.'

'Paddy de Courcy?'

'Hij heeft gewonnen.'

Lola

Donderdag 12 februari, 20.57
The Horseshow House
   Bridie, Barry, Treese en ik zaten te wachten op de onthulling van Gwen, Jems nieuwe vriendin.
   'Waarom in deze verdraaide kroeg?' vroeg Bridie. 'Ligt midden in de rimboe en zit vol idioten die kennelijk aan rugby doen.'
   'Jem wilde dat "het treffen" op neutraal terrein zou plaatsvinden,' legde Treese uit. 'Waar niets hem aan Claudia herinnert.'
   'Had hij het echt over "het treffen"?' vroeg ik.
   'Ja.'
   'Jemig... Hoe denken jullie dat ze is?' vroeg ik. 'Die zogenaamde Gwen?'
   'Zolang ze maar niet denkt dat ze Jem op dezelfde manier kan besodemieteren als Claudia heeft gedaan,' zei Bridie grimmig.
   'Precies!' beaamde Barry. 'We zullen haar scherp in de gaten houden.'
   'Ssst... Daar komen ze aan.'
   Jem kwam naar ons toe lopen met een brede grijns. En zwetend. En handenwringend, alsof hij ze onder de kraan hield.
   Duidelijk op van de zenuwen.
   Hij duwde een lang, donkerharig meisje naar voren. 'Dit is Gwen.'
   Op het eerste gezicht waren haar tieten echt.
   'Hé, hallo Gwen,' riepen we allemaal uit. 'Wat enig om je te leren kennen, echt enig.' Allemaal met een brede glimlach rond de lippen, maar ogen als scheermessen.
   'Ook enig om jullie te leren kennen.' Pareltjes zweet op haar voorhoofd. 'Ja, gin-tonic,' zei ze tegen Jem. En iets zachter: 'Een dubbele.'
   Voelde een steek van medelijden met deze zogenaamde Gwen. Weinig dingen in het leven zijn zo afschrikwekkend als opdraven om kennis te maken met oude vrienden van nieuw vriendje. Je vraagt jezelf constant af of je geaccepteerd wordt of in het diepe wordt gesmeten.

Maar mocht niet meteen medelijden tonen. Ze kon best net zo'n mannenverslindende trut met kunsttieten zijn als Claudia was geweest. Eerlijk gezegd zag ze daar niet naar uit. Ze maakte een leuke indruk.

Drankjes, kletsen, verhalen. Met gespeelde vriendelijkheid hielden Bridie, Barry, Treese en ik alles wat die zogenaamde Gwen deed in de gaten. Deed niets anders dan schril lachen, op puntje van de bank, benen drie keer om elkaar gestrengeld.

Jem keek ons aan, smekende ogen. Vind haar alsjeblieft aardig...

Jem ging – voor de zoveelste keer – naar de bar om nog meer alcohol in ons te gieten en toen hij weg was, zakte Gwen onderuit.

'Godallemachtig.' Ze veegde over haar voorhoofd. 'Dit is erger dan een sollicitatiegesprek.'

Golf van medelijden sloeg door me heen.

'Jullie zijn lang bevriend geweest met Jems vorige vriendin,' zei ze. 'Het zal niet meevallen om mij te accepteren. Maar gun me alsjeblieft de tijd.'

Bridie, Barry en Treese ook vol medeleven.

'Eerlijk gezegd hadden we de pest aan haar,' bekende Bridie.

'Echt waar,' bevestigde Treese.

'Ja, echt waar,' zei ik.

Plotseling zaten we allemaal te brullen van het lachen en waren de beste maatjes. Ja, Gwen was de juiste vrouw voor Jem. Bovendien rijmden hun namen ook nog bijna op elkaar.

Iedereen nu onder de pannen. Behalve ik, natuurlijk. Niet bitter. Welnee. Zeg gewoon waar het op staat.

Marnie

Om een onverklaarbare reden kwam ze ineens weer bovendrijven.

...Ik ben er nog steeds... Ik leef nog steeds...

In een wanhopige poging om weer vergetelheid te vinden, probeerde ze opnieuw in het niets weg te zinken, maar ze kwam opnieuw boven, dobberend als een plastic fles op de golven. Het was voorbij, ze was weer terug, ze was bij bewustzijn en – heel ontmoedigend – ze leefde nog steeds. Wat moest ze dan doen?

Automatisch keek ze om zich heen of ze iets te drinken had. De fles die naast haar bed had gestaan was omgevallen en leeggelopen op de vloerbedekking, dus ze zou op zoek moeten gaan.

Ze stond op. Haar benen voelden aan alsof ze door iemand anders in beweging werden gezet, er klonk een luid gezoem in haar oren en haar tong voelde dik en gevoelloos aan, alsof er een laag kaarsvet op zat.

Met die benen van iemand anders de trap af, naar de hal waar een lichtje stond te knipperen op het antwoordapparaat. Op een gegeven moment was ze het eng gaan vinden om berichten af te luisteren, alleen wist ze niet meer wanneer. (Hetzelfde gold voor de post. Ze durfde nauwelijks een envelop open te maken om alles op nette stapeltjes te leggen.)

Ze kon maar beter haar boodschappen afluisteren, ze was bijna vier dagen buiten westen geweest, misschien was er iets gebeurd. Toen ze ma's stem hoorde, begon ze van schrik op haar duim te knagen. Maar het was goed nieuws: Bid was genezen.

Ze was nog te duf en te katterig om blij te zijn. Maar ze wist dat ze opgelucht was, al was ze nu nog te ver heen om het te voelen.

Er was nog een tweede bericht. Weer van ma. Damien en Grace waren uit elkaar. Grace was het huis uitgegaan en woonde nu weer in haar oude slaapkamer.

'Het heeft iets te maken met Paddy de Courcy,' zei ma. 'Het gaat niet best met haar.'

Marnie was zo verbijsterd door het nieuws dat ze op de parketvloer ging zitten om het bericht nog een keer af te luisteren en er zeker van te zijn dat ze het goed gehoord had.

Het was nauwelijks te geloven. Grace en Damien hadden zo... saamhorig geleken. Zo onverbrekelijk.

Kennelijk was Paddy de Courcy machtiger en destructiever gebleken dan ze had verwacht.

Eigenlijk zou ze blij moeten zijn. Blij dat Grace de prijs moest betalen voor het rotzooien met iemand van wie ze af had moeten blijven. En blij dat zij niet de enige was die door Paddy de Courcy kapot was gemaakt. Want als het met die sterke, angstaanjagende Grace kon gebeuren, kon het iedereen overkomen.

Maar tot haar verbazing voelde ze hoe iets zich een weg baande door dat doffe, dreunende krachtveld dat haar gevoelens omhulde. Arme Grace, dacht ze, terwijl een sprankje medelijden haar verdoofde hart verwarmde. Die arme Grace.

Grace

Ik deed de deur van mijn slaapkamer open en botste op de overloop tegen Bid aan.

'Je ziet er belazerd uit,' zei ze.

'Ook goeiemorgen,' zei ik vermoeid.

'Kun je niet beter wat make-up opdoen?' vroeg ze. 'Als je zo naar buiten gaat, schrikken de mensen zich dood. Dat mag je ze niet aandoen.'

Ik was niet in mijn normale doen, daar had ze gelijk in. Drie nachten geleden, na de avond dat Damien en ik uit elkaar waren gegaan, had ik in mijn slaap een soort transformatie ondergaan. Toen ik naar bed ging, had ik nog vijfendertig geleken, maar toen ik de volgende ochtend wakker werd, had ik zulke holle ogen dat het leek alsof ik al vierduizend jaar op deze aardkloot rondbanjerde.

'Misschien een getinte crème om die zwarte kringen te verbergen?' suggereerde Bid.

'Heb ik niet bij me.' Bijna al mijn spullen waren nog thuis.

'Je kunt toch teruggaan om het op te halen?'

'Vandaag niet.'

'Of aan Damien vragen om wat spullen voor je in te pakken.'

'Vandaag niet.'

Dat soort organisatorische klusjes kon ik nog niet aan. Het kostte me al de grootste moeite om de dag door te komen.

Ik was op dinsdagavond het huis – míjn huis – uitgegaan en toen ik woensdagochtend huiverend in ma's logeerkamer wakker was geworden, dacht ik: ik moet vandaag zien te overleven. Hetzelfde was donderdagochtend gebeurd. Nu was het vrijdag en opnieuw dreunde de mantra 'ik moet vandaag zien te overleven' door mijn hoofd.

Ik had het verschrikkelijk benauwd, ik had nog steeds geen gevoel in mijn voeten en mijn hoofd en mijn gezicht voelden aan alsof ze ieder moment uit elkaar konden spatten.

Beneden in de keuken sprongen ma en pa bezorgd op toen ze me binnen zagen komen. 'Ga je werken, Grace?'

Wat moest ik anders doen?

'Weet je dat je weer mag roken?' vroeg ma.

Omdat Bid geen sporen van kanker meer vertoonde, stond het iedereen weer vrij om te gaan roken. Maar ma, pa en Bid hadden toch besloten om de nicotine links te laten liggen, omdat ze niet wilden dat Bids kanker opnieuw de kop op zou steken. En ik denk dat ze het ook wel prettig vonden om wat extra geld in handen te hebben. Toch bleven ze mij aanmoedigen om het weer op te pakken.

Maar ik kon het niet. Toen ik in september was gestopt, was ik om de een of andere rare reden blij geweest dat ik me iets moest ontzeggen. Het rookverbod was ongeveer een week nadat Paddy me had geslagen uitgevaardigd en bizar genoeg leek het toepasselijk dat ik op de een of andere manier gestraft werd. En nu was dat gevoel zelfs nog sterker.

'Ik wil niet roken. Nou ja, dat wil ik eigenlijk best, maar ik doe het niet. Ik moet boeten voor wat ik Damien heb aangedaan.'

Ma trok een gezicht. 'Je bent niet eens katholiek opgevoed.'

'Ach!' zei pa. 'Als je in Ierland woont, ontkom je niet aan schuldgevoelens. Volgens mij stoppen ze dat in het water, net als fluor.'

'Ik ga aan het werk,' zei ik moe.

'Kom je vanavond weer terug?' vroeg ma.

'Ik blijf hier de rest van mijn leven wonen.'

Ik slaagde erin om vrijdag door te komen en het weekend daarna versliep ik grotendeels. Marnie belde om me een tikje stug te condoleren en als ik me niet zo ellendig had gevoeld was ik vast blij geweest dat ze weer met me praatte. Maar niets kon me blij maken.

Daarna werd het weer maandag en net toen ik mezelf inprentte dat ik alleen maar moest proberen de dag door te komen, ging de deur van mijn slaapkamer open en gooide Bid me een kleine beige tube toe.

'Wat is dat?'

'Make-up. Dat hebben wij voor je gekocht en samen betaald. Doe dat maar op.'

Ik wreef wat van de troep op mijn gezicht en mijn doodsbleke huid leefde op. Maar binnen een paar seconden kreeg het grijs alweer de overhand over het 'Tawny Beige'.

Ik slaagde erin de maandag en de dinsdag door te komen en toen ma dinsdagavond kwam om me welterusten te wensen, zei ik: 'Het is alweer een week geleden. Een hele week.'

'Heb je niets van hem gehoord?' Dat wist ze best, maar ik denk dat ze gewoon wilde praten. 'Helemaal niets?'

'Nee. En dat gebeurt ook niet. We komen toch niet meer bij elkaar. Het is voorbij.'

Ik wist dat hij me niet zou vergeven – en ik legde me erbij neer.

Dat was het enige wat meezat. Ik droomde er niet van dat hij me weer zou komen ophalen. Ik belde hem niet en ik ging ook niet terug om hem te smeken me te vergeven.

Ik kende Damien. De karaktertrekken die maakten dat ik verliefd op hem was geworden – zijn onafhankelijkheid, zijn overtuiging dat hij het bij het rechte eind had, het feit dat hij in eerste instantie geen mens vertrouwde – waren nu de grote struikelblokken geworden. Hij had me vertrouwd en ik had dat vertrouwen beschaamd. Dat viel niet meer te lijmen.

Ik lag in bed terug te denken aan de afgelopen zomer en wenste uit het diepst van mijn hart – met een samengeknepen gezicht en gebalde vuisten om de wens kracht bij te zetten – dat ik alles nog een keer over zou kunnen doen en dan anders.

'Waarom trek je zo'n raar gezicht?' vroeg ma.

'Ik wens dat ik alles nog eens over mocht doen en dan anders,' zei ik. 'Ik mis onze gesprekken. Ik ben vanaf het allereerste begin stapelverliefd op hem geweest. Zelfs op feestjes – die zeldzame keren dat ik erin slaagde om hem mee te slepen – was hij de enige met wie ik een gesprek wilde beginnen.'

'Waarom ben je dan verdorie gaan rotzooien met De Courcy?' vroeg ma bijna geërgerd.

'Weet ik niet.' Ik begreep het echt niet.

Verveling? Nieuwsgierigheid? Het gevoel dat ik er recht op had? Allemaal belachelijke redenen.

'"Dwalen is menselijk",' zei ma.

'"Vergeven is goddelijk",' vulde ik aan. 'En het kan me geen ruk schelen of de goden me al dan niet vergiffenis schenken. Ik wil dat Damien me het vergeeft, maar dat zal hij nooit doen.'

Ma bevestigde dat door haar mond te houden.

'Ik weet wel dat jullie hem allemaal een stuk chagrijn vinden...'

Ze bleef diplomatiek zwijgen.

'... maar ik ken niemand die ik liever mag.'

Uiteindelijk vroeg ze: 'Wat ga je nu doen?'

'Waarmee? Met de rest van mijn leven?'

'... eh, ja, dat zal wel. Of tot je hier overheen bent.'

'Weet ik niet. Wat doe je in zo'n geval? Je vecht je erdoor.'

Maar dat is gemakkelijker gezegd dan gedaan.

Lola

Maandag 23 februari, 19.11
In Bridies flat
'Dans Marieke, dans!' moedigde Bridie aan.

VIP had een speciale bijlage ter ere van het huwelijk van De Courcy. Bridie had er alle foto's van Paddy uitgeknipt en die op de vloer uitgespreid.

'Kom op, Marieke, dans!'

'Marieke?' Treese en ik keken elkaar aan. Waar haalde ze dat nu weer vandaan? Bij Bridie weet je het nooit.

Ze zette een cd van Billy Idol op – bij Bridie weet je ook nooit hoe ze aan haar cd's komt – en we begonnen allemaal te dansen. Ik moet toegeven dat ik er genoegen in schepte om op Paddy's gezicht te stampen.

'Bestaat de kans dat je op de trouwdag ineens weer een inzinking krijgt?' vroeg Bridie.

'De tijd zal het leren,' zei ik.

Dat beviel haar helemaal niet. 'Natuurlijk stort je niet in!'

'Maar waarom vraag je het...'

'Een retorische vraag! Je bent eroverheen. Misschien moeten we zelfs maar onuitgenodigd naar de K Club gaan om confetti te strooien.'

'Laten we dat nu maar niet doen.'

'Voel je je niet sterk genoeg om op zijn trouwdag confetti te strooien?' Bridie keek me met samengeknepen ogen aan.

'Nee, niet echt, maar ik voel ook geen neiging om met rotte tomaten te gaan gooien.'

'Wat had die verrekte confrontatie dan voor zin?'

'Leren met angst om te gaan en zo. Ik voel me veel beter dan daarvoor. Mijn werk loopt als een trein.'

Was trouwens een understatement! Kwam om in het werk. Was een beetje aarzelend begonnen vlak na mijn terugkeer, maar nu liep alles op rolletjes en ik kon niets fout doen. Alles wat ik aanpakte, lukte boven verwachting. Niet om mezelf op de borst te kloppen, hoor, het is echt waar. Kon kieskeurig zijn met betrekking tot opdrachten en de best betaalde en meest interessante zelf houden en de rest doorsturen. Ja, naar Nkechi. Waarom niet? Ze was een prima styliste.

En ze had een flink verlies geleden. Tot ieders stomme verbazing was Rosalind Croft weggegaan bij haar man, die afschuwelijke Maxwell Croft. Ongehoord. Society-vrouwen gingen nooit weg bij hun society-echtgenoten, alleen omgekeerd. Rosalind Croft had geen behoefte aan een styliste, want ze had geen cent meer om die te betalen. Daarmee was Nkechi een bijzonder lucratieve klant kwijt.

'Weet je nog dat je bij Paddy op de stoep zat en vroeg of ik je soep wilde brengen?' grinnikte Bridie. 'Toen was je echt knettergek!'

'Haha, ja, dat klopt.'

'Er zijn echt een paar maanden geweest,' zei Bridie, 'dat ik dacht dat je nooit meer de oude zou worden!'

'Dat dacht ik zelf ook,' zei ik, terugdenkend aan hoe ellendig ik me had gevoeld.

'Maar,' zei Treese vastberaden, 'nu ben je weer helemaal op de goeie weg.'

'Ik had niet gedacht dat het er ooit van zou komen, echt niet, maar het lijkt erop dat de schade die De Courcy heeft veroorzaakt helemaal hersteld is,' zei ik. 'Daarvoor hoef je alleen maar naar me te kijken.' Wapperde met mijn hand om nadruk te leggen op mijn verzorgde haar, kalme houding en de telefoon die maar bleef rinkelen.

Het had geen zin om er tegen Bridie over te beginnen, maar ik wist dat ik nooit meer de persoon zou worden die ik was voordat ik Paddy leerde kennen. Was nu veel minder naïef, minder goed van vertrouwen, maar misschien was dat helemaal niet zo slecht. En ook minder bang, trouwens. Niet langer bang om terug te zijn in Dublin. Vond het zelfs fijn dat ik weer in mijn eigen flatje zat, met alle zenders op tv, midden in de actie met kreunende mannen die om vier uur 's nachts voor mijn raam met elkaar stonden te knokken.

De overgang was natuurlijk niet helemaal gladjes verlopen. Miste van alles uit Knockavoy: de rust, de schone omgeving, de zeelucht – ondanks de fatale uitwerking op je haar – en natuurlijk mijn grote aantal vrienden.

Moest vaak aan hen denken en altijd met genegenheid. Regelmatig herinneringen aan Boss, Moss en de Meester, vergezeld van lichte vrees dat ze zich aan hun belofte zouden houden en me in Dublin kwamen opzoeken.

Dacht iedere dag aan mevrouw Butterly, vooral als ik de begintune van *Coronation Street* hoorde.

Dacht ook iedere dag aan andere mensen. Soms zelfs twee keer per dag. Of nog vaker, als ik bijvoorbeeld 'Achy Breaky Heart' op de radio hoorde (wat godzijdank maar zelden gebeurde) of op straat ecomobiel voorbij zag rijden.

Of als ik een man zag met slordig haar of als er over grotten werd gepraat of als ik mijn douchemuts opzette of de kruimeltjes van mijn chips op de grond veegde.

Of als ik fanta dronk of iemand zag die een muntje opgooide of *Law and Order* in de tv-gids aangekondigd zag staan.

Of als ik een nieuw peertje voor de lamp op mijn nachtkastje had gekocht of als ik me afvroeg of ik zelf mijn cholesterolgehalte moest opmeten of een smoothie met een nieuwe smaak uitprobeerde. (Geen Knockavoy-connecties, dus kan dit fenomeen niet verklaren.)

Considine stuurde vaak sms'je met bezorgde vragen over mijn toestand.

Antwoordde altijd:

km om in wrk Considine

In het begin overdreef ik dat een beetje. Het was belangrijk dat hij zou denken dat het goed met me ging. Had meegewerkt aan mijn wederopstanding en verdiende het om tevreden gevoel te krijgen.

Hij zei echter nooit dat hij naar Dublin zou komen en – in tegenstelling tot Boss, Moss en de Meester – zou ik hem met open armen verwelkomen. Maar zo zijn die kerels nu eenmaal. Geboren leugenaars.

Niet bitter, hoor. Zeg gewoon waar het op staat.

Grace

'Zorg dat je die make-up opdoet.' Bid kwam mijn slaapkamer binnenlopen zoals ze iedere ochtend deed. Er was geen privacy in dit huis. Geen privacy, geen centrale verwarming en geen biscuitjes. 'We hebben ons zuurverdiende pensioen... Wat is er in vredesnaam met je kin aan de hand?' De hele onderkant van mijn gezicht was ruw, schilferig en vochtig.

'Koortsuitslag,' zei ik vermoeid.

'Dat is helemaal geen koortsuitslag,' zei Bid geschrokken. 'Dat is een of andere ziekte. Loopgravenkoorts. Je ziet eruit alsof je wegrot.'

'Het is koortsuitslag,' herhaalde ik. Daar had ik als tiener vaak last van gehad. 'Alleen heel heftig.'

'Is die zogenaamde koortsuitslag alweer weg?' riep Bid vanaf de overloop. Ze deed net alsof ze de kamer niet durfde binnen te komen omdat ik er zo mismaakt uitzag.

'Nee, dat duurt tien dagen, dat heb ik al zo vaak gezegd, en ik heb het pas vier dagen.'

Ze kwam toch binnen. 'Is dat ook koortuitslag in je wenkbrauw?'

Ik stapte uit bed en keek in de spiegel. 'Weet ik niet. Zal wel gewoon een puistje zijn.'

'Goeie genade! Je benen zitten ook vol!'

Ik keek omlaag. Jezus christus. Mijn beide enkels zaten vol met dikke puisten.

Ik durfde bijna niet verder te kijken, maar het kon niet anders. Ik trok mijn pyjamabroek omlaag waardoor er nog een stel op mijn billen zichtbaar werd.

'Lieve god,' kreunde Bid die haar ogen bedekte met de flap van haar vest. 'Je had me wel eens mogen waarschuwen dat je hier in je blote kont ging staan. En waarom heb je dat haar niet laten weghalen? Geen wonder dat hij tabak van je heeft gekregen!'

De volgende morgen hoorde ik Bid op de overloop scharrelen toen ik wakker werd.

'Bid!' riep ik. 'Bid!'

'Wat is er nou weer?'

'Ik ben blind!'

Ik bleek een strontje op mijn rechteroog te hebben. Het zat helemaal dicht.

Ma werd erbij geroepen. 'Nu heb ik er genoeg van,' zei ze. 'Ik ga met je naar dokter Zwartkop. Misschien heb je wel bloedarmoede of zo.'

'Echt niet.' Ik wist wel wat er mis was met me. 'Ik ga niet naar de dokter, ma. Ik moet aan het werk.'

Maar ze belde gewoon Jacinta op met de mededeling dat ik wat later zou komen – ik was vijfendertig en kreeg een verzuimbriefje mee van mijn moeder – en ik moest wel mee omdat ik niet wist hoe ik eronderuit kon komen. Dat was een kunst die ik inmiddels allang verleerd was.

'Heel interessant,' zei ma onderweg in de auto. 'Sommige mensen, Marnie bijvoorbeeld, worden juist heel mooi van een gebroken hart. Ze lijken op de een of andere manier doorschijnend.' Toen sloeg ze haar hand voor haar mond. 'Het spijt me, Grace. Wat onnadenkend van me!'

Dr. Zwartkop was een vrouw. Ma zou niets anders geaccepteerd hebben en ze kende haar goed genoeg om Priscilla tegen haar te zeggen. En goed genoeg om erop te staan mee naar binnen te gaan, alsof ik zes jaar was.

'Koortsuitslag,' zei Priscilla tegen me. 'Puisten. Een strontje. Verder nog iets?'

'Pijn op mijn borst,' zei ik. 'En pijn in mijn gezicht en in mijn hoofd.'

Ze wierp me een scherpe blik toe. 'Heb je onlangs een verlies geleden?'

'Mijn partner... tien jaar. Vorige week zijn we uit elkaar gegaan.'

'Bestaat de kans dat hij terugkomt?'

'Geen enkele kans, Priscilla,' zei ma haastig.

'Ik kan je bloed wel laten onderzoeken...'

'Maar dan zal de uitslag toch normaal zijn,' zei ik.

Priscilla knikte. 'Ik denk het wel.'

'Heb je nog andere suggesties?' vroeg ma.

'Antidepressiva?'

'Antidepressiva?' drong ma aan.

Ik schudde mijn hoofd.

'Iets om beter te kunnen slapen?' vroeg Priscilla.

'Lekkere slaappilletjes?' stelde ma lief voor.

Ik schudde opnieuw mijn hoofd. Ik sliep als een roos.

'Misschien moet je je haar laten knippen,' zei Priscilla. 'Of...' Ze dacht even na. 'Of een keer uit de band springen. Of op vakantie gaan.' Ze haalde haar schouders op. 'Of alle drie.'

'Bedankt,' zei ik. 'Op vakantie klinkt niet slecht. Kom op, ma. Ik moet aan het werk.'

Ik ging naar Jacinta die er wel begrip voor op kon brengen. 'Waarom ga je niet naar een van de Canarische Eilanden?' vroeg ze. 'Lanzarote of zo? Kost je vrijwel niets in deze tijd van het jaar.'

Maar ik had niemand met wie ik op vakantie kon.

Dan maar in mijn eentje, besloot ik. Kon ik vast oefenen voor de rest van mijn leven.

Die avond belde Marnie op. Ze zat eeuwen met ma te kwekken voordat ma mij de telefoon overhandigde. 'Ze wil jou spreken.'

'Ik hoor dat je op vakantie gaat,' zei Marnie.

'Klopt.'

'Ik wil best met je mee.'

Het was een olijftak.

'Ik zal niet drinken,' beloofde ze.

Natuurlijk zou ze wel drinken, maar het was beter dan in mijn eentje te gaan.

Lola

Zaterdag 7 maart
Paddy is getrouwd. Het nieuws stond er bol van. Niet direct gat in de lucht gesprongen alsof ik de hoofdprijs van acht miljoen euro had gewonnen, maar klapte niet in elkaar. Geen verzoeken om soep zonder klonten, geen ritjes door de stad zonder echt op te letten. Dag verliep 'rustig'.

Zondag 8 maart, 17.05
Telefoon. Bridie.
'Zin om volgend weekend mee te gaan naar Knockavoy?' vroeg ze. 'Om Saint Patricks Day te vieren?'
'Dacht dat je neef Fonchy het huis had geboekt.' (Weer zo'n familielid met een rare naam. Komt daar dan nooit een eind aan?)
'Is ook zo, maar van een ladder gevallen. Tijdelijk blind. Kan niet rijden. Ga je mee?'

17.08
Bijna al mijn vrienden in Knockavoy sms'je gestuurd om komst aan te kondigen.

Grace

We gingen naar Tenerife en namen een appartementje in een vakantie-park dat een soort vissersdorpje moest lijken. Het zat ongeveer voor een kwart vol en Marnie en ik waren de enige personen onder de negentig. Iedere dag lagen we op een zonnebed in het maartse zonnetje en ik las thriller na thriller terwijl Marnie zich verdiepte in biografieën van mensen die zelfmoord hadden gepleegd. Elke avond gingen we in hetzelfde restaurant eten en we sliepen elke nacht twaalf uur.

We letten op elkaar, zochten kwijtgeraakte boeken en zonnebrillen op, wreven elkaar in met zonnebrandcrème en waarschuwden elkaar om niet te lang in de zon te blijven liggen. Er werd met geen woord over Paddy gesproken of over de bittere woorden die er tussen ons waren gevallen. We leken op twee broze, herstellende bejaarden die voor elkaar deden waar we zelf niet toe in staat waren.

Ik had besloten me niet langer druk te maken als Marnie dronk, maar ze hield woord en raakte geen druppel aan. Misschien was dat precies wat ze nodig had, dacht ik zuur. Twee weekjes Canarische Eilanden om van de drank af te komen.

We lagen wel vaak te praten als we op onze rug met zonnebrillen op naar de lucht lagen te kijken.

'Raar hè, dat onze levens zoveel overeenkomsten vertonen,' zei ik.

'Bedoel je dat we allebei door onze man in de steek zijn gelaten?'

'Ja, ik denk het wel.'

'Was het mijn schuld dat jij en Damien uit elkaar zijn gegaan?' vroeg ze. 'Omdat je zo vaak naar mij toe moest?'

'Nee, natuurlijk niet.'

Maar ik begreep inmiddels wel dat ik waarschijnlijk de kans om weekendjes bij Marnie in Londen te zitten had aangegrepen, om weg te komen uit dat vreselijke vacuüm dat om Damien en mij heen hing.

Tegen de tijd dat de vakantie er half op zat, was ik ervan overtuigd dat Marnie niet meer zou drinken. Maar op de achtste dag kreeg ze een huilende Daisy aan de telefoon en ineens begon ze weer en liet zich vierentwintig uur per dag vollopen.

Drie dagen lang had ik niemand om mee te praten. Ik bleef gewoon lezen en lag op mijn zonnebed waar de zon mijn oogleden verwarmde. Af en toe liep ik even naar binnen om te kijken of Marnie nog steeds in leven was.

Om de vijf of zes uur kwam ze weer bij, stond op, ging weg om meer wodka te kopen, kwam terug, dronk het op en raakte opnieuw buiten westen. Plichtmatig goot ik alles wat nog in de fles zat weg, maar als ze weer uit haar coma ontwaakte, deed ik geen enkele poging om te voorkomen dat ze naar de kleine supermarkt ging om nieuwe drank te kopen.

Na drie dagen hield ze op, alsof ze niet voldoende zelfminachting over had om de braspartij voort te zetten.

'Sorry,' fluisterde ze tegen me.

'Maakt niet uit. Zit er maar niet over in. Voel je je goed genoeg om vanavond iets te gaan eten?'

'Misschien wel. Weet ik nog niet.'

'Ik kan ook iets koken. Je hebt al dagen niets meer gegeten. Je moet iets naar binnen krijgen.'

Ze snapte er niets van. Nog half verdoofd vroeg ze: 'Waarom ben je zo lief voor me?'

'Omdat ik van je hou.' Het vloog me zonder nadenken mijn mond uit. 'Je bent nog steeds mijn zusje. Ik heb altijd van je gehouden. En dat zal altijd zo blijven.'

'Waarom ben je dan niet boos meer omdat ik drink?' vroeg Marnie.

Het antwoord kwam opnieuw zonder dat ik erover na hoefde te denken. 'Omdat ik er toch niets tegen kan beginnen.' Dat betekende niet dat het me geen verdriet deed, maar ik wist inmiddels dat ik niets kon doen om daar verandering in te brengen.

'En jij kunt er ook niets aan doen, Marnie. Je hebt geen keus. Ik dacht eerst altijd dat dat wel zo was, maar nu weet ik beter. Je bent even machteloos als ik ben.'

Het was een bijzonder vreemd gevoel... ik had haar vergiffenis geschonken. Ik wist nu dat ze nooit zou stoppen met drinken. Niets kon haar tegenhouden. Ze zou gewoon door blijven zuipen en – vroeg of laat – zou dat haar dood worden. Maar zelfs dat had ik haar al vergeven.

Lola

Zaterdag 14 maart, 18.59
Bridie, Barry, Treese, Jem, Gwen en ik kwamen aan bij de hut van
oom Tom. Allemaal samen in de nieuwe SUV van Treese. Cadeautje
van Vincent. Vincent zelf schitterde door afwezigheid.

19.03
Trokken fles wijn open.

20.08
Werd op de deur geklopt.
'Vast Considine.' Maar wie stond daar toen ik de deur opentrok?
Niemand anders dan Chloe! Ja, Chloe! Stralende ogen, glanzend
haar, kleren even chique als altijd.
Verrukt geknuffel. Trots voorstellen. Bridie, Barry, Jem en Gwen
keken met open mond toe. Treese iets minder opvallend geïnteresseerd.
Stevige borrels. Vrolijkheid alom. Dorp in. Knockavoy tot de nok
vol toeristen. Overal mensen. Niemand ook maar het flauwste idee
dat Chloe vestje was, dachten gewoon dat ze een – misschien iets te
groot en iets te grofgebouwd – meisje uit Dublin was.
Chloe sloeg enorm aan bij vrienden.
'Vol humor en levenslust,' bleef Bridie maar volhouden. (Weet niet
waar ze dat nu weer vandaan haalde. Bridie had altijd een neiging
gehad om rare uitdrukkingen op te pikken.) 'Val niet op haar, Lola,
want in tegenstelling tot jou heb ik niets met potten. Maar vol
humor en levenslust.'
Bridie was ontzettend dronken.
Allemaal ontzettend dronken.
Echt fantastische avond.

Zondag 15 maart, 12.09
Ontzettend ziek. Nadat Jem en Gwen de bank achter het huis hadden gezet – te katterig om het zelf te doen – ging ik erop liggen met

een dekbed over me heen. Bleef Considines huis in de gaten houden, in de hoop dat ik hem zou zien en even kon zwaaien, maar hij kwam niet opdagen. Zat vast weer in een of andere grot.

14.14
Treese stond op.

14.22
Treese ging weer naar bed.

17.01
Met behulp van Barry kwam Bridie de trap af strompelen. Had al sinds zonsopgang liggen kotsen.
'Toast,' fluisterde ze.

20.27
Jem en Gwen eten klaargemaakt. Fles wijn opengetrokken. Aarzelende slokjes. Ineens iedereen weer het hoogste woord en kleur op de wangen.

21.19
Werd geklopt.
'Vast Considine.' Maar wie stond daar toen ik de deur opentrok? Alleen Chloe! Ja, Chloe! Alweer! Andere kleren, maar net zo adembenemend. Vond het enig, ronduit enig haar weer te zien. Snapte niet waarom ik zo teleurgesteld was.
Stevige borrels. Vrolijkheid alom. Dorp in. Knockavoy tot de nok vol toeristen. Overal mensen. Niemand ook maar het flauwste idee dat Chloe vestje was, dachten gewoon dat ze een – misschien iets te groot en iets te grof gebouwd – meisje uit Dublin was.
Chloe sloeg opnieuw enorm aan bij vrienden.
'Vol humor en levenslust,' bleef Bridie maar over haar zeggen.
Besloot om te gaan tellen hoe vaak ze dat zei, maar verloor de tel na achtenveertig.
Bridie was ontzettend dronken.
Allemaal ontzettend dronken.
Echt geweldige avond.
Vond er eigenlijk niets aan.

Maandag 16 maart, 06.14
Had maar twee uur geslapen en toch alweer wakker. Dacht aan Considine. Wilde hem graag zien. Heel graag. Moest hem te pakken krij-

gen voordat hij begon kunstnagels op te plakken en veren vullingen en weer Chloe zou worden. Kon nu net zo goed meteen gaan. Glipte uit bed en liep in pyjama over grasveld naar zijn huis.

Klopte aan.

Geen gehoor.

Klopte opnieuw, veel harder.

Geen gehoor.

Klopte nog eens en nu zo hard dat ik bijna het boze 'is midden in de nacht!' miste.

'Doe eens open, kribbekont! Ik ben het, Lola.'

Hij deed de deur open en ik schoot langs hem heen naar binnen. Verward haar en slaperig gezicht. In blauwe trainingsbroek en slobberig grijs T-shirt. (Zag tot mijn opluchting dat alle sporen van Chloe verwijderd waren.)

'Houten kop?' vroeg ik vol medeleven.

'Houten kop.' Hij knikte somber. 'En jij?'

'Ja.'

'Thee?'

'Nee.'

'Iets anders?'

'Nee.'

'Kom je naast me zitten?'

Ik ging naast hem zitten. Schepte moed. 'Mag mijn hoofd op je schouder?'

'Ja. Mijn arm om je heen?'

'Ja.'

Zaten zwijgend en katterig naast elkaar. Opmerkelijk plezierig.

'Considine.' Schraapte keel. 'Had nooit verwacht dat ik dit zou zeggen, maar ben blij je te zien. Begon al te denken dat je dit weekend helemaal niet zou komen opdagen.'

'Dacht dat je Chloe leuk vond. Heb haar speciaal voor jou weer van stal gehaald.'

'Vind Chloe ook leuk. Lief van je om al die moeite te doen. Maar vind jou ook leuk.'

Hij wreef met zijn hand over stoppelige wang. Raspend geluid. Sexy, om heel eerlijk te zijn. 'Vind jou ook leuk, Lola,' zei hij. Stilte. 'Vind jou echt ontzettend leuk.' Opnieuw stilte. Maar geen gewone stilte. Stilte vol emoties. 'Heel erg leuk. Mis je ontzettend sinds je weg bent.'

Pauze om na te denken over antwoord. 'Heb jou ook gemist.'

'Moet steeds aan je denken.'

Weer pauze. 'Ik ook aan jou.'

'Denk iedere dag aan je.'

Weer pauze. 'Ik ook aan jou.'

Hij gaapte. Ik gaapte ook. 'Kan maar beter weer naar bed gaan,' zei hij. Leek verrast te zijn door idee. Keek me aan. 'Ga je mee?'

Keek in zijn ogen. 'Eh... ja.'

'Mooi!' Plotseling brede on-Considine-achtige grijns en hij pakte me met een zwaai op. Droeg me! Schaamde me dood.

'Zet me neer. Zo meteen krijg je nog last van je rug. Heb dikke kont.'

'Perfect kontje.' Hij liep de trap op. Hijgde niet eens.

'Hoe kom je zo sterk?'

'Grottenonderzoek.'

Hij schopte de slaapkamerdeur open die stond te trillen van de klap en zette me midden op het bed. Nog warm van zijn lijf.

Ging allemaal te snel. Werd zenuwachtig. 'We hebben nog geen oog dichtgedaan, Considine. Laten we maar eerst een tukje doen.'

'Goed hoor.'

Kroop onder dekbed maar hield mijn pyjama aan. Hij hield ook alles aan.

Nam me in zijn armen en trok het dekbed stijf om ons heen. Ik begon al in slaap te sukkelen, maar had het gevoel alsof ik ieder moment in brand kon vliegen. 'Heb het veel te warm, Considine.'

'Ik ook.'

'Ik doe mijn jasje uit.'

'Ik mijn T-shirt.'

Ik deed mijn jasje open. Hij trok zijn T-shirt over zijn hoofd. Warme gladde huid tegen de mijne. Harde spieren. Strakke buik. O, zalig.

Deed mijn ogen weer dicht en ging liggen om te slapen. 'Heb het nog steeds te warm, Considine.'

'Ik ook.'

Maar toen we al onze kleren uit hadden, kreeg ik het nog warmer. Blote ledematen die alle vrijheid hadden, raakten verstrengeld met de zijne. Ik ging verliggen en zijn erectie stootte tegen mijn dijbeen.

'Sorry,' zei hij. 'Doe maar net of je niets voelt.'

'Geef er de voorkeur aan om wel iets te voelen. Als jij dat niet erg vindt.'

'Vind ik helemaal niet erg.' Geamuseerd.

Het was gewoon verdomd fantastisch.

Geen porno. Geen prostituees. Maar één standje.

Geconcentreerd. Intens. Terwijl hij moeiteloos op zijn onderarmen steunde alsof hij bezig was met push-ups gleed hij langzaam bij me binnen en weer naar buiten en keek me recht in de ogen. Dacht dat ik zou sterven van geluk.

15.01
Schrok wakker van dubbele piep van Considines telefoon.
Hij las het sms'je. Gaf me de telefoon. 'Voor jou.'

Lola, lt u u pkn dr Considine?

Van Bridie. Ik antwoordde bevestigend. Kreeg sms'je terug.

HIMG. TOMTG. Treese wl 'voor files uit'.

'Considine, ik moet ervandoor.'
'Blijf hier,' zei hij.
'Kanniet,' zei ik. 'Heb morgen grote klus.'
'... Morgen. Maar dan...' Hij maakte zijn zin niet af. 'Heb je het nog steeds zo druk?'
'Ontzettend druk.' Ja, had meer dan genoeg te doen, maar overdreef wel een beetje.
'Ziet er niet naar uit dat het minder wordt?'
'Nee, helemaal niet.'
'En je voelt je goed?'
'Prima.'
'Blij dat je weer terug bent in Dublin?'
'Dolblij.'
'... Oké, nou ja, voor alle zekerheid wil ik je toch iets vertellen, Lola. Iets belangrijks.'
'Wat dan?'
'Chloe zal hier altijd zijn als je haar nodig hebt.'
Chloe? Ik had iets heel anders verwacht.
'Lief van je,' zei ik stug. 'Ik kom er zelf wel uit.'

15.38
In de auto
'Goh!' zei Bridie. 'Jij en die vestjesvent!'
'Is niks,' zei ik geïrriteerd. 'Vakantieliefde.'
'Misschien komt hij je wel in Dublin opzoeken.'
Ik zei niets. Considine had daar geen woord over gezegd en ik ook niet.

'Wat is er met je aan de hand?' vroeg Bridie.

'Niets.'

Maar was wel iets. Was gepikeerd dat Considine Chloes vriend-schap had aangeboden. Hij had niet gezegd 'ik ben hier altijd als je me nodig hebt'. Wel bereid om zijn vestjes-alter ego aan te bieden, maar niet zichzelf.

Grace

Ik kwam thuis op 19 maart, de dag van de algemene verkiezingen.

'De verwachting is dat de partij van Dee Rossini het heel goed zal doen,' vertelde ma.

'Fijn zo.' Het liet me koud. Ik wilde niets horen over Dee of New-Ireland of alles wat daarmee te maken had.

'Damien heeft geprobeerd je te bereiken,' zei ma.

Mijn hart sprong op, maar zakte onmiddellijk weer terug in mijn schoenen. Hij zou wel willen praten over wat we met ons huis moesten doen.

'Hij belde toen jij weg was, maar ik wilde je op vakantie niet storen. Hij heeft gevraagd of je hem wilde bellen als je weer terug was.'

Ik besloot om daar nog een paar dagen mee te wachten. Het zou een verdrietige discussie worden, die ik het liefst zo lang mogelijk uitstelde. Ik had een goed excuus, want hij zou nu toch dag en nacht bezig zijn met de verkiezingen. Ik wachtte wel tot alle stof weer was neergedaald.

De volgende ochtend werd ik om halfacht wakker van keiharde stemmen die uit de radio in de keuken kwamen.

'Zet dat kreng eens zachter!' schreeuwde ik.

Maar niemand hoorde me, dus bolderde ik de trap af.

'Het is een regelrecht bloedbad!' kraaide pa die aan de keukentafel zat. 'Jouw vriendin Dee Rossini heeft gehakt gemaakt van de grote partijen. Iedereen heeft zetels verloren aan NewIreland, zelfs de machtige Nappies. Het ziet ernaar uit dat ze haar aantal zetels in de Dáil zal verdubbelen. De Nappies zullen zich de benen uit het lijf moeten lopen om hun coalitie te handhaven.'

'Mooi zo.'

Ik gaf de zenderknop zo'n zet dat ik mijn pols verdraaide, daarna roosterde ik een paar boterhammen en ging weer naar bed. Ik at ze in bed op en lag nog een tijdje half slapend, half dromend te soezen toen iemand op de deur klopte. Het was ma. 'Er is iemand voor je,' zei ze.

Mijn hart sprong op en ik schoot overeind.

'Nee, niet Damien,' zei ze.

'O, oké.' Ik ging langzaam weer liggen.

'Sta op,' siste ma. 'Het is Dee Rossini.'

O nee, dan zou ik enthousiast moeten doen. 'Ma, vertel haar maar dat ik niet...'

Maar ma was alweer onderweg naar de overloop en liet vervolgens bijna buigend Dee de slaapkamer binnen.

'NewIreland gaat een coalitie vormen met de Nappies. Mevrouw Rossini is net benoemd tot minister van financiën én plaatsvervangend premier,' zei ma, barstend van trots. 'Ze heeft net een telefoontje gehad van An Taoiseach. Op haar mobíél!'

An Taoiseach? Ma had de pest aan Teddy Taft. Ze háátte hem, ze noemde hem altijd de Boef en zei dat zijn neus op een penis leek. Maar ze had de woorden An Taoiseach de juiste Ierse uitspraak gegeven: On Thweeshaaaackkkhhh, alsof ze stond te kokhalzen.

'Dee is nog niet naar bed geweest,' zei ma vol bewondering.

'Grace.' Dee kwam naar me toe en zag me toen pas goed. 'O mijn god, Grace! Je ziet eruit alsof je doodziek bent!'

'Hartelijk bedankt,' zei ik. 'Ik ben net terug van vakantie! Ik hoor er goed uit te zien. Je had me moeten zien voordat ik wegging.'

'Weet je zeker dat je niets mankeert?'

'Heel zeker. Ik ben bij de dokter geweest. Zij heeft me meegesleept.' Ik wees naar ma die nog steeds in de kamer stond.

Ma deed net alsof ze nu pas merkte dat ze nog in de kamer was. 'Eigenlijk zou ik...' Ze klonk teleurgesteld. 'Jullie hebben vast persoonlijke dingen te bespreken, dus ik kan jullie beter alleen laten.' Met tegenzin liep ze weg.

'In ieder geval gefeliciteerd, Dee,' zei ik toen ik besefte dat ik me moest gedragen. 'Volgens pa hebben jullie het fantastisch goed gedaan.'

'Als het niet aan jou had gelegen, was ik geen partijleider meer geweest, Grace,' zei Dee. 'Het spijt me dat jij daardoor zoveel kwijt bent geraakt...'

Ik wist niet wat ik daarop moest zeggen.

'We gaan het vanavond vieren,' zei Dee. 'Alle partijleden in het hele land zijn uitgenodigd. We hebben alles met een noodgang moeten organiseren, maar jij hoort er ook bij te zijn.'

'Dee... nee, het spijt me maar...'

'Ik heb een verrassing voor je.'

Een verrassing? Ik hield niet van verrassingen.

'Het gaat om Paddy.'

'Ga weg!' Ik stak mijn hand op alsof ik boze geesten afweerde. Ik wilde die naam niet eens horen.

'Kom nou maar. Ik meen het. Je zult er echt geen spijt van krijgen.'

Marnie

Toen Marnie wakker werd in haar eigen bed en haar eigen slaapkamer, voelde ze zich opmerkelijk goed. Ze had de hele nacht doorgeslapen zonder ook maar één keer wakker te schrikken uit een afschuwelijke nachtmerrie, ze lag niet nat van het zweet verstrikt in de lakens en ze had eerder een hoopvol gevoel dan haar gebruikelijke angst en vrees.

Ze was de avond ervoor teruggekomen uit Tenerife. Het was vier dagen geleden dat ze gedronken had – na die terugval tijdens de vakantie – en ze had een besluit genomen. Het was niet nodig om het van de daken te schreeuwen, maar ze ging – heel rustig – proberen om van de drank af te komen.

Dat Grace medelijden met haar had gekregen had de doorslag gegeven. Nadat Marnie weer opgekrabbeld was van haar 'terugval', die plaatsvond toen ze een week op vakantie waren, had ze zich schrap gezet voor de woede-uitbarsting van Grace. Maar Grace had met een verbijsterend gebrek aan kwaadheid gereageerd. In haar ogen had een nieuwe blik gestaan. Het leek een beetje op medeleven, maar het was een stuk akeliger. Marnie had uiteindelijk besloten dat het medelijden was en dat stak.

Het interessante was dat de boosheid van Grace tijdens al die weekenden die ze bij haar had doorgebracht totaal geen indruk had gemaakt op Marnie, behalve dan dat ze nog dieper was weggekropen in haar cocon van alcohol. Het was net alsof Marnie wel zag hoe Grace haar al die boze woorden toe beet, maar ze niet kon horen.

Maar dat Grace medelijden met haar had, bleek een totaal ander verhaal. Medelijden was niet hetzelfde als medeleven. Medelijden vertoonde akelige trekjes van minachting.

Plotseling zag ze zichzelf zoals Grace – en anderen – haar zagen. Niet als het intelligente en overgevoelige wezentje zoals ze altijd was behandeld, maar gewoon als een last. Iemand over wie je je zorgen maakte.

Dat was een hele schok geweest. Dus zo denken de mensen over me, besefte ze ineens. Misschien zelfs mijn eigen dochters…

Gedurende de resterende drie dagen van de vakantie hadden allerlei woorden zich aan haar opgedrongen: zielig, pathetisch, meelijwekkend, tragisch, treurig.

Het gaf Marnie het gevoel dat ze... ja, wat? Onbegrepen was.

Ze wilde niet meelijwekkend zijn. Ze was niet dat hulpeloze verslaafde wezen dat ze volgens Grace scheen te zijn.

Zeker niet als het om alcohol ging.

Ze dronk omdat ze dat toevallig wilde. Nergens anders om.

En nu wil ik dat niet meer.

Ze sprong uit bed en stortte zich energiek op het uitpakken van haar koffer. Sandalen werden achter in de kast gegooid, zonproducten die nog niet helemaal op waren verdwenen in laden in afwachting van de volgende vakantie en de wasmachine werd volgestopt met bikini's en wikkelrokken.

Vol ijver schoof ze haar koffer onder het bed en haalde de stofzuiger tevoorschijn. Het huis was stoffig en rook een beetje bedompt nadat het twee weken leeg had gestaan. En omdat de meisjes na schooltijd zouden komen – het was bijna drie weken geleden dat ze hen had gezien – moest alles er perfect uitzien.

Terwijl ze met de stofzuiger door de hal liep, zag ze het lampje op het antwoordapparaat knipperen: boodschappen. Ze zette de stofzuiger uit en zuchtte diep voordat ze op het afspeelknopje drukte. Er waren maar vier boodschappen, dus dat viel mee. Eigenlijk verrassend – gênant? – weinig voor twee weken. Ik ben uit de circulatie geweest, prentte ze zichzelf een tikje huiverend in.

Het eerste bericht was van de tandarts: ze had haar jaarlijkse controle gemist en of ze maar een nieuwe afspraak wilde maken. Het tweede was een bericht van een of andere stakker die probeerde haar een autoverzekering aan te smeren en het derde was van Jules, Jules van de AA. 'Ik wou alleen maar even hallo zeggen,' zei Jules. 'Ik vroeg me af hoe het met je gaat. Bel me maar wanneer je zin hebt.'

En het vierde was ook van Jules van de AA. Marnie wiste het al voordat ze het helemaal had afgeluisterd en deed hetzelfde met het andere bericht. Ze voelde zich niet op haar gemak – en zelfs een tikje bezoedeld – omdat ze was gebeld door iemand van de Anonieme Alcoholisten.

Goed, iets te eten. Afgezien van een bijna leeg pak cornflakes, had ze helemaal niets in huis. Ze had van alles nodig: melk, brood, alle elementaire spulletjes, iets lekkers voor de meisjes, en iets voor vanavond. Ze zou hen een lekkere maaltijd voorzetten. Misschien wilde Nick dan blijven.

Ik mis Nick...

Nou, wie weet, dacht ze vergenoegd. Dat is een heel normaal gevoel. Alles wordt weer gewoon. Alles komt weer in orde.

Ze maakte een kort boodschappenlijstje, blij dat ze zich zo'n efficiënte huisvrouw voelde, kleedde zich aan, stapte in de auto en reed naar de supermarkt. Een paar minuten later ontdekte ze tot haar verbazing dat ze voor de slijter was gestopt.

Wat doe ik hier?

Ze had de motor uitgezet.

Starten, starten en meteen wegrijden.

Maar dat deed ze niet.

Ik wil vandaag niet drinken, ik wilde hier helemaal niet naartoe.

Ze staarde naar de sleutel in het contactslot.

Rij nou weg.

Ze deed het portier open.

Ik kan hier ook chocola voor de meisjes kopen.

Ze stapte op het trottoir.

Ik kan hierna nog altijd naar de supermarkt.

Ze duwde de deur van de slijter open en hoorde het belletje.

'Weggeweest?' vroeg Ben.

'Mmm...' Ze pakte twee flessen wodka – 'Maar twee vandaag?' vroeg Ben opgewekt, gewoon om een babbeltje te maken – en twaalf repen chocola.

Daarna zat ze weer in de auto, met de chocoladerepen en de twee flessen lukraak op de zitting van de stoel naast haar gesmeten.

Ze keek naar de flessen en dacht: dit wil ik helemaal niet. Zeker niet vandaag. Ik wil Daisy en Verity zien. Ik wil niet dronken zijn als ze komen. Ik hou van hen. Ik wil dat alles heerlijk is voor hen. Ik wil niet dat ze me zien als ik niet tot tien kan tellen. Ik hou van Nick. Ik wil hem niet opnieuw teleurstellen. Ik wil niet koud en nat wakker worden, terwijl ik probeer me te herinneren wat er is gebeurd en me afvraag welke dag het is.

Maar ze wist wat er zou gebeuren. Binnen de kortste keren zou ze een van de flessen oppakken en er een slok uit nemen. Dan zou ze door blijven drinken tot ze niet meer wist waar ze was.

Ze had geen keus.

'Maar ik wil het niet,' zei ze hardop. 'Alsjeblieft... Kan iets of iemand me niet helpen? Ik wil het niet.'

Inmiddels zat ze te huilen, bang en hulpeloos, terwijl de dikke tranen over haar wangen biggelden.

Waarom doe ik dit?

Ze kon niemand anders de schuld geven. En ze had het opgegeven om Paddy als oorzaak aan te wijzen.

Waarom doe ik dit dan? Ik wil het helemaal niet.

Alicia

'Dames en heren van NewIreland... Dee Rossini!'

Een spotlight floepte aan toen Dee het podium op liep en alle drie-duizend aanwezigen stonden op en begonnen enthousiast te klappen. De zaal zat tot de nok toe vol met partijleden, sponsors, aanhangers, journalisten en tv-ploegen van zowel lokale als buitenlandse nieuws-zenders.

Dee liep naar het fel verlichte spreekgestoelte en Paddy en vier an-dere hoofdrolspelers van NewIreland namen achter haar plaats op stoelen die wel iets van tronen weg hadden.

'Ik wil iedereen bedanken,' zei Dee. 'En dan vooral de partijme-dewerkers aan de basis. Dankzij jullie toewijding en niet-aflatende ijver is NewIreland in staat geweest om deze onverwachte uitslag te bewerkstelligen.' Er verscheen een stralende glimlach op haar ge-zicht. 'NewIreland heeft zich bereid verklaard samen met de Natio-nalistische Partij van Ierland een coalitieregering te vormen. En jullie vinden het vast wel leuk om te horen dat ik daarin de post van minis-ter van financiën zal gaan bekleden.'

Dat wist iedereen allang, want het was uitvoerig in het nieuws ver-meld, maar toch brulden ze alsof ze het nu voor het eerst hoorden.

'En...' Dee straalde echt van blijdschap, 'bovendien de functie van plaatsvervangend premier.'

Dat wisten ze ook allang, maar opnieuw werd er luidruchtig ge-applaudisseerd.

'Ons succes heeft ons een prima uitgangspunt verschaft zodat wij ervoor kunnen zorgen dat de maatregelen en de plannen die wij de kiezers hebben voorgehouden, ook werkelijk worden opgenomen in het regeringsbeleid. Ik beloof dat ik alles zal doen...'

Bla bla bla. Alicia had er meer dan genoeg van, maar ze moest luisteren. Ze moest naar Dee kijken, in de gaten houden hoe de men-sen op haar reageerden en in staat zijn om daar verslag van uit te brengen aan Paddy als hij daar behoefte aan had. Dat was nu haar werk.

'Zoals jullie allemaal weten, is onze vice-partijleider Paddy de Courcy onlangs in het huwelijk getreden.'

Er werd gejuicht, gefloten en met voeten gestampt en Paddy stond op uit zijn stoel om de bijval met een buiginkje in ontvangst te nemen.

Vanaf haar stoel op de eerste rij zat Alicia verrukt toe te kijken. God, wat was hij toch mooi, dacht ze: met zijn lengte, zijn schouders, die spontane glimlach, de twinkelende ogen en die brede knoop in zijn stropdas.

En hij was helemaal van haar. Alles wat ze had meegemaakt – die vreselijke tijd toen ze zich zo hard had moeten opstellen tegen Marnie, die hartverscheurende jaren waarin hij van de aardbodem leek te zijn verdwenen, haar eenzame bestaan nadat Marnie en Grace haar in de ban hadden gedaan, de bizarre compromissen die ze had moeten sluiten tijdens haar huwelijk met Jeremy – het was allemaal de moeite waard geweest. Ze had hem uiteindelijk toch gekregen.

Maar van een huwelijksreis was helaas niets gekomen. Ze had echt gehoopt dat ze die dit keer wel zou krijgen, een echte in plaats van een tocht langs homobars, maar aangezien de algemene verkiezingen twee weken na hun huwelijk plaatsvonden, was de huwelijksreis voor onbepaalde tijd uitgesteld.

'Maar wat Alicia heeft verworven, zal NewIreland node moeten missen,' vervolgde Dee. Er zat een echo op haar microfoon, waardoor haar woorden een onderdeel van een seconde nadat ze die had uitgesproken nog eens werden herhaald. En dat was net voldoende tijd voor Alicia om zich af te vragen wat Dee in vredesnaam bedoelde.

'Paddy,' zei Dee, 'heeft besloten om de politiek voorlopig vaarwel te zeggen.'

Wat? Wát? Alicia dacht dat ze het niet goed had verstaan. Dat het iets te maken had met die echo.

Maar er steeg een geroezemoes op uit de aanwezigen waaruit ze kon opmaken dat anderen hetzelfde hadden gehoord als zij.

Waar had Dee het over? Alicia begreep er niets van. Bedoelde ze dat Paddy op huwelijksreis zou gaan? Waren er dan plannen waarvan zij niets afwist?

'Vanavond,' vervolgde Dee, 'en in feite zelfs vlak voordat we hier op het podium verschenen, moest ik helaas accepteren dat Paddy de Courcy zich terug zal trekken uit NewIreland.'

Moest ze helaas accepteren…? Terugtrekken…? Alicia keek met een ruk op en staarde Paddy met grote ogen aan. Wat was er aan de hand? Was dit gepland? Waarom had hij haar dat niet verteld?

Paddy zat in elkaar gedoken in zijn stoel, met een idioot lachje vastgeroest om zijn mond. Plotseling verscheen zijn hoofd, drie meter hoog, op de videoschermen. Op blaren lijkende zweetdruppeltjes – zweet, Paddy de Courcy die zwéétte! – parelden op zijn slapen en zijn ogen waren flikkerende kraaltjes. Hij leek op een gekooid beest dat een uitweg zocht.

Alicia besefte dat hij volkomen overdonderd was.

Dee Rossini gaf hem zijn congé. In het openbaar. Ten overstaan van de wereldmedia. En hij had er geen flauw idee van gehad. Paddy, die altijd alles wist.

Alicia probeerde na te denken, maar ze was verdoofd van schrik. Waar haalde Dee Rossini het lef vandaan? De brutaliteit. Hoe kon ze zo koelbloedig zijn? Zo meedogenloos?

Nou ja, Dee wist natuurlijk dat Paddy had geprobeerd haar te saboteren. Maar Alicia had gedacht dat dat inmiddels uit de wereld was en dat Dee en Paddy weer gezamenlijk en met gelijkgestemde ideeën naar de toekomst keken. Ze had niet verwacht dat Dee wrok zou blijven koesteren alsof ze een of andere duistere, rancuneuze maffiabons was. Ineens herinnerde Alicia zich dat Dee half Italiaans was. Hoewel Ierse mensen ook ontzettend goed waren in het koesteren van wrok. Misschien nog wel beter dan Italianen.

Tot opluchting van Alicia verscheen Dee weer op de grote schermen. Misschien had niemand Paddy's verwarring opgemerkt en had zij het alleen maar gezien omdat ze hem zo goed kende, maar het was verstandiger om geen risico te nemen.

'Je bent in de loop der jaren een goede vriend en collega geweest,' begon Dee aan de gebruikelijke van clichés vergeven afscheidsspeech. *Wat moeten we nu doen?*

Alicia raakte in paniek en probeerde contact te krijgen met Paddy en hem te dwingen haar aan te kijken, maar hij zat nog steeds vastgeroest in die idiote glimlach.

Toen viel haar ineens op dat de stemming van de aanwezigen veranderde van uitgelatenheid in iets dat veel ingetogener was en in een opwelling van hoop dacht ze: De trouwe partijleden zullen dit niet pikken. Die zijn dól op Paddy.

Maar ze waren ook dol op Dee. En zij had hun net een onverwacht hoog aantal zetels bezorgd. Zij was plaatsvervangend premier. Zij was minister van Financiën. Ze had meer macht dan ooit tevoren.

'… je hebt voor echte en blijvende veranderingen in Ierland gezorgd…'

Wat moeten we nu doen?

Alicia dwong zichzelf om na te denken. Wat hield dit in voor Paddy? Als de trouwe partijleden niet in opstand kwamen, wat viel er dan nog te redden? Misschien was het niet zo'n ramp als het leek. Uiteindelijk was het toch de bedoeling geweest dat Paddy in de toekomst zou overlopen naar de Nappies.

Maar daar was het nu niet het juiste moment voor, besefte ze treurig. Het kon eigenlijk niet erger. Paddy had vanuit een machtspositie over willen lopen naar de Nappies, als minister. Nu moest hij met de pet in de hand naar hen toe, als een ontslagen partijlid zonder enige invloed.

En dan te bedenken dat als alles was verlopen zoals de bedoeling was geweest, als hij erin was geslaagd om Dee opzij te zetten met behulp van dat Moldavische verhaal, hij nu de leider van NewIreland zou zijn. Dan was hij nu al minister geweest. Hij zou zelfs de plaatsvervangend leider van het hele lánd zijn geweest.

Hij was echt des duivels geweest toen dat plan schipbreuk leed... God wist hoe hij hierop zou reageren.

'Paddy,' zei Dee die aan het slot van haar toespraak was gekomen, 'je vertrekt bij NewIreland met je integriteit intact.'

Waarom zou hij níét met zijn integriteit intact vertrekken? dacht Alicia. Waar haalde Dee Rossini het lef vandaan om net te doen alsof Paddy niet van alle smetten vrij was? En wat raar toch dat, als je wilde suggereren dat iemand een bedrieger is, je hem bedankte omdat hij dat niet was.

Dat ene zinnetje was de genadeklap voor Paddy. Alicia voelde hoe de stemming onder de aanwezigen omsloeg. Uit haar ooghoeken zag ze hoe mensen hun wenkbrauwen optrokken en hun buren aankeken. *Geen integriteit? Grappig dat je dat zegt... Heb hem eigenlijk nooit vertrouwd... Veel te knap... veel te charmant...*

Niemand kon iets bewijzen, dacht Alicia. Niemand kon bewijzen dat hij zijn congé had gekregen. Er zouden allerlei geruchten de ronde doen, maar daar kwam hij wel weer overheen. Paddy kwam altijd weer bovendrijven.

'We wensen jou en Alicia veel geluk toe.'

Automatisch plakte Alicia een stralende glimlach op haar gezicht, maar inwendig dacht ze: We hadden dit aan moeten zien komen. We hadden hier rekening mee moeten houden.

Maar ze hadden allebei echt gedacht dat Dee niet zonder Paddy kon.

Ineens schoot er een afschuwelijke gedachte door Alicia's hoofd: hij zou háár hier toch niet de schuld van geven? Omdat hij met haar getrouwd was, waardoor Dee een mooi excuus had gekregen om zich van hem te ontdoen?

'Ik weet zeker dat we in de toekomst nog veel van je zullen horen.' Dee wierp een ondeugende blik over haar schouder op Paddy, die nog steeds ineengedoken in zijn stoel zat. 'Dames en heren,' wendde ze zich weer tot het publiek, 'wilt u samen met mij Paddy de Courcy bedanken en hem succes wensen in zijn leven buiten de politiek?'

Alicia begon te klappen. Ze hadden nu tijd genoeg om op huwelijksreis te gaan, dacht ze. Maar dat wilde ze helemaal niet. Dan zou ze constant het gevoel hebben dat ze op eieren liep, Paddy zou zo woest zijn als een gekooide leeuw en er zouden geen plannen kunnen worden gemaakt. Geen intriges. Nee, plannen was een beter woord. Intriges klonk een beetje vals.

Op de videoschermen zag ze hier en daar in het publiek een groepje mensen opstaan. Hij kreeg een staande ovatie! Goddank! Maar terwijl de seconden voorbij tikten, bleven de meeste mensen zitten en de mensen die oorspronkelijk waren gaan staan gingen ook weer zitten en zagen er een beetje beschaamd uit.

Shit.

Maar Alicia zou niet laten merken hoe teleurgesteld ze was. Ze bleef maar glimlachen – want je wist nooit wanneer er een camera op je werd gericht – en klapte nog harder. Haar hand was inmiddels al bijna genezen. Het deed haast geen pijn meer.

Grace

Ik zat met open mond naar het podium te staren. Volkomen verbijsterd. Dee Rossini had net ten overstaan van de wereldmedia Paddy de Courcy zijn congé gegeven. En ze was er bovendien in geslaagd de indruk te wekken dat hij voor geen meter deugde. Het was zo verrassend en verbazingwekkend, dat ik bijna in lachen uitbarstte.

Waarom had ik dit niet zien aankomen? Dee had zich bevrijd uit een gewelddadig huwelijk, ze was haar eigen politieke partij begonnen en had daar een ongekend succes van gemaakt. Ze was keihard. Ineens was het ook volslagen logisch dat ze nooit de macht zou willen delen met iemand die haar zo te pakken had genomen als Paddy had gedaan. Of met iemand die vrouwen behandelde zoals Paddy deed.

Maar toch was ik verbluft door haar brutaliteit. Verbluft en vol bewondering.

Ze was een politicus, daar kwam het uiteindelijk op neer – even meedogenloos als de rest.

Nu was ik blij dat ik was gekomen. Het scheelde maar een haartje of ik had het niet gedaan, maar ma bleef me zo aan mijn kop zeuren dat ik ten slotte het huis uit was gevlucht.

Het applaus begon al weg te sterven. Ze hadden Paddy niet eens een staande ovatie gegeven! Jezus, dit was echt grappig.

Ik kon me nauwelijks voorstellen hoe woedend hij zou zijn en ik vroeg me af op welke manier hij zich zou wreken. Maar mij kon hij niet deren. Paddy was gekortwiekt en hij had het merendeel van zijn macht moeten inleveren. Zelfs als hij nog steeds even invloedrijk was, kon hij mij niets doen.

Nou ja, in theorie natuurlijk wel. Hij kon opnieuw mijn auto in brand laten steken. Waarschijnlijk had hij nog voldoende invloed om te zorgen dat ik ontslagen werd. Maar het ergste was al gebeurd. Er was niets dat me zoveel verdriet kon doen als het verlies van Damien.

De blijdschap die was opgeweld toen Paddy zo bruut ten val werd gebracht ebde abrupt weer weg. Wat er ook met Paddy gebeurde, ik moest het nog steeds zonder Damien doen. Ik voelde de pijn in mijn borst terugkomen.

Om me heen stonden mensen op om weg te gaan en ik besloot hun voorbeeld te volgen. Ik wilde naar huis. Gelukkig zat ik bijna achteraan omdat ik zo laat was binnengekomen.

Ik draaide me om naar de uitgang en recht achter me, wachtend tot ik hem zou zien, stond Damien. Ik schrok zo dat ik struikelde.

Het was onvermijdelijk dat we elkaar vroeg of laat tegen het lijf zouden lopen. Ik dacht dat ik daar inmiddels wel op voorbereid was, maar aangezien mijn maaginhoud ineens omhoogvloog door mijn keel was dat niet het geval. (Ik moest denken aan zo'n kermisattractie waarbij je met een hamer op een plankje slaat waarop er iets over een meetlat omhoogschiet.)

'Meneer Brolly vertelde me waar ik je kon vinden...' Damien die een voorsprong op me had, lachte vriendelijk, maar dat veranderde snel toen hij me goed kon zien. 'Jezus, Grace, wat zie je er afschuwelijk uit.'

'Je bent altijd een echte charmeur geweest,' kon ik nog net uitbrengen. Daarna bleven de woorden me in de keel steken.

Na een paar seconden zei hij: 'Is dat alles wat je te zeggen hebt?'

Wat wilde hij van me? 'Je ziet er zelf ook niet florissant uit,' zei ik aarzelend.

'Hè ja! Ik begon me al zorgen te maken! Vertel eens, ben je ziek geweest?'

'Nee, alleen... kapot. Jij niet dan?'

'Ja.' Zijn blik sprak boekdelen.

Om eerlijk te zijn zag hij er écht niet al te best uit, alsof hij al een paar jaar niet geslapen had.

'Ik heb je gebeld,' zei hij.

'Dat zei ma al. Ik dacht dat ik maar beter kon wachten tot na de verkiezingen. Ik wist dat je het druk zou hebben.'

'Niet huilen, Grace.'

Huilde ik dan? Ik voelde aan mijn gezicht en dat was inderdaad nat. Hoe kon dat nou?

'Zullen we buiten een sigaretje gaan roken?' bood hij aan.

'Ik rook nog steeds niet.'

'Echt niet?' Damien keek me fronsend aan. 'Ik zit sinds je weg bent op drie pakjes per dag. Hoe komt het dat jij geen problemen hebt, terwijl ik verdomme een wrak ben?'

'Maar dat is helemaal niet waar,' zei ik gesmoord. De tranen stroomden steeds sneller over mijn wangen en er stonden mensen naar me te kijken, maar dat kon me niets schelen. 'Ik ben helemaal kapot. Zo erg dat zelfs Bid af en toe lief voor me is.' Ik boog mijn hoofd en veegde met mijn hand over mijn natte gezicht. Ik moest mezelf beheersen. 'Ik denk dat ik maar beter kan gaan, Damien.' Het deed gewoon pijn om in zijn nabijheid te zijn.

'Kom bij me terug, Grace.'

Er ging een eeuwigheid voorbij. 'Dat meen je niet.'

'Wanneer heb ik ooit iets gezegd dat ik niet meende?'

'Toen je zei dat ik in die spijkerbroek helemaal geen dikke kont had.'

'Omdat een man één keer betrapt is op een leugentje om bestwil...' Zacht voegde hij eraan toe: 'Het spijt me, Grace.'

'Waar heb je spijt van? Ik ben degene die er een puinhoop van heeft gemaakt.'

'Ik had je nooit weg moeten laten gaan.'

'Ik kon niet blijven. Dat verdiende ik niet.'

'Je maakt me gewoon bang. Kom alsjeblieft weer terug, Grace, dan kunnen we proberen een oplossing te vinden. Misschien moeten we wel in therapie of zo.'

'In therapie?' Er kon met moeite een lachje af.

'Nou ja, misschien gaat dat te ver.'

'Je zult het me nooit kunnen vergeven,' zei ik. 'Zelfs als we het opnieuw proberen, zal het altijd tussen ons in blijven staan. Ik heb iets geweldigs kapotgemaakt.'

'Maar ik héb je al vergeven.'

'Hoe kan dat nou?' Waar haalde je vergiffenis vandaan?

'Eerlijk gezegd heb ik geen flauw idee.'

Maar vergiffenis was mogelijk, dat stond vast. Het was me zelf met die arme Marnie overkomen. Ik had gemerkt hoe woede kon ontstaan en ook weer kon wegebben. Was dat Damien ook overkomen?

'En ik hou heel veel van je,' zei Damien. 'Dat hielp.'

Ik keek hem strak aan. Waren dat loze woorden of meende hij het echt? Het zou alleen maar nog meer verdriet veroorzaken als we het opnieuw proberen, zonder te slagen. Dan was het beter om ervan af te zien.

'Ik wil helemaal niet beweren dat ik hem graag zou willen pakken of zo,' zei Damien, 'maar in zekere zin begrijp ik best waarom je op De Courcy viel. Hij heeft zoveel charisma, of hoe je dat ook wilt noemen, dat het bijna onmenselijk is.' Hij zuchtte. 'Natuurlijk zeiden ze precies hetzelfde over Hitler.'

Ik schoot in de lach. Een hele verrassing, want ik had net achten-dertig dagen achter de rug waarin ik had gedacht dat ik nooit meer zou kunnen lachen.

'Zeg op, Blinker... kom je nou terug of niet?'

Ik aarzelde.

'Zo'n aanbod krijg je nooit weer,' zei hij en dat was zo'n typische Damien-opmerking dat ik ineens zeker wist dat alles weer in orde zou komen.

'Ja, dat kan ik beter maar wel doen,' zei ik. 'Want, nou ja, er is toch niemand anders die het met jou uithoudt.'

Marnie

Het gezever was in volle gang toen Marnie onder de hoede van Jules de kamer binnenkwam.

'...zo dankbaar voor het zuivere, fatsoenlijke leven dat ik tegenwoordig leid...'

'...dacht dat ik een vrijbuiter was, een rebel, door te drinken, heibel te schoppen, niet te werken en me niet te binden, maar ik was een gevangene van de drank. Ik had net zo goed een huis in de buitenwijken kunnen hebben en twee punt vier kinderen...'

Skinhead Steve wees twee lege stoelen aan en iedereen fluisterde hallo tegen Marnie toen ze voorbijkwam.

Ulla bracht haar zonder ophef een kopje thee. 'Drie klontjes, hè?'

Marnie knikte dankbaar en nam een slokje voordat ze om zich heen keek. Daar was Des uit Australië. Hij glimlachte. En de respectabele Maureen. Sexy Charlotte wees naar Marnies voeten. 'Mooie schoenen,' zei ze geluidloos en met zo'n benauwd gezicht dat Marnie in de lach schoot.

Ze leunde achterover in haar stoel, luisterde en hield haar kopje thee vast, gerustgesteld door de warmte in haar handen.

'...ik heb nog steeds die overdreven gevoelens die ik altijd heb gehad, maar in plaats van ze te verdrinken ga ik nu naar een bijeenkomst...'

'...toen ik hier voor het eerst naartoe kwam, vertelden jullie me dat ik nooit meer hoefde te drinken en dat heb ik ook nooit meer gedaan...'

Zoals gewoonlijk kwamen ze na een tijdje ook bij haar uit. 'Marnie, wil jij ook iets zeggen?'

Iedereen ging verzitten om haar aan te kijken. En ze glimlachten nu al. Ze kreeg altijd hun volle sympathie, ook al had ze zich daar vastberaden van gedistantieerd.

Nu draaide ze zich om en keek Jules aan die naast haar zat. Jules die zo lief voor haar was geweest en die meteen was gekomen toen Marnie haar vanmorgen vanuit de auto had gebeld. 'Blijf daar gewoon op me wachten,' had Jules gezegd. 'Verroer je niet. Ik ben binnen tien minuten bij je.'

Heel even sloot ze haar ogen, maar deed ze meteen weer open. Iedereen in de kamer keek haar nog steeds glimlachend aan.

'Ik ben Marnie.'

Hun glimlach werd breder. 'Hallo, Marnie.'

'En ik ben een alcoholist.'

Lola

Zaterdag 21 maart, 07.01

De deurbel ging. Waanzinnig vroeg. Populair geintje van de plaatselijke hangjongeren. Dolle pret. Laten we die maffe meid met dat paarse haar wakker maken! Meestal kon ik wel een wrang lachje opbrengen voor hun rare streken, maar niet die ochtend. Niet voor in de stemming. Ontzettend moe. Had de hele week niet goed geslapen – sinds ons uitstapje naar Knockavoy. Dat hele Considine/Chloegedoe verwarrend, raakte er bovendien overstuur van. Had constant zitten piekeren.

Bel ging opnieuw. Trok het dekbed over mijn hoofd.

Opnieuw. Verdorie! Gooide dekbed kribbig opzij, stapte in mijn pyjama naar de intercom en zei ferm: 'Lazer op, plaatselijke hangjongeren, en laat me slapen.' (Ze hebben respect voor grof taalgebruik.)

'Sorry dat ik je wakker maak,' zei een stem. Niet van plaatselijke hangjongere maar met sexy plattelandsaccent. Stem van Considine!

'...Wat spook jij hier in vredesnaam uit? Dacht dat je Dublin een echte takkenstad vond.'

'Is ook een echte takkenstad,' zei hij.

'Waarom ben je dan hier?'

'Dwing me niet om het hardop te zeggen, Lola,' zei hij op een sexy fluistertoontje. 'Niet hier midden op straat. Staat al een hele bende jonge knapen in T-shirts met capuchons mijn auto uit te lachen.'

'Om wat hardop te zeggen?' Snapte er geen bal van.

Stilte. Diepe zucht. Opnieuw sexy fluistertoontje. 'Ik hou van je, Lola Daly.'

Deze korte – en ronduit verbijsterende – bekentenis ging vergezeld van luid gelach en schel gefluit van plaatselijke hangjongeren. Jeugdige stem gilde: 'Die boer met zijn strontkar denkt dat hij een kans maakt bij Lola!'

'Is dat echt waar?' vroeg ik. Was nog heel vroeg, allemaal erg onverwacht, gebrek aan slaap slecht voor besef van werkelijkheid. Het was natuurlijk verrukkelijk nieuws, maar durfde toch mijn oren niet te geloven...

'Ja! Die auto van de boer is écht een strontkar!'

Zo was het genoeg! Plaatselijke hangjongeren onbeschoft. Moest Considine redden.

'Considine,' zei ik vastbesloten. 'Kom onmiddellijk binnen. Als je een zoemer hoort, duw dan tegen de deur. Niet trekken, duwen...'

'Al goed, Lola. Weet hoe het werkt.' Voegde er sarcastisch aan toe: 'Heb het in een boek gelezen.'

Aha! Onze oude vriend Kribbekont nog niet dood en begraven!

Drukte op de knop en deed de voordeur open. Considine kwam opdagen. Slordig, lange passen, sexy. Mijn flat binnen. Mannelijkheid, spieren, heerlijk overstelpend stoer. Trok me in zijn armen.

Keek naar hem op. Zijn mond vlak bij de mijne.

'Wat je daarnet zei,' zei ik. 'Wil je dat nog eens zeggen?'

'Dublin is een echte takkenstad?' Maar hij lachte. Echt adembenemend aantrekkelijk als hij lacht. Ontzettend aantrekkelijk. 'Of bedoel je dat ik zei dat ik van je hou?'

'Ja dat.'

'Ik hou van je, Lola Daly.'

'Dat nieuws overvalt me wel,' bekende ik. 'Chloe...'

'Ja, vergissing,' zei hij. 'Wilde je teruglokken naar Knockavoy met behulp van Chloe. Dacht dat je van Chloe hield.'

'Is ook zo. Maar... ik snap er echt niks van, Considine... hou toch meer van jou.'

Schrokken er allebei van. Bleven elkaar aanstaren. Uiteindelijk zei hij: 'Niet schrikken, maar hebt net "hou van jou" gezegd.'

Ging in gedachten na wat ik had gezegd. 'Ja, klopt.'

'Meen je dat echt?'

Moest er even over nadenken, over hoe erg ik hem had gemist sinds ik in januari uit Knockavoy was vertrokken, hoe ik overal en bij alles aan hem herinnerd werd. 'Ja, Considine, is kennelijk wel zo.'

Sloeg zijn armen nog steviger om me heen. 'Lola, Lola.' Diepe zucht van opluchting. 'Jezus, je weet niet half...' Schudde zijn hoofd. 'Moest constant aan je denken nadat je maandag weg was gegaan. Niets nieuws onder de zon, hoor, denk altijd al aan je, dag en... nacht.' Manier waarop hij 'nacht' zei, beviel me wel. Sexy woord.

'Wist dat ik iets fout had gedaan,' zei hij. 'Had niet goed begrepen wat je wilde. Helemaal gek van geworden. Afschuwelijke week. Geen oog dichtgedaan. Gisteravond besloten dat het zo genoeg was.

Moest in de auto stappen en naar jou toe. Heb de hele nacht gereden.' Klonk heel sexy.

'Als je de hele nacht hebt gereden,' zei ik, 'ben je kennelijk via Marokko gekomen. Ritje van drieëneenhalf uur.'

Hij lachte. Alweer! Leek wel cabaretvoorstelling hier!

'Meen je dit serieus?' vroeg ik.

'Heel serieus. Serieuzer dan... bedenk eens iets dat heel serieus is.'

'Darmkanker? Anna Wintour? Stijging van de zeespiegel?'

'Alle drie bij elkaar.'

Indrukwekkend. Volgens mij Anna Wintour bloedserieus.

'Kom.' Pakte mijn autosleutels.

'Waar gaan we naartoe?'

'Op bezoek bij mijn moeder.'

'Moet ik een stropdas om?'

Bekeek hem nadenkend. Spijkerbroek, zwart fleecejack, stevige laarzen. 'Nee, je ziet er goed uit.'

Op het kerkhof waren drie knulletjes lawaaierig rond een graf aan het voetballen. Oneerbiedig. Tot ik besefte dat het van hun kleine broertje was. Hij was overleden en nu hadden ze hem tot keeper benoemd.

Wat kan het leven toch ontzettend kostbaar zijn.

Liepen tussen de graven door tot we bij mam waren.

'Mam, dit is Considine.'

'Aangenaam, mevrouw Daly,' zei Considine tegen haar grafsteen.

Geloof dat mam 'ook aangenaam' zei, maar moeilijk te verstaan omdat voetballende kinderen 'Jáááá!' en 'Néééé!' schreeuwden en andere voetbaltaal.

'Ze zegt dat ze het ook leuk vindt om met jou kennis te maken,' zei ik (want dat had ze vast gezegd, ze is ontzettend beleefd). 'Nu wil ik even rustig met haar praten, Considine.'

'Moet ik weg?'

'Nee, is gesprek zonder woorden. Blijf maar.'

We gingen samen op het randje zitten en in gedachten zei ik: 'Kijk eens goed naar hem, mam. Het is niet jouw schuld dat je dood moest gaan en mij alleen liet, maar heb nu echt raad nodig. Durf na De Courcy niet meer op mijn eigen oordeel af te gaan. Wat vind jij van dit chagrijnige vestje dat helemaal aan de andere kant van het land woont?'

Stem in mijn hoofd antwoordde: 'Hij is niet chagrijnig.'

'Nee, maar...'

'Hij is ook geen vestje.'

'Is waar...'

'Moet toegeven dat hij aan de andere kant van het land woont, maar is een heel klein land.'

'Begin alsjeblieft niet over de rondweg bij Kildare.'

'Hou je van hem?'

'Ja, mam.'

'Dan moet je het doen.'

Moment van twijfel. Liet ik haar alleen maar zeggen wat ik graag wilde horen?

'Mam, ben je echt hier?'

'Ja!' riep een van de kinderen. Mijn ongerustheid verdween – had me die stem niet verbeeld – en tegelijkertijd schudde de zon de wolken van zich af en liet haar gouden stralen op ons vallen.

'Zeg eens eerlijk, mam, komt het allemaal goed?'

'Ja!' riep het knulletje opnieuw.

'Weet je het zeker?'

'Ja ja ja!'